新版 中日交流标准日本语

（第二版）

初级下

人民教育出版社
·北京·

新 版 序 言

　　语言是人类所特有的用来表达思想、进行交流的重要工具。随着人类社会的持续进步，信息产业的蓬勃发展和经济全球化，人际交流领域不断扩大，人们对相互沟通、加深理解的期盼日益强烈，对外语的学习也更加重视。

　　人民教育出版社与（日本）光村图书出版株式会社从事的都是教材事业，双方也一向关注语言教育类图书资源的开发。此次推出的《新版　中日交流标准日本语》是对1988年问世的《中日交流标准日本语》经过更新整合后完成的。新版陆续推出初级和中级，并计划配备习题集、语法手册等。

　　不懈追求产品的高质量，是我们两社重要的经营理念之一。本书的旧版与新版，时间跨度长达17年。岁月的客观检验，为修订工作既提出了要求，也提供了充分的依据。在重新审视全书内容与结构的基础上，新版在选材方面充分反映了时代的发展，充实并完善了学习项目的系统性；增加了入门单元，对日语的发音、文字、声调、语调等做了详尽的讲解。

　　为了保证书稿质量，日方的专家、学者承担了主要修订编写任务，中方负责审定、译配中文并出版。双方竭诚合作，对全套教材进行了反复研讨和修改。从中国人学习日语的角度出发，帮助读者系统而不困难地学到标准、纯正和自然的现代日本语；特别注重实际沟通和交流的需要，致力于日语的实际应用；编入丰富的文化背景知识，以期扩大视野，增加学习兴趣。可以说，读者使用修订后的新版，不仅能学到标准的现代日语，而且还可增进对日本社会、文化的了解。同时，新版继续保持了与独立行政法人日本国际交流基金会以及财团法人日本国际教育支援协会实施的日本语能力测试相当水平的对应。读者可以根据每册书后的模拟试题，检验自己达到的日语能力水平。

　　在此，谨向中日双方参与本书修订、出版工作的全体人员致以诚挚的谢意。祝愿两社的合作今后仍将不断取得新的成果。

　　独立行政法人日本国际交流基金会对本书的制作给予资助，在此一并致谢。

　　　人民教育出版社　　　　　　　　　　　　　　　光村图书出版株式会社

　　　社长　韩绍祥　　　　　　　　　　　　　　　　董事社长　常田　宽

参加本书编写工作的人员如下：

＜中国＞
　唐　磊　　　　课程教材研究所　教授
　张国强　　　　课程教材研究所　副教授
　张　敏　　　　课程教材研究所　副教授
　刘粉丽　　　　课程教材研究所　讲师
　李家祥　　　　课程教材研究所　讲师
　原人民教育出版社编审张秉衡审阅了全书

＜日本＞
监修(按日语五十音顺排列)
　甲斐　睦朗　　国立国语研究所　所长
　西尾　珪子　　社团法人国际日本语普及协会　理事长
　宫地　裕　　　大阪大学　名誉教授
编辑委员(按日语五十音顺排列)
　小野　秀樹　　东京都立大学
　加藤　優子　　社团法人国际日本语普及协会
　門脇　薫　　　山口大学
　木村　英樹　　东京大学
　張麟声　　　　大阪府立大学
　戸田　佐和　　社团法人国际日本语普及协会
　牧原　功　　　群马大学
　水野　マリ子　神户大学
　水野　義道　　京都工艺纤维大学
　森山　卓郎　　京都教育大学
　山本　紀美子　社团法人国际日本语普及协会
光村图书出版株式会社
　紀伊　萬年　　常务董事　企画总部长
　林　清　　　　企画总部　日本语科长
　小原　緑恵　　企画总部　日本语科
　野村　智子　　企画总部　日本语科

插图
　橋本　聡　　　　矢向　優加

地图绘制
　ジェイ・マップ

排版
北京人教聚珍图文制作有限公司

第二版日本语能力测试模拟试题执笔
　俵山　雄司　　　牧原功　　　大和啓子　　　渡都真由美

本书内容与结构

Ⅰ. 本书内容

1. 编写目的

《新版 中日交流标准日本语 初级上、下》(以下简称"本书")是 1988 年出版的《中日交流标准日本语 初级上、下》(以下简称"旧版")的修订本。旧版发行以来的日语教育以及社会各方面的发展、变化，要求我们更新这套教材，以便更好地为 21 世纪的日语教育服务。

本书的使用对象主要是社会上自学日语的初学者，也可用于大学或其他开设日语的学校。

2. 编写原则

改进旧版的结构与内容，对学习项目的系统性做必要的完善和补充。

除了提供应有的语言知识以外，还致力于加深学习者对日本文化、社会背景等的理解。

3. 特点

(1) 发音与文字

设"入门单元"，集中指导发音和文字。

(2) 句型与语法

●句型、语法项目参照"日本语能力测试"的 N5、N4 的出题标准列项，由易而难地按系统、分阶段排列。(参照：Ⅶ. 与"日本语能力测试"的对应)

●语法解释重视学习者母语的特性和类义形式的区分使用，在基础说明之外根据需要另设"注意"和"参考"。

(3) 词汇

●词汇总数约为 2983 词，上册约 1388 词，下册约 1595 词。

●除各课的"生词表"之外，另设"关联词语"和"词语之泉"，以增强词汇的系统性和多样性。

(4) 文体

本书基本上采用了以"です""ます"结尾的礼貌体，以展现标准、自然、优美的日语。

(5) 汉字读音与译文

●为便于学习者学习，给课文、讲解、练习中出现的所有日语汉字都注了假名。

●基本课文的译文尽量反映原文的结构，应用课文的译文则不拘泥于原文而是根据会话场景尽量译成自然、地道的汉语。课文中的译文登载在卷末附录，讲解中的例句也一并给出译文。

(6) 文化内容

尽量收集各个领域的题材，包括日本的语言习惯、风土人情、中日交流及中日社会状况等，构成丰富多彩的文化内容。

(7) 视觉效果

使用了丰富的插图和照片，营造出直观、愉悦的视觉效果。

Ⅱ. 本书结构

1. 整体结构

上、下册各设 6 个"基本单元"，每个单元由 4 课构成。上册另设"入门单元"。

上册	入门单元，第 1 单元～第 6 单元	第 1 课～第 24 课
下册	第 7 单元～第 12 单元	第 25 课～第 48 课

2. 入门单元

进入基本单元学习之前，首先设置了重点学习发音和文字等日语基础知识的入门单元。发音部分在五十音图的基础上学习元音和辅音。文字部分学习平假名和片假名的笔顺和由来。另外，通过具体示例学习声调和语调。

3. 基本单元

(1) 常用寒暄用语

用图文并茂的形式介绍日语中常用的寒暄语。

(2) 出场人物介绍

主要出场人物是李秀丽、小野绿和森健太郎。他们都是广告代理公司——JC (Japan-China) 策划公司的职员，李秀丽在北京分公司，小野和森属于东京总公司(参照:p.2 "出场人物介绍")。应用课文的故事情节主要围绕这三个人展开，初级上册场景在日本，下册移至中国。

(3) 单元结构

每个单元设定一个话题，单元内 4 课的应用课文都与此话题相关联，每个单元的内容相对完整，各个单元之间的出场人物、故事情节也是一脉相承的。

(4) 单元扉页

各个单元设置单元扉页，简单介绍本单元学习的 4 课内容。扉页上部是对整个单元的概括介绍，下部用插图及简短的导语介绍各课应用课文的场景。(参照:Ⅲ.各课结构)

(5) 单元末

各单元末设置以下内容，供有兴趣的学习者选择使用。

- ●阅读文：第 3 单元以后各个单元末编排 1 篇阅读文。阅读文主要运用本单元所学的项目写成，以叙述的形式展开。并且，在同一页上登载中译文，以便学习者参照。
- ●实用场景对话：用插图的形式介绍几个场景的实用对话，同时附上译文，帮助学习者理解其含义。
- ●词语之泉：各个单元利用蝴蝶页，以大画面的形式按领域将词语分类。图内各种物品标注数字，图外对应的数字处有其日语名称及汉语翻译。
- ●日本风情：上册主要利用照片，下册主要利用插图等介绍日本的生活、社会等情况。

4. 模拟试题

上、下册的卷末设有"日本语能力测试"的模拟试题。上、下册分别相当于 N5 和 N4 水平，由于出题以本书的学习项目为基础，所以与"日本语能力测试"的基准并非完全一致。

5. 附录

为了整理学习项目，在上、下册的卷末都设置了附录。附录内容包括:"课文译文""练习Ⅱ参考答案""练习录音内容""数、量词搭配使用表""动词一览表""句型、表达索引""总词汇表""关联词语范畴一览表""专栏日语译文""图画词典"等。

- ●"总词汇表"中的动词以基本形的形式给出。

●"数、量词搭配使用表"只收入上册附录。

●图画词典用插图和对译的方式介绍基本的动词、一类形容词等，只收入下册附录。

Ⅲ. 各课结构

1. "基本课文"与"应用课文"

课文分为"基本课文""应用课文"两种，基本课文又分为两个部分。基本课文的两个部分与应用课文之间呈递进、发展的编排关系。

(1) 基本课文

提示各课的重点句型，分"基本课文Ⅰ"和"基本课文Ⅱ"两部分。

【基本课文Ⅰ】(1～4)：以单句的形式突出重点句型。

【基本课文Ⅱ】(A～D)：以甲乙对话的形式再现重点句型。

(2) 应用课文

在基本课文的基础上编排了发展性的实用会话。设定自然、真实的场景，练习使用与场景相符的重点句型，努力呈现自然、地道的日语。

全书48课保持固定的出场人物，创作了一个有声有色的长篇系列故事。

2. "语法解释"与"表达及词语讲解"

"语法解释"和"表达及词语讲解"并置于"基本课文"和"应用课文"之间，以引导学习者加深对本课所学句型、语法项目以及相关表达的理解。关于学习顺序和方法，请参照"本书的使用方法一例"(p. Ⅺ)。

(1) 语法解释

主要解释基本课文中出现的句型和语法项目。有时也涉及应用课文中有关项目，这时候用 🔲 表示。

●标题："语法解释"中的标题用以下方式简明扼要地标出。

　名[场所]　を　动　[经过][离开]

下面是"标题形式"与其"内容与含义"的对照表。

标题形式	内容与含义
名	名词
名[场所]	表示处所的名词
名[人]	表示人的名词
名[物]	表示物的名词
名[时间]	表示时间的名词
名[交通工具]	表示交通工具的名词
名[工具]	表示工具、手段的名词
名[数量]	表示数量的名词
名[次数]	表示次数的名词
名[附着点]	表示附着点的名词
名[目的地]	表示目的地的名词
名＋の	名词＋の

形	一类形容词和二类形容词
一类形	一类形容词
二类形	二类形容词
动	动词
一类动	一类动词
二类动	二类动词
三类动	三类动词
自动	自动词
他动	他动词
动(基本形)	动词的基本形
动(た形)	动词的"た形"
动(て形)	动词的"て形"
动(ば形)	动词的"ば形"
动(意志形)	动词的意志形
动(基本形 /ない形)	动词的基本形或"ない形"
动(否定)	动词的否定形式
动(简体形)	动词的简体形
小句	复句中的小句
疑问词小句	包含疑问词的小句
小句(简体形)	以简体形结尾的小句
小句(动词简体形)	以动词简体形结尾的小句
小句(一类形 / 二类形 / 名)	以一类、二类形容词以及名词结尾的小句
小句(动词基本形 /ない形)	以动词的基本形或者"ない形"结尾的小句
小句(动词た形 /ない形)	以动词的"た形"或者"ない形"结尾的小句

● **"注意"与"参考"**：中日语言差异以及需要特别注意的内容用"注意"提示，其他相关内容以及补充事项用"参考"提示。

● **例句**：原则上第一个例句引自基本课文。例句中的日语汉字均注假名，附汉语翻译。病句前面用×表示。△表示虽然没有语法错误，但却不是自然、地道的日语。在需要特别进行对比、说明的地方，用○表示适当的、自然的日语，以区别于用×表示的病句等。对话中回答的一方用"——"表示。超过一问一答的对话用"甲："乙："表示。

为了从视觉上使语法结构醒目，例句中重要的部分用网线和黑体标出。如例句当中重要的部分只有一处时，按照具体情况分别使用网线加黑体或者黑体的形式标出。如例句当中重要的部分有两种时，最重要的部分使用深色网线加黑体，其次重要的部分使用浅色网线加黑体的形式标出。

(2) 表达及词语讲解

对基本课文及应用课文中出现的需要注意的表达方式、词汇的用法进行讲解说明。应用课文中的有关项目用 💬 表示。讲解说明的原则是密切结合课文的具体内容进行，而不包罗该项目的全部意义和内容。另外，讲解时充分照顾到文化方面的因素。

所有例句中的日语汉字都注假名，附汉语翻译。例句当中重要的部分用黑体标出。

3. 练习

练习分为"练习Ⅰ""练习Ⅱ"两种。除了丰富的插图外，用对话、听力等方式分阶段巩固所学的基本内容。习题不限于重点句型，还包括其他语法项目以及词汇等。

(1) 练习Ⅰ

通过替换、改变说法等练习巩固基本功。由于形式上是仿照例句进行的，附录中不设答案。

(2) 练习Ⅱ

在"练习Ⅰ"的基础上，通过听解、读解、填空、中译日等发展性的、实践性的训练，检验、巩固和活用所学的知识。内容（单词、语法）控制在已学范围之内。附录中设参考答案。

4. 生词表

各课后附有生词表，其构成如下。

- 生词的选择与排列：除独立词外，寒暄表达、惯用短语以及量词等附属词也一并列出。排列顺序是先将独立词按照词类集中排列，然后是寒暄表达、惯用短语以及量词等附属词。二者之间用虚线隔开。

  独立词依据词类集中排列，词类相同的尽量将意思相近以及有关联的单词集中处理，以利于学习者联想、记忆。专有名词按照人名、地名、公司名称的顺序排列。形式相似且意义完全相同的单词，如"やはり""やっぱり"在同一课出现时，以"やはり／やっぱり"的形式给出。

- 标出项目：独立词以"读法、声调、书写法、词类、汉语翻译"的形式标出。寒暄表达、惯用短语除不标词类一项之外，标出方式和独立词相同。

  ［例］ しゃいん（社員）［名］ **公司职员**

  おかあさん（お母さん）［名］ **母亲**

  ....

  わかりません（分かりません） **不知道**

  おふろにはいります（お風呂に入ります） **洗澡**

- 声调：如上所示，声调用线条表示。（参照：上册"入门单元"p.14）。声调的标注方法参考了NHK放送文化研究所编《NHK日本語発音アクセント辞典》。

- 书写法：生词的书写法在（ ）内给出。整个单词全部可以用汉字标出的在（ ）里标出汉字，如上面的"（社員）"。生词的一部分为汉字，一部分为平假名时在（ ）内两者一起标出，如"（お母さん）"。另外，"勉強します"等三类动词，用"べんきょうします（勉強～）"的形式表示。

- 词类：词类及其缩略语如下。

  名词＝名，代词＝代，疑问词＝疑，一类动词＝动1，二类动词＝动2，三类动词＝动3，一类形容词＝形1，二类形容词＝形2，副词＝副，连体词＝连体，连词＝连，叹词＝叹，专有名词＝专。

- 汉语翻译：对于多义词一般只给出与课文内容相应的译词。

5. 其他几个重要事项

(1) 关于动词的几个问题

本书的动词活用以"ます形"为基准，原则上每出现一个动词活用形式都以"ます形"推导其活用变化。但为便于检索工具书，第20课导入"基本形"后，则以"基本形"为基准推导其他活用

形式。另外，各课生词表中的动词以"ます形"给出，但附录的"总词汇表"则以"基本形"给出。

(2) 脚注与关联词语

在"基本课文""应用课文""练习Ⅰ"中出现的、从字形无法推测出汉语意思的生词，以脚注的方式给出汉语释义。释义仅限于符合该页句子内容的义项。"练习Ⅱ"没有生词，因而不设脚注。

在一部分课文的"语法解释"和"表达及词语讲解"后面，编排了按范畴分类的"关联词语"，以补充词汇量。

(3) 专栏

在大部分课文的生词表下面设置了介绍日本文化以及社会状况的专栏。专栏的日语译文放在附录里。

Ⅳ. 本书的词汇与汉译

1. 本书的词汇

如"Ⅰ-3. 特点 -(3)词汇"所叙述的那样，本书的词汇除了各课的"生词表"以外，还有"关联词语"和"词语之泉"。

课文、讲解以及练习中出现的生词，是要求学习者掌握的重点词汇，收入各课的"生词表"以及附录的总词汇表。

"关联词语"是为了补充"课文词汇"而设置的词语群，按照领域、范畴集中编排。"关联词语"不收入各课的生词表而只收入总词汇表。

"词语之泉"指单元末利用大画面插图展现的单词，是在"课文词汇""关联词语"的基础上整理而成的。目的在于用一种直观的方式激发学习者的学习兴趣，增加必要的词汇量，其中出现的动词以基本形给出。

2. 关于汉译的几个问题

对于"森さん""スミスさん""小野さん"等外国人名的敬称，基本课文中一概机械性地译作"～先生"或"～女士"，如"森先生""史密斯先生""小野女士"。应用课文中则根据场景灵活翻译，例如"森さん"译作"森"，"小野さん"译作"小野"等。中国人名如"李さん""陈さん"则一律亲切地翻译为"小李""老陈"等。

从基本课文和应用课文中引用的例句，其译文原则上与附录的"课文译文"保持一致。但考虑到没有上下文时译文的完整性，也有灵活翻译的情况。

Ⅴ. 本书使用的语法体系

1. 与"学校语法"的对应

本书采用了不同于"学校语法"的语法体系，以下归纳本书使用的语法术语。

【动词活用形对照表】

本书使用的语法术语	学校语法术语	初出课
ない形	未然形＋助动词"ない"	19
意志形	未然形＋助动词"う／よう"	30
ます形	连用形＋助动词"ます"	13
て形	连用形＋接续助词"て"	14

本书使用的语法术语	学校语法术语	初出课
た形	连用形＋助动词"た"	21
基本形	终止形，连体形	20
ば形	假定形＋接续助词"ば"	37
可能形式	可能动词，未然形＋助动词"れる／られる"	38
被动形式	未然形＋助动词"れる／られる"	41
使役形式	未然形＋助动词"せる／させる"	43

【词类与其他语法单位】

本书使用的语法术语	学校语法术语	初出课
一类动词	五段活用动词	13
二类动词	上一段活用动词，下一段活用动词	13
三类动词	サ变动词，力变动词	14
一类形容词	形容词	9
二类形容词	形容动词	10
连词	接续词	10

※学校语法中的"形容词"只相当于"一类形容词"，而本书讲解所使用的"形容词"则包括"一类形容词"和"二类形容词"两类。

【其他】

本书使用的语法术语	学校语法术语	初出课
小句	节	11
复句	复文	11
短语	句	20

2. 新旧术语的异同

"本书"和"旧版"使用的语法术语有以下不同。

本书	旧版	本书	旧版
敬体形	礼貌体	连词	接续词
简体形	普通体	可能形式	可能动词
一类形容词	形容词	被动形式	被动形
二类形容词	形容动词	使役形式	使役形

VI. 本书使用的符号、图标以及书写

1. 本书使用的符号和图标

【主要符号】

～	表示根据上文省略的内容
／	前后两项可以替换
[ ]	放在标题后，表示分类范畴

〔 〕	对例句的状况进行说明
（ ）	表示原文没有，但翻译成汉语时需要增添的词语
〈 〉	表示原文有，但翻译成汉语时不需要的词语
▶	提示例句
☞	表示参照
＊	表示讲解部分出现的生词

【图标】

	表示"应用课文"
	表示听力练习(有录音)
	表示"关联词语"

2. 关于书写

● 上册采用分写的方式，下册采用一般的方式。

● 因日文正式书写规则不用"?""!"，本书也尽量避免使用该类符号，疑问句后面一般也使用"。"。但在一部分简体句中，为了有效地体现说话人的情感、感觉，也有使用了"?""!"的地方。

Ⅶ. 与"新日本语能力测试"的对应

初级上、下册可达到新日本语能力测试的 N5、N4 水平，书后所附的模拟试题参照独立行政法人日本国际交流基金会和财团法人日本国际教育支援协会编著的出题基准(修订版)的形式编写。同时，为了保障学习者循序渐进、由易而难地学习，对某些项目进行了灵活处理。例如："～ています"是 N5 的项目，应该在上册学习，但由于其用法较多，难易程度不同，因此，上册只编排了其表示"正在进行"(第 15 课)的用法和表示"结果状态的存续"的用法的一部分(第 16 课)，而其表示"结果状态的存续"的另一部分较难的内容(第 33 课)以及表示"反复、习惯"的用法(第 27 课)则放在了下册。

Ⅷ. 附属音像制品

本书"入门单元"与语音相关的内容制作成 CD，随书一起发行。另配有 CD 和录音磁带等音像制品，内容包括"基本课文""应用课文""实用场景对话"以及"练习"和"模拟试题"中的听力部分。

本书的使用方法一例

建议每课用 6 学时完成，使用情况如下。

时间	学习内容	学习方法
1	基本课文Ⅰ	● 边确认脚注的生词，边听录音，并大声朗读基本课文Ⅰ。 ● 确认"语法解释"中的基本句型。
2	基本课文Ⅱ	● 边确认脚注的生词，边听录音，朗读基本课文Ⅱ。 ● 确认"语法解释"中的基本句型。
3	应用课文	● 确认"表达及词语讲解"中的相关表达和单词。 ● 利用脚注处的生词释义理解句子的含义。之后，听录音并大声朗读课文。 ● 回到"语法解释"和"表达及词语讲解"中，确认句型和相关表达。
4 5	练习Ⅰ 练习Ⅱ	● 根据练习导语的提示做练习。 ● 将答案写在笔记本上，再与附录所给出的答案对照。不仅要动笔，还要出声练习。 ● 做听力练习时可以反复多听几遍，直到理解了句子的含义。做到不参考附录中的"练习、模拟试题录音内容"而独立完成。
6	复习	● 利用"生词表"确认生词。 ● 确认课文的含义及句型等，大声朗读课文。

※这里提供的仅仅是一种学习方法，仅供参考。

目　录

基本单元 下

出场人物介绍
CAST

李秀麗 りしゅうれい

27岁,单身。结束了在日本的进修,回国。在 JC 策划公司北京分公司工作。

森 健太郎 もりけんたろう

30岁,单身。赴 JC 策划公司北京分公司任股长。性情温和,但有些马虎。

加藤 小次郎 かとうこじろう

50岁,已婚。任 JC 策划公司北京分公司经理。单身赴任。

陳梅芳 ちんばいほう

45岁,已婚。任 JC 策划公司北京分公司副经理。

小野 緑 おのみどり

29岁,单身。在 JC 策划公司东京总部工作。在小李赴日期间,负责协调小李在日本的工作、学习、日常生活。性格开朗、爽快。很喜欢品尝美食。

太田 慎吾 おおたしんご

在中日合资公司 CS 公司工作。已婚。小野大学时代的朋友。一年前调到北京工作。

馬国祥 ばこくしょう

34岁,已婚。JC 策划公司北京分公司科长。

戴文英 たいぶんえい

23岁,单身。JC 策划公司北京分公司接待员兼秘书。

太田 結子 おおたゆいこ

太田的夫人,家庭主妇。跟随丈夫到北京。与太田结婚已经两年了。

李秀丽回国1年后,JC 策划公司东京总公司的森健太郎接到调令,赴北京分公司任股长。森被分配到负责日资企业广告制作以及市场调查的部门。1年前赴日进修的小李,现在也在北京分公司,协助森在北京的工作。

另外,小野绿的朋友——太田慎吾1年前调到北京的 CS 公司任职,其夫人结子也跟随丈夫到了北京。

3月的一天,春光明媚。森健太郎到达北京机场。

7

森赴北京

森健太郎到北京分公司赴任。森是第一次来北京。从本单元起，森开始在北京的生活。

第 **25** 課
これは明日会議で使う資料です

1. これは明日会議で使う資料です。
2. わたしが明日乗る飛行機は中国航空です。
3. 中国で買ったＣＤを友達に貸しました。
4. 操作が簡単なパソコンが欲しいです。

A
甲: 李さん，この人はだれですか。
乙: その人は中国でとても人気がある女優です。

B
甲: あの窓のところにいる人はだれですか。
乙: あれは受付の戴さんですよ。

C
甲: 何をしているんですか。
乙: 昨日李さんにもらった本を読んでいます。

D
甲: この会社で歌がいちばん上手な人はだれですか。
乙: 森さんだと思います。

女優(女演员)

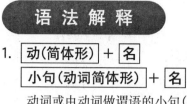

1. 动(简体形) + 名
   小句(动词简体形) + 名

　　　动词或由动词做谓语的小句(以下简称动词小句)修饰名词时，用动词的简体形(☞第 22 课 "语法解释 1、2")。具体地说，表示某种习惯或将要发生的动作时用动词的基本形，表示动作 已经完成时用动词的"た形"。

▶ これは ┃ 明日会議で使う 資料 ┃ です。（这是明天会议要用的资料。）

▶ あれは ┃ 森さんが *今夜*泊まる ホテル ┃ です。（那是今晚森先生要入住的宾馆。）

▶ あれは ┃ *倒産した 会社 ┃ です。（那是一家倒闭的公司。）

注意 名词前不用敬体形。

▶ さっき森さんが座りました＋場所

→ さっき森さんが座った場所 （森先生刚才坐过的地方）

✕ さっき森さんが座りました場所

▶ 森さんが知りません＋ニュース

→ 森さんが知らないニュース（森先生不知道的新闻）

✕ 森さんが知りませんニュース

注意 名词前不能加"の"。

▶ 森さんが座る場所（森先生要坐的地方）

✕ 森さんが座るの場所

▶ あれはゆうべ泊まったホテルです。（那是昨天晚上住的宾馆。）

✕ あれはゆうべ泊まったのホテルです。

2. 小句(动词简体形) + 名 は 名／形 です

动词小句修饰名词而形成的名词短语常用来做主语。

▶ ┃ わたしが明日乗る飛行機 ┃ は ┃ 中国航空 ┃ です。

（我明天乘坐的飞机是中国航空公司的。）

▶ ┃ 小野さんが作る料理 ┃ は ┃ おいしい ┃ です。（小野女士做的菜很好吃。）

▶ ┃ 森さんが買った本 ┃ は ┃ これ ┃ です。（森先生买的书是这一本。）

参考 和汉语相比，日语中名词前面常常有较长的定语。例如，"昨日父はデパートで日本製のカメラを買いました。そのカメラはとても安かったです(昨天爸爸在百货商店买了个日本造的照相机，那个照相机很便宜)"这两个句子可以概括地说成一个包含很长的定语的句子："昨日父がデパートで買った日本製のカメラはとても安かったです(昨天爸爸在百货商店买的日本造的照相机很便宜)"。

3. 小句(动词简体形) ＋ 名 を／に／から 动 ます

动词小句修饰名词而形成的名词短语也可以用做主语以外的其他句子成分。

▶ 中国で買ったＣＤ を 友達に貸しました。

(我把在中国买的 CD 借给朋友了。)

▶ 中国へ転勤した友達 に 手紙を書きます。

(我给调到中国工作的朋友写信。)

▶ わたしが知らない人 から 手紙が来ました。

(一个不认识的人给我来了信。)

注意　修饰名词的动词小句中的主语，不用"は"而用"が"来表示。

▶ わたしは知りません＋人

→ わたしが知らない人 (我不认识的人)

× わたしは知らない人

▶ 森さんは買いました＋本

→ 森さんが買った本 (森先生买的书)

× 森さんは買った本

4. 小句(一类形／二类形／名) ＋ 名

"名词＋が＋一类形容词＋です"修饰名词时，一类形容词要用基本形。"名词＋が＋二类形容词＋です"修饰名词时，"二类形容词＋です"要变成"二类形容词＋な"的形式。"名词１＋が＋名词２＋です"修饰名词时，"名词２＋です"要变成"名词２＋の"的形式。

▶ 入り口が広い＋あの建物

→ 入り口が広いあの建物がわたしの会社です。

(入口很大的那座楼是我们的公司。)

▶ 操作が簡単です＋パソコン

→ 操作が簡単なパソコンが欲しいです。 (我想要操作简单的个人电脑。)

▶ ＊数学が＊専門です＋先生

→ 数学が専門の先生が休みました。 (教数学的老师休息了。)

注意　和汉语的"的"不同，形容词修饰名词时，不能加"の"。

× 入り口が広いのあの建物がわたしの会社です。

× 操作が簡単なのパソコンが欲しいです。

表达及词语讲解

1. ～のところ

名词后加"～のところ"的形式，可以把本来不表示场所的名词变为表示场所的词语。

▶ あの窓のところにいる人はだれですか。（在窗户那儿的人是谁啊?）

▶ 李さん，すぐ課長のところへ行ってください。（小李，快去科长那儿!）

2. あれ ［指人的词］

"これ／あれ"本来是指示事物的词，但有时也用于指人。不过由于其礼貌程度较低，所以直接用来指人时，只限于指示或介绍自己的家人或部下。当然如果本人不在场，或者在远处而听不到谈话时则不在此例。

▶ あれは受付の戴さんですよ。（那是接待处的小戴。）

▶ 〔介绍自己的部下时〕
これはうちの*営業課の田中です。（这是本公司营业科的田中。）

3. ～でしたね

"～でしたね"用于表示确认。应用课文中，森问小李"今日泊まるホテルは*天安飯店でしたね（今天入住的宾馆是天安饭店，对吧）"，就是森在对双方都知道的宾馆进行确认。如果不是确认，即森不知道预订的宾馆而只是向小李询问时，则要说"今日泊まるホテルはどこですか（今天入住的宾馆是哪儿?）"。

"～でしたね"表示确认时，可以与副词"たしか"呼应使用。

▶ 日本と中国の*時差は 1 時間でしたね。
——ええ，日本のほうが 1 時間早いです。

（日本和中国的时差是 1 小时来着，对吗? ——对，日本早 1 小时。）

▶ 今日の会議はたしか 3 時からでしたね。
——〔看笔记本予以确认〕ええ，そうです。

（今天的会是 3 点开始，是吗?——哎，是的。）

助词"ね"单独也可以表示确认，不过对于那些从前知道但记得不太确切的事情进行确认时一般要用"～でしたね"。

4. *大きな

第 9 课学习了一类形容词"大きい""小さい"（☞第 9 课"语法解释 8"），表示同样意思的还有"大きな""*小さな"两个词。不过，"大きな""小さな"只能用于修饰名词，不能用来结句。其他的一类形容词没有这种情况。

▶ あそこにある**大きな**白い建物は何ですか。（那座白色的大楼是什么?）

▶ **小さな**かばんが欲しいです。（想要小的提包。）

5. *このあたり

　　"あたり"表示某一场所的周边，除可接在"この／その／あの／どの"等词后面外，还可接在一些表示具体场所的名词后面，如"新宿のあたり（新宿一带）"。

▶ この**あたり**はよく*渋滞します。（这一带经常堵车。）

▶ 馬さんはどちらですか。

　　——*エレベーターの**あたり**にいましたよ。

（小马在哪儿?——刚才在电梯那儿啊。）

📖 位置 ─────────────────────

上　上面	横　　側面	北　北面
下　下面	そば　旁边	南　南面
	周り　周围	東　东面
中　里边，内部		西　西面
外　外面	向かい　对面	
前　前面	間　中间	
後ろ　后面		
	隅　角落	
左　左面		
右　右面	真下　正下方	

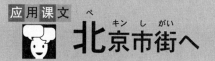

北京市街へ

森健太郎到北京的那天，小李和北京分公司的职员马国祥去机场迎接。寒暄后，由小马开车，三人去了市内宾馆。

（上了车）

森：今日泊まるホテルは天安飯店でしたね。

李：ええ。1か月ぐらいホテルに泊まってください。

　　ゆっくり住む所を探しましょう。

（上了高速公路）

森：ずいぶんまっすぐな道路ですね。

馬：これは空港と北京市街を結ぶ高速道路で，

　　市街までだいたい３０分ぐらいです。

（车内响起日语歌曲）

森：あっ，これ，日本の歌ですね。

馬：はい，そうです。日本人の友達にもらったＣＤです。

森：日本の歌が好きなんですか。

馬：ええ，大好きです。中国には日本の歌が好きな人が

　　たくさんいますよ。

（高速公路两侧的几座大楼映入眼帘。森指着右侧前方的大楼问道……）

森：あそこにある大きな白い建物は何ですか。

李：あれは最近できた建物ですね。馬さん，知っていますか。

馬：ああ，あれは自動車の部品工場ですよ。

（接近北京市区，进入三环后开始堵车了）

森：だいぶ車が多くなりましたね。

馬：ええ。今走っている道路は三環路ですが，このあたりはよく渋滞します。

李：三環路は北京でいちばん交通量が多い道路ですからね。

市街（市内）　空港（机场）　結びます（连接）　部品工場（零件制造厂）

9

練　習

練習 I

1. 仿照例句替换画线部分进行练习。

[例1] 李さんにあげます／本 → これは李さんにあげる本です。

(1) 課長に見せます／手紙　　　　　(2) 図書館で借りました／雑誌

(3) 1日に3回飲みます／薬　　　　(4) 甘くておいしいです／飲み物

(5) 日本にはありません／果物　　　(6) きれいで優しかったです／母の写真

[例2] 子供／読みます／絵本 → これは子供が読む絵本です。

(7) 森さん／カラオケでよく歌います／中国の歌

(8) わたし／生まれました／家の写真

(9) 陳さん／まだ食べたことがありません／日本料理

(10) 李さん／明日の会議で使います／資料

[例3] 昨日会社を休みました → 昨日会社を休んだ人は森さんです。

(11) 明日会社へ来ません　　　　　(12) 山でけがをしました

(13) まだ結婚していません　　　　(14) 周さんを知りませんでした

2. 看图，仿照例句替换画线部分进行练习。

テレビを見ます／タバコを吸います／電話をかけます
新聞を読みます／お茶を飲みます／手紙を書きます

[例] ① → テレビを見ている人はだれですか。

(1) ② →　　　(2) ③ →　　　(3) ④ →　　　(4) ⑤ →　　　(5) ⑥ →

絵本(图画书)　生まれます(出生)　けが(伤)

3. 仿照例句连接句子。

[例 1] 中国で買いました／ＣＤを友達に貸しました
　　　→ 中国で買ったＣＤを友達に貸しました。

(1) 李さんが書きました／レポートを読みました

(2) 日本で撮りました／ビデオを見ませんか

(3) 明日泊まります／ホテルの電話番号を教えてください

(4) 父にもらいました／時計をなくしました

[例 2] 操作が簡単です／パソコンが欲しいです → 操作が簡単なパソコンが欲しいです。

(5) デザインが新しいです／靴を買いたいです

(6) 自然が豊かです／国が少なくなりました

(7) あなたの子供が好きです／料理は何ですか

(8) 仕事がおもしろくて, 給料が高いです／会社に入りたいです

4. 听录音，仿照例句替换画线部分练习会话。

[例 1] 陳／小野さんにもらいました／ＣＤを聞きます／買い物

　　　→ 甲: もしもし, 李さんですか。陳です。

　　　　乙: あっ, 陳さん, こんにちは。

　　　　甲: 今, 忙しいですか。

　　　　乙: いいえ, 別に。今, 小野さんにもらったＣＤを聞いていますが。

　　　　甲: そうですか, じゃあ, いっしょに買い物に行きませんか。

　　　　乙: ええ, いいですよ。

(1) 唐／日本から来ました／メールをチェックします／食事

(2) 田中／先月の旅行で撮りました／写真を見ます／美術館

(3) 森／日本の友達に出します／手紙を書きます／公園

[例 2] 今, 田中さんと話しています／見ました

　　　→ 甲: あの人はだれですか。

　　　　乙: どの人ですか。

　　　　甲: 今, 田中さんと話している人です。

　　　　乙: ああ, あの人ですか。見たことはあるんですが, 名前はちょっと…。

(4) あそこでコピーを取っています／話しました

(5) 今, 李さんとお茶を飲んでいます／顔を見ました

(6) さっき入り口で会いました／一度会いました

(7) あそこで電話をかけています／一度話しました

(8) 窓のところにいます／何度か顔を見ました

豊か(充裕)　　給料(工资)　　別に(并不)　　チェックします(确认)　　取ります(印)

练习Ⅱ

1. 从▢▢▢中选择适当的答案，并将字母填入（　　　）中。

[例] 去年ＪＣ企画に入った社員は何人ですか。（　c　）

(1) エレベーターの前にいる人を知っていますか。（　　　）

(2) あなたが買いたいかばんはどれですか。（　　　）

(3) フランス語ができる人はだれですか。（　　　）

(4) 机の上にあるパソコンを使ってもいいですか。（　　　）

---

a あの小さくて赤いのです。　　b いいえ。だれでしょうね。　　c 20人です。

d すみません，ちょっと…。　　e 田中さんだと思います。

---

2. 从▢▢▢中选择适当的词语填入（　　　）中。

[例] 今パソコンを使っている人は（　だれ　）ですか。——李さんです。

(1) 小野さんが中国へ行く日は（　　　）ですか。——あさってです。

(2) それは（　　　）で撮った写真ですか。——北京です。

(3) 昨日聞いたＣＤは（　　　）でしたか。——よかったですよ。

(4) あなたが生まれた町は（　　　）所ですか。——静かな所です。

(5) 今年ＪＣ企画に入った人の名前は（　　　）と言いますか。
　　——山田さんです。

> どんな
> 何
> いつ
> どう
> だれ
> どこ

3. 听录音，从▢▢▢中选择句子变成适当的形式，填入（　　　）中。

[例] 林さんは（ ビールを飲んでいる ）人です。

(1) （　　　　　　　　　　　）人は李さんです。

(2) 吉田さんは（　　　　　　　　　　　）人ではありません。

(3) 馬さんは（　　　　　　　　　　　）人です。

(4) （　　　　　　　　　　　）人は森さんです。

(5) （　　　　　　　　　　　）人は陳さんではありません。

明日から出張します　　　　　　コピーを取っています

写真を撮っています　　　　　　スミスさんと話しています

ビールを飲んでいます　　　　　資料を見ています

---

4. 将下面的句子译成日语。

(1) 这是明天会议要用的资料。

(2) (我)把在中国买的ＣＤ借给朋友了。

(3) (我)想要操作简单的个人电脑。

生 词 表

すうがく（数学）　［名］　**数学**

せんもん（専門）　［名］　**专门**

じょゆう（女優）　［名］　**女演员**

えいぎょうか（営業課）　［名］　**营业科**

しがい（市街）　［名］　**市内，市街，繁华街道**

どうろ（道路）　［名］　**道路，马路**

こうつうりょう（交通量）　［名］　**交通流量，通行量**

くうこう（空港）　［名］　**机场**

こうそくどうろ（高速道路）　［名］　**高速公路**

ぶひんこうじょう（部品工場）　［名］　**零件制造厂**

はしります（走ります）　［动1］　**跑，奔跑**

エレベーター　［名］　**电梯**

えほん（絵本）　［名］　**图画书，连环画**

しぜん（自然）　［名］　**大自然**

きゅうりょう（給料）　［名］　**工资**

こんや（今夜）　［名］　**今天晚上**

けが　［名］　**伤**

じさ（時差）　［名］　**时差**

とまります（泊まります）　［动1］　**住，过夜，住宿**

むすびます（結びます）　［动1］　**连接，系**

とります（取ります）　［动1］　**印，记下**

うまれます（生まれます）　［动2］　**出生，诞生**

とうさんします（倒産～）　［动3］　**倒闭，破产**

じゅうたいします（渋滞～）　［动3］　**堵车，停滞**

チェックします　［动3］　**确认**

ゆたか（豊か）　［形2］　**充裕，丰富**

おおきな（大きな）　［連体］　**大的**

ちいさな（小さな）　［連体］　**小的**

べつに（別に）　［副］　**并不**

たい（戴）　［専］　**戴**

しゅう（周）　［専］　**周**

とう（唐）　［専］　**唐**

ちゅうごくこうくう（中国航空）　［専］　**中国航空**

てんあんはんてん（天安飯店）　［専］　**天安饭店**

さんかんろ（三環路）　［専］　**三环路**

....

このあたり　　**这一带，这附近**

专栏

高速公路和「ＳＡ」

日本的高速公路网十分发达。全国有 50 多条高速公路，全部收费。根据 2004 年 2 月的统计，全日本高速公路平均每天通行的汽车流量大约有 380 万辆。

一天通行的汽车流量在 20 万辆以上的高速公路有 5 条，分别是："東名高速道路(东名高速公路)""名神高速道路(名神高速公路)""中央高速道路(中央高速公路)""東北自動車道(东北汽车公路)""東名阪高速道路(东名阪高速公路)"。在这 5 条高速公路中，"东名高速公路"超过 40 万辆，是每天平均通行汽车流量最大的高速公路，并以此而闻名。"东名高速公路"是连接"东京"和"小牧(位于爱知县)"的高速公路，全长约 350 公里。因为"小牧"在"名古屋"的附近，故从"东京"和"名古屋"中各取一字，称为"东名"。

高速公路多用于长距离的运行，所以每一条高速公路大部分都设置"ＳＡ(服务区)"和"ＰＡ(停车区)"。"SA"和"PA"都有停车场、厕所、小卖部等休息场所，因长距离驾驶、塞车而感到疲惫或者想上厕所时，随时都可以利用。一般来说，"SA"的停车场比较大，而且有餐馆、加油站等设施。有的"SA"甚至还有住宿、投币洗衣店、ＡＴＭ(现金自动存取机)等设施，服务的功能更上一个档次。

第 26 課
自転車に2人で乗るのは危ないです

基本课文

1. 自転車に2人で乗るのは危ないです。
2. 手紙を出すのを忘れました。
3. 明日の朝は大雨になるでしょう。
4. 森さんは今日会社を休むかもしれません。

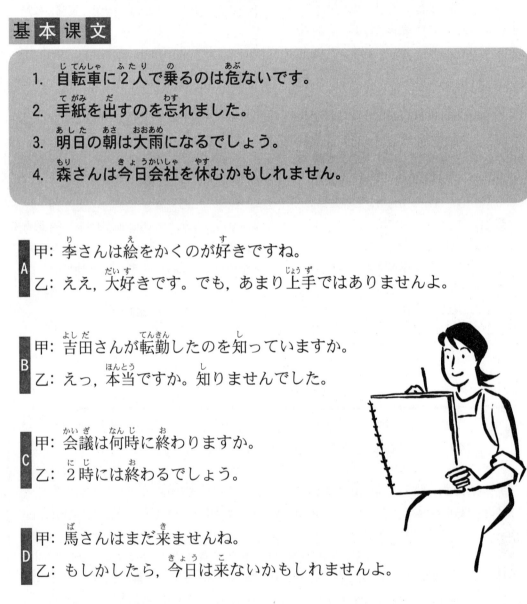

A
甲: 李さんは絵をかくのが好きですね。
乙: ええ, 大好きです。でも, あまり上手ではありませんよ。

B
甲: 吉田さんが転勤したのを知っていますか。
乙: えっ, 本当ですか。知りませんでした。

C
甲: 会議は何時に終わりますか。
乙: 2時には終わるでしょう。

D
甲: 馬さんはまだ来ませんね。
乙: もしかしたら, 今日は来ないかもしれませんよ。

もしかしたら(也许……)

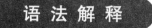
语 法 解 释

1. 小句（动词简体形）＋の＋は 形 です

　　动词小句加"の"使其名词化，表示"做某动作"的意思。这种名词化形式做主语而谓语是表示性质、状态的一类形容词或二类形容词时，主语要用助词"は"来表示。

▶ 自転車に２人で乗る の は 危ないです。（骑自行车带人很危险。）
▶ パソコンで*表を作る の は 楽しいです。（用电脑制表是很愉快的。）

　　第 11 课学习了"好きです""嫌いです""上手です""下手です"等表示好恶、擅长不擅长的形容词（☞第 11 课"语法解释 1、2"）。如果名词化形式是这些形容词的对象时，要用助词"が"来表示。

▶ 李さんは 絵をかく の が 好きですね。
　——はい，*色鉛筆で*スケッチする の が 大好きです。
　　　　　（小李你喜欢画画啊！——是的，我特别喜欢用彩色铅笔素描。）
▶ わたしは 自転車に乗る の が 下手です。（我骑车技术不行。）

注意　"好きです"等表示好恶的形容词的对象作为话题使用时，要用助词"は"来表示。

▶ 絵をかくのは好きですか。（画画你喜欢吗?）
　——いいえ，絵をかくのは嫌いです。（不，画画我不喜欢。）

2. 小句（动词简体形）＋の＋を 动

　　动词小句加"の"的名词化形式还可以做宾语。

▶ 　　手紙を出す の を 忘れました。（我忘了寄信。）
▶ 　　森さんが*発言する の を 聞きました。（听了森先生的发言。）
▶ 林さんは 掃除する の を やめました。（林先生不做扫除了。）
▶ 李さんは 小野さんが料理を作る の を 手伝います。（小李帮小野女士做菜。）

注意　这种名词化形式做宾语时"の"和"こと"可以互换。

▶ 李さんは部長に報告するの（＝こと）を忘れました。（小李忘了向部长汇报。）

　　不过，如果句尾的动词是"知らせます（告诉）""伝えます（转告）""話します（说）"等表示语言行为的动词时，要用"こと"而不能用"の"。

▶ 李さんは森さんが休むことを伝えました。（小李转告了森先生请假的事情。）
　　　　　　　〔× の〕

　　但句尾的动词是"見ます（看）""聞きます（听）"等表示感知的动词或"手伝います（帮忙）""やめます（停止）""*防ぎます（防御）"等表示直接作用于动作对象的动词时，则要使用"の"而不能用"こと"。

▶ 李さんは森さんが車から降りるのを見ました。（小李看见森先生从车上下来了。）
　　　　　　〔×こと〕

15

　　▶　李さんは森さんが荷物を運ぶのを手伝いました。（小李帮森先生运行李。）

　　　　　　　　　　　　　　〔×こと〕

3. 小句（简体形）でしょう　　[推测]

　　表示说话人对自己和听话人都不能断定的事情进行推测，常与"たぶん"呼应使用。动词小句和一类形容词小句用简体形后续"でしょう"，二类形容词小句和名词小句则把简体形的"だ"换成"でしょう"即可。"〜でしょう"的简体形是"〜だろう"。

　　▶　明日の朝は大雨になるでしょう。（明天早晨会下大雨吧。）

　　▶　森さんは知らないでしょう。（森先生不知道吧。）

　　▶　この本の値段は分かりませんが，たぶん高いでしょう。

　　　　　　　　　　　　　　（我不知道这本书的价格，大概很贵吧。）

　　▶　*桜の季節ですから，京都はたぶんにぎやかでしょう。

　　　　　　　　　　　　　（现在正是观赏樱花的季节，京都大概很热闹吧。）

　　▶　今年はたぶん*豊作だろう。（今年大概是个丰收年吧。）

　　▶　これはたぶんだれかの*忘れ物だろう。（这大概是谁忘记的东西吧。）

　　▶　会議はもう終わっただろう。（会议已经结束了吧。）

4. 小句（简体形）かもしれません

　　表示有可能发生某事，其可能性一般为百分之五十左右。动词小句和一类形容词小句用简体形后续"かもしれません"。二类形容词小句和名词小句则把简体形的"だ"换成"かもしれません"即可。

　　▶　森さんは今日会社を休むかもしれません。（森先生今天也许不来公司上班了。）

　　▶　あの2人は*仲がいいですね。
　　　　——あの2人は結婚するかもしれませんね。

　　　　　　　　　　　（那两个人关系很好啊。——也许他们会结婚吧。）

　　▶　*クレジットカードを落としたかもしれません。（也许我把信用卡弄丢了。）

　　▶　来週は暇かもしれません。（下个星期也许有空。）

　　▶　明日は雪かもしれません。（明天也许下雪。）

　　注意　与"〜でしょう"相比，"〜かもしれません"表示的概率较低。

　　参考　因为概率一般为百分之五十，所以可以在同一动作的肯定形和否定形后面并列使用两个"かもしれません"。

　　▶　明日は雨が降るかもしれませんが，降らないかもしれません。

　　　　　　　　　　　　　　　　（明天也许下雨，也许不下雨。）

表达及词语讲解

1. もしかしたら

　　口语形式，用于可能性较低的场合，一般与"～かもしれません""～ではありませんか"等呼应使用。

> 馬さんはまだ来ませんね。（小马还没来啊?）
>
> ——もしかしたら，今日は来ないかもしれませんよ。（也许今天不来了。）
>
> もしかしたら，太田さんではありませんか。（您也许是太田先生吧?）
>
> ——ええ，そうですが…。（是的，我是太田……）

2. *それで

　　表示前面句子的事态为后面句子事态的原因、理由。

> 日本には*握手の*習慣がありません。**それで，** *つい握手するのを忘れます。
>
> （日本没有握手的习惯，因此，一不注意就忘记握手了。）
>
> 今日から*光デパートは新春セールです。**それで，** 朝から*お客さんがたくさん
>
> いました。（从今天起，阳光百货商店新春大减价，因此从早晨起顾客就很多。）

在应用课文中，以对方叙述的事情为理由，说话人使用"それで"引出其导致的结果。

> 日本には握手の習慣がないんですね。
>
> ——ええ，そうなんです。**それで，** つい握手するのを忘れます。
>
> （日本没有握手的习惯吧。——是的。因此，一不注意就忘记握手了。）
>
> 今日から光デパートは新春セールなんです。
>
> ——ああ，**それで，** 朝からお客さんがたくさんいたんですね。

（从今天起，阳光百货商店新春大减价。——原来如此，所以从早晨起顾客就很多啊。）

　　"だから（所以）"也表示原因、理由。但与"それで"相比，其语气较强，且后面可以是表示祈使或推测的句子，而"それで"则不行。

> *すぐに会議が始まります。**だから，** 急いでください。
>
> 〔×それで〕
>
> （会议就要开始了，所以你快点儿吧。）
>
> *鈴木さんは仕事があります。**だから，** 明日のパーティーには来ないでしょう。
>
> 〔×それで〕
>
> （铃木先生有工作要做，所以不会来参加明天的联欢会吧。）

3. つい

　　表示并非有意所为却形成了某种后果，并含有对意想不到的后果感到不快、后悔的语感。

> バーゲン会場では，**つい**何でも買いたくなります。
>
> （在打折品大卖场上，不知不觉地什么都想买。）

4. *あいさつ回り

指到了新单位或迁入新居后，去拜访有关单位或周围邻居的行为。本来是"あいさつして回ります(寒暄拜访)"，但现在多用"あいさつ回り"这种名词形式，如"あいさつ回りをします""あいさつ回りに行きます"。

5. 寒暄时的动作

与人初次见面或者与朋友、熟人见面时，中国人、欧美人一般是握手，而日本人则是一边说"はじめまして(初次见面)""こんにちは(你好)"等，一边鞠躬。即便是好朋友、亲戚等关系较亲密的人之间，也不太有握手、拥抱等身体接触的行为。

应用课文中，由于日本人一般没有握手的习惯，因此森对中国的寒暄方式不太适应。

📖 **公司经常使用的寒暄用语** ─────────────

申し訳ありません。	对不起，抱歉。
どうも。	谢谢 / 对不起。
ごめんください。	对不起，有人吗?
お邪魔します。	打搅了。
お邪魔しました。	打搅了。
失礼します。	打搅了 / 告辞了。
失礼しました。	告辞了 / 失礼了。
お先に失礼します。	先告辞了。
お疲れ様でした。	辛苦了。
ご苦労様でした。	辛苦了。
これからお世話になります。	今后请多多照顾。
いつもお世話になっております。	承蒙多方关照。
いろいろお世話になりました。	受到各方面的照顾。
お久しぶりです。	好久不见。
ご無沙汰しています。	久疏问候。
お大事に。	请保重。
おかげさまで。	托您的福。

応用課文

握手とお辞儀

去北京分公司上班后不久，森有机会与主顾杨先生见面了。分公司副经理陈梅芳向森介绍了前来拜访的杨先生。森像在日本时一样，向杨先生鞠躬、寒暄。

（杨先生被介绍后，做自我介绍）

楊: はじめまして，楊です。（说着，伸出了手）

森: はじめまして。森です。よろしくお願いします。（一边说，一边开始鞠躬，转而慌慌张张地伸出了手）

（杨先生回去后）

陳: 日本には握手の習慣がないんですね。

森: ええ，そうなんです。

　　それで，つい握手するのを忘れます。

（说起中日两国的寒暄习惯）

森: 中国では握手するのが普通なんですか。

陳: ええ，そうですよ。日本にはお辞儀のほかのあいさつはないんですか。

森: そうですね…。手を挙げたり，握手したりする人もいますが，ほとんどお辞儀ですね。

（听到他们谈话的小戴插话了）

戴: 陳さん，森さんの午後の予定はあいさつ回りですね。

陳: ええ。今 1 時半ですから，これから 4 社ぐらい回ることができるでしょう。

戴: そうですね。5 社行くことができるかもしれませんよ。

　　（面向森）森さん，次は握手するのを忘れないでくださいね。

お辞儀(鞠躬)　　普通(一般)　　あいさつ(寒暄)　　挙げます(举起)　　ほとんど(大部分)

～社(～公司)　　回ります(转)　　次(这回)

练　习

练习 I

1. 仿照例句替换画线部分进行练习。

［例1］自転車に２人で乗ります／危ないです → <u>自転車に２人で乗る</u>のは<u>危ない</u>です。

(1) 友達と話します／楽しいです

(2) 町を歩きます／おもしろいです

(3) 朝早く走ります／気持ちがいいです

(4) 家族で旅行します／楽しいです

［例2］色鉛筆でスケッチします／好きです

　　　　→加藤さんは<u>色鉛筆でスケッチする</u>のが<u>好き</u>です。

(5) 泳ぎます／下手です　　　　　　　(6) 歌を歌います／上手です

(7) 歩きます／嫌いです　　　　　　　(8) 外国の映画を見ます／好きです

［例3］吉田さんが転勤しました。→ <u>吉田さんが転勤した</u>のを知っていますか。

(9) 明日試験があります。

(10) 駅前に新しいスーパーができます。

(11) 北京タイガースが優勝しました。

(12) 水曜日は映画の料金が半額になります。

2. 仿照例句替换画线部分进行练习。

［例］今日来ます／だれ → <u>今日来る</u>のはだれですか。

(1) 李さんがかきました／どの絵　　　(2) ここに箱を置きました／だれ

(3) その服を買いました／どこ　　　　(4) 最近森さんに会いました／いつ

3. 仿照例句替换画线部分练习会话。

［例］李さん，なかなか来ませんね／李さんに言います

　　→ 甲: <u>李さん，なかなか来ませんね</u>。

　　　　乙: あっ，いけない。<u>李さんに言う</u>のを忘れました。

　　　　甲: えっ，また忘れたんですか。

　　　　乙: どうもすみません。

(1) 来週のコンサート，楽しみですね／チケットを注文します

(2) 会費を払ってください／お金を下ろします

(3) 宿題を出しましたか／します

(4) 昼ご飯を食べませんか／お弁当を買います

走ります(跑)　　スーパー(超市)　　北京タイガース(北京猛虎队)　　優勝します(得冠军)

料金(费用)　　いけない(不行)

4. 仿照例句替换画线部分进行练习。

[例1] 大雨です → 明日は大雨でしょう。

(1) 暖かいです　　　(2) 風が吹きます　　　(3) 雪が降りません

(4) 暇です　　　(5) 森さんは会社に行きません

[例2] 甲: 李さんは料理が上手ですか。

　　　乙: (料理の本をよく読んでいます)

　　　　→ 料理の本をよく読んでいるから，たぶん上手でしょう。

(6) 甲: 明日は試験ですね。葉子さんは合格しますか。

　　　乙: (毎日6時間勉強しています)

(7) 甲: 明日は晴れますか。

　　　乙: (月がきれいです)

(8) 甲: 李さんはパーティーに来ますか。

　　　乙: (昨日約束しました)

5. 仿照例句替换画线部分进行练习。

[例1] 来ません → 馬さんは来ないかもしれません。

(1) 休みます　　　(2) 買いません　　　(3) 忙しいです

(4) 暇です　　　(5) 病気です　　　(6) 行きません

[例2] あの売り場に人がたくさんいます／バーゲンです

　　　→ 甲: あの売り場に人がたくさんいますね。

　　　　乙: そうですね。バーゲンかもしれません。

(7) 隣のうちはにぎやかです／パーティーです

(8) 事務所にだれもいません／昼休みです

(9) どれも高いです／お金が足りません

🎧 6. 听录音，仿照例句造句。

[例] ～のは体にいいです。

　　(毎日スポーツをします) → 毎日スポーツをするのは体にいいです。

(1) ～のは気持ちがいいです。

(2) ～のが好きです。

(3) ～のを昨日聞きました。

吹きます(吹)　　合格します(及格)　　約束します(约定)　　バーゲン(降价出售)　　足ります(够)

練習Ⅱ

1. 将（　　）中的词语变成适当的形式完成句子。

[例] わたしは本（ほん）を（ 読（よ）みます → 読（よ）むのが ）好きです。

(1) テレビを（ 消（け）します → 　　　　 ）忘（わす）れました。

(2) 友達（ともだち）と（ 遊（あそ）びます → 　　　　 ）楽（たの）しいです。

(3) 天気（てんき）が悪（わる）いから，（ 行（い）きます → 　　　　 ）やめました。

(4) 森（もり）さんは（ 走（はし）ります → 　　　　 ）速（はや）いです。

(5) 今（いま）（ 食（た）べました → 　　　　 ）何（なん）ですか。

2. 将（　　）中的词语变成适当的形式完成句子。

[例] 明日（あした）は（ 曇（くも）りです → 曇（くも）り ）でしょう。

(1) 王（おう）さんは今週（こんしゅう）忙（いそ）しいから，たぶん（ 来（き）ません → 　　　　 ）でしょう。

(2) 李（り）さんはカラオケが（ 嫌（きら）いです → 　　　　 ）かもしれません。

(3) 李（り）さんはたぶん（ 合格（ごうかく）します → 　　　　 ）でしょう。

(4) 人（ひと）がたくさんいますから，部屋（へや）の中（なか）は（ 暑（あつ）いです → 　　　　 ）かもしれません。

(5) 森（もり）さんはまだ会社（かいしゃ）に（ います → 　　　　 ）かもしれません。

3. 听录音，给正确的答案画〇。

[例] あっ，この手紙（てがみ），出（だ）すのを忘（わす）れたわ。

　　　　（　 　）手紙（てがみ）を出（だ）しました。

　　　　（〇）手紙（てがみ）を出（だ）しませんでした。

(1) （　 　）旅行（りょこう）に行（い）きました。

　　　（　 　）旅行（りょこう）に行（い）きませんでした。

(2) （　 　）ゴルフをします。

　　　（　 　）ゴルフをしません。

(3) （　 　）あの2人（ふたり）は結婚（けっこん）しました。

　　　（　 　）あの2人（ふたり）は結婚（けっこん）していません。

4. 将下面的句子译成日语。

(1) 小李喜欢画画。

(2) （我）忘了寄信了。

(3) 森先生今天也许不来〈公司〉上班。

生　词　表

おおあめ（大雨）［名］　大雨

さくら（桜）［名］　櫻花

かぜ（風）［名］　风

つき（月）［名］　月亮

ひょう（表）［名］　表

あくしゅ（握手）［名］　握手

しゅうかん（習慣）［名］　习惯

おじぎ（お辞儀）［名］　鞠躬

あいさつ［名］　寒暄

て（手）［名］　手

おきゃくさん（お客さん）［名］　顾客，客人

ふつう（普通）［名］　一般，普通

つぎ（次）［名］　这回，下面，下回

スーパー［名］　超市

りょうきん（料金）［名］　费用

かいひ（会費）［名］　会费

バーゲン［名］　降价出售

クレジットカード［名］　信用卡

いろえんぴつ（色鉛筆）［名］　彩色铅笔

ほうさく（豊作）［名］　丰收

なか（仲）［名］　关系，友情，友谊

わすれもの（忘れ物）［名］
　　　　　　　　忘记的东西，遗忘的物品

ふせぎます（防ぎます）［动1］　防御，防备，防守

まわります（回ります）［动1］　走访；转；绕弯

ふきます（吹きます）［动1］　吹

あげます（挙げます）［动2］　举，举起

たります（足ります）［动2］　足，够

スケッチします［动3］　素描，写生

はつげんします（発言〜）［动3］　发言

ゆうしょうします（優勝〜）［动3］　得冠军

ごうかくします（合格〜）［动3］　及格，合格

やくそくします（約束〜）［动3］　约定

もしかしたら［副］　也许

つい［副］　不知不觉地，无意中

すぐに［副］　就要，立刻，马上

ほとんど［副］　大部分，几乎

それで［连］　因此

すずき（鈴木）［专］　铃木

よう（楊）［专］　杨

かとう（加藤）［专］　加藤

ようこ（葉子）［专］　叶子

ひかりデパート（光〜）［专］　阳光百货商店

ペキンタイガース（北京〜）［专］
　　　　　　　　北京猛虎队〈棒球队名称〉

....

あいさつまわり（あいさつ回り）　寒暄拜访

いけない　不行，不好，不可以

〜社

专栏

寒暄拜访

　　在日本，作为一个重要的营业活动，企业盛行开展"あいさつ回り（寒暄拜访）"活动。顾名思义，"寒暄拜访"就是"巡回拜访顾客、寒暄"的意思，这一活动对任何一个企业都有非常重要的意义。

　　和欧美不同，日本是一个讲究"世故人情"的社会，所以因人事变动、负责业务的人员变更时，"寒暄拜访"的活动就十分频繁。在日本，常常能看到新老业务人员前往客户处，前任介绍后任交接业务的情景。年末年初也是盛行"寒暄拜访"的时期。本来，"寒暄拜访"是日常的营业活动，即使没有具体的订货、接受订货等交易，为维持和顾客的信赖关系也要定期地举行"寒暄拜访"。

　　另外，"寒暄拜访"之际，常常要交换名片。交换名片一般要站着进行。交换名片有些礼节，如递名片的高度要在腰部至胸部间，为便于对方看到名字，名片要朝向对方便于看清楚的方向递出。

第 **27** 課
子供の時，大きな地震がありました

基本課文

1. 子供の時，大きな地震がありました。
2. 映画を見る時，いつもいちばん後ろの席に座ります。
3. 李さんはテレビを見ながら食事をしています。
4. 李さん，明日パーティーに行くでしょう？

A
甲: 学生の時，何を勉強しましたか。
乙: 日本の経済について勉強しました。

B
甲: 馬さん，暇な時，この書類を整理してください。
乙: はい，分かりました。

C
甲: 葉子さんはアルバイトをしながら学校に通っているんですよ。
乙: そうですか。なかなか大変ですね。

D
甲: 森さん，昨日，駅前の喫茶店にいたでしょう？
乙: はい。仕事で，楊さんと会っていたんです。

アルバイト（打工）　通います（上学）

语法解释

1. 小句（简体形）＋時（とき）

　　"小句＋時（とき）"是表示时间的名词短语。小句为动词小句时分两种情况，"～する（基本形）＋時（とき）"表示后项动作实现时前项动作尚未完成，"～した（た形）＋時（とき）"表示后项动作实现时前项动作已经完成。小句为一类形容词小句时用其简体形直接连接"時"。小句为二类形容词小句和名词小句时要用"二类形容词＋な＋時（とき）""名词＋の＋時（とき）"的形式。小句为一类形容词、二类形容词和名词小句时，前项是后项的动作进行的时间。

> ▶ 子供（こども）の　時（とき），大（おお）きな地震（じしん）がありました。（我小时候，发生过大地震。）
> ▶ 日本（にほん）に行（い）く　時（とき），たくさんお土産（みやげ）を買（か）いました。（去日本的时候买了许多礼物。）
> ▶ 日本（にほん）に行（い）った　時（とき），たくさんお土産（みやげ）を買（か）いました。（去了日本的时候买了许多礼物。）
> ▶ 忙（いそが）しい　時（とき），家族（かぞく）みんなで仕事（しごと）をします。（忙时全家人一起干活。）
> ▶ 暇（ひま）な　時（とき），わたしは町（まち）で買（か）い物（もの）をします。（有空时我上街买东西。）

注意　只有名词做修饰语时，如"子供（こども）の時（とき）"才在名词"子供"与"時"之间加"の"，其他词语做修饰语则一律不能加"の"，如不能说"×～する<u>の</u>時（とき）""×忙（いそが）しい<u>の</u>時（とき）"。

参考　表示一次性的、个别的情况时，也可以在"～時（とき）"后面加"に"，用"～時（とき）に"的形式。

> ▶ *この前（まえ），友達（ともだち）が病気（びょうき）の**時（とき）に**，わたしが*看病（かんびょう）しました。

（前些天朋友生病时我照看他了。）

　　× 友達（ともだち）が病気（びょうき）の時（とき）に，いつもわたしが看病（かんびょう）しました。

2. 動　ながら

　　表示同一主体同时进行两个动作，其中后面的动作是主要动作。其接续方式为动词"ます形"去掉"ます"加"ながら"。

> ▶ 李（り）さんはテレビを見（み）**ながら**食事（しょくじ）をしています。（小李边看电视边吃饭。）
> ▶ その*こと**を考（かんが）えながら**歩（ある）いていました。（一边考虑着那件事一边走着。）

3. 小句（简体形）　でしょう？　［确认］

　　表示确认的"～でしょう"有两种用法。一是确认对方比自己更为熟悉的事情，这种"～でしょう"含有说话人请听话人告诉自己某种信息的语感，读升调。二是用于对方和自己意见不同，或者叮问对方时，这种"でしょう"读降调。

> ▶ 李（り）さん，明日（あした）パーティーに行（い）く**でしょう**？（↗）（小李，你明天参加联欢会吧。）
> ▶ 李（り）さんは優（やさ）しくて，親切（しんせつ）**でしょう**？（↗）（小李又和蔼又热情吧。）
> ▶ このお菓子（かし）まずいね。（这个点心真难吃！）
>
> 　　──えっ！　まずい？　おいしい**でしょう**。（↘）（哎！难吃？好吃吧。）
> ▶ お母（かあ）さん，わたしの*日記（にっき），見（み）た**でしょう**。（↘）

（妈妈，你是不是看了我的日记？）

参考　"～ね"也用于向对方进行确认。但是，"～ね"仅仅用于说话人认为自己和听话人双方意见一致的情况。而"～でしょう"则可用于对方和自己意见不一致时，所以如果用来确认对方的意见和自己的意见大体一致的事情时，有时候就会显得不礼貌。在这种情况下，应当使用"～ね"。如在路上相逢双方都觉得天气热时，使用"～ね"而不能使用"～でしょう"。

▶ 今日は暑いですね。（今天真热啊。）　　× 今日は暑いでしょう？（↗）

4. 动 ています ③ 〔反复〕〔习惯〕

第 15 课和第 16 课分别学习了"动词て形＋います"表示动作正在进行和动作的结果、状态的用法（☞第 15 课"语法解释 1"，第 16 课"语法解释 4"）。而"动词て形＋います"还可以表示反复或习惯性的动作。在表示习惯性动作时可以用动词"ます形"来代替。

▶ 葉子さんはアルバイトをしながら学校に通っています。（叶子边打工边上学。）〔反复〕
▶ 北京*行きの飛行機は 1 時間に*1 便飛んでいます。

（飞往北京的飞机每小时飞一架。）〔反复〕

▶ わたしは毎日散歩しています。（我每天散步。）〔习惯〕
▶ わたしは毎日散歩します。（我每天散步。）〔习惯〕

注意　表示习惯性动作时，"～ています""～ます"都可以使用，但句子里如使用"先月から"这种表示时间起点的形式时，一般不用"～ます"。

▶ わたしは先月から毎朝太極拳をしています。（我从上个月起每天早上打太极拳。）
× わたしは先月から毎朝太極拳をします。
〇 わたしは毎朝太極拳をします。（我每天早上打太极拳。）

参考　表示现在正在从事的工作，有时可用"[表示职业的名词]＋を＋しています"的形式。

▶ わたしは*高校の*教師をしています。（我在做高中教师。）

5. 名 で 〔原因、理由〕

助词"で"加在名词后面还可以表示原因、理由。

▶ 仕事で，楊さんと会っていたんですよ。（因工作我和杨先生见面来着。）

6. 名 と会います

第 8 课学习了"～に会います"中的"に"表示对象的用法（☞第 8 课"语法解释 4"），而使用表示互动行为的动词时，进行同一动作的另一方要用"と"来表示。如"結婚します（结婚）""*けんかします（吵架）"等表示互动行为的动词只能用"と"。"会います（见）"可以用"に"，也可以用"と"，但用"と"时含有互动的语感。

▶ 仕事で，楊さんと会っていたんですよ。（因工作我和杨先生见面来着。）
▶ 田中さんは佐藤さんと結婚しました。（田中先生和佐藤女士结婚了。）

参考　在"甲は乙と～"这一表达形式中，甲是主语。而在"甲と乙とが～"这一表达形式中，甲乙双方都是主语（"甲と乙とが～"中的第二个"と"有时候省略不用）。

▶ 田中さんと佐藤さん（と）が結婚しました。（田中先生和佐藤女士结婚了。）

表达及词语讲解

1. アルバイト

译成汉语时一般译成"打工"，但在日语中多指学生利用课外时间去工作的情况。

2. 学校に通っています

"通います"表示定期来往于同一个场所，与表示目的地的"に"一起使用。"行きます"也与表示目的地的"に"一起使用，但它只表示从一个地方移动到另一个地方，没有"通います"所包含的往返的意思。

▶ 田中さんは毎日*スポーツセンターに通っています。

(田中先生每天都去体育中心。)

▶ 田中さんは時々スポーツセンターに行きます。 (田中先生时常去体育中心。)

3. *大勢

表示人多，如"大勢の人（很多人）""人が大勢います(有许多人)"。用于修饰名词、动词而一般不能用来做谓语，如"×人が大勢です"。"たくさん"也可用来表示人多，但同时又可以用于人以外的事物，而"大勢"却只能用于人。

▶ 今朝，公園を散歩している時，大勢の人が*集まっているのを見ました。

(我今天早晨在公园散步时，看见许多人聚在一起。)

▶ 教室に学生が大勢います。 (教室里有许多学生。)

4. *お年寄り

"年寄り"前加上敬语的"お"，是既有敬意又有亲切感的"老人"的说法。但是，"お年寄り"不能用来直接称呼对方，直接称呼对方时，用"*おじいさん (老爷爷)""*おばあさん (老奶奶)"等。

▶ お年寄りが多かったでしょう? (老年人很多吧?)

5. *そう言えば

由正在进行的对话或说话现场的某种情况联想到另外一些情况时使用。应用课文中，小戴谈及公园而回忆起孩提时代的事情，因此用了"そう言えば"。

▶ そう言えば，小さい時，よく祖母といっしょに公園へ行きました。

(说起来，我小时候常常和祖母去公园。)

▶ 〔在联欢会上大家热闹地说着〕そう言えば，さっきから戴さんがいませんね。

(这么说来，刚才小戴就不在啊。)

6. *へえ　[叹词 ⑥]

表示对听来的信息感到惊讶或钦佩。应用课文中，听到小戴说小时候和祖母常常一起去公园，森误以为她们是一起去锻炼，因而用了"へえ"这个叹词。

▶ 小さい時，よく祖母といっしょに公園へ行きました。

——へえ，いっしょに運動をしたんですか。

(我小时候常常和祖母去公园。——啊？ 是一起运动吗？)

▶ 加藤さんの息子さんは絵の展覧会で*賞をもらったんですよ。

——へえ，すごいですね。

(加藤的儿子在绘画展览会上得奖了。——哎呀，真了不起啊。)

7. 公園　[日本和中国的不同]

"公園(公园)"这个词在日语和汉语中表达的含义有所不同。在日本，不管面积大小，即使只有一把长椅、一个游戏器械之类的小地方，只要人们在那里散步或休息都可以称为"公園"。另外，日本的公园一般不收费。一小部分收费的公园也不像中国那样发行月票，不过老年人可以免费或者打折购买门票。

与公司有关的说法

広報	宣传	売り上げ	销售额，营业额	月給	月工资
企画	策划，规划	収支	收支	ボーナス（賞与）	奖金
営業	营业	原価	生产成本	新卒採用	
事務	事务，办公	赤字	赤字		录用新毕业的大学生
経理	会计事务	黒字	盈余	中途採用	
人事	人事	契約書	合同		录用有工作经验的人或
労働組合	工会	税金	税款		非应届毕业生
朝礼	早会	取り引き	交易，贸易	過労	过度劳累
ミーティング	会	取り引き先	客户	就職活動	找工作
打ち合わせ	碰头，商量	接待	接待，招待	辞表	辞呈
プレゼン	策划方案说明会	出勤	上班	転職	转业，改行
会議	会议	残業	加班		
調査	调查	有給休暇	带薪休假		
報告	报告，汇报	休日出勤	假日上班		

応用課文
朝の公園

一天，早早起床的森上班前去公园散步。他看见许多老年人在一起打太极拳、做广播体操、跳舞。到分公司后，森向小李、小戴说起自己的见闻。

（到分公司后）

森：今朝，公園を散歩している時，大勢の人が集まっているのを見ました。

李：ああ，お年寄りが多かったでしょう？

森：ええ。太極拳やラジオ体操をしていました。

李：朝の運動ですよ。社交ダンスをしている人たちもいたでしょう？

森：ええ，いました。ほかに，踊りながら歌を歌っている人もいましたよ。

（聊起公园收费的问题）

森：公園に入る時，入園料を払いましたが，どの公園も有料ですか。

李：ええ。有料の公園が多いですね。

森：じゃあ，朝の運動をしているお年寄りたちも入園料を払うんですか。

李：そうですよ。でも，毎日利用する人は割引があるんです。

（小戴想起孩提时代的事）

戴：そう言えば，小さい時，よく祖母といっしょに公園へ行きました。

森：へえ，いっしょに運動をしたんですか。

戴：いいえ。わたしは遊びながら祖母が太極拳をするのを見ていました。

李：休みの時，わたしも公園でジョギングをしています。

戴：朝や夕方の涼しい時にスポーツをするのは気持ちがいいですよね。

ラジオ体操（广播体操）　　社交ダンス（交际舞）　　ほかに（另外）　　踊ります（跳舞）

入園料（门票）　　有料（收费）

练　习

练习 I

1. 仿照例句替换画线部分进行练习。

[例] 子供です／横浜に住んでいました → 子供の時，横浜に住んでいました。

(1) 病気です／1 か月会社を休みました

(2) 休みです／子供とサッカーをします

(3) 信号が青です／道を渡ってもいいです

(4) 信号が赤です／道を渡ってはいけません

(5) 海外旅行です／パスポートが要ります

2. 仿照例句替换画线部分进行练习。

[例] 天気がいいです／友達と野球をします → 天気がいい時，友達と野球をします。

仕事が暇です／残業しません → 仕事が暇な時，残業しません。

コーヒーを飲みます／砂糖を入れます → コーヒーを飲む時，砂糖を入れます。

(1) 寂しいです／明るい曲を聞きます

(2) 夜静かです／詩を書きます

(3) 困りました／わたしに相談してください

(4) 紙を切ります／はさみを使います

(5) 部屋を使いません／電気を消してください

(6) お金がありません／どうしますか

(7) 都合が悪いです／すぐ連絡してください

(8) 朝友達に会いました／「おはよう」と言います

3. 仿照例句，回答录音中的提问。

[例] 子供の時，どこに住んでいましたか。(上海)——上海に住んでいました。

(1) コーヒーか紅茶　　　　(2) お金とパスポート

(3) 旅行　　　　　　　　　(4)「お先に失礼します」

(5) 家族や友達　　　　　　(6) 卓球やバスケットボール

4. 仿照例句替换画线部分进行练习。

[例 1] 雑誌を読みます／ご飯を食べます

入れます(放入)　曲(乐曲)　困ります(为难)　相談します(商谈)　はさみ(剪刀)

卓球(乒乓球)　バスケットボール(篮球)

→ 甲: 李さんは何をしていますか。

乙: 雑誌を読みながら，ご飯を食べています。

(1) ラジオを聞きます／食事の準備をします

(2) 長島さんと話します／写真を選びます

(3) 手をたたきます／歌ったり踊ったりします

(4) 部屋の中を歩きます／スピーチの練習をします

(5) 表やグラフを見せます／新しい企画の説明をします

[例2] 野球が好きです／ええ，大好きです

→ 甲: 森さん，野球が好きでしょう?

乙: ええ，大好きです。

(6) 明日から出張です／はい，1週間の予定です

(7) ここにカメラがありました／さあ，気がつきませんでしたが…

(8) 日本に恋人がいます／えっ! いいえ，いません

(9) スキーができます／ええ。でも，上手ではありません

(10) スペイン語は難しいです／いいえ，そんなに難しくないですよ

5. 仿照例句替换画线部分进行练习。

[例] 姉は銀行で働きます → 姉は銀行で働いています。

(1) 父は市役所で働きます

(2) 兄は大学で国際関係学を勉強します

(3) 母は毎日病院に通います

(4) 駅前のスーパーは安い品物を売ります

(5) わたしは毎日運動します

(6) 弟の会社はパソコンの部品を作ります

🎧 **6. 听录音，仿照例句替换画线部分练习会话。**

[例] 葉子さん／李さん／大学に通います

→ 甲: あのう，葉子さんでしょう?

乙: あっ，李さん，しばらくですね。

甲: 本当に。お元気ですか。

乙: ええ。去年からこの近くの大学に通っています。

(1) キムさん／木下さん／スーパーで働きます

(2) 田中さん／張さん／マンションに住みます

(3) 陳さん／田村さん／会社で働きます

たたきます(敲)　スピーチ(演说)　グラフ(图表)　企画(策划)　気がつきます(察觉)

姉(姐姐)　しばらくです(好久不见)

练习 Ⅱ

1. 看图，仿照例句造句。

[例] テレビを見ながら，晩ご飯を食べています。

(1)　　　　　　　　　　　　　　(2)

(3)　　　　　　　　　　　　　　(4)

2. 从□□□中选择适当的词语填入（　　　）中。

[例] ご飯を食べる時に使う物です。（　　はし　　）

(1) 紙を切る時に使う道具です。（　　　　　）

(2) 買い物する時に使う物です。（　　　　　）

(3) 話したりメールを送ったりする時に使う物です。（　　　　　　　）

(4) ご飯を食べる時に行く所です。（　　　　　）

(5) 切手を買ったり荷物を送ったりする時に行く所です。（　　　　　　）

食堂

携帯電話

~~はし~~

はさみ

クレジットカード

郵便局

3. 将（　　　）中的词语变成适当的形式，完成句子。

[例] （ 疲れます → 疲れた ）時，ゆっくりお風呂に入ります。

(1) あそこで電話を（ かけます →　　　　　　）人はだれですか。

(2) あなたが（ 好きです →　　　　　　）音楽は何ですか。

(3) 吉田さんは昨日（ 来ませんでした →　　　　　　）でしょう？

(4) 李さんは歌を（ 歌います →　　　　　　）ながら，掃除しています。

(5) あの店は日曜日は（ 休みです →　　　　　　）かもしれません。

4. 将下面的句子译成日语。

(1) （我）小时候，发生过大地震。

(2) 小李正边看电视边吃饭。

(3) 森先生，昨天你在车站附近的咖啡馆来着吧？

生词表

けいざい（経済）	［名］	经济
こくさいかんけいがく（国際関係学）	［名］	
		国际关系学
おおぜい（大勢）	［名］	许多，众多
こうこう（高校）	［名］	高中
にっき（日記）	［名］	日记
きょうし（教師）	［名］	教师
おとしより（お年寄り）	［名］	老年人
ラジオたいそう（〜体操）	［名］	广播体操
しゃこうダンス（社交〜）	［名］	交际舞
たっきゅう（卓球）	［名］	乒乓球
バスケットボール	［名］	篮球
スポーツセンター	［名］	体育中心
にゅうえんりょう（入園料）	［名］	门票，入园费
ゆうりょう（有料）	［名］	收费
しょう（賞）	［名］	奖
きょく（曲）	［名］	乐曲，歌曲
し（詩）	［名］	诗歌
しんごう（信号）	［名］	信号，红绿灯
はさみ	［名］	剪刀
ぶひん（部品）	［名］	零部件
アルバイト	［名］	打工，副业，工读
スピーチ	［名］	演说，演讲
グラフ	［名］	图表
きかく（企画）	［名］	策划，计划
せつめい（説明）	［名］	说明
ごはん（ご飯）	［名］	饭
さとう（砂糖）	［名］	砂糖

かいがいりょこう（海外旅行）	［名］	海外旅行
こと	［名］	事情
おじいさん	［代］	爷爷；老大爷
おばあさん	［代］	奶奶；老奶奶
あね（姉）	［代］	姐姐
かよいます（通います）	［动1］	上学，来往
あつまります（集まります）	［动1］	聚，集合
おどります（踊ります）	［动1］	跳舞
いります（要ります）	［动1］	要
こまります（困ります）	［动1］	为难，难办
たたきます	［动1］	拍，敲，打
いれます（入れます）	［动2］	放入，放进
かんびょうします（看病〜）	［动3］	护理
けんかします	［动3］	吵架，打架
りようします（利用〜）	［动3］	利用
そうだんします（相談〜）	［动3］	商谈
ほかに	［副］	另外
しばらく	［副］	许久，好久；片刻
へえ	［叹］	哎，哎呀，哎哟
きのした（木下）	［专］	木下
たむら（田村）	［专］	田村

このまえ（この前）	前几天，之前，最近
そういえば（そう言えば）	说起来，这么说来
きがつきます（気がつきます）	察觉
しばらくです	好久不见
〜行き／〜便	

专栏

银发族

到了一定的年龄就退休叫"定年退職"，一般使用省略说法"定年"。进入少子女高龄化社会的日本，"定年後（退休后）"已经成为一个引人注目的关键词。退休后也和自己的儿女一起生活的人越来越少，人们要重新考虑退休后的生活。

60 岁以上的人称为"シルバー世代（银发族）"。这些"银发族"的生活方式多种多样。有些人退休后仍和退休前一样，和公司建立雇用关系，或者在不同的领域谋求工作，也有许多人退休后在兴趣方面谋求生存的价值。

有些人喜欢从事网球、高尔夫球、门球等体育活动，也有些人喜欢摄影、围棋、象棋、绘画、陶艺、盆栽、跳舞、卡拉 OK 等活动。可以说"银发族"发展兴趣的最大理由是通过相同的爱好、兴趣谋求和他人的交流。对容易形成只有夫妇两个人生活的"银发族"来说，和相同爱好的朋友定期交流，有利于身心健康，是充实的晚年生活不可缺少的乐趣。

另外，"银发族"消费能力高，面向他们的许多商品也正在开发。旅行是个典型的例子，例如"乘豪华客船的环球旅行""坐专车巡游全日本的温泉"等旅行受到既有时间又有钱的"银发族"的好评。

第 28 課
馬さんはわたしに地図をくれました

1. 馬さんはわたしに地図をくれました。
2. 森さんはお年寄りの荷物を持ってあげました。
3. 森さんは李さんに北京を案内してもらいました。
4. 女の人がわたしの財布を拾ってくれました。

A
甲: すてきなマフラーですね。
乙: ええ，小野さんが誕生日にくれたんです。

B
甲: 森さんは明日引っ越しですね。
乙: ええ，みんなで手伝ってあげましょう。

C
甲: この文章の意味が分からないんですが…。
乙: 戴さんに訳してもらいましょう。英語が得意ですから。

D
甲: おいしいお茶を送ってくれて，どうもありがとう。
乙: いいえ，どういたしまして。

くれます(给)　案内します(向导)　拾います(捡)　すてき(漂亮)　マフラー(围巾)
引っ越し(搬家)　意味(意思)　訳します(翻译)　得意(擅长)　どういたしまして(没关系)

语 法 解 释

1. 名1[人] は 名2[人] に 名3[物] をくれます

第 8 课学习了"あげます""もらいます"（☞ 第 8 课"语法解释 2、3"），本课学习"くれます"，"くれます"表示别人给说话人或者说话人一方的人某物。"あげます""もらいます""くれます"翻译成汉语都是"给"，但三者之间表达的角度不同。比如第 8 课的"小野さんは森さんにチョコレートをあげました（小野女士给了森先生巧克力）"这个句子中，把"森さん"变成"わたし"时"あげました"则要变成"くれました"。

- ▶ 馬さんはわたしに地図を**くれました**。（小马给了我一张地图。）
- ▶ 小野さん，この本をわたしに**くれます**か。（小野，这本书送给我吗?）
- ▶ 昨日，馬さんが妹に旅行のお土産を**くれました**。

（昨天，小马把旅行时买的礼物给了我妹妹。）

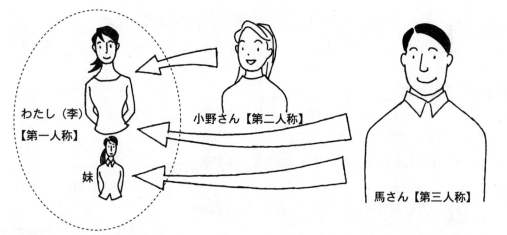

わたし（李）【第一人称】　妹　小野さん【第二人称】　馬さん【第三人称】

参考　日语中，一般采用以说话人做主语进行叙述的说法。因此，与"林さんがわたしに本をくれました"相比，日语多用"わたしは林さんに本をもらいました"的说法。

2. 动 てあげます

第 8 课学习了"あげます"表示说话人或者说话人一方的人给予别人物品的用法（☞第 8 课"语法解释 2"），这里我们将进一步学习"动词て形＋あげます"表示说话人或者说话人一方的人为别人做某事的用法。"别人"用助词"に"来表示，如下面第 2 个例句里的"*孫に"中的"に"。不过一般"别人"这一部分不出现在句子里。

- ▶ 森さんはお年寄りの荷物を 持って あげました。（森先生帮老年人拿行李了。）
- ▶ 　おじいさんが孫に本を 読んで あげました。（爷爷念书给孙子听。）

▶ この本をあなたに　貸して　あげます。（我把这本书借给你。）　〔前辈对晚辈〕

× この本をわたしに　貸して　あげます。

3. 动 てもらいます

　　第 8 课学习了"もらいます"表示得到物品的用法（☞ 第 8 课"语法解释 3"），这里我们将进一步学习其表示说话人或说话人一方的人请别人做某事的用法。"动词て形＋もらいます"具有"说话人请别人做某事"以及"说话人承受了由于别人的动作而带来的恩惠"两种含义。"别人"用助词"に"来表示，如下面例句中的"李さんに""*係の人に"。

▶ 森さんは李さんに北京を　案内して　もらいました。

（森先生请小李带他游览了北京。）

▶ 　　係の人に切符を　*交換して　もらいました。

（请工作人员给我换了票。）

▶ 　　林さん，もう少し　待って　もらいたいのですが。

——分かりました。（林先生，我想请你再稍微等一等。——知道了。）

4. 动 てくれます

　　用"动词て形＋くれます"表示说话人以外的主语为说话人或说话人一方的人做某事。如整个句子为疑问形式时也可以用于委托关系亲密的人为自己做某事。

▶ 女の人がわたしの財布を　拾って　くれました。

（一位妇女帮我捡起了钱包。）

▶ 　友達がおもしろい本を　教えて　くれました。

（朋友给我介绍了一本有趣的书。）

▶ 　　ごみを　出して　くれますか。

——いいですよ。（帮我倒一下垃圾好吗？——好的。）

　　委托别人帮自己做某事时，使用否定形式"～てくれませんか"比使用"～てくれますか"更加客气、礼貌。

▶ 森君，この手紙をコピーしてくれませんか。

（森君，能帮我把这封信复印一下吗？）

表达及词语讲解

1. ～てあげます

　　如"语法解释"里讲过的那样，"～てあげます"表示说话人或者说话人一方的人为别人做某事。不过因这种形式含有赐恩于对方的意思，显得不太礼貌，因此不能面对面直接对尊长使用。应用课文中，因为森和小马是对等关系，所以小马可以对森说"案内してあげます（我带你转一转）"。

▶ 〔甲和乙（动作的接受者）是对等关系时〕

甲: 李さん, わたしが持ってあげますよ。（小李，我来帮你拿。）

乙: どうもありがとう。（谢谢。）

对尊长说话时，用征求对方意见的形式"～ましょうか"。

▶ 〔对甲来说，乙（动作的接受者）是长辈或上级时〕

甲: 先生, わたしが持ちましょうか。（老师，我来帮您拿吧。）

乙: どうもありがとう。（谢谢。）

2. *それに

用于前后句的内容为累加关系。多见于口语。

▶ 陳さんに*不動産屋さんを*紹介してもらいました。それに, 李さんや馬さんもいろいろと探してくれています。

（老陈给我介绍了一家房产公司。而且，小李、小马也都在帮着找呢。）

▶ あのレストランの料理はとてもおいしいです。それに, 店の*雰囲気もとてもいいです。（那家餐馆的菜肴很好吃，而且，店内的气氛也很好。）

3. *～先

　　表示移动性动作的到达地点或归属。应用课文中的"引っ越し先（搬迁的地址）"指搬迁后居住的地方。

▶ 引っ越し先が決まったら, 連絡してください。（搬迁的地址决定后,请跟我联系。）

▶ 出張先のホテルから電話がありました。（从出差地的宾馆打来了电话。）

行き先　目的地，要去的地方	旅行先　旅行的目的地
出張先　出差所去的地方	就職先　就业的单位
送り先　邮件的接受人和地点	

4. *どの辺

询问大致的场所时，可使用"どの辺"。回答时，一般要像应用课文中的"*国際貿易センターの近くです（在国际贸易中心附近）"那样，回答一个大致的场所，也可以只回答地名。

> 甲: 引っ越し先が決まりました。（搬迁的地址定下来了。）
>
> 乙: どの辺ですか。（在哪儿?）
> 甲: 新宿です。（在新宿。）

第 25 课学习了表示周边的"～あたり"（☞ 第 25 课"表达及词语讲解 5"），"～辺"也表示同样的意思。不过，"辺"必须和"この／その／あの／どの"等词一起使用，如"この辺""その辺""あの辺"。不能加在表示具体场所的名词后面。

> 駅のあたりには*飲食店がたくさんあります。（车站附近有许多饮食店。）
> 〔× 駅の辺〕

5. *家具はどうしたんですか

日语中的"どうしたんですか"可以用于不同的场面表示多种意思。在本课的应用课文中表示询问某物的购入方式。

> 家具はどうしたんですか。
> ——もう買いました。明日*届けてもらいます。
>
> （家具怎么样了? ——已经买好了，明天送来。）

> 〔对持有走红歌星的音乐会入场券的人〕
>
> そのチケット，どうしたんですか。（入场券怎么搞到手的?）
> ——*インターネットで買ったんです。（在网上买的。）

📖 关于房地产的用语

アパート　公寓	ＬＤＫ　带起居室、餐厅、厨房的居室
マンション　（高级）公寓	１Ｋ　带厨房的１居室
建売り　建房出售	～畳　（榻榻米的量词，用来说明日式房间的面积）
一戸建て　独幢楼房	ユニットバス　整体浴室
賃貸　出租（房）	家賃　房租
分譲　按户出售（的住宅）	敷金　押金
新築　新建房屋	礼金　酬谢金
築～年　建后～年	管理費　管理费

応用課文

森さんの新居

来北京两个星期了，森想从宾馆搬进公寓。走了好多家房产公司也没找到满意的房子。分公司经理加藤也惦记着这件事。

（加藤经理对森说）

加藤: 森君，住む所はもう決まったの?

森: いいえ，まだなんです。さっき，陳さんに不動産屋さんを紹介して

もらいました。それに，李さんや馬さんもいろいろと探してくれています。

（第二个星期，森向加藤经理汇报搬家的事）

森: 支社長，引っ越し先が決まりました。

加藤: それはよかった。どの辺?

森: 国際貿易センターの近くです。

（听到两人谈话的小马说）

馬:「国貿」ですか。あの辺はよく知っています。

森: そうなんですか。

馬: ええ。今度近所を案内してあげますよ。

森: ありがとうございます。

（搬家的前一天）

戴: 森さん，引っ越しは明日ですね。

森: ええ。馬さんと李さんが手伝いに来てくれます。

戴: 家具はどうしたんですか。

森: もう買いました。明日届けてもらいます。冷蔵庫は，支社長が

くれました。

近所(附近)　支社長(分公司经理)

练　习

练习 I

1. 仿照例句替换画线部分进行练习。

[例1] 馬さん／地図　→　馬さんはわたしに地図をくれました。

(1) 姉／ネックレス

(2) 李さん／薬

(3) 兄／パソコン

(4) 友達／中国のお土産

[例2] 北京を案内します　→　森さんは李さんに北京を案内してもらいました。

(5) 有名なレストランを紹介します

(6) 食事をごちそうします

(7) 家族の写真を見せます

(8) 切符の買い方を教えます

[例3] 森さん／デジカメ／貸します　→　わたしは森さんにデジカメを貸してあげました。

(9) 王さん／自転車／貸します

(10) キムさん／英語／教えます

(11) 田村さん／仕事／紹介します

(12) 李さん／パソコン／貸します

[例4] おいしいお茶／送ります　→　小野さんがおいしいお茶を送ってくれました。

(13) 新鮮な野菜／送ります

(14) 旅行のお土産／届けます

(15) 日本語／教えます

(16) 仕事／遅くまで手伝います

2. 看图，仿照例句回答提问。

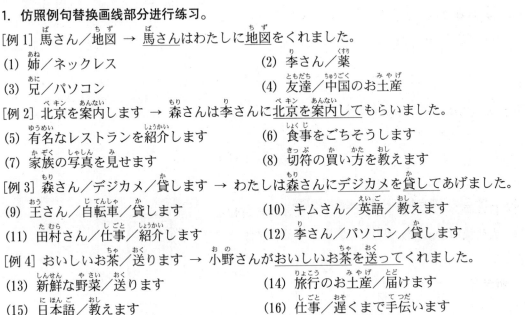

| [例] | (1) | (2) |

李さん → わたし　　　　李さん → わたし　　　　陳さん → 森さん

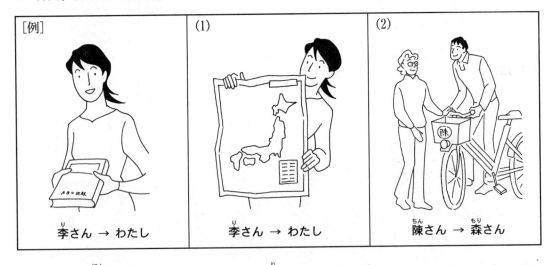

[例] ① その本, だれがくれましたか。——李さんがくれました。

　　② その本, だれにもらいましたか。——李さんにもらいました。

　　③ 李さんはだれにあげましたか。——わたしにくれました。

ネックレス(项链)

(1) ① その地図，だれが見せてくれましたか。

　　② その地図，だれに見せてもらいましたか。

　　③ 李さんは地図をだれに見せてあげましたか。

(2) ① 森さんは自転車をだれに貸してもらいましたか。

　　② 陳さんは自転車をだれに貸してあげましたか。

3.　仿照例句替换画线部分进行练习。

［例］天ぷらの作り方／教えます／うまくできません

　　→　天ぷらの作り方を教えてもらいましたが，うまくできません。

(1) コンピュータの部品／交換します／うまく動きません

(2) 中田先生の住所／調べます／分かりませんでした

(3) 日本語の発音／直します／まだうまくできません

(4) 大使館の電話番号／教えます／書いたメモをなくしました

4.　听录音，仿照例句替换画线部分练习会话。

［例1］テレビをつけます／お茶も入れます

　　→　甲: ちょっとテレビをつけてくれますか。

　　　　乙: はい。

　　　　甲: それから，お茶も入れてくれませんか。

　　　　乙: ええ，いいですよ。

(1) 鉛筆を貸します／辞書も貸します

(2) これを5枚コピーします／部長に届けます

［例2］1人で帰ります／車で送ります

　　→　甲: 1人で帰りましたか。

　　　　乙: いいえ。王さんに車で送ってもらいました。

　　　　甲: 王さんが車で送ってくれたんですか。

　　　　乙: ええ，そうなんですよ。

(3) 1人で作ります／手伝います

(4) 1人でこの手紙を読みます／訳します

うまく(高明地)

練習 Ⅱ

1. 给正确的答案画〇。

[例] 戴さんがわたし（（を）・ に ）空港まで送ってくれました。

(1) 父（ を ・ に ）パソコンの雑誌（ を ・ に ）買ってあげました。

(2) 友達（ に ・ が ）引っ越し（ を ・ に ）手伝ってくれるから，大丈夫です。

(3) わたしは森さん（ が ・ に ）荷物（ に ・ を ）持ってもらいました。

(4) わたしに来た中国語の手紙を，李さんが訳して（ あげました ・ くれました ）。

(5) わたしは小野さんに東京を案内して（ くれました ・ もらいました ）。

(6) 分からないんですか。じゃあ，教えて（ あげましょう ・ くれませんか ）。

2. 从 ▭ 中选择适当的词语填入（　　）中。

[例] あの店の料理は（　なかなか　）おいしかったですよ。

(1) （　　　　　　　　）王さんは行かないかもしれません。

(2) あの人は英語とフランス語が上手です。（　　　　　　　　）韓国語もできます。

(3) 時間がありませんから，（　　　　　　　　）来てください。

(4) 朝はパンですか，ご飯ですか。──（　　　　　　　　）ご飯です。

(5) 明日の朝，横浜へ行かなければなりません。（　　　　　　　　），すみませんが，会社へ
行くのが少し遅れます。

(6) （　　　　　　　　），明日は 9 月 1 日，ぼくの誕生日だ。

> もしかしたら　それで　すぐに　~~なかなか~~　そう言えば　それに　ほとんど

3. 听录音，与录音内容一致的在（　　）中画〇，不一致的画×。

[例] 森さん，すてきなマフラーですね。──ええ，小野さんが誕生日にくれたんです。

（〇）森さんは小野さんにマフラーをもらいました。

(1) （　　）森さんはお茶を入れます。

(2) （　　）李さんは傘を貸してあげました。

(3) （　　）森さんが書類をコピーしてくれました。

(4) （　　）長島さんは駅まで送ってもらいました。

4. 将下面的句子译成日语。

(1) 小马给了我（一张）地图。

(2) 森先生让小李带他游览了北京。

(3) 森先生明天搬家吧。──是的，大家帮他一下吧。

生 词 表

マフラー［名］	围巾	
ネックレス［名］	项链	
かぐ（家具）［名］	家具	
ぶんしょう（文章）［名］	文章	
いみ（意味）［名］	意思	
ふんいき（雰囲気）［名］	气氛	
はつおん（発音）［名］	发音	
ふどうさんや（不動産屋）［名］	房地产公司	
いんしょくてん（飲食店）［名］	饮食店	
たいしかん（大使館）［名］	大使馆	
しんきょ（新居）［名］	新居	
ひっこし（引っ越し）［名］	搬家	
ぎんじょ（近所）［名］	附近	
まご（孫）［名］	孙子，孙女	
かかり（係）［名］	工作人员，主管人员	
ししゃちょう（支社長）［名］	分公司经理	
しゅうしょく（就職）［名］	就业	
インターネット［名］	互联网	
ひろいます（拾います）［動1］	捡，拾	

やくします（訳します）［動1］　翻译
くれます［動2］　给
とどけます（届けます）［動2］　送到，送去
あんないします（案内～）［動3］　向导，导游
こうかんします（交換～）［動3］　换，交换
しょうかいします（紹介～）［動3］　介绍
すてき［形2］　漂亮，极好
とくい（得意）［形2］　擅长
しんせん（新鮮）［形2］　新鲜
うまく［副］　高明地，很好地
それに［連］　而且
なかた（中田）［専］　中田
こくさいぼうえきセンター（国際貿易～）／
こくぼう（国貿）［専］　国际贸易中心，国贸

....

どういたしまして　没关系
どのへん（どの辺）　哪儿
～先

专栏

搬家在日本

日本学校新的学年和国家财政年度等始于 4 月。因此从 3 月到 4 月，常常可以看到因为调动工作、就业等原因而举家搬迁的情景。任何一个时代，搬家都是一件大事，最近，专门从事搬家的行业多了起来，而且提供种种服务，搬家变得简便了。以前，从行李打包到安排卡车，一切事情都要当事人自己来做。而现在，只要委托搬家公司，所有的事情几乎都不用当事人操劳。

方便之处在于搬家者可以选择自己需要的服务这一点。首先，搬家人是单身还是有家属，其规定的费用不同。当然，行李少的单身搬家时费用比较便宜。其次，根据委托的项目不同价格也有所不同。例如，行李的装箱由自己做，其他的如搬进、搬出、运输都委托搬家公司。或者，也可以把包括装箱等搬家的一切业务都委托给搬家公司。当然，委托搬家公司的工作量越大费用就越高。最能节约费用的是：装箱、搬进、搬出都自己做，只把运输的工作委托给搬家公司。另外，还有各种各样的服务，诸如运输私人汽车和钢琴、装卸空调、印制迁居明信片等，但需要另付费用。

大部分搬家公司是 24 小时 365 天营业，从决定费用到实施搬家，各家公司不断展开竞争，满足搬迁者的各种要求、实现以搬迁者为本的一流服务。

阅读文

北京支社の人々
（ペキンししゃ　ひとびと）

森さんは先週，引っ越しました。国際貿易センターの隣に最近できた20階建てのマンションです。近くを地下鉄が走っていて，交通の便がとてもいい所です。部屋を探すのは大変でしたが，森さんは北京支社の人たちにいろいろ助けてもらいました。引っ越しの時には，みんな手伝いに来てくれました。とてもいいスタッフです。

森さんが北京に来てから間もなく，支社のスタッフが歓迎会を開きました。その時に撮った写真があります。写真を見ながら北京支社の人たちを紹介しましょう。場所は，王府井（ワンフーチン）にあるレストランです。支社の人たちがよく行くお店で，北京ダックがとてもおいしいです。

森さんの隣にいるのが李さんです。そして，李さんの前にいる髭のある人は加藤支社長です。単身赴任で，東京にいるお嬢さんとよくメールの交換をしています。加藤支社長の隣にいる女性は陳副支社長です。ちょっと厳しいですが，とても頼りになる人です。髪の長い若い女性は戴さんです。英語がとても上手で，受付と秘書をしています。働きながら学校に通っています。グラスを持った男性は馬さんで，車の運転が上手です。森さんが北京に着いた時，李さんといっしょに空港まで迎えに来てくれました。みんな明るい人たちでしょう？

森さんは北京支社の人たちに助けてもらいながら働いています。さあ，森さんは北京でどんな活躍をするでしょうか。

森上星期搬家了，(新居)在国际贸易中心旁边，是最近建成的20层高级公寓。附近有地铁运行，交通十分方便。找房子是件很累人的事，但森得到了北京分公司职员们的多方协助。搬家时，大家都来帮忙了，他们都是非常好的同事。

森来北京后不久，分公司的工作人员为他开了欢迎会。这儿有那时拍的照片，让我们一边看照片一边来介绍北京分公司的职员吧。(拍照)地点是位于王府井的一家餐馆。分公司的人常常去那儿用餐，这家餐馆的北京烤鸭很好吃。

森旁边是小李，小李前面留胡子的人是分公司经理加藤。加藤先生是单身赴任，因此常和在东京的女儿互发电子邮件。加藤经理旁边的女士是分公司的陈副经理。她有点严厉，但是个可以信赖的人。长头发的年轻女士是小戴，英语很棒，做接待和秘书工作，她一边工作一边还上学。端着玻璃杯的男士是小马，驾驶技术很好。森到达北京时，就是他和小李一起去机场迎接的。(这些人)看起来都很快活吧？森就是在他们的协助下工作着。那么，森在北京会怎样大显身手呢？

单元末

实用
场景对话

找房子

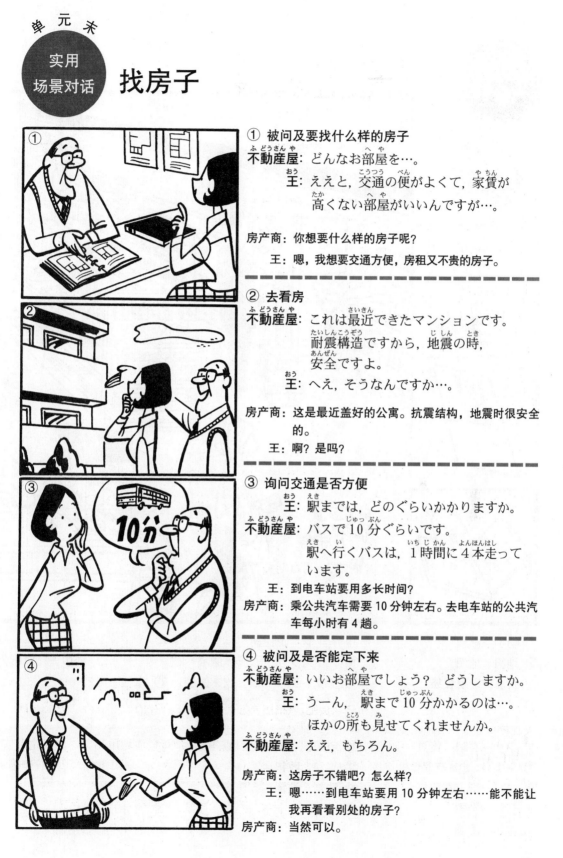

① 被问及要找什么样的房子

不動産屋（ふどうさんや）: どんなお部屋（へや）を…。

王（おう）: ええと，交通（こうつう）の便（べん）がよくて，家賃（やちん）が高（たか）くない部屋（へや）がいいんですが…。

房产商：你想要什么样的房子呢？

王：嗯，我想要交通方便，房租又不贵的房子。

② 去看房

不動産屋（ふどうさんや）: これは最近（さいきん）できたマンションです。耐震構造（たいしんこうぞう）ですから，地震（じしん）の時（とき），安全（あんぜん）ですよ。

王（おう）: へえ，そうなんですか…。

房产商：这是最近盖好的公寓。抗震结构，地震时很安全的。

王：啊？是吗？

③ 询问交通是否方便

王（おう）: 駅（えき）までは，どのぐらいかかりますか。

不動産屋（ふどうさんや）: バスで10分（じゅっぷん）ぐらいです。駅（えき）へ行（い）くバスは，1時間（いちじかん）に4本（よんほんはし）走（はし）っています。

王：到电车站要用多长时间？

房产商：乘公共汽车需要10分钟左右。去电车站的公共汽车每小时有4趟。

④ 被问及是否能定下来

不動産屋（ふどうさんや）: いいお部屋（へや）でしょう？ どうしますか。

王（おう）: うーん，駅（えき）まで10分（じゅっぷん）かかるのは…。ほかの所（ところ）も見（み）せてくれませんか。

不動産屋（ふどうさんや）: ええ，もちろん。

房产商：这房子不错吧？怎么样？

王：嗯……到电车站要用10分钟左右……能不能让我再看看别处的房子？

房产商：当然可以。

コンビニ

① 切手（きって）　邮票
② 地図（ちず）　地图
③ 香典袋（こうでんぶくろ）　奠仪袋
④ ＣＤ（シーディー）　ＣＤ
⑤ 新聞（しんぶん）　报纸
⑥ ファックス　传真
⑦ ＡＴＭ（エーティーエム）　自动存取款机
⑧ コピー機（き）　复印机
⑨ 雑誌（ざっし）　杂志
⑩ 漫画（まんが）　漫画

⑪ トイレ　卫生间
⑫ アイスクリーム　冰激凌
⑬ ソフトクリーム　软冰激凌
⑭ ビニール袋（ぶくろ）　塑料袋
⑮ 買（か）い物（もの）かご　购物篮（框）
⑯ 宅配便（たくはいびん）　送货上门服务
⑰ レジ　收银台
⑱ 洗剤（せんざい）　洗涤剂，洗衣粉
⑲ トイレットペーパー　手纸

⑳ ティッシュペーパー
　　　　　纸巾，化妆纸
㉑ 電池（でんち）　电池
㉒ 文房具（ぶんぼうぐ）　文具
㉓ 化粧品（けしょうひん）　化妆品
㉔ 生理用品（せいりようひん）
　　　　　卫生巾、卫生护垫等
㉕ せっけん　肥皂
㉖ タオル　毛巾
㉗ 日用品（にちようひん）　日用品

46

㉘ チョコレート　巧克力
㉙ ポテトチップス　薯片
㉚ ガム　口香糖
㉛ あめ　糖
㉜ せんべい　脆饼
㉝ お菓子（かし）　点心
㉞ カップめん　碗装方便面
㉟ カップスープ　碗装汤(料)
㊱ 冷凍食品（れいとうしょくひん）　冷冻食品
㊲ 氷（こおり）　冰
㊳ 缶詰（かんづめ）　罐头
㊴ お茶（ちゃ）　茶
㊵ ミネラルウォーター　矿泉水
㊶ お酒（さけ）　酒
㊷ パン　面包
㊸ 肉（にく）まん　肉包子
㊹ ホットドッグ　热狗
㊺ お弁当（べんとう）　盒饭
㊻ おにぎり　饭团子
㊼ 惣菜（そうざい）　家常菜，副食
㊽ ゼリー　果冻
㊾ デザート　餐后点心
㊿ ペットボトル　塑料瓶
(51) タバコ　香烟
(52) 傘（かさ）　伞
(53) 下着（したぎ）　内衣
(54) 紙袋（かみぶくろ）　纸袋

单元末

日本风情

租房子

在日本，找住房可以利用互联网、专业信息杂志等，但最常用的方法还是去找房产商。房产商可以根据顾客对房租、距离车站远近等要求介绍房屋。

不动产信息【传单】

关于房屋设备，朝向等方面的信息

关于地址，房屋结构以及建筑年数的信息

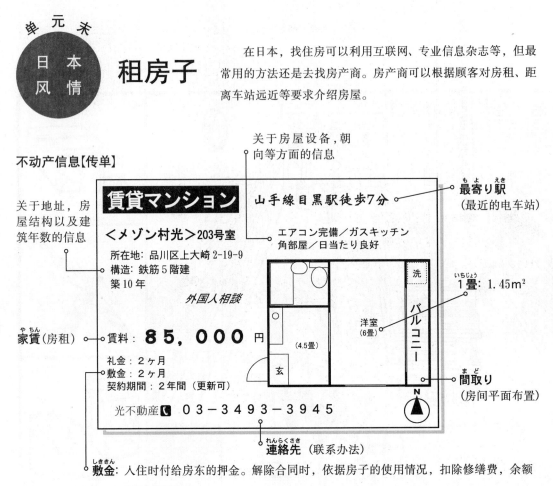

最寄り駅
（最近的电车站）

1畳：1.45m²

家賃（房租）

間取り
（房间平面布置）

連絡先（联系办法）

敷金：入住时付给房东的押金。解除合同时，依据房子的使用情况，扣除修缮费，余额返还给租房人。

礼金：感谢房东的酬金。不返还。

※另外，作为中介手续费，要向房产商支付半个月或1个月的房租。

房间平面布置（两居室）

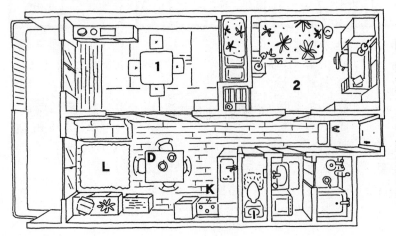

在日本，说明房间布局时，采用"2LDK（两居室）"的说法。"L（Living room）"是起居室；"D（Dining room）"是餐厅；"K（Kitchen）"是厨房。如左图所示，"2LDK"表示除了上述房间外，还有两个单间和浴室、卫生间。

8 余暇

4月的北京迎来了春天。工作之余，森和北京分公司的同事们一起休闲娱乐。

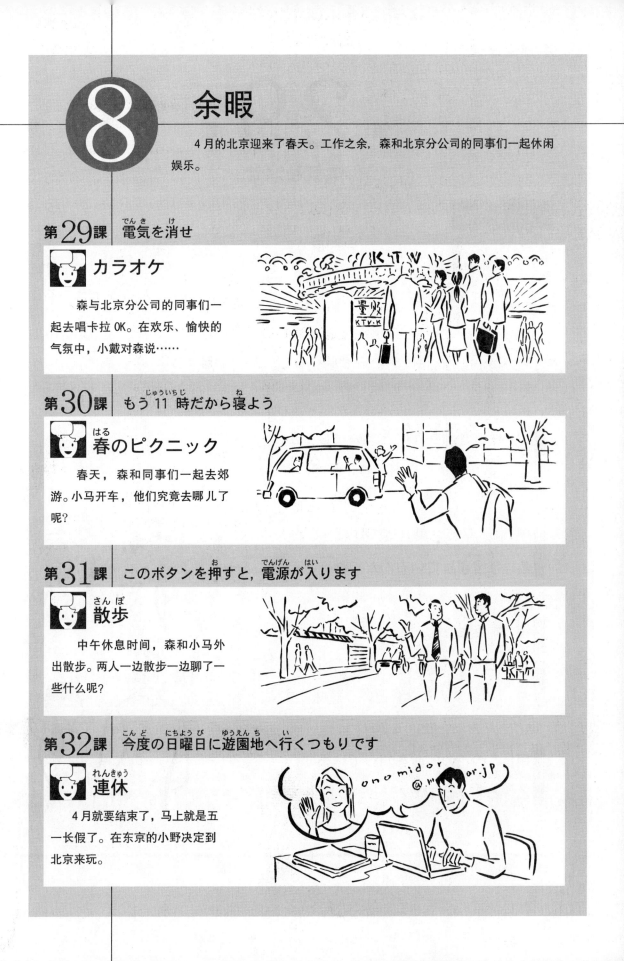

第29課
電気を消せ

基本課文

1. 電気を消せ。
2. 次の文章を読んで, 質問に答えなさい。
3. ここに車を止めるな。
4. このマークは「タバコを吸うな」という意味です。

A
甲: さっき部長は何と言いましたか。
乙: 「書類を早く提出しろ」と言いました。

B
甲: 誠, 早くお風呂に入りなさい。
乙: 今宿題しているんだ。お母さん先に入ってよ。

C
甲: すみません, これは何と読みますか。
乙: 「たちいりきんし（立入禁止）」と読みます。
　　「ここに入るな」という意味ですよ。

D
甲: この花の名前を知っていますか。
乙: ええ, それはフジという花です。

質問(问题)　答えます(回答)　マーク(符号)　提出します(提交)　フジ(紫藤)

语法解释

1. 动词的命令形

命令形是说话人对听话人下命令时使用的表达形式。其构成方式如下：

■ 一类动词：把基本形的最后一个音变成相应的"え"段上的音。

■ 二类动词：把基本形的"る"变成"ろ"。

■ 三类动词：把"来<ruby>来<rt>く</rt></ruby>る"变成"来<ruby>来<rt>こ</rt></ruby>い"，把"する"变成"しろ"。

类＼形	基 本 形			命 令 形
一类动词	書く	かく	→	かけ
	急ぐ	いそぐ	→	いそげ
	飛ぶ	とぶ	→	とべ
	読む	よむ	→	よめ
	死ぬ	しぬ	→	しね
	待つ	まつ	→	まて
	売る	うる	→	うれ
	買う	かう	→	かえ
	話す	はなす	→	はなせ
二类动词	食べる	たべる	→	たべろ
	見る	みる	→	みろ
	寝る	ねる	→	ねろ
三类动词	来る	くる	→	こい
	する	する	→	しろ

▶　電気<ruby>電気<rt>でんき</rt></ruby>を　消<ruby>消<rt>け</rt></ruby>せ。　（关灯!）

▶　書類<ruby>書類<rt>しょるい</rt></ruby>を早<ruby>早<rt>はや</rt></ruby>く　提出<ruby>提出<rt>ていしゅつ</rt></ruby>しろ。（快交文件!）

2. 動 なさい

比动词的命令形稍微客气一些。多用于老师对学生或者父母对孩子提出要求。其接续方式为动词"ます形"去掉"ます"加"なさい"。

▶　質問<ruby>質問<rt>しつもん</rt></ruby>に　答<ruby>答<rt>こた</rt></ruby>え　なさい。（回答问题!）

▶　早<ruby>早<rt>はや</rt></ruby>くお風呂<ruby>風呂<rt>ふろ</rt></ruby>に　入<ruby>入<rt>はい</rt></ruby>り　なさい。（快去洗澡!）

ます形		～なさい
書きます	→	書きなさい
急ぎます	→	急ぎなさい
見ます	→	見なさい
来ます	→	来なさい
します	→	しなさい

3. 　動（基本形）　な　［禁止］

用于禁止听话人做某事。

基本形		禁止
書く	→	書くな
急ぐ	→	急ぐな
見る	→	見るな
来る	→	来るな
する	→	するな

▶ ここに車を　止める　な。（不要在这儿停车!）

▶ 　タバコを　吸う　な。（不要吸烟!）

4. 　動　て　／　動　ないで

"动词て形""动词ない形＋で"是日常生活中经常使用的表示祈使的说法，不论男性、女性都经常使用，但一般用于关系亲密的人之间。

▶ もうちょっと　急い　で。　（再稍微快一点!）

▶ ちゃんと話を　聞い　て。　（好好地听我说话!）

▶ 　*遠慮し　ないで。　（别客气!）

参考　"命令形""～なさい""～な"和"～て／～ないで"相比，使用的范围很有限。前三者一般限于上下、尊卑关系非常明确的非正式场合，不过，在紧急情况下，对上级或尊长也可以说"*逃げろ（快逃）"。另外，虽然是在紧急情况下，但要求对方救助、帮助自己时也不能用命令形而用"动词て形"，比如"*助けて（救命）"。

5. 　名1　＋という＋　名2

提供对方不知道的新信息的时候，在表示新信息的词语后面要加"という"。下面几个句子里的"～という"分别表示听话人不知道的花名、地名以及人名。

▶ 　　　　それは　　フジ　という　花　です。（那是一种叫做"紫藤"的花。）

▶ わたしは東京の　*世田谷　という　所　に住んでいます。

（我住在东京一个叫做"世田谷"的地方。）

▶ 　　　田中　という　名前　は日本人の名前です。

（"田中"这个姓是日本人的姓。）

6. 　名1　は　名　／　小句　＋という＋　名2　です

"～という"也可以用于给"名词1"下定义或对"名词1"做解释，这时候"名词2"多为"意味（意思）"等词语。这里的小句可以是"命令形""简体形"或"简体形＋な"。

▶ このマークは　タバコを吸うな　という　意味　です。

（这个符号是"禁止吸烟"的意思。）

▶ このマークは　ここで*止まれ　という　意味　です。

（这个符号是"在这儿停下来"的意思。）

▶ この*標識は　　駐車禁止　という　意味　です。

（这个标识是"禁止停车"的意思。）

表达及词语讲解

1. 命令形、禁止形的用法

如"语法解释"里所讲过的那样，命令形、禁止形给人一种粗鲁的印象，所以使用场合很受限制。但是，在遇到紧急情况时有必要使用命令形、禁止形。另外，命令形、禁止形也是体现男性同伴之间亲密关系的一种语体，因此应该恰到好处地使用。下面介绍几种正确的使用方法。

(1) 用于男性为主的工作单位的上司对部下，长辈对晚辈以及同辈之间。

 ▶ *おい，早く**片づけろ**。（哎，早点收拾！）

 ▶ ここでタバコを**吸うな**！（不要在这儿吸烟！）

(2) 用于关系亲密的男性朋友之间。

 ▶ さあ，もっと**飲めよ**。（来吧，多喝点！）

 ▶ 友達なんだから，**遠慮するな**。（因为是朋友，别客气啦！）

但要注意，即使是关系比较亲密的男性朋友，如果年龄相差悬殊时，仍然存在长幼之分，对年长者一般不应使用。

(3) 用于紧急场合。

 ▶ 危ない！**止まれ**！（危险，停住！）

 ▶ **触るな**！熱いぞ！（别碰！太烫！）

即使是紧急场合，女性也一般不用命令形，而用"止まって！（停住！）"这种动词的"て形"。禁止的时候则说"触らないで（别碰！）"。

(4) 用于观看体育比赛。在这种场合女性有时也使用。

 ▶ *頑張れ！（加油！）

 ▶ *シュートしろ！（快射门！）

(5) 用于直接引用含有委托、要求等祈使意义的话语或用于解释词语。这种场合，男性、女性都可以使用。

 ▶ 課長は「書類を早く**提出しろ**」と言いました。(科长说了"快交文件"。)

 ▶ 「立入禁止」は「ここに**入るな**」という意味です。

             （"立入禁止"是"禁止入内"的意思。）

2. "〜ないといけません"的省略形式

"〜ないといけません""〜なければなりません"等说法句子较长，因此在不影响理解的情况下常常省略后面的部分。应用课文中，加藤对小戴说了"〜と言わないとね"，这是"〜と言わないといけないね"省略了"いけない"之后的形式。另外，"〜なければなりません"也可以省略"なりません"只剩下"〜なければ"。

▶ この*場合は「歌ってください」と言わないとね。

（这种场合要说"歌ってください"。）

▶ 時間がないから，急がないと…。（没时间了，不快一点就……）

▶ 日本語の*テレビ講座が９時から始まります。見なければ。

（日语的电视讲座从９点开始，得看。）

3. 〜方をする

第 22 课学习了"动词＋方"表示动作方式的用法（☞ 第 22 课"表达及词语讲解 4"），描述用这种方式进行动作时，可用"〜方＋をします"的形式。

"言います"的表达重点在于所说的内容，而应用课文中的"言い方をします"不涉及所说的内容，而用来指说的方法，即"怎么说的"。

▶ *そんな*乱暴な言い方をしないでください。（别用那样粗暴的说法。）

▶ あの人はいつも*変わった考え方をします。（他经常持有很怪的观点。）

自然災害、事故、事件

地震　地震	墜落　坠落	誘拐　拐骗
地盤沈下　地壳下沉	沈没　沉没	強盗　强盗
雷　雷	爆発　爆炸	殺人　杀人
火事　火灾	交通事故　交通事故	ハイジャック　劫持飞机
台風　台风		
竜巻　龙卷风		
干ばつ　干旱		
洪水　洪水		

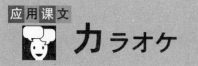
カラオケ

一天晚上，森和北京分公司的职员一起去唱卡拉 OK。在融洽的气氛中，大家各自唱着自己喜欢的歌。继小马奔放的歌声之后，加藤经理要求森也来一首……

（加藤经理对森说）

加藤：森君，次，歌いなさいよ!

戴：そう，そう。森さん，歌いなさい!

（森脸上显出意外的神色。小李紧跟着说）

李：戴さん，自分より年上の森さんに「歌いなさい」と言うのは失礼ですよ。

加藤：そうだね。この場合は「歌ってください」と言わないとね。

戴：はい，分かりました。森さん，すみませんでした。

（大家聊起"命令形"）

李：日本にいる時，日本人の男性が友達に，「来い」「遠慮するな」などと言っているのをよく聞きました。これは親しい人に使うんですね。

森：ええ。でも，女性はあまり使いません。「来てください」「遠慮しないでください」と言ったほうがいいですよ。

李：「ください」を取って，「来て」「遠慮しないで」などという言い方をしている女性もいました。

戴：そうですか。中国語でも親しい相手には，"来，来!""别客气!"と言って"请"を付けませんから，同じですね。

李：そうですね。それから，野球場で女の人が「頑張れ!」と言うのを聞きました。

森：危険な時や丁寧に言う暇がない時は使ってもいいんです。

年上(年长者)　親しい(熟悉)　付けます(添加)　同じ(一样)　野球場(棒球场)

丁寧に(恭敬地)

练习

练习 I

1. 仿照例句，练习动词的命令形。

[例] 電気を消します　→　電気を消せ。

　　　　　　　　　　→　電気を消しなさい。

　　タバコを吸いません　→　タバコを吸うな。

(1) もっと急ぎます

(2) 免許証を見せます

(3) 謝ります

(4) 仕事をします

(5) すぐに来ます

(6) 言葉を覚えます

(7) 静かにします

(8) スピードを出しません

(9) ここに来ません

(10) 人に迷惑をかけません

(11) 戦争をしません

(12) 授業をサボりません

(13) 約束を破りません

(14) 慌てません

2. 看图，仿照例句替换画线部分进行练习。

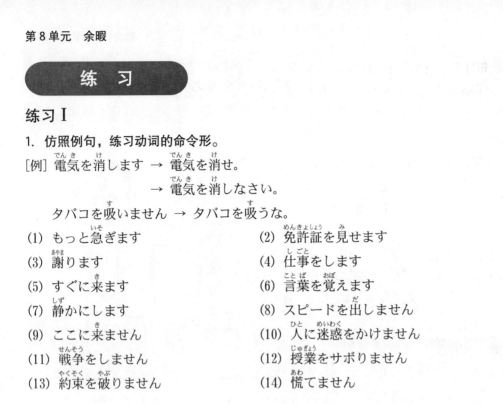

[例] タバコを吸いません　→　あれは「タバコを吸うな」という意味です。

　　注意します　→　あれは「注意しろ」という意味です。

(1) 写真を撮りません

(2) まっすぐ行きます

(3) 車を止めません

(4) ここで止まります

免許証(许可证)　謝ります(道歉)　覚えます(记住)　スピード(速度)　迷惑(麻烦)

サボります(逃学)　破ります(爽约)

3. 仿照例句替换画线部分进行练习。

[例] もう11時です／早く寝ます → <u>もう11時だから</u>，<u>早く寝なさい</u>。

(1) もう10時です／早く起きます

(2) ご飯です／手を洗います

(3) 汚いです／テーブルの上を片づけます

(4) 体にいいです／野菜をたくさん食べます

(5) 風邪を引きます／早く服を着ます

4. 仿照例句替换画线部分进行练习。

[例] 花／フジ → 甲: この<u>花</u>の名前を知っていますか。

　　　　　　　　乙: それは<u>フジ</u>という<u>花</u>です。

(1) 人／周恩来　　　　　　(2) 酒／富士　　　　　　(3) 山／エベレスト

(4) 建物／天安門　　　　　(5) 作家／魯迅　　　　　(6) 鳥／カササギ

🎧 5. 听录音，仿照例句替换画线部分进行练习。

[例] 森さん／早く企画書を出します

　　→ 甲: <u>森さん</u>は何と言ったんですか。

　　　　乙:「<u>早く企画書を出して</u>」と言いました。

(1) 森さん／時間を守ります

(2) 友達／約束を忘れません

(3) 警官／横断歩道を渡ります

(4) 先生／友達とけんかをしません

🎧 6. 听录音，仿照例句替换画线部分练习会话。

[例]「きんえん」(禁煙)／タバコを吸いません

　　→ 甲: すみません，この漢字は何と読みますか。

　　　　乙: それは「<u>きんえん</u>」と読みます。

　　　　甲: どういう意味ですか。

　　　　乙:「<u>タバコを吸うな</u>」という意味です。

(1)「たちいりきんし」(立入禁止)／ここに入りません

(2)「ちゅうしゃきんし」(駐車禁止)／ここに車を止めません

(3)「かきげんきん」(火気厳禁)／ここで火を使いません

(4)「おうだんきんし」(横断禁止)／ここを渡りません

テーブル(桌子)　風邪を引きます(感冒)　カササギ(喜鹊)　企画書(计划书)　守ります(遵守)
警官(警察)　横断禁止(禁止横穿)

练习Ⅱ

1. 从 ⬚ 中选择适当的词语填入（　　）中。

［例］子供は遊ぶのが好きです。⇒ お母さんはもっと（ 勉強しなさい ）と言いました。

(1) 子供たちが大きい声で話しています。⇒ お母さんは（　　　　　）と言いました。

(2) サッカーの練習をしています。⇒ 先生は（　　　　　）と言いました。

(3) 森さんが説明していますが，よく分かりません。

　　⇒ 課長はゆっくり（　　　　　　　　）と言いました。

```
頑張りなさい    勉強しなさい    話しなさい    静かにしなさい
```

2. 仿照例句，从 ⬚ 中选择适当的词语变成适当的形式填入（　　）中。

［例］課長は（ 遅刻するな ），早くレポートを（ 出せ ）と言いました。

(1) 警官はスピードを（　　　），免許証を（　　　）と言いました。

(2) 信号の赤は（　　　）という意味です。

(3) 医者は風呂に（　　　），早く（　　　）と言いました。

(4) 父はよく（　　　），そしてよく遊べと言いました。

```
遅刻しません    止まります    寝ます        出します
見せます        出しません    勉強します    入りません
```

🎧 3. 读下面的文章，录音中所说的与文章内容一致的在（　　）中画○，不一致的画×。

> 田中さんは昨日夜中の２時までテレビを見ました。おもしろい映画があったからです。今朝５分遅刻しましたが，課長は何も言いませんでした。午後，とても眠くなりました。田中さんはタバコを吸ったり，コーヒーを飲んだりして，あまり働きませんでした。課長は田中さんに「仕事をサボるな。今日中にレポートを出せ」と言いました。田中さんは９時まで残業しましたが，レポートを書くことができませんでした。

［例］田中さんは昨日おもしろい映画を見ました。（ ○ ）

(1)（　） 　(2)（　） 　(3)（　） 　(4)（　） 　(5)（　）

4. 将下面的句子译成日语。

(1) 刚才部长说什么了？——说"快交文件"。

(2) 这个符号是"禁止吸烟"的意思。

(3) 阿诚，快去洗澡！

生 词 表

しつもん（質問）［名］	提问，问题	
ばあい（場合）［名］	场合，情况	
めいわく（迷惑）［名］	麻烦	
フジ ［名］	紫藤	
カササギ ［名］	喜鹊	
とり（鳥）［名］	鸟	
マーク ［名］	符号	
ひょうしき（標識）［名］	标记	
おうだんきんし（横断禁止）［名］	禁止横穿	
スピード ［名］	速度	
めんきょしょう（免許証）［名］	许可证，执照	
きかくしょ（企画書）［名］	计划书	
やきゅうじょう（野球場）［名］	棒球场	
テーブル ［名］	桌子	
テレビこうざ（～講座）［名］	电视讲座	
かんじ（漢字）［名］	汉字	
せんそう（戦争）［名］	战争	
けいかん（警官）［名］	警察	
としうえ（年上）［名］	年长者	
とまります（止まります）［动1］	停，停住	
かわります（変わります）［动1］	变，转变	
がんばります（頑張ります）［动1］	拼命努力	
あやまります（謝ります）［动1］	道歉	
サボります ［动1］	逃学，怠工	
やぶります（破ります）［动1］	爽约，打破	
ひきます（引きます）［动1］	拉，抽	

まもります（守ります）［动1］	遵守，保护	
こたえます（答えます）［动2］	回答	
にげます（逃げます）［动2］	逃跑	
たすけます（助けます）［动2］	救助，帮助	
つけます（付けます）［动2］	添加，附加	
おぼえます（覚えます）［动2］	记住，掌握	
ていしゅつします（提出～）［动3］	提交，提出	
えんりょします（遠慮～）［动3］	客气	
シュートします ［动3］	（足球）射门，投篮	
ちゅういします（注意～）［动3］	注意	
したしい（親しい）［形1］	熟悉，亲切，亲密	
らんぼう（乱暴）［形2］	粗暴	
しつれい（失礼）［形2］	不礼貌	
おなじ（同じ）［形2］	一样，相同	
きけん（危険）［形2］	危险	
そんな ［连体］	那样的	
ていねいに（丁寧に）［副］	恭敬地；细心地	
おい ［叹］	哎，喂	
まこと（誠）［专］	诚，阿诚	
しゅうおんらい（周恩来）［专］	周恩来	
ろじん（魯迅）［专］	鲁迅	
せたがや（世田谷）［专］	世田谷	
ふじ（富士）［专］	富士	

....

かわった（変わった）	怪
かぜをひきます（風邪を引きます）	感冒

专栏　　在日本也好、中国也好，不论男女老少，"カラオケ（卡拉 OK）"都是最受人欢迎的娱乐活动之一。"カラオケ"本来是广播行业的用语，"カラ"是"空"的意思，"オケ"是"オーケストラ（管弦乐）"的略称。与歌手的歌和管弦乐队的演奏都录在一起的情况不同，"カラオケ"不录歌曲只录管弦乐。

卡拉 OK 包厢　　在日本的饮食店、酒吧出现卡拉 OK 设备是 20 世纪 70 年代的事情，当时卡拉 OK 作为对顾客的一种服务，主要是饮酒时的一个娱乐项目。之后，随着卡拉 OK 受欢迎的程度提高，它不再作为饮酒时的娱乐项目，享受卡拉 OK 自身的需求也大大增长。在卡拉 OK 发展过程中产生的"カラオケボックス（卡拉 OK 包厢）"出现于 1985 年，其后迅速普及。它是一个在独立的空间里享受卡拉 OK 的娱乐设施，大部分卡拉 OK 包厢都是简易单间，除了卡拉 OK 器具外，只放置桌子和沙发。

卡拉 OK 包厢是社会成人、学生举行联欢会之后第二次聚会的场所，或者作为约会、朋友间的消遣场所而加以利用。此外，也有为练习唱歌而一个人使用卡拉 OK 包厢的情况。

第 30 課
もう 11 時だから寝よう

基本课文

1. もう 11 時だから寝よう。
2. 今日，会社を休もうと思います。
3. 明日，病院へ行こうと思っています。
4. 荷物が重いので，宅配便で送ります。

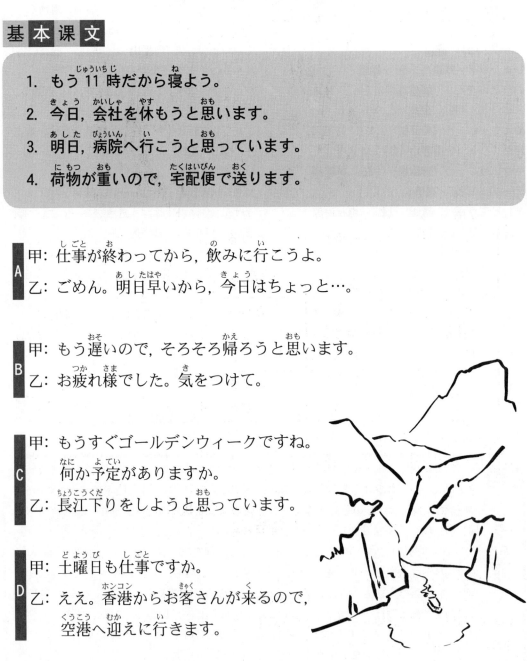

A

甲: 仕事が終わってから，飲みに行こうよ。

乙: ごめん。明日早いから，今日はちょっと…。

B

甲: もう遅いので，そろそろ帰ろうと思います。

乙: お疲れ様でした。気をつけて。

C

甲: もうすぐゴールデンウィークですね。
　　何か予定がありますか。

乙: 長江下りをしようと思っています。

D

甲: 土曜日も仕事ですか。

乙: ええ。香港からお客さんが来るので，
　　空港へ迎えに行きます。

宅配便(送货上门服务)　　長江下り(坐船游览长江两岸风光)　　迎えます(迎接)

语 法 解 释

1. 动词的意志形

动词的意志形是说话人当场表示自己的决心、意志的表达形式。其构成方式如下：

■一类动词：把基本形的最后一个音变成相应的"お"段上的音的长音。

■二类动词：把基本形的"る"变成"よう"。

■三类动词：把"来る"变成"来よう"，把"する"变成"しよう"。

类　　　形	基　　本　　形			意　志　形
一类动词	書く	かく	→	かこう
	急ぐ	いそぐ	→	いそごう
	飛ぶ	とぶ	→	とぼう
	読む	よむ	→	よもう
	死ぬ	しぬ	→	しのう
	待つ	まつ	→	まとう
	売る	うる	→	うろう
	買う	かう	→	かおう
	話す	はなす	→	はなそう
二类动词	食べる	たべる	→	たべよう
	見る	みる	→	みよう
	寝る	ねる	→	ねよう
三类动词	来る	くる	→	こよう
	する	する	→	しよう

动词的意志形实际上是第 17 课学习的"～ましょう"的简体形(☞第 17 课"语法解释 4")，因此除了表示意志外，还可以表示提议。

▶　　　　　もう 11 時だから，　**寝よう。**　(已经 11 点了，睡觉吧。)

▶　仕事が終わってから，飲みに　**行こうよ。**　(工作结束后去喝酒吧。)

▶　　　　　　　　　　　　　　**手伝おうか。**　(我来帮着做吧。)

2. 動(意志形) と思います

说话人向听话人表示自己要做某事的意志时，一般不单独使用意志形而用"意志形＋と思います"的形式。"意志形＋と思います"和"意志形"一样，也表示说话人说话时的意志，但比单纯的意志形更加礼貌、温和。

▶　今日，会社を　**休もう　と思います。**　(我今天不想上班。)

▶　もう遅いので，そろそろ　**帰ろう　と思います。**　(已经很晚了，我该回家了。)

3. 動（意志形）と思っています

表示自己已把某种意志持续了一段时间时，用"意志形＋と思っています"的形式。

▶　　　　　明日病院へ　　**行こう　と思っています。**（明天我想去医院。）

▶　　　今度，長江下りを　　**しよう　と思っています。**

（我想下次坐船游览长江两岸的风光。）

▶　その問題について，もう少し　**考えよう　と思っています。**

（关于那个问题我想再考虑考虑。）

参考　"意志形""～ようと思います""～ようと思っています"三者的区别如下：

　1.　表示当场形成的意志时使用"意志形"而不能使用"～ようと思います"和"～ようと思っています"。

　2.　"～ようと思います"和"～ようと思っています"都表示决心或意志。但由于后者用"～ています"的形式，所以有一种决心或意志尚未最后形成的语感。

4. 小句1 ので，小句2

　　"～ので"表示原因、理由，既可以接在简体形后，也可以接在敬体形后，但接简体形较多。"小句1"为二类形容词小句和名词小句时，把其简体形的"だ"变成"な"再加"ので"，成"な＋ので"的形式。

▶　荷物が重いので，宅配便で送ります。（行李很重，所以用送货上门的方式送达。）

▶　香港からお客さんが来るので，空港へ迎えに行きます。

（有客户从香港来，我要去机场迎接。）

▶　ここは静かなので，とても気に入っています。（这儿很安静，我非常喜欢。）

▶　もう*終電の時間なので，帰ります。（已经是末班电车的时间了，我回去了。）

注意　"～ので"和"～から"相比，较为礼貌郑重，所以多用于正式场合。"～ので"口语中往往发成"～んで"。

　　"小句2"表示提议时，必须使用"～から"。

▶　電車が遅れたんで，遅刻しました。すみません。（电车晚点我迟到了，对不起。）

△　電車が遅れたから，遅刻しました。すみません。〔申述理由的感觉强烈〕

▶　もう時間がないから，早く行こうよ。（已经没有时间了，快走吧。）

×　もう時間がないので，早く行こうよ。

表达及词语讲解

1. そろそろ

用于表示做某事或某事态发生的时间渐渐迫近时。

▶ **そろそろ**食事の時間ですよ。（快到进餐的时间了。）

▶ **そろそろ**＊梅雨が始まりますね。（梅雨季节就要开始了。）

去别人家里做客，发觉该到回家的时间时一般要说"そろそろ失礼します（我该告辞了）"。

▶ 〔在某处拜访，已到回家的时间〕

あっ，もう9時ですね。**そろそろ**失礼しないと…。

——そうですか。気をつけて帰ってください。

（哟，已经9点了，我该告辞了。——是吗? 路上请小心。）

另外，使用"そろそろ＋～ましょうか"或"そろそろ＋意志形＋か"的形式，表示随着时间的迫近该一起做某事，是提醒或催促对方和自己行动的一种说法。

▶ 馬さん，みんな＊そろったから，**そろそろ**＊出発しようか。

——ええ，そうしましょう。

（小马，人都到齐了，准备出发吧。——好的，出发吧。）

2. ＊それじゃ

是"＊それでは（那么）"的比较随便的说法，用于口语。

▶ 甲: どうして昨日来なかったんですか。（昨天为什么没来啊?）

乙: 熱があったんです。（发烧了。）

甲: **それじゃ**，＊仕方ないですね。（那样的话，就没有办法了。）

3. ＊まあ

表示不十分理想，但还能过得去的程度，用于调控自己或对方的不满情绪。

▶ ＊報告書ができました。これでいいですか。（报告写好了，这样行吗?）

——時間もないから，**まあ**，いいでしょう。（没有时间修改了。嗯，就这样吧。）

4. 自言自语时的"な"

自言自语时，可在简体形后接续"な"表示感叹。由于是自言自语，因此不用于敬体形。"なあ"是将"な"的音拖长的说法，用于较强烈的感叹。

▶ 今日は本当に寒いな。（今天真冷啊。）

▶ あっ，財布を忘れた! 困った**なあ**。（啊，忘了带钱包，这可糟糕了。）

应用课文中，对于晚来的森，加藤用自言自语的形式表明自己接受了这一无可奈何的事实。

▶ すみません，出かけようとした時に電話があったんです。

――*そうか。それじゃ，まあ，仕方ないな。

(对不起，正要出门的时候，来电话了。　――是吗。嗯，得，没辙。)

5. *楽しみです

意思同"楽しみにしています"，表示盼望、期待的心情。应用课文中的"わたしは花が好きなので，楽しみです (我喜欢花，能去看看就好了)"是"愉快地等待着去北京植物园赏花"的意思。在表示"请你愉快地期待着"的意思时，要说"楽しみにしていてください"。

▶ 夏休みはどこか行きますか。(暑假去什么地方吗?)

――ええ，ヨーロッパへ旅行に行こうと思っています。今からとても楽しみです。

(是的，我想去欧州旅行。现在开始就愉快地等待着这一天的到来。)

▶ 甲: 来週わたしの家に遊びに来てください。(下星期请来我家玩。)

乙: 本当ですか。ありがとうございます。(真的吗? 谢谢您了。)

甲: たくさん料理を作りますから，楽しみにしていてください。

(我会给你做很多菜，你就等着吧!)

另外，指感到"愉悦"的事物、兴趣或娱乐等时，也可以说"楽しみです"。

▶ 時々孫に会うのが，父の楽しみです。(时不时见见孙子是父亲的乐趣。)

6. *行楽地

众人去游览的名胜古迹，设有旅游设施以及娱乐设施的场所，在日语中统称为"行楽地(景点)"。在日本，当春季樱花盛开、秋季红叶烂漫，或者黄金周和盂兰盆会前后的连休时，"行楽地"到处都是人山人海，去"行楽地"的汽车往往把附近的公路堵得水泄不通。

7. ～でいっぱい

表示某个场所或者某个容器已达饱和状态，不可能再容纳更多的人或物。应用课文中指景点人多。

▶ この季節は，どの行楽地も人でいっぱいですよ。

(这个季节，任何一个景点都是游客爆满。)

▶ 病院の*待合室は*患者でいっぱいです。(医院的候诊室挤满了病人。)

▶ *灰皿がタバコの*吸殻でいっぱいになりました。(烟灰缸里烟头满满的。)

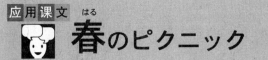

春のピクニック

4 月的一个周末，小李想和北京分公司的职员
一起去郊游。小李也跟森谈起这件事。

（在办公室）

李：今度の週末，みんなでピクニックに行こうと思っているんですが…。

森：いいですね。どこへ行くんですか。

李：香山へ行こうと思います。

（当天早晨，在分公司的楼前集合。森迟到了，跑着过来）

加藤：森君，遅いよ。

森：すみません。出かけようとした時に，電話があったんです。

加藤：そうか。それじゃ，まあ，仕方ないな。

　　　（面向小马）馬さん，みんなそろったから，そろそろ出発しようか。

馬：ええ，そうしましょう。

（在小马驾驶的车中）

李：近くに北京植物園があるので，帰りに寄ろうと思うんです。

戴：いいですね。わたしは花が好きなので，楽しみです。

（到了香山，看到众多游客）

森：人が多いですね。

陳：今はちょうどピクニックのシーズンですから。

馬：この季節は，どの行楽地も人でいっぱいですよ。

李：秋の香山もいいですよ。今度は紅葉を見に来ようと思っています。

ピクニック（郊游）　寄ります（顺便去）

练习

练习 I

🎧 1. 听录音，填空并反复朗读。

	基本形	意志形		基本形	意志形
①	聞く	聞こう	⑧	貸す	
②	泳ぐ		⑨		消そう
③	飲む		⑩	あげる	
④		遊ぼう	⑪	やめる	
⑤	待つ		⑫	食べる	
⑥		買おう	⑬	来る	
⑦	洗う		⑭	相談する	

2. 仿照例句，将( )中的词语变为意志形。

[例] もう 11 時だから (寝ます → 寝よう)。

(1) 疲れたね。ちょっと (休みます →　　　)。——うん, そう (します →　　　)。
(2) 安くなったから, この靴を (買います →　　　　)。
(3) この時計, 気に入っているから, 直して (使います →　　　　)。
(4) みんなそろったから, 会議を (始めます →　　　　)。

3. 仿照例句替换画线部分进行练习。

[例1] 帰ります → そろそろ帰ろうと思います。

(1) 寝ます (2) 結婚します
(3) 出発します (4) 片づけます

[例2] 今度, 長江下りをします。→ 今度, 長江下りをしようと思っています。

(5) 来年は北海道に行きます。
(6) これは大切なので, もう一度彼に言います。
(7) ここは不便なので, 引っ越します。
(8) 1人では決められないので, 先生に相談します。

4. 仿照例句用"～ので"将两个句子连接成一个句子。

[例1] お客さんが来ます／迎えに行きます → お客さんが来るので, 迎えに行きます。

彼(他)　開きます(开)　転職します(换工作)　引っ越します(搬迁)

(1) 社長が来ます／集まってください

(2) パソコンが壊れました／修理に来てください

(3) 今日は帰るのが遅くなります／明日の朝連絡します

(4) 長島さんには会ったことがありません／写真を見せてください

(5) 予約をしたいです／電話番号を教えてください

[例 2] おなかが痛いです／ちょっと寝ます → おなかが痛いので，ちょっと寝ます。

(6) 目が疲れました／ちょっと休みます

(7) あの人は有名です／だれでも知っています

(8) 静かでした／ゆっくり寝ました

(9) 今日は特別な日です／ピザを作ります

(10) 昨日休みでした／友達とサッカーをしました

5. 仿照例句替换画线部分进行练习。

[例] 頭が痛いです／早く帰ります → 頭が痛いので，早く帰りたいんですが。

(1) 熱があります／休みます　　　　　(2) お金がありません／銀行で下ろします

(3) 歯が痛いです／薬を飲みます　　　(4) 息子の誕生日です／早く帰ります

(5) 使い方が簡単です／これを買います　(6) 寂しいです／友達を呼びます

🎧 6. 听录音，仿照例句替换画线部分练习会话。

[例 1] テニスをします → 甲: 週末に何をしますか。

　　　　　　　　　　　乙: テニスをしようと思っています。

　　　　　　　　　　　甲: わたしもしようと思っています。

　　　　　　　　　　　乙: じゃあ，いっしょにしませんか。

(1) 山に登ります　　　　　　　　　(2) 家族とピクニックに行きます

(3) フランス語を勉強します　　　　(4) 公園で太極拳をします

[例 2] 道を間違えました → 甲: ずいぶん遅かったね。

　　　　　　　　　　　乙: すみません。道を間違えたので，遅くなりました。

　　　　　　　　　　　甲: じゃあ，仕方ないな。

(5) 自転車がパンクしました　　　　(6) 電車が遅れました

(7) バスが全然来ませんでした　　　(8) 病院に寄りました

壊れます(出故障)　ピザ(比萨饼)　歯(牙齿)　寂しい(寂寞)　間違えます(搞错)
パンクします(轮胎爆裂)

练习Ⅱ

1. 从□□□中选择动词，变成适当的形式完成句子。

[例] 箱根に（ 行った ）時，富士山を見ました。

(1) 給料をもらったので，新しい靴を（　　　　）と思います。

(2) 表を（　　　　）ながら，説明します。

(3) 雨で，外に出たくなかったので，電話して，ピザを（　　　　　　　）もらいました。

(4) 来年は北海道旅行を（　　　　）と思っています。

(5) 「撮影禁止」は写真を（　　　　）という意味です。

> 行きます　　撮ります　　見せます　　届けます　　買います　　します

2. 将（　　　　）中的词语变成适当的形式完成句子。

[例] （ 暑いです → 暑い ）ので，窓を開けてもいいですか。

(1) 日本語が（ 上手ではありません →　　　　　　 ）ので，中国語で話してもいいですか。

(2) ＪＣ企画へ午後（ 行きます →　　　　　　 ）ので，資料を準備してください。

(3) 母が（ 病気です →　　　　 ）ので，少し早く帰ります。

(4) １年間韓国に（ 住んでいました →　　　　　　 ）ので，韓国語が少し分かります。

(5) 王さんはコンピュータ会社で（ 働いています →　　　　　　 ）ので，コンピュータの使い方をよく知っています。

3. 读下面的文章，回答录音中的提问。

> 陳さんと王さんは留学生です。２年間日本に住んで，日本語を勉強しました。もうすぐ中国へ帰ります。陳さんは料理を作るのが好きなので，日本料理のいろいろな店でアルバイトをしました。おいしい天ぷらや親子丼を作ることができます。だから，中国へ帰って，２人で日本料理の小さな店を開こうと言っています。それで，中国人に日本料理を食べてもらおうと思っています。これは２人の夢です。

[例] 陳さんは留学生ですか。—— はい，そうです。

(1)　　　　　(2)　　　　　(3)　　　　　(4)　　　　　(5)

4. 将下面的句子译成日语。

(1) 工作结束后，去喝酒吧。

(2) 明天(我)想去医院。

(3) 行李很重，所以用送货上门的方式送达。

生　词　表

たくはいびん（宅配便）　［名］	送货上门服务	
ほうこくしょ（報告書）　［名］	报告书	
つゆ（梅雨）　［名］　梅雨		
あき（秋）　［名］　秋天，秋季		
ピクニック　［名］　郊游		
こうらくち（行楽地）　［名］　景点，游览地		
ピザ　［名］　比萨饼		
しゅうでん（終電）　［名］　末班电车		
まちあいしつ（待合室）　［名］　候诊室，等候室		
かんじゃ（患者）　［名］　病人，患者		
はいざら（灰皿）　［名］　烟灰缸		
すいがら（吸殻）　［名］　烟头，烟灰，烟蒂		
は（歯）　［名］　牙齿		
かれ（彼）　［代］　他		
そろいます　［動1］　到齐，齐全		
よります（寄ります）　［動1］　顺便去；靠近		
ひらきます（開きます）　［動1］　开，开张		
ひっこします（引っ越します）　［動1］　搬迁，搬家		
むかえます（迎えます）　［動2］　迎接		

こわれます（壊れます）　［動2］　出故障，坏

まちがえます（間違えます）　［動2］　搞错

しゅっぱつします（出発～）　［動3］　出发

てんしょくします（転職～）　［動3］　换工作

パンクします　［動3］　轮胎爆裂，撑破

さびしい（寂しい）　［形1］　寂寞

たのしみ（楽しみ）　［形2］　愉快，期待

とくべつ（特別）　［形2］　特别

それでは／それじゃ　［連］　那么

そうか　［叹］　是吗

まあ　［叹］　嗯，嘿，哎哟

パク　［专］　朴

ちょうこうくだり（長江下り）　［专］

坐船游览长江两岸风光

こうざん（香山）　［专］　香山

ペキンしょくぶつえん（北京植物園）　［专］

北京植物园

⋯⋯⋯⋯⋯⋯⋯⋯⋯⋯⋯⋯⋯⋯⋯⋯⋯⋯⋯⋯⋯⋯⋯

しかたない（仕方ない）　没有办法

专栏　**观赏樱花**

　　在日本，一到3月左右，在预报天气情况的同时，也要发布预测樱花开花的消息。发布时常常使用"桜前線（さくらぜんせん）"这个词。该名词的由来是这样的：把"染井吉野（そめいよしの）"这种樱花开花时期相同的地区用线连接起来，宛如气象图的前线。在南北狭长的日本列岛，樱花的花期从3月至5月逐渐北上。温暖的冲绳，2月末左右樱花绽放，而位于北方的北海道，开花时期大致在5月初。

　　樱花是日本的国花，"花見（はなみ）（赏花）""花吹雪（はなふぶき）（飞雪似的落花）"等所说的"花（はな）"都是指"樱花"。樱花盛开时的绚丽风姿，使日本人感到春天的降临，情不自禁地喜上心头。另外，盛开的樱花随风纷飞而凋谢，这种"飞雪似的落花"景象，使许多日本人感到有种难以言表的风雅。

　　樱花的花期逐渐向北推进的同时，日本各地都举办"赏花"活动，各赏樱胜地游客蜂拥而至。在东京最著名的赏花胜地是"上野公園（うえのこうえん）（上野公园）"，园内有1000多棵樱花树，来赏花的游客每年都达180万人。

　　在赏花景点，经常可以看到和同事、朋友一起痛饮美酒、细品佳肴的情景。在樱花树下铺上苫布，围坐成一圈，举办简单的宴会，可以说是日本春天的例行活动。赏花活动中最为辛苦的是抢占场所，这项工作大多是新职员、年轻人的任务。接受任务的人们必须提前好几个小时奔赴集会场所，以确保抢占到绝好的位置。抢占场所也是赏花活动中的一个景象。

第31課
このボタンを押すと，電源が入ります

基本課文

1. このボタンを押すと，電源が入ります。

2. そのパソコンは，たまにフリーズすることがあります。

3. 馬さんはとても上手にレポートをまとめました。

4. 李さんは来るでしょうか。

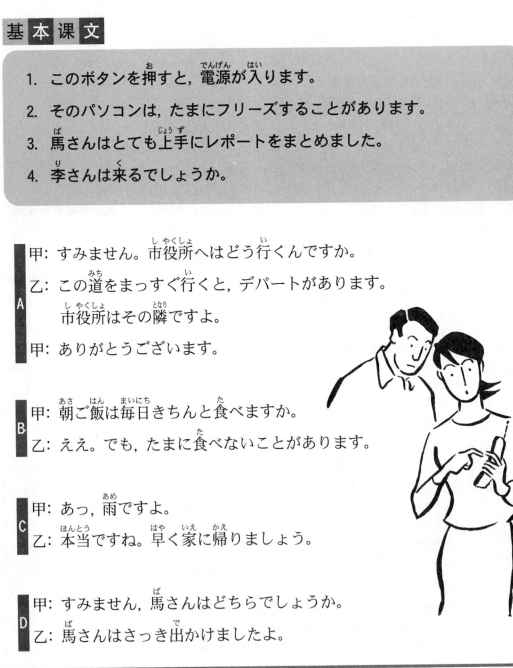

A
甲: すみません。市役所へはどう行くんですか。

乙: この道をまっすぐ行くと，デパートがあります。
　　市役所はその隣ですよ。

甲: ありがとうございます。

B
甲: 朝ご飯は毎日きちんと食べますか。

乙: ええ。でも，たまに食べないことがあります。

C
甲: あっ，雨ですよ。

乙: 本当ですね。早く家に帰りましょう。

D
甲: すみません，馬さんはどちらでしょうか。

乙: 馬さんはさっき出かけましたよ。

ボタン(按钮)　押します(按)　フリーズします(死机)　まとめます(总结，整理)
きちんと(好好地)

1. 小句 1 （动词基本形/ ない形）と， 小句 2

　　“〜と”用在表述恒常性状态、真理、反复性状态、习惯等内容的复句里，表示“小句 1”
是“小句 2”的条件。

　　　▶　このボタンを押すと，電源が入ります。

　　　　　　　　　　　　　　　　　（按下这个钮，电源就接通了。）〔恒常性状态〕

　　　▶　食べ物を食べないと，*人間は*生きることができません。

　　　　　　　　　　　　　　　　　　　　　（不吃食物，人就没法活。）〔真理〕

　　　▶　わたしは，その店へ行くと，いつもコーヒーを飲みます。

　　　　　　　　　　　　　　　　　（我去那个店的时候总要喝咖啡。）〔反复的状态〕

另外，“〜と”还可以表示由于某种行为而发现了新的情况。

　　　▶　この道をまっすぐ行くと，デパートがあります。

　　　　　　　　　　　　　　　　　　　　（沿着这条路一直走，有一家百货商店。）

　　　▶　*カーテンを開けると，*美しい山が見えました。（打开窗帘，就看见了美丽的山。）

用“〜と”的复句，“小句 2”不能是自己的意志、愿望或向听话人提出要求、劝诱等内容。

　　　▶　夜になると，電気が*つきます。（到了晚上灯就亮了。）

　　　×　夜になると，食事に行きましょう。

2. 動（基本形 / ない形） ことがあります

　　“动词基本形＋ことがあります”“动词ない形＋ことがあります”表示有时会发生某种
事态。往往和“たまに”“時々”等副词呼应使用。

　　　▶　そのパソコンは，たまに　**フリーズする**　**ことがあります。**（那台电脑偶尔会死机。）
　　　▶　　　　　　　時々　　**寝坊する**　**ことがあります。**（有时睡懒觉。）
　　　▶　　　たまに朝ご飯を　　**食べない**　**ことがあります。**（偶尔不吃早餐。）

　　注意　本句型和第 21 课学过的句型“〜たことがあります”是两种完全不同的句
　　　　型（☞ 第 21 课“语法解释 2”）。

3. 形容词的副词性用法

　　有的形容词可以像副词一样修饰动词。这时候一类形容词要把词尾的“い”变成“く”，
二类形容词后面要加“に”。

一类形容词		二类形容词	
早い	→ 早く	上手	→ 上手に
大きい	→ 大きく	静か	→ 静かに

　　　▶　早く家に帰りましょう。（早点儿回家吧。）

> 馬さんはとても上手にレポートをまとめました。（小马出色地整理了报告。）
> 静かにドアを閉めてください。（请轻轻地关门。）

4.　小句(簡体形) でしょうか

　　句尾用"でしょうか"来表示疑问的句子，是礼貌程度较高的表达方式。比如"来るでしょうか"与"来ますか"意思相同，但"来るでしょうか"的礼貌程度比"来ますか"高一些。动词小句和一类形容词小句以简体形后续"でしょうか"，二类形容词小句和名词小句则把其简体形的"だ"换成"でしょうか"即可。

> 李さんは来るでしょうか。（小李来吗？）
> 　李さんは来ますか。（小李来吗？）
> 馬さんはもう帰ったでしょうか。（小马已经回家了吗？）
> 　馬さんはもう帰りましたか。（小马已经回家了吗？）
> 3月の東京は寒いでしょうか。（3月的东京冷吗？）
> これは中国のお菓子でしょうか。（这是中国的点心吗？）

📖 **表示性格和情绪的词**

性格　性格

明るい　开朗	活発　活泼	素直　率直
暗い　阴沉，不开朗	誠実　诚实	意地悪　使坏，心地坏
優しい　和蔼	わがまま　任性	(気が)強い　刚强
おとなしい　老实，温顺	まじめ　认真	(気が)弱い　软弱
冷たい　冷淡	不まじめ　不认真	(気が)長い　慢性子
厳しい　严厉	頑固　顽固	(気が)短い　急脾气

気持ち　心情

うれしい　高兴	怖い　害怕	うっとりします　发呆，出神
楽しい　愉快，快乐	つまらない　无聊	いらいらします　急躁不安
寂しい　寂寞	懐かしい　怀念	どきどきします　忐忑不安
悲しい　悲哀	恐ろしい　恐怖	わくわくします
おもしろい　有趣	困ります　为难	兴奋得心里扑通扑通地跳
うらやましい　羡慕	びっくりします　吃惊	はらはらします　捏一把汗
恥ずかしい　害羞	がっかりします　失望	

表达及词语讲解

1. きちんと

用于表示正确、无误、恰当等意思。基本课文 B 中表示每天都正经地用早餐的意思。

- ▶ 朝ご飯は毎日きちんと食べますか。（你每天都正经吃早饭吗?）
- ▶ 部屋をきちんと片づけてください。（请把房间彻底打扫干净。）

2. 卓球ですか? 公園で?　[叮问的说法]

日本人对在公园里打乒乓球的场面是很难想象的。因此，森非常吃惊地向小马反问时，采用了这一表达方式。正常的语序应该是"公園で卓球をするんですか（在公园里打乒乓球吗?）"，但吃惊的时候，人们往往抛开这种规则，先去询问自己最关心的部分。因此，往往一个问句变成了两个连续的短问。

- ▶ わたしが浴衣を作ります。（我自己做浴衣。）
  ——浴衣ですか? 自分で?　（浴衣? 你自己做?）
- ▶ 明日からアメリカへ出張します。（明天去美国出差。）
  ——えっ。出張ですか?　アメリカへ?　（啊，出差? 去美国?）

3. ～でできた～

表示"用～做成的～"时，日语中一般不说"～で作った～"而说"～でできた～"。

- ▶ その公園には*コンクリートでできた*卓球台があるんです。

　　　　　　　　　　　　　　　　　　　　（那个公园里有用混凝土做的乒乓球台。）
- ▶ それは*プラスチックでできた箱です。（那是塑料做的盒子。）
- ▶ これは*ひすいでできた*白鳥の*ブローチです。（这是翡翠做的天鹅胸针。）
- ▶ 木でできたおもちゃを孫に買ってあげました。（给孙子买了一个木头做的玩具。）

4. "ほど"和"ぐらい"

"数量词＋ほど"和"数量词＋ぐらい"都表示大致的数量或分量。但是，表示某序列中的一点时，可以用"ぐらい"，但不能用"ほど"。

- ▶ ここから 300 *メートルほど行くと，スポーツセンターがあります。

　　　　　　　〔○ぐらい〕（从这里大概走 300 米左右，有个体育中心。）
- ▶ わたしは 30 歳ぐらいからスポーツを始めました。

　　　　　　　〔×ほど〕　　　　　　　　（我大概从 30 岁左右开始体育运动的。）
- ▶ ここから*2つ目ぐらいの信号を右に曲ったところに，たしかスーパーがありましたよね。〔×ほど〕

　　　　　　　　　　　（从这里大概是第 2 个红绿灯向右拐，好像有一个超市吧?）

　　另外"ぐらい"可以接在"この／その／あの／どの"后面，但"ほど"不能。

　　　　▶〔用手比画着大小〕このぐらいの*サイズの箱が欲しいんですが。

　　　　　　　　　　　〔×ほど〕　　　　　　　　　　　　　　（我想要这么大小的箱子。）

5.　*ただし

　　表示基本肯定前面句子内容的基础上，附加一些条件、限制，或者补充一些例外的情况。意思与"*しかし"相似，但"しかし"可用来接续与前句完全相反的内容，而"ただし"则只能用来表示对前句内容的部分限制或补充。

　　　　▶このスポーツセンターは，だれでも利用することができます。

　　　　ただし，有料ですが。　（谁都可以利用这个体育中心，不过是收费的。）

　　　　▶このスポーツセンターは，だれでも利用することができます。

　　　　ただし，会費は高いです。　（谁都可以利用这个体育中心，但是会费有点高。）

　　　　▶このプールは女性は利用することができます。しかし，男性はだめです。

　　　　　　　　　　　　　　　　（这个游泳池女性可以利用，但是男性不可以。）

📖 形容词的副词性用法

うまく　高明地，很好地	上手に　擅长地
おいしく　美味地	静かに　安静地
早く　早早地	簡単に　简单地
遅く　晚，慢	元気に　精神地
長く　长	きれいに　干净地，漂亮地
短く　短	にぎやかに　热闹地
大きく　大	
小さく　小	
高く　高	
楽しく　愉快地	

応用课文　散歩

　　　　北京分公司附近有大小不一的各类公园，有的公园里，还有用混凝土做的乒乓球台。一天，吃完午饭后，森和小马在公司附近散步。

（两人走到了一个公园附近）

馬: ここを曲がると小さな公園があって，子供たちがよく卓球をしているんですよ。

森: 卓球ですか?　公園で?

馬: そうです。その公園にはコンクリートでできた卓球台があるんです。

森: コンクリートの卓球台?　へえ，おもしろいですね。

馬: ええ，卓球をしたい時にいつでもできるんです。たまに公園のそばを通ることがあるんですが，必ずだれかがやっていますね。

（看着前方）

馬: ここから 300 メートルほど行くと，スポーツセンターがあります。

森: スポーツセンター?　だれでも自由に利用することができるんでしょうか。

馬: ええ，だれでも利用することができます。ただし，有料ですが。

森: 馬さんもよく利用するんですか。

馬: たまにプールで泳ぐことがあります。でも，会員じゃないと夜 8 時以降は利用することができないんです。だから会員になろうと思っているんです。

森: 会員になると，何かほかにも特典があるんですか。

馬: 会員の家族も安く利用することができるんです。

（走了一会儿）

森: 今何時でしょうか。

馬: もうすぐ 1 時 15 分になります。

森: じゃあ，早く帰らないと，午後の会議が始まりますね。

そば（旁边）　　自由（随便，自由）　　以降（以后）　　特典（优惠）

練　習

練習 I

1. 仿照例句替换画线部分进行练习。

[例1] このボタンを押します／電源が入ります → このボタンを押すと，電源が入ります。

(1) ここに立ちます／ドアが開きます

(2) ここにお金を入れます／切符が出ます

(3) 夜になります／急に気温が下がります

[例2] 練習しません／上手になりません → 練習しないと，上手になりません。

(4) この橋を渡りません／駅へ行くことができません

(5) 言葉が分かりません／とても不便です

(6) 薬を飲みません／病気が治りません

(7) このスイッチを切りません／機械は止まりません

[例3] お酒を飲みます／気持ち悪くなります／楽しくなります

　　　→ 甲: わたしはお酒を飲むと，気持ち悪くなります。

　　　　乙: そうですか。わたしは楽しくなります。

(8) ご飯を食べます／すぐ眠くなります／元気になります

(9) 難しい本を読みます／眠くなります／寝ることができなくなります

(10) 家に帰ります／すぐお風呂に入ります／まずテレビのスイッチを入れます

(11) 朝起きます／まずコーヒーを飲みます／すぐメールをチェックします

2. 看图，仿照例句替换画线部分进行练习。

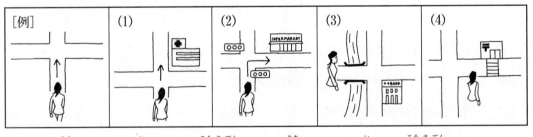

[例] この道／まっすぐ行きます／交差点 → この道をまっすぐ行くと，交差点があります。

(1) この道／まっすぐ行きます／右に病院

(2) 信号のある交差点／右に曲がります／左にスーパー

(3) 橋／渡ります／右に銀行

(4) あの横断歩道／渡ります／すぐ前に郵便局

下がります(下降)　気持ち悪い(不舒服)

3. 仿照例句替换画线部分进行练习。

[例] このパソコンは，たまにフリーズします。

　　→ このパソコンは，たまにフリーズすることがあります。

(1) この車は時々故障します　　　　　　(2) 父はたまに怒ります

(3) わたしは１年に１，２回風邪を引きます　　(4) 母は時々財布を忘れます

4. 听录音，仿照例句替换画线部分进行练习。

[例] いつも朝ご飯を食べます／食べません

　　→ 甲: いつも朝ご飯を食べますか。

　　　　乙: ええ。でも，たまに食べないことがあります。

(1) いつも電車で行きます／バスで行きます　　(2) 毎日部長に報告します／忘れます

(3) いつも昼ご飯を食べないんです／食べます　　(4) 毎日ジョギングをします／しません

5. 仿照例句替换画线部分进行练习。

[例 1] うまい　→　馬さんはとてもうまく説明しました。

(1) 短い　　　　　　　(2) 詳しい　　　　　　(3) おもしろい

[例 2] 上手　→　馬さんはとても上手にレポートをまとめました。

(4) 簡単　　　　　　　(5) きれい　　　　　　(6) 丁寧

[例 3] 馬さんは来ます　→　馬さんは来るでしょうか。

(7) これは小野さんの傘です　　　　　　(8) この料理は辛いです

(9) 森さんは今日遅れません　　　　　　(10) 馬さんはもう帰りました

(11) 陳さんは来ませんでした　　　　　　(12) 李さんはスイカが好きです

6. 听录音，仿照例句替换画线部分进行练习。

[例] 市役所へ行きたいです／この道をまっすぐ行きます／左にあります

　　→ 甲: あのう，すみません。市役所へ行きたいんですが…。

　　　　乙: この道をまっすぐ行くと，左にありますよ。

　　　　甲: ああ，どうもありがとうございます。

　　　　乙: いいえ，どういたしまして。

(1) 音が出ません／これを右に回します／出ます

(2) パソコンが動かなくなりました／サービスセンターに電話します／教えてくれます

(3) お手洗いを探しています／あの階段を下ります／左にあります

怒ります(生气)　　うまい(高明)　　詳しい(详细)　　丁寧(细心)　　スイカ(西瓜)　　回します(转)

動きます(运转)　　サービスセンター(维修服务中心)　　お手洗い(洗手间)　　階段(楼梯)

練習 II

1. 将(　)中的词语变成适当的形式，完成句子。

[例] 薬を (飲みます → 飲む) と，元気になります。

(1) 課長は森さんの説明を (静かです → 　　　　　　) 聞いています。

(2) ボタンを (押します → 　　　　　) と，電気がつきます。

(3) 馬さんはもう (帰りました → 　　　　　　) でしょうか。

(4) 春になると，花が (美しいです → 　　　　　　) 咲きます。

(5) たまに雪が (降ります → 　　　　　　) ことがあります。

(6) 子供は (元気です → 　　　　　) 遊んでいます。

(7) 仕事が (ありません → 　　　　　　) と，困ります。

2. 看图，将与句子内容一致的序号填入(　)中。

[例] 郵便局はどこですか。——駅からまっすぐ行くと，交差点があります。そこを右に曲がって少し歩くと，左にあります。郵便局は (②) です。

(1) デパートはどこですか。——駅からまっすぐ行くと，交差点があります。交差点を渡ると，左の角にあります。デパートは (　　) です。

(2) 市役所はどこですか。——駅からまっすぐ行くと，交差点があります。そこを渡って少し行くと，前に大きい公園があります。市役所は公園の隣にあります。市役所は (　　) です。

3. 看第 2 题图，在(　)中填入适当的词语，说明如何去图书馆。

駅から (　　　　) 行くと，(　　　　　) があります。そこを (　　) に曲がって少し行くと，橋があります。橋を (　　　　) と，(　　　) に図書館があります。

4. 将下面的句子译成日语。

(1) 按下这个钮，电源就接通了。

(2) (你)每天都正经吃早饭吗? ——是的。不过偶尔也有不吃的时候。

(3) 请问，小马在哪里?

生 词 表

ボタン［名］　按钮；纽扣

ブローチ［名］　胸针

カーテン［名］　窗帘，帘子

コンクリート［名］　混凝土，水泥

プラスチック［名］　塑胶，塑料

ひすい［名］　翡翠

サービスセンター［名］　维修服务中心

かいいん（会員）［名］　会员

とくてん（特典）［名］　优惠

おてあらい（お手洗い）［名］　洗手间，厕所

かいだん（階段）［名］　楼梯，台阶

いこう（以降）［名］　以后

そば［名］　旁边

たっきゅうだい（卓球台）［名］　乒乓球台

サイズ［名］　大小，尺寸

にんげん（人間）［名］　人，人类

はくちょう（白鳥）［名］　天鹅

でんげん（電源）［名］　电源

スイカ［名］　西瓜

おします（押します）［动1］　按，推，挤

つきます［动1］　灯亮，灯开

さがります（下がります）［动1］　下降，降低

おこります（怒ります）［动1］　生气

まわします（回します）［动1］　转，传送，传递

うごきます（動きます）［动1］　运转，转动

いきます（生きます）［动2］　活，生存

おります（下ります）［动2］　下，下来

まとめます［动2］　总结，整理；汇集

フリーズします［动3］　死机

こしょうします（故障～）［动3］　故障

うつくしい（美しい）［形1］　美丽

うまい［形1］　高明，好吃，可口

くわしい（詳しい）［形1］　详细

じゆう（自由）［形2］　随便，自由

ていねい（丁寧）［形2］　精心，细心，恭敬

きちんと［副］　好好地；正经地

ただし［连］　不过，只是

しかし［连］　可是，但是

きもちわるい（気持ち悪い）　不舒服

～メートル／～つ目　～米／第～个

专栏　"スポーツセンター(体育中心)"是为开展各种体育活动建造的综合设施，汇集游泳池、体育馆、高尔夫练习场、网球场、运动场等各种体育设施。只要支付使用费，谁都可以利用。有的体育中心还兼备住宿、餐厅、会议厅等设施，也可以作为培训、开会的场所。

在事务工作较多、容易缺乏运动的工薪族中间，"フィットネスクラブ(健身俱乐部)"非常受欢迎。大多有健身房、体操房、游泳池等。在健身房用训练器械增加肌肉，在体操房做一些体操和瑜伽训练等，而在游泳池是通过游泳或走步训练增强体力，以保持身体健康。由于随时有健身教练，因此可以提供适合个人情况的增强体力、保持健康的训练和指导。

健身俱乐部　健身俱乐部又称"スポーツクラブ(体育俱乐部)""スポーツジム(体育健身俱乐部)"。会员制是其特色。入会费和月费是需要的，但原则上无论利用几次都无需另外付费。除了每天都能利用的会员以外，也有限时制的会员，如只能在节假日以外利用的、只限上午利用的、从中午到傍晚利用的以及只限晚间利用的等等，这些会员的会费比较便宜。尽管也有个人经营的健身俱乐部，但绝大多数为大企业所经营。

第32課

今度の日曜日に遊園地へ行くつもりです

1. 今度の日曜日に遊園地へ行くつもりです。
2. 明日，友達と映画を見に行くことにしました。
3. 来月から給料が上がることになりました。
4. 馬さんの息子さんは今年小学校に入学するそうです。

A
甲: 今度のボーナスで車を買うつもりです。
乙: へえ，いいですね。

B
甲: 広州へは列車で行くんですか。
乙: いいえ，飛行機で行くことにしました。

C
甲: 李さん，出張ですか。
乙: ええ，月曜から3日間，香港へ行くことになりました。

D
甲: ニュースによると，今年の冬はインフルエンザが流行するそうです。
乙: そうですか。気をつけましょうね。

遊園地(游乐园)　小学校(小学)　ボーナス(奖金)　インフルエンザ(流感)

1. 　动（基本形／ない形）　つもりです

表示说话之前已经形成的意志、打算。和第 30 课学过的"动词意志形＋と思っています"
意思相同（☞ 第 30 课"语法解释 3"）。

▶　今度の日曜日に遊園地へ　　　　行く　つもりです。（这个星期天打算去游乐园。）
▶　　　　ボーナスで車を　　　　　買う　つもりです。（打算用奖金买车。）
▶　　　　もうタバコは　　吸わない　つもりです。（已经决定戒烟了。）

注意　对长辈或上级用"～つもりですか"直接提问不太礼貌，需要注意。另外，第 30
课学过的 "～ようと思います" 和 "～ようと思っています" 也不可以用于向长
辈或上级提问。

2. 　动（基本形／ない形）　ことにします／ことにしました

表示说话人自己决定实施某种行为时使用。

▶　明日から毎日　運動する　ことにします。　（我从明天起每天做运动。）
▶　今日からお酒を　飲まない　ことにします。　（我决定从今天起戒酒。）
▶　明日，友達と映画を　見に行く　ことにしました。（明天和朋友去看电影。）
▶　広州へは飛行機で　行く　ことにしました。　（我决定乘飞机去广州。）
▶　今年の夏は旅行に　行かない　ことにしました。（我决定今年夏天不去旅行了。）

3. 　动（基本形／ない形）　ことになりました

表示由于某种外在的原因导致形成了某种决定。

▶　来月から給料が　　上がる　ことになりました。

（从下个月起工资涨了。）

▶　月曜日から 3 日間，香港へ　出張する　ことになりました。

（我从星期一起去香港出差三天。）

▶　今週は会議を　*行わない　ことになりました。

（这个星期不开会了。）

注意　"～ことにします" "～ことになります"里的"こと"不能用"の"来代替。

▶　来月，日本へ旅行に行くことにしました。　（我下个月要去日本旅行了。）
× 来月，日本へ旅行に行くのにしました。

参考　"～ことになりました"也可用于婉转地表述根据自己的意志决定的事情。

▶　わたしたち，結婚することになりました。　（我们要结婚了。）
▶　わたしは来月から中国へ留学することになりました。

（我从下个月起要去中国留学了。）

4. 　小句（简体形）　そうです　①　　[传闻]

用"～そうです"明确表示某信息不是源于自己的直接感知而是从别人那里听到的，提示消息来源时则用"～によると"。

▶ 馬さんの息子さんは，今年小学校に入学するそうです。

(听说小马的儿子今年上小学。)

▶ *天気予報によると，明日は雨だそうです。（据天气预报说明天有雨。）

▶ *うわさによると，あの店の*ラーメンはおいしくないそうです。

(听说那家店的面条不好吃。)

▶ 森さんは来週の土曜日は暇だそうです。（据说森先生下星期六有空。）

"～そうです"没有过去、否定和疑问的形式。

▶ 森さんは来週の土曜日は暇ではないそうです。（据说森先生下星期六没有空。）

× 森さんは来週の土曜日は暇だそうではありません。

📖 **表示单位的词** ─────────────────────

m（メートル）　**米**	g（グラム）　**克**
km（キロメートル／キロ）　**千米，公里**	kg（キログラム／キロ）　**千克，公斤**
cm（センチメートル／センチ）　**厘米，公分**	t（トン）　**吨**
mm（ミリメートル／ミリ）　**毫米**	mg（ミリグラム）　**毫克**
l（リットル）　**升**	m²（平方メートル）　**平方米**
dl（デシリットル）　**分升**	km²（平方キロメートル）　**平方千米**
ml（ミリリットル）／cc（シーシー）　**毫升**	m³（立方メートル）　**立方米**

📖 **行政、居住区划用语** ─────────────────────

都道府県　**都道府县**	～町　**町〔日本市以下，村以上的行政区划〕**
市町村　**市町村**	～丁目　**巷，条〔"町"内的街道，巷子〕**
県　**县**	～番地　**门牌**
郡　**郡**	～号　**门牌号**
市　**市**	
区　**区**	

表达及词语讲解

1. 今度の日曜日

日语的"今度"与汉语的"这次"相比，语义范围要广得多。有时相当于汉语的"下次"。例如本课出现的"今度の日曜日"就指说话时间之后的星期天。

> ▶ 今度の日曜日に遊園地へ行くつもりです。（这个星期天打算去游乐园。）
> ▶ 今度の会議は午前 10 時からです。（下次的会议上午 10 点开始。）

2. ボーナス

除每月的基本工资以外，另外支付的奖金叫"ボーナス"。在日本，一般是在 6 月份和年底各支付一次。公司不同，每年支付的奖金月数也不同，但奖金都是以"每月的基本工资×月数"的形式来计算的。发放奖金期间，各种商店往往举办促销活动。

3. *ずっと　[期间]

第 12 课学习了副词"ずっと"表示程度差异很大的意思（☞第 12 课"语法解释 1"）。本课学习其表示在某一期限内动作、状态一直持续的用法，"連休中はずっと～"的意思是"连休期间一直～"。

> ▶ 天気予報によると，連休中はずっと晴れだそうですよ。
>
> （天气预报说，连休期间一直是晴天。）
> ▶ 佐藤さんは先月からずっと*入院しています。
>
> （佐藤先生上个月起就一直在住院。）

4. メールがあって

"メールがある"表示收到了电子邮件的意思。同样，"電話／手紙／ファックス"也可用"～がある"的表达形式（☞第 8 课"表达及词语讲解 4"）。

> ▶ 先週，小野さんからメールがありました。（上周小野女士发来了邮件。）
> ▶ *彼女から電話があって，明日のパーティーに来ると言っていました。
>
> （她打来电话，说参加明天的联欢会。）

5. *お邪魔する

"邪魔する"原意是妨碍别人做某事。但在本课的应用课文中则表示到别人家里去拜访的意思。到别人家里时，进门时要说"お邪魔します(打扰您了)"。告辞时则说"*お邪魔しました(打扰您了)"。

> ▶ 〔出门时，在被访者家门厅〕では，どうもお邪魔しました。（实在是太打扰您了。）
> 　　——また来てください。（欢迎再来。）

6.　～てほしい　[表示对他人愿望]

第 17 课学习了表示愿望的"～たい"（☞第 17 课"语法解释 2"）。"～たい"表示说话人自己想做某事的愿望，而表示希望别人去做某事时，则用"～てほしい"。但是，这种表达方式礼貌程度较低，因而不能对长辈或上级直接使用。

> 〔介绍者是说话人自己〕
> 先生にわたしの友達を**紹介したい**です。（我想把我的朋友介绍给老师。）

> 〔介绍者是田中〕
> 田中さんに日本人の友達を**紹介してほしい**です。
>
> （想请田中先生给我介绍日本朋友。）

> すみません，ちょっと**手伝ってほしい**んですが…。（对不起，请帮我一下忙好吗？）

7.　～って　②　["～と""～という人は"的缩略形式]

第 22 课学习了表示传闻的"～って"（☞第 22 课"表达及词语讲解1-(5)"），在很随便的对话中，表示引用的"～と言います""～と思います"中的"～と"以及"～という人は"等也往往说成"～って"。应用课文中的"手伝ってほしいって言っていました(还说要我帮忙)"的本来的形式是"手伝ってほしいと言っていました"；"太田さんって，どんな人ですか(太田先生是怎样的一个人？)"的本来的形式是"太田さんという人は，どんな人ですか"。

如表示引用的助词"と"前面的音节是"太田さん"的"ん"时，由于发"～んって"的音比较困难，因此往往出现促音脱落现象，即发成"太田さんて"。"何と言いますか"的缩略形式"何て言いますか"也是一个基于同样理由的例子。

> もしもし，**今何て言った**？　（喂，你刚才说什么？）
> ——「**少し遅れる**」って言ったの。（我说晚点儿到。）

 応用課文　連休（れんきゅう）

馬上就到五一黄金周了，小野要来北京。小李和森在办公室谈论五一黄金周的安排。

（在办公室）

森: 李さん，今度（こんど）の連休（れんきゅう）の予定（よてい）は?

李: 小野（おの）さんを北京（ペキン）のいろんな所（ところ）へ案内（あんない）するつもりです。

森: 天気（てんき）は大丈夫（だいじょうぶ）でしょうか。

李: 天気予報（てんきよほう）によると，連休中（れんきゅうちゅう）はずっと晴（は）れだそうですよ。

（根据小野来的邮件，小李把将去太田家访问的事告诉了森）

李: 小野（おの）さんは，友達（ともだち）の太田（おおた）さんの家（いえ）に行（い）くそうです。わたしもいっしょに行（い）くことになったんですが，森（もり）さんは?

森: ぼくにもメールがあって，いっしょにお邪魔（じゃま）することにしましたよ。

李: 小野（おの）さんのメールによると，太田（おおた）さんの家（いえ）で餃子（ギョーザ）パーティーをするそうです。だから，わたしにも手伝（てつだ）ってほしいって言（い）っていました。

森: 餃子（ギョーザ）パーティー?　それはいいですね。

（他们聊起太田）

李: ところで，太田（おおた）さんって，どんな人（ひと）ですか。

森: 北京（ペキン）に来（き）てから一度（いちど）会（あ）ったことがありますが，とても気（き）さくな人（ひと）ですよ。スポーツ用品（ようひん）の会社（かいしゃ）で，宣伝（せんでん）を担当（たんとう）しているそうです。

李: じゃあ，これからいっしょに仕事（しごと）をすることになるかもしれませんね。

森: ええ。だから，できるだけ連絡（れんらく）を取（と）ろうと思（おも）っています。

いろんな（各种各样的）　気さく（爽快）　スポーツ用品（体育用品）　宣伝（宣传）

担当します（承担）

練習 I

1. 仿照例句替换画线部分进行练习。

[例] 今度のボーナスで車を買います。 → 今度のボーナスで車を買うつもりです。

(1) 土曜日にデパートへ行きます。　　　(2) 正月休みに友達に会います。

(3) 夏休みに車の運転を習います。　　　(4) 来週香港へ買い物に行きます。

2. 仿照例句，回答录音中的提问。

[例1] ボーナスで何を買いますか。(車)——車を買うつもりです。

(1) タイ　　　　　(2) 野球　　　　　(3) 周先生

[例2] 今日はお酒を飲まないんですか。(はい／飲みません)——はい，飲まないつもりです。

(4) はい／しません　　(5) はい／吸いません　　(6) はい／行きません

3. 仿照例句替换画线部分进行练习。

[例1] 飛行機で行きます → 飛行機で行くことにしました。

(1) 大阪で乗り換えます　　　　　(2) 会社を辞めます

(3) 清水さんと結婚します　　　　(4) 旅行に行きません

(5) 車を買いません　　　　　　　(6) もうお酒を飲みません

[例2] 来月から給料が上がります。 → 来月から給料が上がることになりました。

(7) 東京に支店を作ります　　　　(8) 給料が上がります

(9) 今年から土曜日も休みます　　(10) 6時まで働かなければなりません

(11) 加藤さんが冷蔵庫をくれます　(12) ここでタバコを吸ってはいけません

4. 仿照例句替换画线部分进行练习。

[例] 北海道で大きな地震がありました。

　　　 → ニュースによると，北海道で大きな地震があったそうです。

(1) 首相は来月アメリカに行きます。　　(2) 牛乳の値段が上がります。

(3) 今年の冬はあまり寒くないです。　　(4) 風が強いので，飛行機が飛びません。

(5) 新型のパソコンは操作が簡単です。　(6) 大統領が女優と結婚しました。

正月休み(新年假日)　タイ(泰国)　乗り換えます(換乗)　辞めます(辞去)　支店(分店)

上がります(上涨)　牛乳(牛奶)　風が強い(风大)

5. 仿照例句替换画线部分练习会话。

［例］戴さんは日本料理を食べます／寿司が好きです／大丈夫です

→ 甲: <u>戴さんは日本料理を食べる</u>でしょうか。

　　乙: <u>寿司が好きだ</u>そうですから，<u>大丈夫</u>でしょう。

(1) 森さんは明日来ます／都合が悪いです／来ません

(2) 陳さんは教え方が上手です／学校の先生でした／上手です

(3) 李さんはあの番組を見ました／歴史に興味があります／見ました

(4) 張さんは合格しました／試験は簡単でした／合格しました

(5) 明日は雨です／台風が来ています／雨です

6. 看下面的便条，仿照例句回答录音中的提问。

［例］

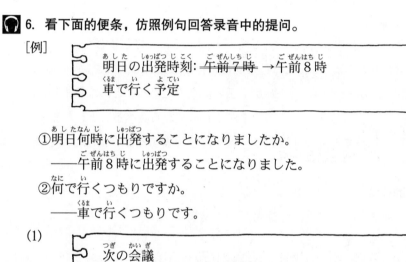

明日の出発時刻: ~~午前7時~~ →午前8時
車で行く予定

①明日何時に出発することになりましたか。

——午前8時に出発することになりました。

②何で行くつもりですか。

——車で行くつもりです。

(1)

次の会議
場所: ~~北京~~ → 京都
期間: ~~8月20日～25日~~ → 9月1日～7日

①——

②——

(2)

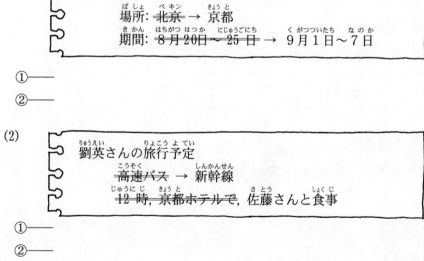

劉英さんの旅行予定
~~高速バス~~ → 新幹線
~~12時，京都ホテルで~~，佐藤さんと食事

①——

②——

番組（节目）　出発時刻（出发时间）　旅行予定（旅行计划）

練習Ⅱ

1. 将（　　）中的词语变成适当的形式，完成句子。

[例] ニュースによると，首相は（ 病気です → 病気だ ）そうです。

(1) 馬さんは猫が（ 大好きです →　　　　 ）そうです。

(2) 天気予報によると，明日は（ 晴れます →　　　　 ）そうです。

(3) 明日は（ 雨です →　　　　 ）かもしれません。

(4) 戴さんはあの新しい本屋へもう（ 行きました →　　　　 ）そうです。

(5) あまり勉強しなかったから，息子は（ 合格しません →　　　　 ）かもしれません。

(6) 来月新しいコンピュータが出るので，今は（ 買いません →　　　　 ）つもりです。

2. 在（　　）中填入适当的疑问词。

[例] 夏は（ 何時 ）からお店を開けますか。——8時から開けることにしました。

(1) 夏休みに（　　　）へ行きますか。——北海道へ旅行に行くことにしました。

(2) （　　　）が手伝ってくれるんですか。——姉が手伝いに来てくれることになりました。

(3) （　　　）昼ご飯を食べるんですか。——この仕事が終わってから食べることにします。

(4) 次の企画は（　　　）が担当するんですか。——唐さんが担当することになりました。

3. 从 ▢▢▢ 中选择适当的词语填入（　　　）中。

[例] お茶，いかがですか。——（ さっき ）飲んだので結構です。

(1) 11 時です。（　　　　）帰りましょう。

(2) これは大切な書類ですから，（　　　）返してください。

(3) あまりカラオケに行きませんが，（　　　）行くこともあります。

(4) 王さんは結婚しているそうですね。（　　　），あなたはどうなんですか。

そろそろ	たまに	~~さっき~~	ところで	必ず

🎧 4. 听录音中的会话，回答提问。

[例] 王さんはどこに出張しますか。——大阪です。

(1)　　　　　　　　(2)　　　　　　　　(3)

5. 将下面的句子译成日语。

(1) 我打算用这次的奖金买车。

(2) 明天和朋友去看电影。

(3) 据报道今年冬天流行流感。

生 词 表

れっしゃ（列車）［名］	火车，列车	かのじょ（彼女）［代］	她
こうそくバス（高速～）［名］	走高速的公交车	おこないます（行います）［动1］	开，举行
しゅっぱつじこく（出発時刻）［名］	出发时间	あがります（上がります）［动1］	提高，涨
りょこうよてい（旅行予定）［名］	旅行计划	のりかえます（乗り換えます）［动2］	换乘
てんきよほう（天気予報）［名］	天气预报	やめます（辞めます）［动2］	辞去
たいふう（台風）［名］	台风	りゅうがくします（留学～）［动3］	留学
うわさ［名］	传说，风言风语	にゅうがくします（入学～）［动3］	入学
せんでん（宣伝）［名］	宣传	りゅうこうします（流行～）［动3］	流行
ばんぐみ（番組）［名］	节目	にゅういんします（入院～）［动3］	住院
しんがた（新型）［名］	新型	おじゃまします（お邪魔～）［动3］	
ボーナス［名］	奖金		打扰，拜访
ラーメン［名］	面条	たんとうします（担当～）［动3］	承担
ぎゅうにゅう（牛乳）［名］	牛奶	つよい（強い）［形1］	强，坚强
ギョーザパーティー（餃子～）［名］	饺子宴	きさく（気さく）［形2］	爽快，坦率
しょうがつやすみ（正月休み）［名］	新年假日	いろんな［連体］	各种各样的
スポーツようひん（～用品）［名］	体育用品	ずっと［副］	一直，始终
インフルエンザ［名］	流感，流行性感冒	りゅうえい（劉英）［専］	刘英
してん（支店）［名］	分店，分公司	タイ［専］	泰国
しょうがっこう（小学校）［名］	小学	きょうとホテル（京都～）［専］	京都宾馆
ゆうえんち（遊園地）［名］	游乐园		
しゅしょう（首相）［名］	首相	おじゃましました（お邪魔しました）	打扰了
れきし（歴史）［名］	历史	かぜがつよい（風が強い）	风大

专栏「快乐星期一法」

　　在日本，四月末到五月初期间有一段长时间休假，称作"ゴールデンウィーク（黄金周）"。据说这个说法源于电影界，因为电影曾经大受欢迎的时候，五月连休期间的观众曾是一年中最多的。

　　2000 年起实施了"ハッピーマンデー法（快乐星期一法）"以后，"成人の日（成人节）"由原来的 1 月 15 日改为 1 月的第二个星期一，"体育の日（体育节）"也由 10 月 10 日改为 10 月的第二个星期一。这样对以往周末休息两天的人来说，如节假日和周末重叠就会少休息一天，"快乐星期一法"的实行，三天连休日就得以保证。从 2003 年起，7 月 20 日的"海の日（海之日）"变为 7 月的第三个星期一，9 月 15 日的"敬老の日（敬老节）"变为 9 月的第三个星期一，这样一来，对周末休息两天的人来说，一年四次的三连休就有了保证。

　　在日本，几乎所有的挂历都是从星期日开始的，但这也不一定表示一个星期是从星期日开始的。周末一般指从星期六（或星期五）到星期日的时间，所以也可以理解为新的一周是从星期一开始的，由于"今週の日曜日（这个星期日）""来週の日曜日（下个星期日）"的说法表示的内容不够明确，有时也使用"次の日曜日（下一个星期日）""前の日曜日（前一个星期日）"的说法。

阅读文　Re:北京に来ませんか

日　時	2006/4/5 (水) 17:48
送信者	ono_midori@xx.co.jp
宛　先	"森健太郎" mori_kentaro@xx.co.jp
件　名	Re:北京に来ませんか

森さん:

メールありがとうございました。

＞ゴールデンウィークは休みでしょう? 北京に来ませんか。

北京に行くことにしました。母は「ゴールデンウィークは込むから，やめなさい」と言って，止めたんですが…。4月29日に行って，5月5日に帰国するつもりです。

＞この間，太田さんに会いました。宣伝を担当しているそうなので，これからいっしょに
＞仕事をすることになるかもしれません。

北京で太田君に会おうと思っています。ゴールデンウィークはどこへも出かけないそうなので，5月1日にお宅にお邪魔することにしました。李さんもいっしょに行くことになったんですが，森さんもどうですか。

そう言えば，支社の人たちと香山という所へピクニックに行ったそうですね。李さんから写真を送ってもらいました。きっと楽しいピクニックだったんでしょうね。

では，北京で。

小野緑

日　期	2006/4/5(星期三) 17:48
发件人	ono_midori@xx.co.jp
地　址	"森健太郎" mori_kentaro@xx.co.jp
标　题	Re：来北京吗

森:

谢谢你发来的电子邮件。

＞黄金周休息吧。来北京吗?

我决定去北京了。母亲说:"黄金周人非常多,不要去!"不让我去,(不过我还是)打算4月29日去,5月5日回国。

＞前几天,见到了太田先生,听他说他担任宣传工作,今后也许会在工作上跟他打交道。

我想在北京见见太田君。听说黄金周他哪儿都不去,因此5月1日我想去他家拜访,小李也一起去,你怎么样?

对了,听说你和分公司的人去香山郊游了,是吗? 小李给我寄来了照片。你们的郊游一定很愉快吧。

那么,北京见!

小野绿

単元末
实用场景对话 住院

① 铃木看起来身体不太好

課長: 鈴木さん，顔色が悪いね。今日は早く
帰りなさい。

鈴木: ありがとうございます。そうします。

科长: 铃木，你的脸色不好啊。今天早点回家吧。

铃木: 谢谢。我早点回去。

---

② 听说铃木住院了

王: 鈴木さん，入院したそうですね。

佐々木: ええ，心配ですね。

王: 听说铃木住院了。

佐佐木: 是啊，真叫人担心啊。

---

③ 相邀去医院探望铃木

佐々木: 週末，鈴木さんのお見舞いに行こうと
思うんですが，王さんも行きませんか。

王: すみません，週末は仕事があるので，
わたしは来週行くことにします。

佐佐木: 周末我想去医院探望铃木，小王，你也一起去吗?

王: 对不起，周末还有工作要做，我下周去。

---

④ 出院的时间好像已经定了

鈴木: 月末に退院することになりました。来月から
会社に行くつもりです。

王: それは，よかったですね。
でも，無理をしないでくださいね。

铃木: 月底就出院，打算下个月去公司上班。

王: 那太好了。但是，你千万别太勉强。

词语之泉　单元来

きゅうじつ
休日

① 皿（さら） 盘子	⑩ ナイフ　刀	⑲ フライ返し（がえ）　平底炒勺
② コーヒーカップ　咖啡杯	⑪ スプーン　勺子	⑳ お玉（たま）　长柄圆汤勺
③ 茶碗（ちゃわん）　碗	⑫ フォーク　叉子	㉑ ボール　金属钵
④ コップ　杯子	⑬ 醤油（しょうゆ）　酱油	㉒ ざる　笊篱
⑤ 栓抜き（せんぬ）　瓶起子	⑭ コショウ　胡椒	㉓ やかん　水壶
⑥ しゃもじ　勺子	⑮ 小麦粉（こむぎこ）　面粉	㉔ 計量カップ（けいりょう）　量杯
⑦ 缶切り（かんき）　开罐头刀	⑯ 砂糖（さとう）　糖	㉕ 肉（にく）　肉
⑧ 割りばし（わ）　一次性筷子	⑰ コーヒーポット　咖啡壶	㉖ 野菜（やさい）　蔬菜
⑨ はし　筷子	⑱ フライパン　长柄平锅	㉗ 果物（くだもの）　水果

㉘ バケツ　**水桶**
㉙ ぞうきん　**抹布**
㉚ ゴム手袋(てぶくろ)　**橡胶手套**
㉛ ホース　**软管，管子**
㉜ 長靴(ながぐつ)　**长统雨靴**
㉝ 軍手(ぐんて)　**线手套**
㉞ 石(いし)　**石头**
㉟ 土(つち)　**土**
㊱ 花壇(かだん)　**花坛**
㊲ 芝生(しばふ)　**草坪**
㊳ スコップ　**小铲子**
㊴ のこぎり　**锯**
㊵ 釘(くぎ)　**钉子**
㊶ ペンチ　**钳子**
㊷ カッター　**切刀**
㊸ ドライバー　**改锥**
㊹ かなづち　**锤子**
㊺ ライター　**打火机**
㊻ 蚊取り線香(かとりせんこう)　**蚊香**
㊼ ほうき　**扫帚**
㊽ ちりとり　**簸箕**
㊾ 消火器(しょうかき)　**灭火器**
㊿ はしご　**梯子**
(51) 懐中電灯(かいちゅうでんとう)　**手电筒**
(52) モップ　**拖把**
(53) 物置(ものおき)　**杂物间**
(54) 犬小屋(いぬごや)　**狗屋**

单元末
日本
风情

仪式活动、节假日

在日本，每年有各式各样的应季的仪式活动。包括从平安时代（公元794 年～1185 年）流传下来的，以及近年来从外国传入的。由于日本四季分明，所以有很多应季的仪式活动。

	月份	日历	仪式活动		月份	日历	仪式活动
冬	**1**　むつき　睦月	正月 しょうがつ（阳历新年）	初詣 はつもうで（新年参拜神社）鏡開き かがみびらき（吃供神的年糕）	夏	**7**　ふみづき　文月	/7 七夕（七夕）たなばた　梅雨明け つゆあけ（梅雨期结束）	海水浴 かいすいよく（洗海水浴）花火大会 はなびたいかい（焰火晚会）
	2　きさらぎ　如月	節分 せつぶん（立春）/14 バレンタインデー（情人节）			**8**　はづき　葉月	お盆 ぼん（盂兰盆节）	夏祭り なつまつり（夏季祭祀）盆踊り ぼんおどり（盂兰盆会舞）
春	**3**　やよい　弥生	/3 ひな祭り まつ（偶人节）お彼岸 ひがん（春分周）卒業式 そつぎょうしき（毕业典礼）	桜開花 さくらかいか（樱花盛开）お花見 はなみ（观赏樱花）	秋	**9**　ながつき　長月	お彼岸 ひがん（秋分周）	残暑 ざんしょ（残暑,秋老虎）お月見 つきみ（赏月）
	4　うづき　卯月	入学式 にゅうがくしき（开学典礼）	潮干狩り しおひがり（赶海,拾潮）		**10**　かんなづき　神無月	衣替え ころもがえ（换季更衣）	秋祭り あきまつり（秋季祭祀）運動会 うんどうかい（运动会）
	5　さつき　皐月	/1 メーデー（国际劳动节）/5 端午の節句 たんごのせっく（端午节）第 2 个星期日　母の日 はは（母亲节）			**11**　しもつき　霜月	/15 七五三 しちごさん（男童节，女童节）	紅葉狩り もみじがり（观赏红叶）
夏	**6**　みなづき　水無月	衣替え ころもがえ（换季更衣）第 3 个星期日　父の日 ちち（父亲节）梅雨入り つゆいり（梅雨期开始）		冬	**12**　しわす　師走	/25 クリスマス（圣诞节）/31 大みそか おお（除夕夜）	大掃除 おおそうじ（大扫除）

节假日

现在日本的法定节假日有 14 天（双休日未计算在内）。较长的假期主要是元旦，五一黄金周以及 8 月中旬的盂兰盆节。

1 月 1 日	元日 がんじつ（元旦）	7 月第 3 个星期一	海の日 うみのひ（海之日）
1 月第 2 个星期一	成人の日 せいじんのひ（成人节）	9 月第 3 个星期一	敬老の日 けいろうのひ（敬老日）
2 月 11 日	建国記念の日 けんこくきねんのひ（建国纪念日）	9 月 23 日前后	秋分の日 しゅうぶんのひ（秋分）
3 月 21 日前后	春分の日 しゅんぶんのひ（春分）	10 月第 2 个星期一	体育の日 たいいくのひ（体育日）
4 月 29 日	みどりの日 ひ（绿化日）	11 月 3 日	文化の日 ぶんかのひ（文化节）
5 月 3 日	憲法記念日 けんぽうきねんび（宪法纪念日）	11 月 23 日	勤労感謝の日 きんろうかんしゃのひ（勤劳感谢日）
5 月 4 日	国民の休日 こくみんのきゅうじつ（国民休息日）	12 月 23 日	天皇誕生日 てんのうたんじょうび（天皇诞生纪念日）
5 月 5 日	こどもの日 ひ（儿童节）		

9 小野赴北京

五一长假到了。小野利用假期到了北京。森和小李都期待着能与小野重逢。本单元介绍小野在北京逗留期间的情况。

第33課 電車が急に止まりました

再会

小野到达北京的那一天，森和小李到北京国际机场去迎接。小野提前到了……

第34課 壁にカレンダーが掛けてあります

北京ダック

森和小李为小野预约了饭店。那么，小野的反应如何呢？

第35課 明日雨が降ったら，マラソン大会は中止です

ホームパーティー

森、小李、小野去太田家拜访。她们做的饭菜味道如何呢？

第36課 遅くなって，すみません

北京の生活

小李、小野和太田夫人一起外出。夫人刚来到中国最不适应的是什么呢？

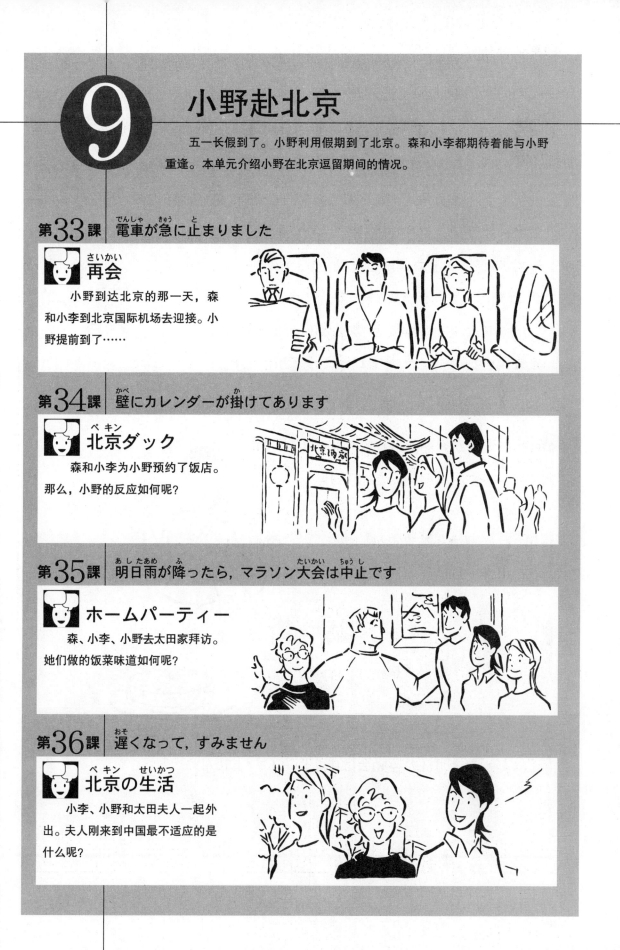

第33課
でんしゃ きゅう と
電車が急に止まりました

基本课文

1. 電車が急に止まりました。
2. 部屋の電気が消えています。
3. 森さんはボーナスを全部使ってしまいました。
4. このケーキはとてもおいしそうです。

A
甲: あなたが窓を開けたんですか。
乙: いいえ，風で開いたんです。

B
甲: はさみはどこですか。
乙: 引き出しに入っていますよ。

C
甲: おじいさんにもらった腕時計が壊れてしまいました。
乙: それは残念ですね。

D
甲: 雨が降りそうですね。
乙: じゃあ，明日の運動会は中止かもしれませんね。

急に(突然)　消えます(灭)　腕時計(手表)　残念(可惜)

96

语法解释

1. 自动词和他动词 ②

第18课学习了自动词和他动词的基本概念(☞第18课"语法解释6"),本课将着重介绍日语中在词形上有对应关系的自、他动词。

日语中在词形上有对应关系的一部分自、他动词,其自动词的词尾部分是"aru",而他动词的词尾部分是"eru",如"*掛かる・*掛ける""*閉まる・閉める""止まる・止める"等。还有一部分,其自动词的词尾部分是"eru""ru",他动词的词尾部分是"su",如"消える・消す""壊れる・*壊す""*落ちる・落とす"等。以上介绍的是两种主要对应情况。还有一些对应关系不十分规则的,如下表中的"*割れる・*割る""*付く・付ける"等。此外,自动词和他动词也有完全同形的,如"閉じる(关闭)",但这种情况极少。

自动词	掛かる	挂	閉まる	关闭	止まる	停	消える	熄灭
	掛かります		閉まります		止まります		消えます	
他动词	掛ける	挂	閉める	关闭	止める	停	消す	熄灭
	掛けます		閉めます		止めます		消します	

自动词	壊れる	坏、碎	落ちる	落下	割れる	裂开	付く	附带
	壊れます		落ちます		割れます		付きます	
他动词	壊す	弄坏	落とす	使~落下	割る	割开	付ける	加上
	壊します		落とします		割ります		付けます	

2. 自動 ています ④ [结果状态 ②]

第15课、16课我们分别学习了"～ています"表示现在进行(☞ 第15课"语法解释1")和结果存续(☞ 第16课"語法解釋4")的用法,这两课学习的动词大部分是他动词。自动词后续"～ています"时,如该自动词是表示动作的,"～ています"表示动作正在进行。如该自动词是表示变化的,"～ています"则表示结果的存续。在词形上有对应关系的自动词后加"～ています"时均表示结果存续,下面就是一些这样的例子。

　▶　　　部屋の電気が **消え ています。**(房间的灯灭着。)
　▶　壁には大きな絵が **掛かっ ています。**(墙上挂着一张大画。)
　▶　　　この自動車は **壊れ ています。**(这辆车坏了。)

"自动词て形＋います"和"自动词た形"都可以表示结果存续,不过"自动词た形"偏重表示变化的完成,而"自动词て形＋います"则偏重表示变化完成后形成的结果状态。

　▶　部屋の電気が**消えています。**(房间的灯灭着。)〔结果的状态〕

▶　部屋の電気が消えました。（房间的灯灭了。）〔瞬间的变化〕

参考　他动词后续"～ています"时一般表示现在进行，但也有一些例外，如第16课学过的"森さんは車を持っています（森先生有辆车）"中的"持っています"以及"吉田さんは眼鏡をかけています（吉田先生戴着眼镜）"中的"かけています"等。

3. 动 てしまいます

"动词て形＋しまいます"一般表示该动作所产生的结果是令人不愉快的事情。

▶　森さんはボーナスを全部 使っ てしまいました。（森先生把奖金全都花光了。）

▶　大切な書類を*うっかり 忘れ てしまいました。（把非常重要的文件给忘记了。）

▶　　　無理をすると，病気に なっ てしまいますよ。（搞得太累，你要生病的。）

但有时候也只用来表示动作的"完成"而没有结果令人不愉快的意思。这时候动作一般是有意进行的。

▶　この本はもう読んでしまいました。（这本书已经全部读完了。）

▶　*最後まで食べてしまいましょう。（全都吃掉吧。）

4. 动 ／ 形 そうです ②　〔样态〕〔推测〕

"～そうです"用于描述说话人对某种事物样态的观感或根据某种情形推测事态的发展。其接续方式为：动词"ます形"去掉"ます"加"そうです"；一类形容词去掉词尾"い"加"そうです"；二类形容词用"二类形容词＋そうです"的形式。

▶　このケーキはとてもおいしそうです。（这个蛋糕看上去很好吃。）〔样态〕

▶　李さんは仕事が大変そうですね。（小李的工作好像很不容易啊。）〔样态〕

▶　雨が降りそうです。（好像要下雨。）〔推测〕

▶　あの人は将来*偉くなりそうです。（那个人将来会成为一个了不起的人物。）〔推测〕

表示否定时，前接形容词时用"～そうではありません"的形式，而前接动词时则用"～そうにありません"的形式。

▶　あまりおいしそうではありません。（看上去不太好吃。）

▶　雨は*やみそうにありません。（雨看上去不像要停的样子。）

另外，前接"ない"和"いい"这两个双音节词语时，情况特殊，前者用"なさそうです"的形式，后者用"よさそうです"的形式。

▶　今日は会議がなさそうです。（今天好像没会。）

▶　この本はとてもよさそうです。（这本书好像很不错。）

参考　"～そうです"不仅用于句尾，还用于名词、动词的前面。用于名词前面时用"～そうな"的形式，用于动词前面时用"～そうに"的形式。

▶　おいしそうなケーキですね。（这蛋糕看上去真好吃啊。）

▶　子供たちは楽しそうに遊んでいます。（孩子们在快乐地玩儿着。）

表达及词语讲解

1. 自动词和他动词的用法

　　本课"语法解释"中讲了自动词和他动词的语法区别，这里我们来看一下什么时候使用自动词，什么时候使用他动词。

　　比如，在好久没来的街道一角发现了一座新盖的公寓时，日语一般说"あっ、アパートが*建った(啊，盖新公寓了)"，即使用自动词。如果这时候使用他动词，说成"アパートを*作った"或"アパートを*建てた"，表达的重点则集中到"谁造的"上面。但是，上面的情景由于说话人只是在眺望作为街道景观的公寓，而并不关注建造的主体，因此要使用自动词。反之，如果是自己集资建造了房子，则用他动词，即"今年，家を建てました"。

　　此外，当在会议上谈到确定了新的计划时，可以有"新しい企画は*清涼飲料水に決まりました（新项目决定开发清凉饮料）"和"新しい企画は清涼飲料水に決めました（决定新项目开发清凉饮料）"两种说法。其中，自动词"決まりました"强调的是"已经定了下来"的结果，而使用他动词"決めました"则将促使听话人去意识决定的主体，甚至会给人一种以自己为中心做出了决定的印象。如果确实是自己在主持会议，或者以自己为主进行决策时，姑且不论，否则使用这种表达方式是不恰当的。如学生应当说"授業が始まりました（上课了）"而不能说"授業を始めました"，会议的一般参加者只能说"会議が始まります（要开会了）"而不能说"会議を始めます"。

2. ～かしら

　　第22课学习了表示疑问的简体助词"かな"（☞ 第22课"表达及词语讲解1-(4)"），"～かしら"和"～かな"语义相近，但多为女性使用。

　　如果在没有听话人的情况下使用时，"～かしら"是一种吐露自己内心疑问的自言自语的表达方式。如有听话人在场，则为向对方发问。应用课文中的用例是前者。

　　▶ 森さんたちはもう来ているかしら。（不知森他们到了没有?）
　　▶〔对着店员〕この服，ちょっと大きいかしら。（这件衣服，有点大，是不是?）

3. *それにしても

　　用于尽管认可了作为前提的某种状况或事项，但说话人仍有另外的感觉或者认识。应用课文中的"大勢*並んでいるわね"说的是虽然机场的拥挤是正常情况，但今天的拥挤程度也太不寻常了。另外，第二个例子表示尽管森说要晚到，但是也实在太晚了。

　　▶ それにしても，大勢並んでいるわね。（要说，这排队的人可真多呀。）〔自言自语〕
　　▶ 甲: 森さん遅いですね。（森先生怎么这么晚呀。）
　　　　乙: 少し遅れると言っていましたよ。（他说了要晚一点到。）
　　　　甲: それにしても遅いですよ。もう30分過ぎましたよ。

　　　　　　　　　　　　　　　　（即便这样也太晚了。都已经过了30分钟了。）〔对话〕

4. *お久しぶりです　［寒暄语 ⑦］

由"*久しぶりです（好久不见）"前加表示礼貌的"お"构成。应用课文中，首先小李用"お久しぶりです"向小野打招呼，对此，小野不说"です"而只用"お久しぶり"来应答。由于句中有"お"的存在所以语感并不显得粗鲁，与"お久しぶりです"相比，虽然要随便一些，但反而有一种亲切感。

5. *相変わらずですね

短语"相変わらず"的意思是情况没有变化，用作"相変わらずですね"时可译作"你还是那个样子啊"。

6. お元気そうで，何よりです　［寒暄语 ⑧］

"お元気そうです（看起来挺精神的）"是"元気そうです"的礼貌形式。"何よりです"的完整形式是"何よりいいことです（比什么都好）"。整句的意思是"你看上去挺精神的，这比什么都强"。不过虽然是寒暄用语，但由于内含一种我一直惦记着你的健康状况的语感，所以一般用于朋友、熟人相隔一段时间后再会时，对初次见面的人不能使用。

📖 宾馆

ホテル　宾馆	シングルルーム　单人房间
ロビー　大厅	ツインルーム　（单人床）双人房间
フロント　总服务台，前台	ダブルルーム　（双人床）双人房间
チェックイン　办理入住手续	スイートルーム　套间
チェックアウト　办理退房手续	ルームサービス　送餐到房间的服务
コンシェルジュ　迎宾，门童	モーニングコール　叫醒服务
送迎バス　接送专车	～号室　～号房
チップ　小费	～泊　～宿

応用課文

再会(さいかい)

五一期间放长假。小野今天从东京过来。森和小李到机场去迎接。森是从客户处直接赶过来的。因为气流的关系，小野提前到了30分钟左右。

（办理入境手续处排起了长队。小野一边排队等候，一边嘟囔着）

小野(おの)：ちょっと早(はや)く着(つ)いてしまったけど，森(もり)さんたちはもう来(き)ているかしら。

（看着长队）それにしても，大勢(おおぜいなら)並(なら)んでいるわね。

（小野办完入境手续从海关出来，发现小李后挥手招呼）

小野(おの)：李(り)さん!

李(り)：（小李跑了过来）小野(おの)さん，お久(ひさ)しぶりです。

小野(おの)：本当(ほんとう)にお久(ひさ)しぶり。お元気(げんき)そうですね。

李(り)：ええ，小野(おの)さんも。

（过了一会儿，森跑了过来）

森(もり)：すみません，小野(おの)さん。

遅刻(ちこく)してしまいました。

小野(おの)：相変(あいか)わらずですね，森(もり)さん。

でも，お元気(げんき)そうで，何(なに)よりです。

（森看见小野的行李）

森(もり)：小野(おの)さん，ずいぶん重(おも)そうなスーツケースですね。

小野(おの)：そうですか? 服(ふく)や小物(こもの)が入(はい)っていますが，中(なか)はほとんど空(から)ですよ。北京(ペキン)は初(はじ)めてなので，お土産(みやげ)をたくさん買(か)って，入(い)れようと思(おも)っているんです。

（在出租车车站，森准备把旅行箱放进后备箱）

森(もり)：あれっ，トランクが開(あ)いていないな。

李(り)：運転手(うんてんしゅ)さんに開(あ)けてもらいましょう。

再会(重逢)　　着きます(到达)　　スーツケース(旅行箱)　　小物(小东西)　　トランク(后备箱)

運転手(司机)

練 習

練習Ⅰ

1. 仿照例句，看图造句。

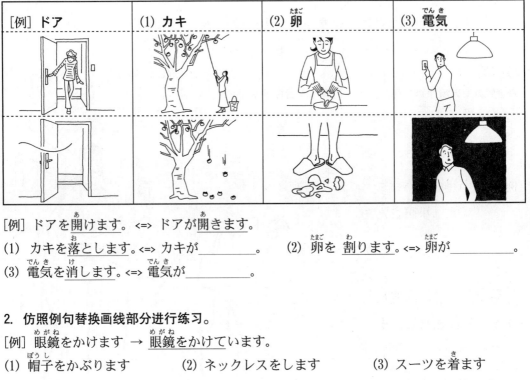

［例］ドア	(1) カキ	(2) 卵^{たまご}	(3) 電気^{でんき}

［例］ドアを開けます。<=> ドアが開きます。

(1) カキを落とします。<=> カキが＿＿＿＿＿。　　(2) 卵を 割ります。<=> 卵が＿＿＿＿＿。

(3) 電気を消します。<=> 電気が＿＿＿＿＿。

2. 仿照例句替换画线部分进行练习。

［例］眼鏡をかけます → 眼鏡をかけています。

(1) 帽子をかぶります　　　(2) ネックレスをします　　　(3) スーツを着ます

(4) サンダルをはきます　　(5) ズボンをはきます　　　(6) ネクタイをします

3. 仿照例句，将(　　　)中的词语变成"～ています"的形式完成句子。

［例］佐藤さんは窓を開けました。

　　今，窓は (開きます → 開いています)。

(1) 李さんは部屋の電気を消しました。

　　今，部屋の電気は (消えます → ＿＿＿＿＿＿＿＿)。

(2) 田中さんは車を駐車場に止めました。

　　今，車は駐車場に (止まります → ＿＿＿＿＿＿＿＿)。

(3) 馬さんは昨日，パソコンを壊しました。

　　今，馬さんのパソコンは (壊れます → ＿＿＿＿＿＿＿)。

(4) 森さんは床を汚しました。

　　今，床は (汚れます → ＿＿＿＿＿＿＿＿)。

カキ(柿子)　　かぶります(戴)　　スーツ(西服)　　サンダル(涼鞋)　　はきます(穿)　　ズボン(裤子)

汚します(弄脏)　　汚れます(脏)

4. 仿照例句，将（　　　）中的词语变成"～てしまいます"的形式完成句子。

[例] わたしは家のかぎをよく（ なくします → なくしてしまいます ）。

　　ボーナスを全部（ 使いました → 使ってしまいました ）から，もう旅行に行きません。

(1) いつも傘を電車の中に（ 忘れます →　　　　　　　　　　　　）。

(2) わたしたちのチームは（ 負けました →　　　　　　　　　　　　）。

(3) 森さんは給料をもらうと，すぐ（ 使います →　　　　　　　　　）。

(4) 新しいTシャツがもう（ 汚れました →　　　　　　　　　）。

(5) 宿題を（ しました →　　　　　　　　　　　　）から，遊びに行きます。

(6) この本は（ 読みました →　　　　　　　　　　　）から，王さんにあげます。

(7) ちょっと待ってください。すぐ（ 書きます →　　　　　　　　　　）から。

5. 仿照例句，将（　　　）中的词语变成"～そうです"的形式进行练习。

[例] 雨が（ 降ります → 降りそうです ）。

　　このケーキは（ おいしいです → おいしそうです ）。

　　この問題は（ 簡単です → 簡単そうです ）。

(1) いすが（ 壊れます →　　　　　　　　）。

(2) 明日は会議が（ ありません →　　　　　　　　）。

(3) あの歌は（ 流行します →　　　　　　　　）。

(4) あの部屋は（ 暑いです →　　　　　　　）。

(5) その料理は（ 辛くないです →　　　　　　　　）。

(6) 森さんは（ 元気です →　　　　　　　）。

(7) 社長は（ 暇です →　　　　　　　）。

🎧 **6. 听录音，仿照例句替换画线部分进行练习。**

[例1] 使い方を忘れました → 甲: どうしたんですか。

　　　　　　　　　　　　　乙: <u>使い方を忘れて</u>しまったんです。

(1) かぎをなくしました　　　　(2) 飼っていた犬が死にました

(3) 車が故障しました　　　　　(4) 道を間違えました

[例2] お菓子／おいしい → 甲: このお菓子, どうですか。

　　　　　　　　　　　　乙: <u>おいしそうな</u>お菓子ですね。

(5) 人／優しい　　　　　　　　(6) 仕事／楽

(7) 映画／おもしろくない　　　(8) 本／難しい

チーム(队)　負けます(输)　Tシャツ(T恤衫)　飼います(饲养)　楽(容易)

練習Ⅱ

1. 从 ☐ 中选择适当的词语变成适当的形式填入（　　　）中。

[例] 昨日買ったカメラを子供が (壊しました)。

(1) 暑いので，窓を (　　　　　) ください。

(2) さっき急にドアが (　　　　　)。

(3) 服がずいぶん (　　　　　) いますね。

(4) このカメラは長い間使ったので，(　　　　　) しまいました。

(5) 甘い物が好きなので，いつもコーヒーに砂糖を (　　　　　)。

(6) 昨日散歩している時，目の中にごみが (　　　　　)。

| 壊します 壊れます 開きます 開けます 入れます 入ります 汚れます |

2. 给正确的答案画〇。

[例] 窓が (開け ・⦿開き) ました。

(1) 森さんは今日も黒い靴を (はいて ・ 着て) います。

(2) あの赤いネクタイを (している ・ 着ている) 人がわたしの先生です。

(3) 部屋の電気が (消えて ・ 消して) います。

(4) その辞書が (よさ ・ よ) そうですよ。

(5) 李さんのコートは (高く ・ 高) そうですね。

(6) ああ，おなかがすいた。何かある?

　　──あっ，ごめん。何もない。全部 (食べた ・ 食べて) しまったよ。

🎧 3. 听录音，从①～⑥中选择正确答案。

[例] 雨が降りそうなので，＿＿＿⑥＿＿＿。

(1) …＿＿＿＿＿＿。　　(2) …＿＿＿＿＿＿。　　(3) …＿＿＿＿＿＿。

(4) …＿＿＿＿＿＿。　　(5) …＿＿＿＿＿＿。

| ① 隣の人に借りました　② クーラーがついています　③ 図書館へ返しに行きます |
| ④ 銀行は閉まっています　⑤ まだ起きています　⑥ 散歩に行くのをやめました |

4. 将下面的句子译成日语。

(1) 是你开的窗户吗?──不，是风刮开的。

(2) 森先生把奖金全都花光了。

(3) 这个蛋糕看上去很好吃。

生词表

スーツケース　［名］　旅行箱
トランク　［名］　后备箱；手提箱，皮箱
スーツ　［名］　西服，女套装
ズボン　［名］　裤子
ティーシャツ（T～）　［名］　T恤衫
サンダル　［名］　凉鞋
ぼうし（帽子）　［名］　帽子
うでどけい（腕時計）　［名］　手表
こもの（小物）　［名］　小东西，细小的附件
うんてんしゅ（運転手）　［名］　司机
から（空）　［名］　空
うんどうかい（運動会）　［名］　运动会
チーム　［名］　队，团体
さいご（最後）　［名］　最后
さいかい（再会）　［名］　重逢，再会
ひさしぶり（久しぶり）　［名］　好久不见
カキ　［名］　柿子
せいりょういんりょうすい（清涼飲料水）　［名］　清凉饮料
しまります（閉まります）　［动1］　关闭，关
こわします（壊します）　［动1］　弄坏
わります（割ります）　［动1］　割开，打破，打坏
つきます（付きます）　［动1］　附带，附加
かかります（掛かります）　［动1］　挂，悬挂
よごします（汚します）　［动1］　弄脏

やみます　［动1］　停，停息，停止
たちます（建ちます）　［动1］　盖，建
ならびます（並びます）　［动1］　排队，排，列队
つきます（着きます）　［动1］　到，到达
かぶります　［动1］　戴
はきます　［动1］　穿(鞋、裤子)
かいます（飼います）　［动1］　饲养
きえます（消えます）　［动2］　熄灭，消失
かけます（掛けます）　［动2］　挂
おちます（落ちます）　［动2］　落下，掉
われます（割れます）　［动2］　裂开，破裂
たてます（建てます）　［动2］　盖，建造
まけます（負けます）　［动2］　输，败
よごれます（汚れます）　［动2］　脏
えらい（偉い）　［形1］　了不起，伟大
らく（楽）　［形2］　容易，简单；快乐，轻松
ざんねん（残念）　［形2］　可惜，遗憾
きゅうに（急に）　［副］　突然
ぜんぶ（全部）　［副］　全部
あいかわらず（相変わらず）　［副］　照旧，依然
うっかり　［副］　不留神，不注意
それにしても　［连］　即便那样，话虽如此

おひさしぶりです（お久しぶりです）　好久不见

乘飞机旅行

乘坐飞机旅行时需要注意的是一种称做"エコノミークラス症候群（经济舱综合症）"的病。"经济舱"即是指飞机普通座席。由于长时间坐在狭小的座椅上，导致腿部产生静脉血栓，流到肺部发生阻塞，引起呼吸困难、心肺功能停止等症状，严重的有时还会刚下飞机就倒下。为了预防，需要补充足够的水分和腿部做适当的运动。

有人说乘飞机旅行的乐趣之一是积攒"マイレージ（里程数）"。所谓"里程数"服务是航空公司给予反复乘坐该公司航班旅客的一种服务，即根据搭乘飞行距离的累计数，免费提供机票。比如成田到北京的飞行距离是1 313英里（1英里=1.609公里），坐一个往返积分英里数就应是2 626点。如果积攒了20 000点积分就可换取一张成田到北京之间的经济舱往返机票。

第 34 課
壁にカレンダーが掛けてあります

基本课文

1. 壁にカレンダーが掛けてあります。
2. お客さんが来る前に，部屋を掃除しておきます。
3. 太田さんは中国語で手紙を書いてみました。
4. 日本へ留学するために，お金をためています。

A
甲: 森さん，車をどこに止めましたか。
乙: 公園の前に止めてあります。

B
甲: 森さん，会議の資料はどうしますか。
乙: 10部コピーしておいてください。

C
甲: カレーライスを作ってみました。
　　食べてみてください。
乙: ああ，おいしそうですね。いただきます。

D
甲: 太田さん，タバコをやめたんですか。
乙: ええ，健康のためにやめました。

カレンダー(挂历)　ためます(积攒)　〜部(〜份)　カレーライス(咖喱饭)
いただきます(我吃了)

1. 他动 てあります

"他动词て形＋あります"表示有意进行的动作结果的存续状态。在这个句型里不涉及动作的主体而只涉及动作的对象。

▶　　　　　　壁にカレンダーが　掛け　てあります。　（墙上挂着挂历。）
▶　　　　　　　　　　窓が　開け　てあります。　　（窗户开着。）
▶　パスポートは*バッグの中に　入れ　てあります。　（护照在包里放着。）

下面是一个有意进行的动作和其结果状态的对应图。

| 壁に | わたし | が | カレンダー | を | 掛けました。 | （我在墙上挂挂历了。） |
| 壁に | | | カレンダー | が | 掛けてあります。 | （墙上挂着挂历。） |

2. 动 ておきます

"动词て形＋おきます"表示为做某种准备而有意识地进行的动作。有为了某种目的而将动作的结果或效果留存下来的意思。

▶　　　　お客さんが来る前に，部屋を　掃除し　ておきます。
　　　　　　　　　　　　　　　　　　（客人来之前把房间打扫好。）

▶　明日は忙しいです。今夜はゆっくり　休ん　でおいてください。
　　　　　　　　　　　　　　（明天会很忙，今天晚上你要好好休息。）

▶　　　　　*訪問する前に，一度　電話し　ておきます。
　　　　　　　　　　　　　　　　（拜访之前我准备先打个电话。）

▶　　　　　*帰りの切符を　買っ　ておきますか。
　　　　　　──いいえ，　買っ　ておかなくてもいいです。
　　　　　　　　　　　（要事先买好回程票吗?──不，不需要。）

3. 动 てみます

"动词て形＋みます"表示尝试做某事。

▶　太田さんは中国語で手紙を　書い　てみました。
　　　　　　　　　　　　　　（太田先生试着用汉语写了一封信。）

▶　　　　おいしそうですね。食べ　てみます。
　　　　　　　　　　　　　　（看上去很好吃啊，我来尝尝。）

▶　それは*おかしい。もう一度　調べ　てみてください。
　　　　　　　　　　　　　　（真奇怪。你再调查一下。）

4. 小句1（基本形） ために，小句2 ① ［目的］

　　名 ＋の＋ために，小句 ① ［目的］

"～ために"表示目的，其前后两个小句的主语相同。

▶ 日本に 留学する ために，お金をためています。

（我正在为去日本留学攒钱。）

▶ 運動を する ために，新しい靴を買いました。

（为了运动买了新鞋。）

▶ 林さんは駅へ 行く ために，バスに乗りました。

（林先生为去电车站，乘了公共汽车。）

前接名词时，用"名词＋の＋ために"的形式。

▶ 留学 の ために，日本語を勉強しています。（为了留学正在学习日语。）

▶ 健康 の ために，毎日歩いています。（为了健康每天步行。）

📖 关于植物 ──────────────────────────

植物　植物

花　花	カエデ　枫树	朝顔　牵牛花
草　草	松　松树	バラ　蔷薇
木　树	杉　杉树	ヒマワリ　向日葵
枝　树枝	ポプラ　杨树	ボタン　牡丹
幹　树干	イチョウ　银杏树	ハスの花　莲花
茎　茎	柳　柳树	モクレン　木兰花
根　根	竹　竹子	キンモクセイ　金桂
葉　叶	桜　樱花树，樱花	菜の花　油菜花
つぼみ　花蕾	梅　梅树	菊　菊花
実　果实	桃　桃树	ラン　兰花
		アジサイ　绣球花
		コスモス　大波斯菊

表达及词语讲解

1. *とっておきのお店

"とっておきの＋名词"表示为了某种场合或用途而特别留着的东西或场所。

> ▶ これはとっておきのお酒です。どうぞ。（这是我珍藏多年的酒，送给你。）

> ▶ 今日はパーティーがあるから，とっておきのネクタイをしよう。

（今天有联欢会，系上那条最好的领带吧。）

应用课文中的"とっておきのお店"是指为了欢迎小野特别推荐的独具特色的餐馆。

2. *うわあ　［叹词 ⑦］

用于表示看到某种事物时产生的感动或惊讶。应用课文中的"うわあ"表示说话人对于烤鸭的鲜美表示惊讶、感叹，是作为褒义使用的。与此相反，下面的第 2 个例子则是对不好的事情感到惊讶的例子。

> ▶ うわあ，きれいに*焼いてありますね。（哇，烤得真好啊。）

> ▶ うわあ，*ひどい*事故ですね。（哇，多么严重的事故啊！）

3. *しっかり

"しっかり"有多种意思，在本课的应用课文中表示"充分、充足"。小李提醒小野第二天要玩很多地方，会非常忙，因此今天饭菜要吃得充足一些。

> ▶ 小野さん，今日はしっかり食べておいてください。（小野女士，你今天多吃点。）

另外，"しっかり"还有"扎实、踏实、认真"等意思。

> ▶ 彼はアルバイトで*稼いだお金をしっかり*貯金しました。

（他把打工挣的钱都好好地存起来了。）

> ▶ 李さんは将来の仕事について，しっかり考えています。

（小李在认真地考虑将来的工作。）

4. *ハードスケジュール

由英语的"hard schedule"演变而来的外来词。表示计划要做的事情很多，实施起来很困难。

> ▶ 明日からハードスケジュールで，*あちこち行きますからね。

（明天开始日程很紧张，要到处去转。）

> ▶ 課長はいつもハードスケジュールで，とても忙しいです。

（科长经常是计划安排得很紧，特别忙。）

5. あちこち

表示多种场所或多个方向。本来的形式是"あちらこちら"，在会话中一般短缩为"あちこち"或"*あっちこっち"。

> 夏休みにあちこち旅行しました。（暑假我到各处去旅行了。）

> 久しぶりに運動したので，体のあちこちが痛いです。

（好久没有运动了，运动这么一下，浑身疼。）

要注意在日语中只存在上述"那"在前"这"在后的说法， 而不存在"这"在前"那"在后的形式："×こちらあちら""×こちあち""×こっちあっち"。

6. *もったいない

用于表示没有做到物尽其用，人尽其能而感到非常遗憾。

> 料理がたくさん*残ってしまいましたが，*このまま捨てるのはもったいないです。

（菜剩了这么多，就这样扔掉太可惜了。）

> 時間がもったいないので，タクシーで行きましょう。

（时间怪可惜的。我们坐出租车去吧。）

> 彼がしているのは，たいへん簡単な仕事なんです。
> ——それはもったいないですね。彼は*非常に*優秀な人ですから。

（他做的是非常简单的工作。——真是大材小用啊！他是一个非常优秀的人才。）

7. 用餐习惯

应邀在别人家做客或在餐厅就餐时，在中国一般要准备很多饭菜，所以剩下来也没有关系。但在日本，主人准备的东西习惯上客人要全部吃光。如果饭菜剩下了，主人会担心是不是饭菜不好吃，或者不合客人的口味。客人如果觉得饭菜太多吃不了的话，一般选择从一开始就对一部分菜不动筷子。

另外，日本的具体用餐习惯大致可总结如下：

①吃米饭时用左手端起碗来吃。

②嘴里有饭时不说话。

③不往桌子上放鱼刺、菜根等。这些东西要放在预先准备好的空盘子里，以免弄脏桌子。

④几个人分食大盘菜时，要先夹到个人用的小碟里后再吃。从大盘里夹菜的时候，要用
公筷或把自己的筷子倒过来使用。

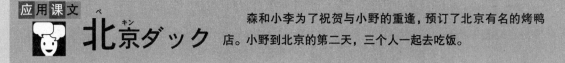

応用課文

北京ダック

森和小李为了祝贺与小野的重逢，预订了北京有名的烤鸭店。小野到北京的第二天，三个人一起去吃饭。

（傍晚，森和小李去宾馆接小野）

森：小野さんを歓迎するために，とっておきのお店を予約しておきましたよ。

小野：本当に!?　ありがとうございます。

李：北京ダックがおいしいお店なんですよ。

（在餐厅，烤鸭端了上来）

小野：うわあ，きれいに焼いてありますね。

李：ええ。おいしそうな色でしょう。

（厨师在身边削着烤鸭，服务员小姐把削好的烤鸭卷在薄饼里递给小野）

小野：（尝了一口）おいしい！　今まで，こんなにおいしいの食べたことありません。

森：本場の料理は最高でしょう？

小野：ええ，最高！　今度は自分で包んでみます。

森：ほかにも料理はたくさん頼んでありますからね。

（其后，又有菜端上来）

李：小野さん，今日はしっかり食べておいてください。明日から

ハードスケジュールで，あちこち行きますからね。

（吃完后，看到很多剩下的菜肴）

小野：こんなに残ってしまいました。もったいないですね。

李：本当ですね。じゃあ，持ち帰りにしましょう。

森：小野さん，カラオケも予約してあるんですが，どうしますか。

小野：もちろん行きますよ。

こんなに（这么）　本場（原产地）　最高（最好）　包みます（卷）　頼みます（点菜）

持ち帰り（打包）

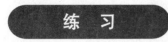

练习Ⅰ

1. 看图，仿照例句进行练习。

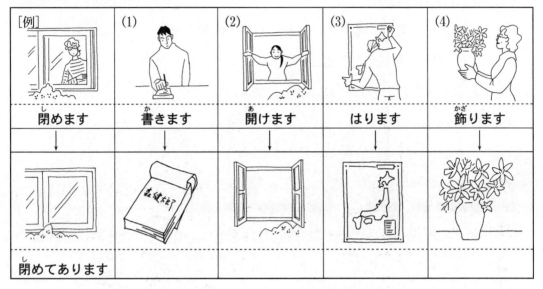

[例]	(1)	(2)	(3)	(4)
閉めます	書きます	開けます	はります	飾ります
↓	↓	↓	↓	↓
閉めてあります				

2. 仿照例句替换画线部分进行练习。

[例] 壁にカレンダーを掛けました。→ 壁にカレンダーが掛けてあります。

(1) 冷蔵庫にビールを入れました　　　　(2) 玄関に花を飾りました

(3) あそこに車を止めました　　　　　　(4) 会議室のいすを片づけました

(5) 部屋の電気をつけました　　　　　　(6) 本棚に本をきちんと並べました

3. 仿照例句，用（　　　）中的词语回答提问。

[例] どこに車を止めましたか。（公園の横）── 公園の横に止めてあります。

(1) どこに荷物を置きましたか。（ロッカーの前）──

(2) だれにパスポートを預けましたか。（旅行社の人）──

(3) どこにかぎをしまいましたか。（引き出しの中）──

(4) どこにポスターをはりましたか。（受付の後ろの壁）──

(5) だれに会議のあいさつを頼みましたか。（部長）──

4. 仿照例句替换画线部分进行练习。

[例1] 歓迎の準備をします → 視察団が来る前に，歓迎の準備をしておきます。

(1) 到着の時間を調べます　　　　　　(2) 花束をたくさん用意します

(3) いいホテルを探します　　　　　　(4) 会議の打ち合わせをします

はります(粘)　飾ります(装飾)　玄関(门口)　並べます(排列)　ロッカー(橱柜)　預けます(寄存)

しまいます(收起来)　ポスター(宣传画)　到着(到达)　用意します(准备)

(5) 訪問先の資料を集めます　　　　(6) 歓迎のあいさつを考えます

[例2] おいしいです／食べます → おいしいかどうか，食べてみます。

(7) 似合います／着ます　　　　　　(8) おもしろいです／読みます

(9) 便利です／田中さんに聞きます　(10) できます／やります

(11) サイズが合います／はきます　　(12) 予約してあります／調べます

5. 仿照例句替换画线部分进行练习。

[例] 健康／ジョギングをします

　　→ 健康のために，ジョギングをしています。

　　医者になります／一生懸命勉強します

　　→ 医者になるために，一生懸命勉強しています。

(1) 発表会／毎日2時間ピアノを練習します

(2) 家族／一生懸命働きます

(3) 明日の試験／今晩よく勉強しようと思います

(4) 留学します／日本語の勉強を続けます

(5) やせます／1か月ダイエットをします

(6) 論文を書きます／資料をたくさん読みます

(7) オリンピックに出ます／毎日1万メートル泳ぎます

6. 听录音，仿照例句替换画线部分练习会话。

[例1] 甲:｛窓を開けます → あのう，この窓を開けておいてもいいですか。

　　　　窓を閉めません → あのう，この窓を閉めておかなくてもいいですか。

　　乙: ええ。そのままにしておいてください。

　　甲: じゃあ，お先に失礼します。

　　乙: お疲れ様でした。

(1) パソコンの電源をつけます　　　　(2) 資料を机の上に置きます

(3) 辞書を本棚に戻しません　　　　　(4) 会議室を片づけません

[例2] お菓子／食べます

　　→ 甲: このお菓子，おいしそうですね。

　　　　乙: どうぞ食べてみてください。

　　　　甲: いいですか，じゃあ，ちょっと…。あっ，おいしいですね。

　　　　乙: そうですか。どうぞたくさん食べてください。

　　　　甲: ありがとうございます。じゃあ，遠慮なく。

(5) ワイン／飲みます　　　　(6) 料理／食べます　　　　(7) チーズ／食べます

合います(合适)　一生懸命(拼命地)　発表会(发布会)　続けます(继续)　やせます(瘦)

ダイエット(减肥)　オリンピック(奥运会)　戻します(放回)　遠慮なく(不客气)

练习 II

1. 给正确的答案画〇。

[例] 名前や住所が書いて（⟨あります⟩・います）。

(1) 暗いので，電気がつけて（います・あります）。

(2) 風邪ですか。早く薬を飲んで（おいた・しまった）ほうがいいですよ。

(3) お客さんが来るので，部屋を掃除して（みて・おいて）ください。

(4) 健康のために，ジョギングを始めて（みよう・いよう）と思っています。

(5) 冷蔵庫にビールが入って（います・おきます）。

2. 听录音，与录音内容一致的在（　　　　）中画〇，不一致的画×。

[例] 部屋にテーブルが
置いてあります。（〇）

(1) （　　）　　(2) （　　）

(3) （　　）　　(4) （　　）

(5) （　　）　　(6) （　　）

(7) （　　）　　(8) （　　）

(9) （　　）　　(10) （　　）

3. 从[　　　]中选择适当的词语填入（　　）中。

[例] 会議は（だいたい）3時半ごろには終わるでしょう。

(1) お客さんが来る前に，部屋を（　　　　）掃除しておいてください。

(2) 久しぶりに運動したので，体の（　　　　）が痛いです。

(3) （　　　　）おいしい料理は，食べたことがありません。

(4) おいしいと，（　　　　）たくさん食べてしまいます。

(5) 天気予報によると，連休中は（　　　　）晴れだそうです。

(6) 10時になりましたから，（　　　　）会議を始めましょうか。

(7) 5，6人集まると，（　　　　）だれかが遅刻しますね。

~~だいたい~~　必ず　ずっと　そろそろ　つい　ちゃんと　あちこち　こんなに

4. 将下面的句子译成日语。

(1) 森先生，(你)把车停在哪儿了?——停在公园前面了。

(2) 请把会议资料复印 10 份。

(3) 我正在为去日本留学攒钱。

生 词 表

カレンダー　［名］　挂历，日历

ポスター　［名］　宣传画，海报

ハードスケジュール　［名］　紧张的日程

カレーライス　［名］　咖喱饭

とっておき　［名］　珍藏，私藏

ほんば（本場）　［名］　原产地，发源地

げんかん（玄関）　［名］　门口，玄关

ロッカー　［名］　橱柜，文件柜

バッグ　［名］　包，手提包

りょこうしゃ（旅行社）　［名］　旅行社

しさつだん（視察団）　［名］　视察团

とうちゃく（到着）　［名］　到达，抵达

かえり（帰り）　［名］　回程，返回，回家

もちかえり（持ち帰り）　［名］　打包，带回

じこ（事故）　［名］　事故

はなたば（花束）　［名］　花束

はっぴょうかい（発表会）　［名］　发布会

ろんぶん（論文）　［名］　论文

ダイエット　［名］　减肥

オリンピック　［名］　奥运会，奥林匹克

あちこち／あっちこっち　［代］　到处，处处

やきます（焼きます）　［动1］　烤，烧，烧毁

かせぎます（稼ぎます）　［动1］　挣钱，赚钱

のこります（残ります）　［动1］　剩余，剩下

つつみます（包みます）　［动1］　卷，包裹

たのみます（頼みます）　［动1］　点（菜）；请求；托付

はります　［动1］　粘，贴

かざります（飾ります）　［动1］　装饰

しまいます　［动1］　收拾起来，放到～里边

あいます（合います）　［动1］　合适，适合

もどします（戻します）　［动1］　放回，返还，返回

ためます　［动2］　积攒，储存

ならべます（並べます）　［动2］　排列

あずけます（預けます）　［动2］　寄存，托付

つづけます（続けます）　［动2］　继续，持续

やせます　［动2］　瘦

ほうもんします（訪問～）　［动3］　拜访，访问

ちょきんします（貯金～）　［动3］　存钱，储蓄

かんげいします（歓迎～）　［动3］　欢迎

よういします（用意～）　［动3］　准备

おかしい　［形1］　奇怪，可笑，不正常

ひどい　［形1］　严重，厉害

もったいない　［形1］　可惜，浪费，过分

ゆうしゅう（優秀）　［形2］　优秀，优异

さいこう（最高）　［形2］　最好，最高

しっかり　［副］　充分，充足

ひじょうに（非常に）　［副］　非常

こんなに　［副］　这么，这样地

いっしょうけんめい（一生懸命）　［副］

拼命地，努力地

うわあ　［叹］　哇

....

このまま　就这样，照这样，如此

いただきます　我吃了，（我）开始吃了

えんりょなく（遠慮なく）　不客气

～部

専栏

日本常见的中国饭菜

在日本，很多食品都是从中国传去的。传到日本的中国食品为迎合日本人的口味已经发生了微妙的变化，现已融入日本饮食文化之中。

日本常见的中国饭菜当中，最具代表性的当数"餃子ギョーザ"。无论男女老少都很喜欢，可以说早已深深扎根于日本人心中。不过在日本所说的"餃子ギョーザ"通常指"锅贴"，尽管日本也有"水餃子すいギョーザ（水饺）"，但"锅贴"更为普遍，一般家庭中也经常做。它是中餐馆菜单中的保留项目，回家途中的工薪族边吃"餃子ギョーザ"边喝啤酒，消除一天疲劳的光景随处可见。"ラーメン（面条）"原来也是中国的食品，现在已经完全演变为日本的独特食品，无论视觉、味觉已经面目全非。专卖面条的店鳞次栉比，已经成为日本饮食文化的代表性食品。"チャーハン（炒饭）"也深受欢迎，不仅仅是中餐馆的保留项目，一般家庭也经常利用剩余的米饭做"チャーハン"。

第 35 課

明日雨が降ったら，マラソン大会は中止です

基本课文

1. 明日雨が降ったら，マラソン大会は中止です。
2. 日本へ帰っても，中国語の勉強を続けてください。
3. 今年の夏休みは 3 日だけです。
4. 会議室には李さんしかいません。

A
甲: 大学を卒業したらどうしますか。
乙: 外国で働きたいです。

B
甲: 馬さんは元気がないね。何かあったのかな。
乙: いくら聞いても何も言わないんだよ。

C
甲: 李さん，資料はまだできませんか。
乙: すみません，あと少しだけ待ってください。

D
甲: このゴーカートは大人でも乗ることができますか。
乙: いいえ，子供しか乗ることができません。

マラソン大会(马拉松大会)　中止(中止)　ゴーカート(游戏汽车)

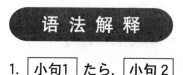

语法解释

1. 小句1 たら，小句2

"～たら"用于表示假定条件。其接续方式是把过去形式的"た"换成"たら"。不过，二类形容词和名词的过去否定形式"～ではなかった"后续"たら"时，要去掉其中的"は"变成"～でなかったら"。

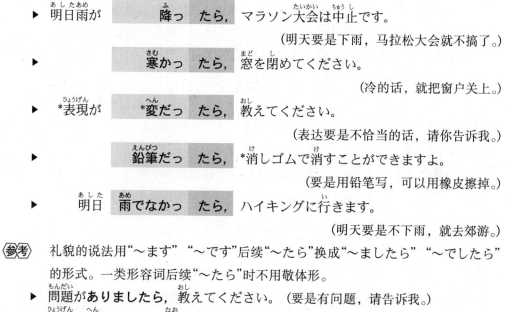

▶ 明日雨が **降っ たら，** マラソン大会は中止です。

　　　　　　　　　　　　　　（明天要是下雨，马拉松大会就不搞了。）

▶ **寒かっ たら，** 窓を閉めてください。

　　　　　　　　　　　　　　　　（冷的话，就把窗户关上。）

▶ *表現が *変だっ **たら，** 教えてください。

　　　　　　　　　　　　（表达要是不恰当的话，请你告诉我。）

▶ **鉛筆だっ たら，** *消しゴムで消すことができますよ。

　　　　　　　　　　　　（要是用铅笔写，可以用橡皮擦掉。）

▶ 明日 **雨でなかっ たら，** ハイキングに行きます。

　　　　　　　　　　　　（明天要是不下雨，就去郊游。）

参考 礼貌的说法用"～ます""～です"后续"～たら"换成"～ましたら""～でしたら"的形式。一类形容词后续"～たら"时不用敬体形。

▶ 問題がありましたら，教えてください。（要是有问题，请告诉我。）
▶ 表現が変でしたら，直します。（表达要是不恰当的话就改正。）
× 寒いでしたら，窓を閉めてください。

2. 小句1 ても，小句2

用于表示"小句1"成立时则"小句2"理应成立但事实上却没有成立。具有无论发生什么事情，其结果都是相同的含义。其接续方式为把"て形"的"て""で"换成"ても""でも"。

▶ 日本へ **帰っ ても，** 中国語の勉強を続けてください。

　　　　　　　　　　　　（回到日本也请继续学习汉语。）

▶ 薬を **飲ん でも，** この病気は治りません。（吃了药，这个病也不会好。）
▶ 仕事が **忙しく ても，** *休日には休みます。（尽管工作很忙，休息日还是要休息。）
▶ 準備が *完全 **でも，** *最終点検は*必要です。

　　　　　　　　　　　　（尽管准备很充分，最终检查还是必要的。）

▶ **休日 でも** 働きます。（休息日也工作。）

"～ても"除了用于假定的情况以外，还可以用于表示已经发生的情况。

▶ その言葉は，辞書で調べても分かりませんでした。（那个词，查了词典也没有明白。）

3. 　名　だけ

表示"这就是全部，不再有其他"的意思。

▶ 今年の夏休みは 3 日だけです。（今年的暑假只有三天。）

▶ 森さんと馬さんだけがお酒を飲みます。（只有森先生和小马喝酒。）

▶ わたしはその料理だけを食べませんでした。（我只没吃那个菜。）

　参考　"だけ"后面的助词"が"和"を"有时省略。

▶ 森さんと馬さんだけお酒を飲みます。（只有森先生和小马喝酒。）

▶ わたしはその料理だけ食べませんでした。（我只没吃那个菜。）

4. 　名　しか＋否定形式

　　　表示"除了举出的一项外，其他都不是这样"的意思，同"～だけ＋肯定形式"的意思基本相同。两者的细微区别是"～だけ"只用来表示一种客观的限定，而"～しか～ない"带有一定的主观感情色彩。

▶ 会議室には李さんしかいません。（会议室只有小李一个人。）
　会議室には李さんだけがいます。（会议室里只有小李。）

▶ わたしは水しか飲みません。（我只喝水。）
　わたしは水だけを飲みます。（我只喝水。）

▶ 安全な所はここしかありません。（安全的地方只有这里。）
　安全な所はここだけです。（安全的地方只有这里。）

　　　上述"～しか～ない"和"～だけ"之间的差异在它们和数量词一起使用时表现得尤其明显。如下例中使用"～だけ"表示在北京客观上只能停留 3 天，而使用"～しか～ない"时，则有说话人主观上觉得 3 天时间太短了的语感。

▶ 北京には 3 日しか*滞在することができません。（在北京只能停留三天。）

▶ 北京には 3 日だけ滞在することができます。（在北京只能停留三天。）

5. 　名　でも　　［提示极端的例子］

提示一个极端的例子，表示"即便如此，其结果也一样"的意思。

▶ その*計算は子供でもできます。（那种计算连孩子也会。）

▶ その計算は大人でもできません。（那种计算连大人也不会。）

▶ よく*効く薬でも，たくさん飲むと体によくありません。

（即使很有效的药，吃多了也对身体不好。）

1. 何かあった

这里的"あった"不表示物体的存在，而表示发生了某种事情。

▶ 馬さんは元気がないね。**何かあった**のかな。

(小马有点儿没精神，发生什么事儿了吗?)

▶ 駅前で**何かあった**んですか。人が集まっていますよ。

(车站附近发生了什么事？聚了很多人哪。)

2. *あと～

"あと"除可后续"少し"以外，还可以后续"1人""1つ""3日"等数量词，表示只要再有一个很少的量就可以完成某事或使某事态成立。

▶ すみません。**あと**少しだけ待ってください。(对不起，请稍等片刻。)

▶ 出発まで**あと**10分です。(离出发还有 10 分钟。)

3. どの家でも

和"どこの家でも"意思相同，表示"哪家都""每家都"的意思。"どの"可后续"会社""果物"等表示事物的名词。

▶ 北京では，餃子は**どの家**でも，自分たちで作って食べます。

(在北京家家户户都自己包饺子吃。)

▶ 最近では，**どの会社**でも，事務所にパソコンがあります。

(近来，任何一家公司的办公室里都有电脑。)

若指"人"时，则不说"×どの人でも"而用"だれでも"，指时间时，也不说"×どの時でも"而说"いつでも"。此外，日语中没有"×毎家""×毎人"的说法。

▶ この*テレビゲームは簡単ですから，**だれでも**できますよ。

(这个电子游戏很简单，谁都会玩。)

▶ このお店は**いつでも**込んでいます。(这个店什么时候客人都很多。)

4. 本のとおりに

"～のとおりに"是日语中常用的一种固定性说法，表示"～那样"的意思。"本のとおりに"的意思是"书上说的那样"。

▶ **本のとおりに**作っても，なかなかうまくできないんです。

(我照着书做也老是做不好。)

▶ 昨日は天気予報の**とおりに**，大雨が降りました。

(昨天如天气预报所说的那样下大雨了。)

5. なかなか ②　　[表示程度的副词 ⑤]

第 14 课学习了表示程度的副词"なかなか"（☞ 第 14 课"表达及词语讲解 4"），"なかなか"还可以和否定形式呼应使用，表示事态的发展并没有所期待的那么简单或者不能轻易地实现。

▶ 本のとおりに作っても，**なかなか**うまくできないんです。

（我照着书做也老是做不好。）

▶ 風邪を引いてしまって，**なかなか**治りません。（感冒了，好长时间也不好。）

6. *だんだん　　[表示程度的副词 ⑥]

表示事物逐渐发生变化，用于变化程度不很显著的状况。常常和"～なります"等表示变化的表达方式呼应使用。

▶ 何度も作ると，**だんだん**上手になりますよ。（多做几次逐渐就会做好了。）
▶ 秋になると，紅葉の*葉が**だんだん**赤くなります。

（到了秋天，红叶就会渐渐变红。）

7. 30 個は大丈夫ですよ

助词"は"接在数量词后面与肯定形式呼应使用时，表示该数量为最低限度。

▶ 小野さんが作った餃子だったら，30 個は大丈夫ですよ。

（要是小野做的饺子，我吃 30 个也没问题。）

▶ このカメラの修理はどのぐらいかかりますか。
　　——そうですね…，10日はかかりますよ。

（修这个照相机要花多长时间？——嗯，至少要 10 天。）

8. 去熟人家做客

在住宅状况不太好的日本，一般认为请客人到一个拥挤、脏乱的家里是不礼貌的事情。因此，要邀请客人来，就应当把家里收拾得像个样子。这样，邀请客人对主人来说往往会形成很大的心理负担。日本人的这种心态，同中国人不十分关注房间的状况而更多地去考虑把客人请到家里建立或增强友谊的心理形成鲜明的对比。

另外，招待客人的方式中日两国也有所不同。在日本，招待客人时主人时刻在考虑客人在想什么，自己怎么做才能使客人满意。比如续茶时要等客人的杯子空了，向客人征询"您还需要再加一点吗？"而得到肯定的回答后才斟加。这一点，也同中国主人一再热情地给客人满茶的做法大不一样。

此外，日本人家一般都要在门厅里脱了鞋再进屋子，这种习惯自古以来就有。

応用课文　ホームパーティー

太田先生和夫人住在天坛公园附近的公寓里。小李、森和小野一起去太田夫妇家拜访，一起包饺子。

（小野和太田夫人帮忙打下手,饺子主要由小李来做。小李正在拌饺子馅儿）

李: あのう，お酒があったら，少し入れてくれませんか。

（太田夫人倒了一勺绍兴酒）

夫人: 1杯だけでいいですか。

李: いえ，3杯ぐらい入れてください。

夫人: 李さん，餃子を作るのが上手ですね。

李: ええ。北京では，餃子はどの家でも，自分たちで作って食べます。
　　小さな子供でも上手ですよ。

夫人: わたし，本のとおりに作っても，なかなかうまくできないんですが，

　　　どうやったらおいしくなるんでしょうか。

小野: 何度も作ると，だんだん上手になりますよ。

李: もし時間があったら，またいっしょに作りましょう。

（不一会儿,饺子做好了）

太田: 準備ができたら，乾杯しますよ。

（酒斟好后，太田提议干杯）

太田: 皆さんの健康を祝って，カンパーイ!

（大家吃着饺子）

小野: 森さん，たくさん食べますね。わたしはいくら頑張っても，
　　　20個ぐらいしか食べることができません。

森: ぼくは，小野さんが作った餃子だったら，30個は大丈夫ですよ。

ホームパーティー(家庭聚会)　　もし(如果)　　祝います(祝贺)

練　習

练习 I

1. 仿照例句变换形式进行练习。然后听录音确认。

[例] 雨が降ります → 雨が降ったら → 雨が降らなかったら

　　安いです → 安かったら → 安くなかったら

　　今月暇です → 今月暇だったら → 今月暇でなかったら

(1) 日本に行きます　　　　(2) かぎを見つけます　　　　(3) 友達と話します

(4) 優勝します　　　　　　(5) 会社を休みます　　　　　(6) ワインが残ります

(7) 明日晴れます　　　　　(8) お金があります　　　　　(9) おじを訪ねます

(10) 料理ができます　　　　(11) 連絡します　　　　　　(12) 台風が来ます

(13) 暖かいです　　　　　　(14) カタログが欲しいです　(15) 成績がいいです

(16) 自由です　　　　　　　(17) 有名です　　　　　　　(18) 必要です

(19) 雨です　　　　　　　　(20) 午前中です　　　　　　(21) 宇宙飛行士です

2. 仿照例句替换画线部分进行练习。

[例] 急に病気になります。→ もし急に病気になったら，どうしますか。

(1) 宝くじに当たります。　　　　　　(2) 外国でパスポートを落とします。

(3) 馬さんが来ません。　　　　　　　(4) 都合が悪いです。

(5) パーティーが楽しくないです。　　(6) あなたが社長です。

3. 仿照例句替换画线部分进行练习。

[例] 明日都合がいいです／遊びに来てください

　　→ 明日都合がよかったら，遊びに来てください。

(1) 工事の音がうるさいです／窓を閉めてください

(2) 忙しくないです／いっしょにスケートに行きませんか

(3) 嫌いです／食べなくてもいいです

(4) その仕事が終わります／休憩しましょう

(5) 反対です／手を挙げてください

(6) 困ります／営業の林さんに聞いてください

(7) みんながそろいます／会議を始めます

(8) 機会があります／世界旅行をしたいです

今月(这个月)　見つけます(找到)　晴れます(晴朗)　おじ(叔叔)　訪ねます(访问)

カタログ(目录)　宇宙飛行士(宇航员)　宝くじ(彩票)　当たります(中)　休憩します(休息)

4. 仿照例句替换画线部分进行练习。

［例］安いです／買います → 甲: 安かったら買いますか。

乙: いいえ，安くても買いません。

子供です／安くなります → 甲: 子供だったら安くなりますか。

乙: いいえ，子供でも安くなりません。

(1) 天気がいいです／出かけます　　　　(2) 説明を聞きます／分かります

(3) 暇です／サッカーを見に行きます　　(4) 速達です／今日着きます

5. 仿照例句替换画线部分回答提问。

［例1］今年の夏休みは何日ですか。（3日）——3日だけです。

(1) 今回の研修に参加するのは何人ですか。（2人）

(2) 在庫はどのぐらいありますか。（2冊）

(3) 日本語の授業はどのぐらいありますか。（1週間に1度）

［例2］会議室にはだれがいますか。（李さん）—— 李さんしかいません。

(4) 来週いつ空いていますか。（火曜日）

(5) カラオケで何曲歌いましたか。（1曲）

(6) 今いくらお金を持っていますか。（100円）

6. 仿照例句，用（　　）中的词语造句。

［例］会社を作ることができます（学生）→ 学生でも会社を作ることができます。

(1) この本を読むことができます（小学生）

(2) たくさん飲むのはよくないです（ビタミン剤）

(3) 食べ物が腐ります（冷蔵庫の中）

🎧 7. 听录音，仿照例句替换画线部分练习会话。

［例］問題が分かりません／先生に聞きます／友達

→ 甲: 問題が分からなかったら，どうしますか。

乙: 先生に聞きます。

甲: 友達はどうですか。

乙: 友達でも大丈夫です。

(1) パソコンが壊れます／新しいのを買います／中古パソコン

(2) 地震が起きます／まずドアを開けて，外へ逃げます／机の下

今回(这次)　　在庫(库存)　　空きます(空)　　～曲(～曲)　　ビタミン剤(维生素片剂)

腐ります(腐烂)　　中古(二手货)

練習 II

1. 将（　　）中的词语变成适当的形式完成句子。

[例] 駅に（着きます → 着いたら），電話してください。

(1) コンピュータを（使います →　　　　　　　），電源を切っておいてください。

(2) 休暇を（取ることができます →　　　　　　），家族と旅行に行きたいと思います。

(3) テレビの音が（うるさいです →　　　　　　　），消してください。

(4) （分かりません →　　　　　　　　），わたしに聞いてください。

(5) 雨が（降ります →　　　　　　　　），ピクニックは中止です。

(6) 10時に（来ません →　　　　　　），先に行きますよ。

2. 听录音，从①～⑦中选择正确答案。

[例] 大学を卒業したら，＿＿＿⑦＿＿＿。

(1) …＿＿＿＿＿。　　(2) …＿＿＿＿＿。　　(3) …＿＿＿＿＿。

(4) …＿＿＿＿＿。　　(5) …＿＿＿＿＿。　　(6) …＿＿＿＿＿。

① 雪が降りません	② 太りません	③ 運転してはいけません
④ 頑張ります	⑤ この本を読んでみてください	
⑥ なかなか治りません	⑦ ~~中国に帰って働きます~~	

3. 在＿＿＿上填入适当的词语，完成句子。

[例] 日本では，熱があったら，お風呂に入りません。

(1) 風邪を＿＿＿＿＿＿＿，病院へ行きます。

(2) この靴は，いくら歩いても，足が＿＿＿＿＿＿＿＿＿。

(3) いくら説明を＿＿＿＿＿＿＿，使い方が分かりません。

(4) 忙しいので，日曜日でも＿＿＿＿＿＿＿＿。

4. 给（　　）中填入"しか""だけ""でも"，完成句子。

[例] このお店にはクラシックのCD（しか）ありません。

(1) わたしは毎朝コーヒー（　　　）飲みません。

(2) この問題は子供（　　　）分かります。

(3) 会社でタバコを吸っているのは加藤さん（　　　）です。

5. 将下面的句子译成日语。

(1) 大学毕业后有什么打算？——（我）想去外国工作。

(2) 会议室只有小李一个人。

(3) 回到日本也请继续学习汉语。

生　词　表

マラソンたいかい（～大会）　［名］　马拉松大赛	こんかい（今回）　［名］　这次，这回
ホームパーティー　［名］　家庭聚会	こんげつ（今月）　［名］　这个月
ゴーカート　［名］　游戏汽车，玩具汽车	さいしゅうてんけん(最終点検)　［名］　最终检查
テレビゲーム　［名］　电子游戏	ききます（効きます）　［动1］　有效，起作用
ちゅうし（中止）　［名］　中止，中顿	いわいます（祝います）　［动1］　祝贺
ひょうげん（表現）　［名］　表达，表现	あたります（当たります）　［动1］　中(彩)，抽中
はんたい（反対）　［名］　反对	あきます（空きます）　［动1］　空，有空
えいぎょう（営業）　［名］　营业	くさります（腐ります）　［动1］　腐烂，腐败
ざいこ（在庫）　［名］　库存，存货	みつけます（見つけます）　［动2］　寻找，看见
おとな（大人）　［名］　大人，成人	はれます（晴れます）　［动2］　晴朗，天晴
おじ　［名］　叔叔，伯伯，舅舅	たずねます（訪ねます）　［动2］　访问，拜访
しょうがくせい（小学生）　［名］　小学生	たいざいします（滞在～）　［动3］　停留，滞留
うちゅうひこうし（宇宙飛行士）　［名］　宇航员	きゅうけいします（休憩～）　［动3］　休息
カタログ　［名］　目录，商品目录	さんかします（参加～）　［动3］　参加
たからくじ（宝くじ）　［名］　彩票	かんぱいします（乾杯～）　［动3］　干杯
せいせき（成績）　［名］　成绩	へん（変）　［形2］　不恰当，奇怪，反常
けいさん（計算）　［名］　计算	かんぜん（完全）　［形2］　充分，完全
けしゴム（消し～）　［名］　橡皮	ひつよう（必要）　［形2］　必要，必须
は（葉）　［名］　叶子	だんだん　［副］　渐渐地，逐渐地
ビタミンざい（～剤）　［名］　维生素片剂	もし　［副］　如果，假如
ちゅうこ（中古）　［名］　二手货，旧货	....
きかい（機会）　［名］　机会	あと～／～曲（きょく）
きゅうじつ（休日）　［名］　休息日，假日	

专栏

「干杯」在日本

　　在日本，结婚仪式、欢迎会、欢送会等很多场合都有"乾杯(かんぱい)"的机会，但它和中国的"干杯"却有所不同。

　　比如结婚典礼中必定设有"乾杯(かんぱい)"的仪式。一般从新郎或新娘的主宾中指定1人举杯祝酒，被指定的主宾先致祝酒辞，这期间与会者的杯中倒入香槟酒或啤酒，以做好干杯的准备，与会者单手举杯等待干杯的指令。祝酒辞结束了，主宾就举杯说一声"乾杯(かんぱい)"。与会者全体也随之举杯一起说"カンパーイ!"，之后再喝杯中的酒。这时不需要把杯中的酒全部喝干，即使嘴碰一下杯子也未尝不可。然后放下杯子大家一起拍手。

　　这种形式的干杯在一次宴会上一般只有一次。但在有些宴会中也有反复举杯的情况，比如在年末聚会、职工旅行等的宴会上偶尔会有这种情况。这种情况大多是上司强求部下喝酒，这种行为最近被认为是"アルハラ(酒精骚扰)"，成了一种社会问题。

第36課

遅<おそ>くなって，すみません

基本課文

1. 遅<おそ>くなって，すみません。
2. この写真<しゃしん>はパスポートの申請<しんせい>に使<つか>います。
3. 張<ちょう>さんは毎日<まいにち>お酒<さけ>を飲<の>んでばかりいます。
4. 空港<くうこう>の入<い>り口<ぐち>に警官<けいかん>が立<た>っているのが見<み>えます。

A
甲: 陳<ちん>さん，明日<あした>のパーティーに行<い>きますか。
乙: いいえ，明日<あした>は仕事<しごと>で，行<い>くことができません。

B
甲: わあ，とても小<ちい>さいカメラですね。
乙: ええ。これは軽<かる>くて，持<も>ち歩<ある>くのにとても便利<べんり>なんですよ。

C
甲: 何<なん>で野菜<やさい>ばかり食<た>べているんですか。
乙: 今<いま>，ダイエット中<ちゅう>なんです。

D
甲: 李<り>さんが呼<よ>んでいたのが聞<き>こえましたか。
乙: いいえ，聞<き>こえませんでした。

見<み>えます(看到)　持<も>ち歩<ある>きます(携帯)　聞<き>こえます(听到)

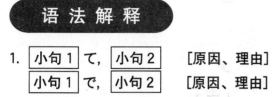

语法解释

1. |小句1| て，|小句2|　　[原因、理由]
   |小句1| で，|小句2|　　[原因、理由]

第14课和第16课分别学习了"～て"将几个动作连接起来的用法（☞第14课"语法解释2"）和表示并列的用法（☞第16课"语法解释1～3"）。这种形式还可用来表示原因、理由。即"小句1"是"小句2"的原因、理由。不过，"小句2"不可以是祈使句。

> 遅くなって，すみません。（我迟到了，真抱歉。）
> *最初は言葉が*通じなくて，とても困りました。（开始的时候语言不通，非常困难。）
> 森さんは頭が痛くて，会社を休みました。（森先生头疼，休息了。）
> 説明が上手で，よく分かりました。（解释得很好，我完全清楚了。）
> 父は大阪の*出身で，いつも*関西弁で話します。

（我父亲生在大阪，所以总说关西话。）

2. |名| に　[用途]　[基准]

"～に"也可以用来表示用途和基准。表示用途时，其前面是具体说明用途的名词，后面一般是"使います"等动词。

> この写真は何に使いますか。（这张照片做什么用?）〔用途〕
> ——パスポートの申請に使います。（申请护照时用。）〔用途〕

"～に"表示基准时，其前面的名词是基准，后面则一般是表示评价的形容词。

> スーパーが近いので，このマンションは買い物に便利です。

（离超市很近，这个公寓出去购物非常方便。）〔基准〕
> この本は，大人には易しいです。しかし，子供には難しいです。

（这本书对大人来说很容易，可是对孩子来说太难了。）〔基准〕

3. |动(基本形)| のに　[用途]　[基准]

前项学习了"名词＋に"表示用途和基准的用法。"动词基本形＋の＋に"也可以表示用途和基准。与"名词＋に"相同，其后面一般也是"使います"等动词和表示评价的形容词。

> この写真はパスポートを申請するのに使います。

（这张照片申请护照时用。）〔用途〕
> この*フライパンは*卵焼きを作るのに使います。

（这个平底锅是煎鸡蛋用的。）〔用途〕
> このマンションは買い物するのに便利です。

（这个公寓出去购物非常方便。）〔基准〕

4. **名** **ばかり** **动**

　　 动(て形) **ばかりいます**

　　"名词＋ばかり"表示所列举的事物全部相同。

> 何で**野菜**ばかり食べているんですか。（为什么光吃蔬菜呀?）
> ——今，ダイエット中なんです。（正在减肥。）

> 林さんはカラオケで**古い歌**ばかり歌います。（林先生唱卡拉 OK 尽唱些老歌儿。）

　　"动词て形＋ばかりいます"表示总是发生同样的事情或总是进行同样的动作。

> 張さんは毎日お酒を**飲んで**ばかりいます。（小张整天光喝酒。）

> 森さんはいつも*失敗してばかりいます。（森先生老是出岔子。）

注意　"～ばかり"和"～だけ"都可以表示"限定"，但其用法有以下 3 点差异。

1. "～だけ"可用来限定数字而"～ばかり"不能。如可以说"3 つだけ食べました（只吃了 3 个)"，但不能说"3 つばかり食べました"。"3 つばかり食べました"语法上没有错误，但这里的"～ばかり"不表示限定。

2. "～だけ"可以和否定形式呼应使用而"～ばかり"不能。如可以说"その料理だけを食べませんでした(我只没吃那个菜)"，但不能说"その料理ばかり食べませんでした"。

3. "～だけ"只表示没有例外而"～ばかり"则含有反复进行同一动作的意思。如"お茶だけ飲んでいます（光喝了点儿茶)"可以用于"只喝了一杯茶而没有喝任何其他饮料"的情况。而"お茶ばかり飲んでいます（光是一个劲儿地喝茶)"则必须用于"一杯又一杯地喝了数杯茶"的情况。另外"ばかり"有一种"不太理想"的含义。

5. **小句(动词简体形)** **のが＋見えます／聞こえます**

　　"見えます""聞こえます"的对象也可以用"小句＋の"来表示。

> 空港の入り口に警官が**立っている**のが**見えます**。
>
> 　　　　　　　　　　　　　　　　　　（可以看到机场的入口处站着警官。）

> 隣の部屋で子供たちが*騒いでいるのが**聞こえます**か。
> ——はい，よく聞こえます。
>
> 　　　　　　　　（能听到在隔壁房间孩子们吵嚷的声音吗? ——能，听得很清楚。）

> 彼が車に**乗った**のが**見えました**。（我看到他上了车。）

参考　小句的谓语为一类形容词时用"一类形容词＋の"的形式，为二类形容词时用"二类形容词＋な＋の"的形式。

> 森さんが**うれしい**のが**分かります**。（我知道森先生很高兴）

> 日本語が**簡単な**のがよく**分かりました**。（我明白了日语很简单。）

表达及词语讲解

1. *凧（たこ）

在日本，放风筝曾经是正月里重要的游戏活动之一。以前甚至平时也常常可以看见在空地或公园里放风筝的孩子的身影，但如今市内电线纵横交错，能够放风筝的宽敞的地方变得极为罕见，因而放风筝的人也渐渐少了。另外，正月里在家里玩电子游戏的孩子逐渐增加，孩子们正月期间的游戏活动的内容也在发生着变化。

2. *ほんと

这是"本当（ほんとう）"的口语缩略形式。

3. *とにかく

虽然事情很多，但不一一罗列而优先陈述某事时使用。应用课文中用于讲在北京生活吃过各种各样的苦，但其中"语言不通是最困难的"。

　▶ とにかく最初（さいしょ）は言葉（ことば）が通（つう）じなくて，とても困（こま）りました。

（特别是开始的时候语言不通，非常困难。）

　▶ *間（ま）に合（あ）うかどうか分（わ）かりませんが，とにかく行（い）きましょう。

（来得及来不及不知道，不管怎么说还是去吧。）

4. *ぺらぺら　[拟声词 ①]

应用课文中的"ぺらぺら"是拟声词，意思是外语说得非常流利，如"李さんは日本語（にほんご）がぺらぺらです（小李日语非常流利）"。

5. "擬音語（ぎおんご）・擬態語（ぎたいご）"

模仿人、动物或物体发出的声音以及描述某种样态的词，汉语叫做"拟声词"，日语则称"擬音語（おんご）・擬態語（ぎたいご）"。日语是"拟声词"特别丰富的语言之一，日本人无论在口语还是在书面语中都大量使用"拟声词"，"拟声词"的功能一般相当于副词。（☞ 附录 p. 404"图画词典——拟声词"）

　▶ 犬（いぬ）が*ワンワン*鳴（な）いています。（狗汪汪地叫。）

　▶ 雨（あめ）が*ザーザー降（ふ）っています。（雨哗哗地下着。）

　▶ 子供（こども）が*すやすや*眠（ねむ）っています。（小孩睡得很香甜。）

　▶ 道（みち）が*くねくね曲（ま）がっています。（路弯来弯去的。）

6. *量（はか）り売（う）り

在日本，以前蔬菜、佐料等也曾是称斤卖的，即"量（はか）り売（う）り"，但在现在的超市里，蔬菜等一般都是以盒装和袋装为单位销售。

📖 粮食、蔬菜、水果 ────────────────────

穀物[こくもつ]　粮食
米[こめ]　米　　　麦[むぎ]　麦　　　トウモロコシ　玉米　　　大豆[だいず]　大豆

野菜[やさい]　蔬菜
レタス　生菜，莴苣　　　ナス　茄子　　　ジャガイモ　马铃薯
キャベツ　圆白菜，卷心菜　　　トマト　西红柿　　　サツマイモ　白薯
白菜[はくさい]　白菜　　　キュウリ　黄瓜　　　玉[たま]ネギ　葱头，洋葱
チンゲンサイ　青梗菜，油菜　　　カボチャ　南瓜　　　長[なが]ネギ　大葱
カリフラワー　菜花　　　エンドウ　豌豆　　　ピーマン　青椒
ブロッコリー　绿菜花　　　ニンジン　胡萝卜　　　シイタケ　香菇
ホウレンソウ　菠菜　　　カブ　小圆萝卜　　　竹[たけ]の子[こ]　竹笋
アスパラガス　芦笋　　　大根[だいこん]　白萝卜

果物[くだもの]　水果
リンゴ　苹果　　　キウイ　猕猴桃　　　レモン　柠檬
ミカン　橘子　　　パパイヤ　木瓜　　　ブドウ　葡萄
モモ　桃子　　　マンゴー　芒果　　　サクランボ　樱桃
スモモ　李子　　　ココナッツ　椰子　　　ブルーベリー　蓝莓
ナシ　梨　　　メロン　甜瓜，哈密瓜　　　イチゴ　草莓
カキ　柿子　　　スイカ　西瓜　　　ビワ　枇杷
バナナ　香蕉　　　パイナップル　菠萝　　　ザクロ　石榴
アンズ　杏子　　　グレープフルーツ　葡萄柚
イチジク　无花果　　　オレンジ　橙子

📖 调料 ────────────────────

醤油[しょうゆ]　酱油　　　酒[さけ]　酒　　　チリソース　智利辣油酱
塩[しお]　盐　　　カツオ節[ぶし]　干制鲣鱼　　　豆板醤[とうばんじゃん]　豆瓣酱
みそ　酱，豆酱　　　唐辛子[とうがらし]　辣椒　　　ケチャップ　番茄酱
砂糖[さとう]　糖　　　カラシ　芥末　　　マヨネーズ　蛋黄酱
酢[す]　醋　　　コショウ　胡椒　　　ドレッシング　调味汁
油[あぶら]　食用油　　　わさび　日本芥末，山嵛菜　　　オイスターソース　蚝油

応用課文 北京(ペキン)の生活(せいかつ)

小李、小野同太田夫人一起，从建国门向西走。小李和小野问起太田夫人在北京的生活。现在，太田夫人已经完全习惯了北京的生活，但起初好像遇到过一些困难。

（走到二环路附近，听到"呜呜"的声音。）

小野: 何か変な音が聞こえませんか?

李: （手指天空）凧の音ですよ。

　　ほら，あそこで凧を揚げているのが見えるでしょう?

小野: あら，ほんと。凧が鳴っているのが聞こえたんですね。

（小野、小李和太田夫人边走边聊）

小野: 奥さんは，北京の生活に慣れるのに苦労しましたか。

夫人: ええ。とにかく最初は言葉が通じなくて，とても困りました。

小野: 今はどうですか。もうぺらぺらでしょう?

夫人: いえ，まだまだです。でも，日常会話には困りません。

李: 買い物は?

夫人: 自分で市場へ行きますよ。市場は食べ物のほかにもいろいろ売っていて，買い物に便利ですね。

李: そうですね。でも，市場は量り売りのお店が多いでしょう?

夫人: そうなんですよ。食べ物を買うのに，知っている言い方ばかり繰り返していました。だから，卵も1斤，リンゴも1斤…。

（小李转换话题）

李: ところで，こちらへ来てから，ご主人とどこかへ旅行に行きましたか。

夫人: いいえ。主人は働いてばかりで，どこへも行かないんですよ。

揚げます(放)　鳴ります(鸣响)　慣れます(习惯)　苦労します(辛苦)　まだまだ(还)

ご主人(您丈夫)　繰り返します(反复)

練　习

练习 I

1. 仿照例句替换画线部分进行练习。

[例1] 会議があります／行くことができません → <u>会議があって</u>，<u>行くことができません</u>。
時間がありません／昼ご飯がまだです → <u>時間がなくて</u>，<u>昼ご飯がまだです</u>。

(1) ニュースを聞きました／びっくりしました

(2) 孫が生まれました／喜んでいます

(3) 恋人にずっと会うことができません／悲しいです

(4) 漢字が分かりません／困っています

(5) 雨にぬれました／風邪を引きました

[例2] 頭が痛いです／寝ています → <u>頭が痛くて</u>，<u>寝ています</u>。
暇です／朝からビデオを見ています → <u>暇で</u>，<u>朝からビデオを見ています</u>。
雪です／電車が止まりました → <u>雪で</u>，<u>電車が止まりました</u>。

(6) 都合が悪いです／出席しませんでした

(7) うるさいです／李さんの声が聞こえません

(8) 複雑です／時間がかかります

(9) 毎日会議です／忙しいです

(10) 火事です／家が焼けました

2. 听录音，仿照例句替换画线部分进行练习。

[例] 鈴木さんが結婚しました／昨日聞きました
→ 甲: <u>鈴木さんが結婚した</u>のを知っていますか。
乙: ええ，<u>昨日聞いて</u>，びっくりしました。

(1) メキシコで大きな地震がありました／新聞で読みました

(2) 王さんが会社を辞めました／王さんからメールをもらいました

(3) あの交差点で交通事故がありました／ニュースを見ました

3. 仿照例句替换画线部分进行练习。

[例1] テープ／日本語の勉強／役立ちます → <u>テープ</u>は<u>日本語の勉強</u>に<u>役立ちます</u>。

(1) 秋／読書／いいです　　　　(2) デパート／買い物／便利です

(3) 水泳／体／いいです　　　　(4) この軽い傘／旅行／便利です

[例2] パスポートを申請します／この写真を使います
→ <u>パスポートを申請する</u>のに，<u>この写真を使います</u>。

びっくりします(吃惊)　喜びます(喜悦)　悲しい(悲伤)　ぬれます(淋湿)　焼けます(着火)

メキシコ(墨西哥)　テープ(磁带)　役立ちます(有用)

(5) 京都に行きます／よく新幹線を利用します

(6) この本を書きます／2年かかりました

(7) 日本文化を知ります／この本はとてもいいです

(8) 生産コストを下げます／若い人を雇いました

4. 仿照例句，看图回答录音中的提问。

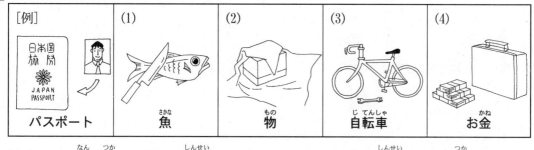

[例]	(1)	(2)	(3)	(4)
日本国 旅券 JAPAN PASSPORT パスポート	魚	物	自転車	お金

[例] これは何に使いますか。（申請します）　――　パスポートを申請するのに使います。

(1) 切ります　　　(2) 包みます　　　(3) 修理します　　　(4) 運びます

5. 仿照例句替换画线部分进行练习。

[例] 張さんはお酒を飲みます → 張さんはお酒を飲んでばかりいます。

　　野菜を食べています → 毎日，野菜ばかり食べています。

(1) 休みの日，森さんは寝ます　　　(2) あの子は，いつも泣きます

(3) 父は怒ります　　　　　　　　　(4) サッカーをしています

(5) 漫画を読んでいます　　　　　　(6) 甘い物を食べています

6. 仿照例句替换画线部分进行练习。

[例1] 富士山 → 家から富士山が見えます。

(1) 東京タワー　　　(2) 海　　　(3) わたしの学校　　　(4) 工場の煙突

[例2] 音楽 → 隣の部屋から音楽が聞こえます。

(5) 森さんの声　　　(6) 機械の音　　　(7) テレビの音　　　(8) 子供の笑い声

[例3] 公園／戴さんが太極拳をしています／見えます

　　　→ 公園で戴さんが太極拳をしているのが見えます。

(9) どこか／ピアノを弾いています／聞こえます

(10) 隣の部屋／歌を歌っています／聞こえます

(11) グラウンド／森さんが野球をしています／見えます

(12) 屋上／張さんが手を振っています／見えます

生産コスト(生产成本)　下げます(降低)　雇います(雇佣)　泣きます(哭)　煙突(烟筒)

笑い声(笑声)　グラウンド(操场)　屋上(屋顶上)　振ります(挥动)

练习Ⅱ

1. 从▯中选择适当的词语，变成适当的形式填入(　　)中。

[例] 太郎君が野球をしているのを昨日初めて（ 見ました ）。

(1) ここから兄が太極拳をしているのが（　　　　　　）。

(2) 中国が優勝したニュースを（　　　　　　），みんな喜びました。

(3) そのボタンを右に回すと，よく（　　　　　　）よ。

見えます	聞こえます	見ます	聞きます

2. 将(　　)中的词语变成"～て""～で""～から"的形式，完成句子。

[例] 手紙を（ 読みます → 読んで ），びっくりしました。

(1) （遅くなります →　　　　　　），すみません。

(2) （寒いです →　　　　　　），窓を開けないで。

(3) わたしの犬が（交通事故です →　　　　　　），死にました。

(4) （危ないです →　　　　　　），やめなさい。

(5) （熱です →　　　　　　），頭が痛いです。

3. 在(　　)中填入一个平假名。

[例] わたしは紅茶（ が ）好きです。

(1) 会社の場所を説明する（　　）に地図が要ります。

(2) 雪（　　）電車が止まっています。

(3) この機械は何（　　）使いますか。

(4) そこから李さん（　　）見えますか。

(5) いくら聞いて（　　），何も言わないんです。

🎧 4. 听录音，在(　　)中填入适当的词语。

わたしが引っ越した家は，子供の学校や（　　　　　　）や（　　　　　　）が近くて，とても便利です。家から会社まで（　　　　　　）時間かかるし，買うのに（　　　　　　）円かかりましたが，とても気に入っています。

5. 将下面的句子译成日语。

(1) 老陈，明天的联欢会(你)去吗？——不行，明天(我)有工作，去不了。

(2) 这张照片申请护照用。

(3) 可以看到机场的入口处站着警官。

生 词 表

さいしょ（最初）	[名]	开始的时候，最初
しゅっしん（出身）	[名]	出生地
こうじょう（工場）	[名]	工厂
えんとつ（煙突）	[名]	烟筒
フライパン	[名]	平底锅
たまごやき（卵焼き）	[名]	煎鸡蛋
グラウンド	[名]	操场，运动场
おくじょう（屋上）	[名]	屋顶上，屋顶
たこ（凧）	[名]	风筝
テープ	[名]	磁带，音像带
どくしょ（読書）	[名]	读书
しんせい（申請）	[名]	申请
かんさいべん（関西弁）	[名]	关西话，关西方言
にちじょうかいわ（日常会話）	[名]	日常会话
にほんぶんか（日本文化）	[名]	日本文化
せいさんコスト（生産〜）	[名]	生产成本
こうつうじこ（交通事故）	[名]	交通事故
ごしゅじん（ご主人）	[名]	您丈夫，您先生
はかりうり（量り売り）	[名]	称斤卖，论重量卖
わらいごえ（笑い声）	[名]	笑声
もちあるきます（持ち歩きます）	[动1]	携带，拿着走
くりかえします（繰り返します）	[动1]	反复
さわぎます（騒ぎます）	[动1]	吵嚷，吵闹
まにあいます（間に合います）	[动1]	来得及，赶得上
なきます（鳴きます）	[动1]	叫，鸣，啼
ねむります（眠ります）	[动1]	睡觉
なります（鳴ります）	[动1]	鸣响，响起

よろこびます（喜びます）	[动1]	喜悦，高兴
やくだちます（役立ちます）	[动1]	有用，有益
やといます（雇います）	[动1]	雇佣
なきます（泣きます）	[动1]	哭，哭泣
ふります（振ります）	[动1]	挥动，摆动
みえます（見えます）	[动2]	看到，看得见
きこえます（聞こえます）	[动2]	听到，听得见
つうじます（通じます）	[动2]	通过，相通
あげます（揚げます）	[动2]	放（风筝）；扬起
なれます（慣れます）	[动2]	习惯
ぬれます	[动2]	淋湿，打湿
やけます（焼けます）	[动2]	着火，燃烧
さげます（下げます）	[动2]	降低，下降
しっぱいします（失敗〜）	[动3]	出岔子，失败
くろうします（苦労〜）	[动3]	辛苦，辛劳
びっくりします	[动3]	吃惊，吓一跳
しゅっせきします（出席〜）	[动3]	出席
かなしい（悲しい）	[形1]	悲伤，悲哀
ほんと	[形2]	真的
とにかく	[副]	特别是，总之
まだまだ	[副]	还，尚，仍
ぺらぺら	[副]	流利地
ワンワン	[副]	（狗）汪汪（叫）
ザーザー	[副]	（雨）哗啦哗啦
すやすや	[副]	香甜地，安静地
くねくね	[副]	弯曲，弯弯曲曲
メキシコ	[专]	墨西哥

....

〜斤（きん）

专栏

「築地市場」

　　"築地市場"（つきじしじょう）是日本最有名的市场之一。正式名称为"東京都中央卸売市場築地市場"（とうきょうとちゅうおうおろしうりしじょうつきじしじょう）。自1935年开设以来，作为"支撑东京都民餐桌的市场"受到人们的爱戴。其水产类堪称世界最大规模。"築地市場"24小时昼夜运转，从傍晚到半夜满载鳞介类的卡车从全国各地云集这里，一天中市场往来的车辆足足超过30 000辆。早晨5点钟左右开始交易活动，称为"競り（せ）（竞买）"，出价最高的人才能把货物弄到手。市场内的店铺把通过"競り"买到的货再进行零售。早上8点左右，街面上的鱼店，餐馆的人开始前来采购。下午1点左右，几乎所有的店面都关门，进行清扫等，开始傍晚接货的准备。

　　"市场"在日语中有"いちば"和"しじょう"两种读法。读"いちば"时，指人们日常购物的一种场所，而读"しじょう"时，除了表示和"いちば"同样的意思之外，还有作为一种经济学的专门用语表示交易股票的场所和进行买卖行为的比较大的地区。

阅读文

チキンのトマト煮

小野さんは北京に来ています。昨日，李さん，森さんといっしょに太田さんの家を訪ねて，餃子パーティーを開きました。その時，小野さんは得意料理を披露しました。

「鶏肉がやわらかく煮えています。それにトマトの味がしみていて，とてもおいしいです。ぜひレシピを教えてください。わたしも作ってみます。」結子さんが言いました。

「いいですよ。残ったスープは冷凍しておいて，ほかの料理を作るのに使うことができます。パスタのソースに使ってもおいしいですよ。」

チキンのトマト煮
材料: 鶏肉，白ワイン，トマトの水煮，固形スープ，小麦粉，オリーブ油，塩，
　　　コショウ，醬油
①鶏肉は一口大に切って，塩，コショウを振った後，小麦粉を薄くつけておく。
②オリーブ油で①の鶏肉を焼く。全体に焦げ目がついたら，白ワインを加える。
③トマトの水煮，固形スープを加えて灰汁を取りながら，15分ほど煮込む。
　鶏肉がやわらかくなったら，塩，コショウ，醬油で味を調える。

小野来北京了。昨天，她和小李、森一起去太田家包饺子吃。（在太田家）她展示了她的拿手好菜。

"鸡肉煮得非常嫩。而且透着西红柿的味道，真是太好吃了！教教我，我也要试着做。"结子说。

"行啊。把剩余的汤冷冻起来，可以用来做别的菜。用来做意大利面也很好吃。"（小野说。）

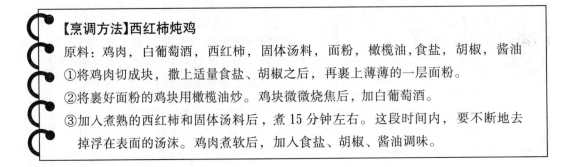

【烹调方法】西红柿炖鸡
原料：鸡肉，白葡萄酒，西红柿，固体汤料，面粉，橄榄油，食盐，胡椒，酱油
①将鸡肉切成块，撒上适量食盐、胡椒之后，再裹上薄薄的一层面粉。
②将裹好面粉的鸡块用橄榄油炒。鸡块微微烧焦后，加白葡萄酒。
③加入煮熟的西红柿和固体汤料后，煮15分钟左右。这段时间内，要不断地去
　掉浮在表面的汤沫。鸡肉煮软后，加入食盐、胡椒、酱油调味。

实用 场景对话　丢失物品

① 钱包不见了

呉: 財布をなくしてしまいました。

友人: それは大変ですね。

いっしょに探しましょう。

吴: 我把钱包丢了。

朋友: 那可不得了，我们一起找找吧。

---

② 到处找也没找到

呉: どこを探しても，見つかりません。

友人: じゃあ，警察に届けましょう。

吴: 我到处找也没找到。

朋友: 那我们向警察报案吧。

---

③ 向警察报案

警察官: 中には何が入っていますか。

呉: クレジットカードと現金です。それと，

免許証も入れてありました。

警察官: 見つかったら，ご連絡します。

警察: 里面有什么东西?

吴: 有信用卡和现金。还有驾驶执照。

警察: 要是找到了，我们会跟你联系的。

---

④ 钱包找到了

呉: ありがとうございました。

どこにあったんですか。

警察官: 図書館に落ちていたそうです。見つかって，

よかったですね。

吴: 太感谢了。在哪儿找到的?

警察: 据说丢在图书馆里了。找到了就好。

でんきせいひん
電気製品

①冷蔵庫　冰箱
②洗濯機　洗衣机
③乾燥機　烘干机
④炊飯器　电饭煲，电饭锅
⑤電気ポット　电暖壶
⑥電子レンジ　微波炉
⑦食器洗い乾燥機　带烘干的洗碗机
⑧ジューサー　榨汁机
⑨コーヒーメーカー　煮咖啡壶

⑩エアコン　空调
⑪扇風機　电扇
⑫こたつ　地暖炉
⑬ストーブ　火炉
⑭ホットカーペット　电热毯
⑮アイロン　电熨斗
⑯空気清浄機　空气清新机
⑰掃除機　吸尘器
⑱ドライヤー　吹风机

㊲ スキャナ　扫描仪
㊳ デジタルカメラ　数码相机
㊴ ゲーム機（き）　游戏机

㊵ ゲームソフト　游戏软件
㊶ 充電器（じゅうでんき）　充电器
㊷ コード　电源线

⑲ シェーバー　电动剃须刀
⑳ マッサージ機（き）　按摩机
㉑ 電球（でんきゅう）　电灯泡
㉒ テレビ　电视机
㉓ ＤＶＤ（ディーブイディー）プレイヤー　DVD 机
㉔ ビデオデッキ　放录像机
㉕ デジタルビデオ　数码摄像机
㉖ ＭＤ（エムディー）プレーヤー　MD 机
㉗ ステレオ　立体声唱机

㉘ ミニコンポ　小型音响
㉙ スピーカー　喇叭
㉚ ヘッドホン　耳机
㉛ デスクトップ型（がた）パソコン　台式电脑
㉜ ノート型（がた）パソコン　便携式电脑
㉝ ディスプレー　显示器
㉞ マウス　鼠标
㉟ キーボード　键盘
㊱ プリンタ　打印机

饮食生活

在日本可以吃到日餐、西餐、中餐等各种饭菜。下面，通过一位公司职员一天的用餐情况，看一看日本人的饮食生活。

吉田先生一天的用餐情况

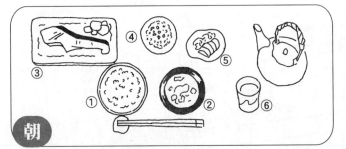

①ご飯(米饭)　②味噌汁(酱汤)
③焼き魚(烤鱼)　④納豆("纳豆")
⑤漬物(泡菜)　⑥お茶(茶)

　早餐主要分为日餐派和西餐派。另外，最近不吃早餐的人也增多了。（左图是日餐示例。）

⑦ラーメン(面条)

　作为午餐，套餐盒饭、面食等比较受欢迎。也有人到便利店或副食品店买盒饭或者自带盒饭。
⑧団子(江米团，米粉团)

　一般下午 3 点是吃茶点的时间。

※おやつ(茶点)

⑨ご飯(米饭)　⑩味噌汁(酱汤)
⑪漬物(泡菜)　⑫おひたし(凉青菜)
⑬ハンバーグ(汉堡牛肉饼)
⑭ビール(啤酒)

　一日三餐中，日本人的晚餐吃得最为丰盛。晚餐时喜欢喝酒的人也比较多。

使用筷子的禁忌

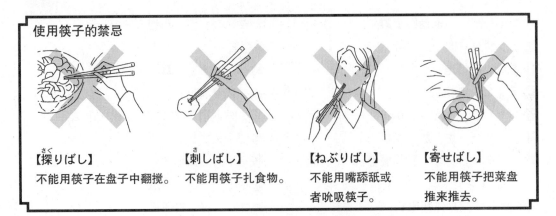

【探りばし】
不能用筷子在盘子中翻搅。

【刺しばし】
不能用筷子扎食物。

【ねぶりばし】
不能用嘴舔舐或者吮吸筷子。

【寄せばし】
不能用筷子把菜盘推来推去。

游览北京

10

五一长假来到北京的小野，在小李的陪伴下游览了北京的名胜古迹。初次来到北京的小野，尽情地享受在北京的每一天。小野在北京的观光旅行将要结束了。

第37課 優勝すれば，オリンピックに出場することができます

万里の長城
一大早，小野和小李就离开宾馆，来到了万里长城。

第38課 戴さんは英語が話せます

フートン
胡同
为了观看北京传统的街景，小野去了北京的胡同。她在胡同吃了什么呢？

第39課 眼鏡をかけて本を読みます

故宮
一大早，小野和小李就去参观天安门和故宫。小野一定要参观故宫的缘由是什么呢？

第40課 これから友達と食事に行くところです

京劇
返回日本前，按照一年前与小李的约定，他们去看了京剧。

第 37 課

優勝すれば，オリンピックに出場することができます

1. 優勝すれば，オリンピックに出場することができます。
2. 天安門へ行くなら，地下鉄が便利ですよ。
3. 映画でも見に行きませんか。
4. パーティーで，戴さんとか楊さんとか，いろいろな人に会いました。

A
甲：陳さんの携帯電話の番号が分からないんですが…。
乙：李さんに聞けば，分かりますよ。

B
甲：李さん，プールに行きませんか。
乙：今日はちょっと用事があるんです。
　　明日なら暇ですが…。

C
甲：最近，ちょっと太りました。
乙：じゃあ，運動でもしたらどうですか。

D
甲：葉子さん，昨日バーゲンに行ったの？
乙：うん，コートとか靴とか，いっぱい買っちゃった。

出場します(参加)　番号(号码)　用事(事情)

语 法 解 释

1. "ば形"

表示假定条件时使用"ば形"。"ば形"有动词的"ば形"和一类形容词的"ば形"。

动词"ば形"的构成方式如下：

■一类动词：把基本形的最后一个音变成相应的"え"段上的音，再加"ば"。

■二类动词：把基本形的"る"变成"れば"。

■三类动词：把"来る"变成"来れば"，把"する"变成"すれば"。

类 ＼ 形	基本形			ば形
一类动词	書く	かく	→	かけば
	急ぐ	いそぐ	→	いそげば
	飛ぶ	とぶ	→	とべば
	読む	よむ	→	よめば
	死ぬ	しぬ	→	しねば
	待つ	まつ	→	まてば
	売る	うる	→	うれば
	買う	かう	→	かえば
	話す	はなす	→	はなせば
二类动词	食べる	たべる	→	たべれば
	見る	みる	→	みれば
	寝る	ねる	→	ねれば
三类动词	来る	くる	→	くれば
	する	する	→	すれば

一类形容词"ば形"的构成方式是把词尾"い"变成"ければ"。

一类形容词	ない	ない	→	なければ
	楽しい	たのしい	→	たのしければ

2. 小句1 ば, 小句2

表示"小句2"成立必须以"小句1"的事态产生为条件。使用"～ば"的句子，原则上句尾不能使用表示意志、希望、命令、请求的表达方式。不过，如"小句1"的谓语为状态性谓语或者"小句1"与"小句2"的主语不同时，则不受上述条件限制。

▶　この*大会で　**優勝すれ ば,**　オリンピックに出場することができます。

（如果在这次大会上获胜，就能够参加奥运会。）

▶　李さんに　**聞け ば,**　分かりますよ。（问小李就知道了。）

▶　部屋がもう少し　**広けれ ば**　いいのですが。（房间要是再大一点就好了。）

▶　雨が　**降らなけれ ば,**　ハイキングに行きましょう。

（要是不下雨的话，就去郊游吧。）

3. 小句1（简体形） なら，小句2

　　用于根据对方的言谈或交谈时的现场情况来陈述自己的意见或想法，以及向对方提出请求或忠告。"小句2"为判断、命令、提议等表示说话者主观立场的内容。"小句1"为二类形容词小句和名词小句时，把其简体形的"だ"换成"なら"。

> 天安門へ行くなら，地下鉄が便利ですよ。（如果去天安门，坐地铁很方便。）
> 今日は忙しいんですが…。（今天很忙……）
> ——忙しいなら，行かなくてもいいですよ。（忙的话不去也行。）
> 今夜，もし暇なら，いっしょに食事に行きませんか。

（今晚要是有空，一起去吃饭好吗？）

> 会議の資料はどこですか。
> ——昨日のは知りませんが，今朝の会議の資料なら，机の上に置いておきました。

（会议资料在哪儿？　——昨天的不知道，今天早上的会议资料，放在桌子上了。）

> 彼が*犯人でないなら，すぐ*釈放してください。（他如果不是犯人就马上放了。）

4. 名 でも　[示例]

　　第 17 课学过了表示全面肯定的"～でも"（☞第 17 课"语法解释 5"），第 35 课学过了表示极端例子的"～でも"（☞第 35 课"语法解释 5"），而本课的"～でも"用于举出几个选项中有代表性的一项，一般不用于表示过去时态的句子。

> 映画でも見に行きませんか。（去看电影怎么样？）
> 運動でもしたらどうですか。（运动运动怎么样？）
> コーヒーでも飲みませんか。（喝点咖啡什么的怎么样？）
× わたしは昨日喫茶店でコーヒーでも飲みました。

5. 名1 とか　名2 とか
　　小句1 とか　小句2 とか

用于列举同样性质的几个例子。

> パーティーで，戴さんとか楊さんとか，いろいろな人に会いました。

（联欢会上，碰到了小戴、小杨等许多人。）

> コートとか靴とか，たくさん買いました。（买了外套、鞋等好多东西。）
> 海外旅行に行きたいとか，新しい車が欲しいとか，*ぜいたくなことばかり言っています。（想去海外旅游啦，想要新车啦，尽说些奢望。）

(注意) "名词＋とか＋名词＋とか"的说法表达的意思和"名词＋や＋名词＋など"基本相同。 但是"～とか～"既可以连接名词又可以连接小句，而"～や～"只能连接名词。另外，"～とか～"只用于口语，而"～や～"既用于口语也用于书面语。

表达及词语讲解

1. 条件表达方式小结

第 31 课学习了"～と"（☞ 第 31 课"语法解释 1"），第 35 课学习了"～たら"（☞ 第 35 课"语法解释 1"），本课学习了"～ば"和"～なら"。在此我们将这些表达方式归纳、比较如下。

(1) "～たら" 和 "～ば"

表示"如果～""要是～"之类的假定条件时，多用"～たら"或"～ば"。"～たら"的使用条件没有限制，而"～ば"则不同。用"ば"时，当前面的小句表示动作或变化时，后面的小句则不能是"～たいです""～てください"等表示意志、请求的形式。

> ○ 雨が降ったら，窓を閉めてください。（要是下雨，请关窗户。）
> × 雨が降れば，窓を閉めてください。

另外，当"～たら"后面的小句是过去形式时，表示发现了某种情况，但"～ば"没有这种用法。

> ○ 窓を開けたら，富士山が見えました。（打开窗户，看到了富士山。）
> × 窓を開ければ，富士山が見えました。

小句为二类形容词小句和名词小句时，把其简体形"だ"换成"～なら"。

> 明日晴れなら，わたしも行きます。（如果明天是晴天，我也去。）

(2) ～と

"と"用于前项一旦成立，后项就必然成为现实的复句里。在这种复句里使用"～たら"也不算错，但是不够自然。另外，"～と"的后面不能使用表示意志或请求的表达方式。

> ○ スイッチを押すと，電気がつきます。（一按开关灯就亮了。）
> △ スイッチを押したら，電気がつきます。（按了开关，灯就亮了。）
> ○ スイッチを押したら，すぐ部屋を出てください。（按了开关，请马上离开房间。）
> × スイッチを押すと，すぐ部屋を出てください。

此外，和"～たら"一样，"～と"也可以用于表示发现了某种情况。这时后面句子的句尾使用过去形式。

> ○ 窓を開けると，富士山が見えました。（一打开窗户，就看到了富士山。）

(3) ～なら

"～なら"多用于以对方的某种意志或愿望为前提而提出某种建议。这种用法"～たら""～ば""～と"都不具备。

> 新鮮な魚を買いたいんですが…。（我想买新鲜的鱼……）
> —— ○ 魚を買うなら，駅前のスーパーがいいですよ。
>
> （买鱼的话，车站附近的超市很好。）
> —— × 魚を買ったら，駅前のスーパーがいいですよ。
> —— × 魚を買うと，駅前のスーパーがいいですよ。

── ✕ 魚を買えば，駅前のスーパーがいいですよ。

不过如果前项不是对方的意志或愿望，而只是其某种兴趣或嗜好时，则"～なら"和"～たら"可以通用。

▶ 〔看见朋友不吃蔬菜〕

○ 野菜が嫌いなら，食べなくてもいいですよ。

（不喜欢吃蔬菜的话，不吃也可以。）

○ 野菜が嫌いだったら，食べなくてもいいですよ。

（如果不喜欢吃蔬菜，不吃也可以。）

✕ 野菜が嫌いだと，食べなくてもいいですよ。

2. 買っちゃった

基本课文 D 中的"～ちゃった"是第 33 课学过的"～てしまった"的口语形式（☞ 第 33 课"语法解释 3"），其语义与"～てしまった"基本相同，但令人不愉快的语气比"～てしまった"弱。

▶ 見ちゃった。今，*こっそり*つまみ食いしたでしょう？

（看见了。(你) 刚才偷吃零食了吧?）

▶ あっ，財布を忘れちゃった。（啊! 忘带钱包了。）

3. 2時間*ちょっとですね

意思是"两小时多一点儿"。"～ちょっと"常用于口语，除了可以接在时间词后面之外，还可以接在各种数量词后面。

▶ 給料は 1 か月 25 万円ちょっとです。（工资是每月 25 万日元多一点儿。）

▶ 塩は*小さじ 2 杯ちょっと入れます。（盐要加两小匙多一点儿。）

4. *さすが

表示受到高度评价的人或物名副其实，确实如别人所评价的那样。

▶ さすが「*世界遺産」です。（不愧是"世界遗产"。）

▶ *東大合格ですか。さすが加藤さんの息子さんですね。

（考上了东大呀? 不愧是加藤先生的公子。）

応用課文 万里の長城

小李打算帯小野游覧北京的各种名胜古迹。首先去万里長城。两人清早乘出租车前往万里長城的旅游景点之———八达岭。

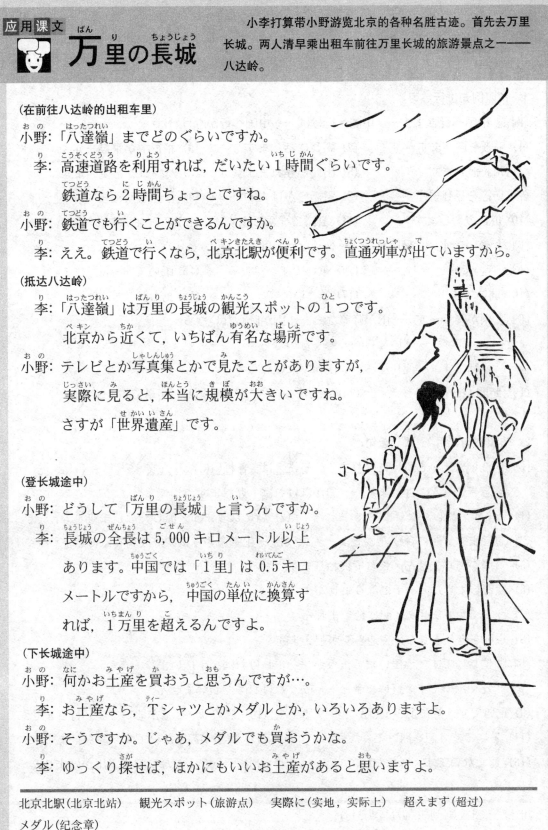

（在前往八达岭的出租车里）

小野：「八達嶺」までどのぐらいですか。

李：高速道路を利用すれば，だいたい1時間ぐらいです。

　　鉄道なら2時間ちょっとですね。

小野：鉄道でも行くことができるんですか。

李：ええ。鉄道で行くなら，北京北駅が便利です。直通列車が出ていますから。

（抵达八达岭）

李：「八達嶺」は万里の長城の観光スポットの1つです。

　　北京から近くて，いちばん有名な場所です。

小野：テレビとか写真集とかで見たことがありますが，

　　実際に見ると，本当に規模が大きいですね。

　　さすが「世界遺産」です。

（登长城途中）

小野：どうして「万里の長城」と言うんですか。

李：長城の全長は5,000キロメートル以上

　　あります。中国では「1里」は0.5キロ

　　メートルですから，中国の単位に換算す

　　れば，1万里を超えるんですよ。

（下长城途中）

小野：何かお土産を買おうと思うんですが…。

李：お土産なら，Tシャツとかメダルとか，いろいろありますよ。

小野：そうですか。じゃあ，メダルでも買おうかな。

李：ゆっくり探せば，ほかにもいいお土産があると思いますよ。

北京北駅(北京北站)　観光スポット(旅游点)　実際に(实地，実際上)　超えます(超过)

メダル(纪念章)

練　習

練習 I

1. 仿照例句进行练习。

[例 1] 中国へ行きます → 中国へ行けば → 中国へ行かなければ

(1) 手紙を書きます　　　　(2) 課長に話します　　　　(3) 飛行機が飛びます

(4) 川を渡ります　　　　　(5) 出発が遅れます　　　　(6) パソコンを使います

(7) 切符を見せます　　　　(8) 電話をかけます　　　　(9) 計画を決めます

(10) 毎日復習します　　　　(11) 会議で発言します　　　(12) 明日来ます

[例 2] 暑いです → 暑ければ → 暑くなければ

(13) 若いです　　　　　　　(14) 重いです　　　　　　　(15) 眠いです

(16) 弱いです　　　　　　　(17) 厳しいです　　　　　　(18) 悲しいです

[例 3] 雨が降ります → 雨が降るなら → 雨が降らないなら

　　　　寒いです → 寒いなら → 寒くないなら

　　　　便利です → 便利なら → 便利でないなら

(19) 時間があります　　　　(20) 音がいいです　　　　　(21) 簡単です

2. 仿照例句，用"〜ば"造句。

[例 1] 洗います／きれいになります → <u>洗えば</u>，きれいになります。

　　　　急ぎません／遅れます → <u>急がなければ</u>，遅れます。

(1) 見ます／欲しくなります　　　　(2) 秋になります／涼しくなります

(3) 急ぎます／間に合うでしょう　　(4) 一生懸命やります／成功するでしょう

(5) 質問がありません／これで終わります

(6) 練習しません／上手になりません

(7) 今すぐ始めません／間に合いません

(8) 規則を守りません／交通事故が起きます

[例 2] 忙しいです／手伝いましょうか → <u>忙しければ</u>，手伝いましょうか。

　　　　安くないです／買いません → <u>安くなければ</u>，買いません。

(9) 重いです／持ちましょうか　　　(10) 店のサービスが悪いです／行きません

(11) 暑いです／窓を開けてください　(12) 費用が高くないです／参加します

(13) 遠くないです／行きたいです　　(14) 天気がよくないです／出かけません

川(河)　計画(计划)　厳しい(严厉)

3. 仿照例句替换画线部分进行练习。

[例] あなたが行きます／わたしはここで待ちます

→ <u>あなたが行く</u>なら，<u>わたしはここで待ちます</u>。

(1) パソコンで絵をかきます／このソフトがいいです

(2) あなたが行きません／わたしが行きます

(3) 寒いです／窓を閉めてもいいですよ

(4) ラジオがうるさいです／ボリュームを下げましょうか

(5) 明日暇です／いっしょに買い物に行きませんか

(6) 日曜日です／時間があります

4. 仿照例句回答提问。然后听录音练习会话。

[例] 高ければ，買いませんか。（はい）——はい，高ければ，買いません。

（いいえ）—— いいえ，高くても，買います。

(1) 遠ければ，行きませんか。（はい）

(2) 聞かなければ，分かりませんか。（いいえ）

(3) 雨なら，運動会は中止ですか。（はい）

(4) 時間がなければ，勉強しませんか。（いいえ）

5. 听录音，仿照例句替换画线部分练习会话。

[例1] お茶を飲みます

→ 甲: お久しぶりですね。お元気ですか。

乙: ええ，相変わらずです。

甲: もし，時間があるなら，ちょっと<u>お茶でも飲み</u>ませんか。

乙: いいですね。そうしましょう。

(1) ビールを飲みます　　(2) 昼ご飯を食べます　　(3) 話をします

[例2] 何を買いましたか／Tシャツ／サンダル

→ 甲: <u>何を買った</u>んですか。

乙: <u>Tシャツ</u>とか<u>サンダル</u>とか，いろいろ<u>買い</u>ました。

甲: ずいぶんたくさん<u>買った</u>んですね。

(4) どんなお土産を買いましたか／シルクのハンカチ／ネクタイ

(5) 何を食べましたか／寿司／天ぷら

(6) どこへ行きましたか／天安門／万里の長城

ソフト（软件）　　ボリューム（音量）

练习 II

1. 给正确的答案画○。

[例] 京都へ（ 行けば ・ ⟨行ったら⟩ ），わたしの友達に会ってください。

(1) このボタンを（ 押すと ・ 押すなら ），電気がつきます。

(2) 明日（ いい天気なら ・ いい天気だと ），ピクニックに行きたいです。

(3) （ 困ったら ・ 困ると ），わたしに相談してください。

(4) 問題が（ なければ ・ ないと ），会議を終わります。

(5) （ 暑いと ・ 暑いなら ），クーラーをつけてください。

(6) 雨（ でも ・ だったら ），参加しなくてもいいですか。

　　——いいえ，雨（ なら ・ でも ），参加しないといけません。

2. 从 □ 中选择适当的词语填入（ ）中。

[例] セーターや靴やかばん（ など ），いろいろ売っています。

(1) 部屋には机といす（　　　）ありません。

(2) 30 分（　　　）ならテレビを見てもいいです。

(3) それは簡単だから，子供（　　　）できるでしょう。

(4) CD（　　　）テープ（　　　）を聞いて，勉強しています。

(5) 李さんなら，小野さんとお茶（　　　）飲みに行ったんじゃないでしょうか。

でも	しか	など	とか	だけ	でも	とか

3. 听录音，给正确答案画○。

[例] 甲: 新しいパソコン，安ければ買いますか。

　　　乙: そうですね…。今使っているのを，もう少し使ってみます。

　　⇒ この人は新しいパソコンを買いますか。

　　　　——① はい，買います。

　　　　——② いいえ，買いません。

　　　　① ・ ②

(1) 　① ・ ②

(2) 　① ・ ②

4. 将下面的句子译成日语。

(1) 如果获胜，就能够参加奥运会。

(2) 如果去天安门，坐地铁很方便。

(3) 最近有点胖了。——那就运动运动怎么样？

生 词 表

ようじ（用事）　　［名］　事情

たいかい（大会）　　［名］　大会

きぼ（規模）　　［名］　規模

けいかく（計画）　　［名］　计划

きそく（規則）　　［名］　规则

ひよう（費用）　　［名］　费用

しお（塩）　　［名］　盐，食盐

メダル　　［名］　纪念章，奖牌

ソフト　　［名］　软件

はんにん（犯人）　　［名］　犯人，罪犯

かわ（川）　　［名］　河，河流

てつどう（鉄道）　　［名］　火车，铁路，铁道

ぜんちょう（全長）　　［名］　全长

ばんごう（番号）　　［名］　号码，番号

たんい（単位）　　［名］　计量单位

こさじ（小さじ）　　［名］　小匙，小勺

ボリューム　　［名］　音量

ちょくつうれっしゃ（直通列車）　　［名］　直达列车

せかいいさん（世界遺産）　　［名］　世界遺产

かんこうスポット（観光～）　　［名］　旅游点

こえます（超えます）　　［動2］　超过

しゅつじょうします（出場～）　　［動3］　参加，出场

しゃくほうします（釈放～）　　［動3］　释放

つまみぐいします（つまみ食い～）　　［動3］　偷吃

かんさんします（換算～）　　［動3］　换算

ふくしゅうします（復習～）　　［動3］　复习

せいこうします（成功～）　　［動3］　成功

よわい（弱い）　　［形1］　弱，脆弱，柔弱

きびしい（厳しい）　　［形1］　严厉，严格

ぜいたく　　［形2］　奢望，奢侈，过分

こっそり　　［副］　偷偷地，悄悄地

さすが　　［副］　不愧是，果然

じっさいに（実際に）　　［副］　实地，实际上

とうだい（東大）　　［専］　东大，东京大学

はったつれい（八達嶺）　　［専］　八达岭

ペキンきたえき（北京北駅）　　［専］　北京北站

………………………………………………

～ちょっと／～以上／～里／～万里

专栏

日本的世界遗产

　　"世界遗产"分为"自然遗产"和"文化遗产"。截至 2004 年 7 月，日本拥有 12 处"世界遗产"，其中，自然遗产有两处，文化遗产有 10 处。

　　自然遗产有"白神山地"（青森县、秋田县）和"屋久岛"（鹿儿岛县）。"白神山地"横跨青森和秋田两县，是著名的山毛榉原始森林，"屋久岛"则以生长有树龄长达 7 200 年的屋久杉而闻名于世。

　　文化遗产方面有"法隆寺地区佛教建筑群"（奈良县），即以"法隆寺"的五重塔为代表的当今世界上最为古老的木造建筑群，还有被誉为日本现存城郭建筑杰作的"姬路城"（兵库县）。还有由周边景观保存完好的 17 处寺庙、古城等组成的"古都奈良文化古迹"（京都府）、以暴雪地区独特的民间建筑形式——"合掌式建筑"闻名于世的"白川乡・五箇山合掌式建筑村落"（岐阜县、富山县）以及展现人类首次原子弹爆炸惨状的"原爆ドーム（原子弹爆炸遗址）"（广岛县）。广岛县还有"厳岛神社"是依据海潮的涨落而设计的。"奈良古都建筑群"（奈良县）由"東大寺""唐招提寺"等 8 处寺庙、遗址群组成，"日光庙宇群"（栃木县）则是由"日光東照宮"等 103 栋建筑物群组成的文化遗产。

　　新近申请列入"世界文化遗产名录"的有"琉球王国グスク及相关遗址群"（冲绳县）和"纪伊山地的灵地和参拜道"（三重县、奈良县、和歌山县）。"グスク"是冲绳方言，意思是"古城"。

151

第38課
戴<ruby>たい</ruby>さんは英語<ruby>えいご</ruby>が話<ruby>はな</ruby>せます

基本课文

1. 戴<ruby>たい</ruby>さんは英語<ruby>えいご</ruby>が話<ruby>はな</ruby>せます。
2. よく見<ruby>み</ruby>えるように，大<ruby>おお</ruby>きく書<ruby>か</ruby>きました。
3. けがが治<ruby>なお</ruby>って，歩<ruby>ある</ruby>けるようになりました。
4. 陳<ruby>ちん</ruby>さんは毎日<ruby>まいにち</ruby>，英字新聞<ruby>えいじしんぶん</ruby>を読<ruby>よ</ruby>むようにしています。

A
甲: 戴<ruby>たい</ruby>さんはお寿司<ruby>すし</ruby>が食<ruby>た</ruby>べられますか。
乙: ええ，大丈夫<ruby>だいじょうぶ</ruby>ですよ。わたしは何<ruby>なん</ruby>でも食<ruby>た</ruby>べられます。

B
甲: 李<ruby>り</ruby>さん，2時<ruby>にじ</ruby>ごろ会社<ruby>かいしゃ</ruby>を出<ruby>で</ruby>ますよ。
乙: はい。いつでも出<ruby>で</ruby>られるように，準備<ruby>じゅんび</ruby>してあります。

C
甲: 小野<ruby>おの</ruby>さん，着物<ruby>きもの</ruby>を自分<ruby>じぶん</ruby>で着<ruby>き</ruby>ることができますか。
乙: ええ，母<ruby>はは</ruby>に習<ruby>なら</ruby>って，着<ruby>き</ruby>られるようになりました。

D
甲: 健康<ruby>けんこう</ruby>のために何<ruby>なに</ruby>かしていますか。
乙: ええ，毎朝<ruby>まいあさ</ruby>1時間<ruby>いちじかん</ruby>散歩<ruby>さんぽ</ruby>するようにしています。

英字新聞(英文报纸)　着物(和服)

语 法 解 释

1. 可能形式

可能形式是表示能够进行某动作的形式，与第 20 课学过的"～ことができます"所表示的意义相同(☞第 20 课"语法解释 2"）。其构成方式如下：

■一类动词：把基本形的最后一个音变成相应的"え"段上的音，再加"る"。

■二类动词：把基本形的"る"变成"られる"。

■三类动词：把"来る"变成"来られる"，把"する"变成"できる"。

类 　 形	基本形			可能形式（基本形）	可能形式（ます形）
一类动词	書く	かく	→	かける	かけます
	急ぐ	いそぐ	→	いそげる	いそげます
	飛ぶ	とぶ	→	とべる	とべます
	読む	よむ	→	よめる	よめます
	死ぬ	しぬ	→	しねる	しねます
	待つ	まつ	→	まてる	まてます
	売る	うる	→	うれる	うれます
	買う	かう	→	かえる	かえます
	話す	はなす	→	はなせる	はなせます
二类动词	食べる	たべる	→	たべられる	たべられます
	見る	みる	→	みられる	みられます
	寝る	ねる	→	ねられる	ねられます
三类动词	来る	くる	→	こられる	こられます
	する	する	→	できる	できます
	散歩する	さんぽする	→	さんぽできる	さんぽできます

※可能形式的活用方式与二类动词相同。

可能形式（基本形）	可能形式（ない形）	可能形式（た形）	可能形式（なかった形）
書ける	書けない	書けた	書けなかった
食べられる	食べられない	食べられた	食べられなかった
来られる	来られない	来られた	来られなかった

注意　使用"～ことができます"时动词前面的助词不发生变化，但使用可能形式时，动词前面的助词"を"常常变成"が"。

　▶ 李さんは日本語を話すことができます。（小李会说日语。）

　▶ 李さんは日本語が話せます。（小李会说日语。）

2. 小句(基本形／ない形) ように， 小句

"～ように"表示"为了使某种状态成立"的意思。"ように"一般前接非意志性动词的"基本形""ない形"或意志性动词的可能形式的"基本形""ない形"。

▶　よく　見える　ように，　大きく書きました。

(为了让人看得清楚，把字写得大大的。)

▶　風邪を　引かない　ように，　気をつけています。（一直在注意不要感冒。）

▶　いつでも　出られる　ように，　準備してあります。（做好了随时能够出发的准备。）

▶　子供が　触れない　ように，　この薬は*棚のいちばん上に置きましょう。

(这个药放在橱柜的最上层吧，免得孩子动它。)

注意　"～ように"和"～ために"（☞第34课"语法解释4"）译成汉语时往往都译作"为～"或"为了～"，但是两者用法不同，不能相互替换。"ように"前面一般是非意志性的变化或状态，因此"ように"往往前接可能形式的"基本形""ない形"。而"～ために"表示的是意志性动作的目的，因此通常前接动词的基本形。

▶　日本に留学する**ために**，貯金しています。（正在为赴日本留学攒钱。）〔×ように〕

▶　日本に留学できる**ように**，貯金しています。（正在为能赴日本留学攒钱。）〔×ために〕

另外，"～ように"前面的主语可以与后面句子的主语不一致，而"～ために"前后句子的主语必须一致。

▶　ほかの人がけがをしない**ように**，森さんは割れた*コップを捨てました。〔×ために〕

(为了不致别人受伤，森先生扔掉了打碎的杯子。)

▶　森さんはコンサートのチケットを買う**ために**，並びました。　　　〔×ように〕

(森先生为了买音乐会的票，排队来着。)

3.　小句(基本形／ない形)　ようになります

表示能力、状况、习惯等变成了某种状态。"ように"一般前接非意志性动词的"基本形""ない形"或意志性动词的可能形式的"基本形""ない形"。

▶　けがが治って，**歩けるようになりました**。（伤已经痊愈，能够走路了。）

▶　*赤ちゃんは1歳を過ぎると，**言葉を話すようになります**。（婴儿过了一岁就会说话。）

▶　*平仮名を**間違えないようになりました**。（已经不会搞错平假名了。）

▶　着物を自分で**着られるようになりました**。（已经能够自己穿和服了。）

4.　小句（基本形／ない形)　ようにします

表示努力使某种行为、状况变成现实。"ように"一般前接意志性动词的"基本形""ない形"。表述平时留心做某种已经成为习惯的行为时，常常使用"～ようにしています"。

▶　陳さんは毎日，英字新聞を**読むようにしています**。（老陈坚持每天看英文报纸。）

▶　毎朝，7時に**起きるようにしています**。（每天早上坚持7点钟起床。）

▶　のどが痛いので，今日はあまり**話さないようにします**。

(因为咽喉疼痛，今天要少说话。)

▶　健康のために，*徹夜**しないようにします**。（为了健康，不熬通宵了。）

表达及词语讲解

1. *入り組んでいます

表示事物之间相互交织，极其复杂的样子。常常用于形容如应用课文中迷宫一样的胡同道路，或者极其复杂的谈话内容等。

▶ この道は**入り組んでいます**が，*通り抜けられますよ。

（这条道虽然曲里拐弯，但是能走得出去。）

▶ 王さん，さっきの部長の話，分かりましたか。

（小王，你听明白刚才部长说的话了吗？）

——いいえ，話が**入り組んでいて**，*半分ぐらいしか分かりませんでした。

（没有。他说的那事非常复杂，只听懂了一半左右。）

2. *なんだか

表示一种理由不明确的感觉或判断，多用于表述说话者的心理活动。

▶ **なんだか**残念です。（总觉得很遗憾。）

▶ **なんだか**うれしいです。（不知道为什么很高兴。）

▶ この道，暗くて，**なんだか**怖いですね。（这条路很黑，总觉得阴森森的。）
——大丈夫ですよ。ここは安全ですよ。（没有关系的。这里很安全。）

▶ *エンジンが**なんだか**おかしい。故障かもしれない。

（总觉得发动机不对劲，或许有什么故障。）

3. "見えます" 和 "見られます"

"見えます"表示由于眼力或空间距离等客观因素"可以看到"，而"見られます"则表示由于人为的、人工的条件"可以看到"。"聞けます""聞こえます"之间的区别和"見えます""見られます"之间的区别相同。

▶ 外は暗くて，何も**見えません**。（外头黑，什么也看不见。）

▶ *上野動物園ではパンダが**見られます**。（在上野动物园可以看到熊猫。）

4. "ら抜き言葉"

在日常会话中，有人常常把"寝られます""食べられます"等二类动词的可能形式以及"来られます"说成"寝れます""食べれます""来れます"。因为把应有的"ら"省略了，所以人们称这种语言形式为"无ら形式（ら抜き言葉）"。"无ら形式"本来是不正确的，并曾经作为"年轻人的语言特征"受到非议，但近些年来使用者却在不断增加。

▶ 朝早く**起きられます**か。（早晨能够早早起来吗？）

→ 朝早く**起きれます**か。〔无ら形式〕

▶　1人で浴衣が**着られる**ようになりました。（可以自己穿浴衣了。）
　　→　1人で浴衣が**着れる**ようになりました。〔无ら形式〕

▶　明日10時に**来られ**ますか。（明天 10 点你能到这儿吗?）
　　→　明日10時に**来れ**ますか。〔无ら形式〕

▶　飛行機の中で映画が**見られ**ます。（在飞机里可以看电影。）
　　→　飛行機の中で映画が**見れ**ます。〔无ら形式〕

📖 专业领域

学部　系，系别

文学　文学	体育学　体育学	工学　工程学
哲学　哲学	医学　医学	土木工学　土木工程学
言語学　语言学	薬学　药学	電子工学　电子工程学
心理学　心理学	化学　化学	電気工学　电机工程学
政治学　政治学	生物学　生物学	機械工学　机械工程学
国際関係学　国际关系学	天文学　天文学	遺伝子工学　遗传工程学
法律学　法律学	農学　农学	コンピュータ工学
経済学　经济学	地学　地学	計算机工程学
経営学　经营学	数学　数学	芸術　艺术
社会学　社会学	物理学　物理学	美術　美术
教育学　教育学	建築学　建筑学	音楽　音乐

📖 音乐和电影

音楽　音乐

クラシック　西方古典音乐	ポップス　流行歌曲	ラテン　拉丁音乐
オペラ　歌剧	ロック　摇滚乐	演歌　演歌
ジャズ　爵士乐	ラップ　说唱乐曲	民謡　民谣，民歌
	ブルース　布鲁士黑人音乐	

映画　电影

恋愛映画　爱情片	ミステリー映画　侦探片	ドキュメンタリー　纪录片
ＳＦ映画　科幻片	アクション映画　动作片	ミュージカル映画　音乐剧片
ホラー映画　恐怖片	アニメ　动画片	

応用课文

胡同（フートン）

小李和小野来到了胡同。胡同保持着传统的街道样式，是最能展现老北京生活特色的地方。在胡同里，既有卖蔬菜、水果之类的小市场，也会看到卖包子、油条的摊贩。

（走在胡同中）

小野：この路地が「胡同（フートン）」ですね。

李：ええ，この辺は北京の伝統的な町です。人が実際に生活している所ですから，写真は撮らないようにしてくださいね。

小野：分かりました。ところで，この道は通り抜けられますか。

李：大丈夫です。入り組んでいますが，通り抜けられますよ。

（边走边感受老北京的风情）

小野：胡同（フートン）は，古い北京が感じられて，楽しいですね。

李：ええ。だから，時間がある時や，外国人の友達が来た時は，胡同（フートン）を歩くようにしているんですよ。

（小李看到了一家卖油条的店铺）

李：小野さん，「油条（ヨウティアオ）」は食べられますか。

小野：ええ，大好きです。

（买了油条递给小野）

李：熱いですから，火傷しないように気をつけてくださいね。

（过了一会儿）

李：最近は，マンションやビルが建って，胡同（フートン）がだいぶ減ってしまいました。

小野：なんだか残念ですね。

李：そうなんです。今では胡同（フートン）が見られる場所は本当に少なくなりました。

路地(小巷)　この辺(这一带)　伝統的(传统的)　感じます(感觉)　火傷します(烫伤)

減ります(减少)

练　习

练习 Ⅰ

1. 仿照例句，将（　　）中的动词变成可能形式。

[例1] 英語が（ 話します → 話せます ）。

(1) 日本の新聞が（ 読みます →　　　　　　）。　(2) 500メートル（ 泳ぎます →　　　　　　）。

(3) 歩いて（ 行きます →　　　　　　）。　(4) 写真が（ 撮ります →　　　　　　）。

(5) 1人で着物が（ 着ます →　　　　　　）。　(6) 餃子が上手に（ 作ります →　　　　　）。

(7) 衛星放送が（ 見ます →　　　　　　）。　(8) 車が（ 借ります →　　　　　　）。

(9) 電話で（ 予約します →　　　　　　）。　(10) 1人で（ 来ます →　　　　　　）。

[例2] 辞書は（ 貸しません → 貸せません ）。

(11) お酒は（ 飲みません →　　　　　　）。　(12) 畳に（ 座りません →　　　　　　）。

(13) 今，部屋に（ 入りません →　　　　　）　(14) 3時間しか（ いません →　　　　　　）。

(15) 古くて，（ 使いません →　　　　　）。　(16) 大きくて，（ 運びません →　　　　　）。

(17) 課長は（ 来ません →　　　　　　）。　(18) オリンピックに（ 出ません →　　　　　）。

(19) ここには車を（ 止めません →　　　　　）。

(20) こんなにたくさん（ 覚えません →　　　　　）。

2. 仿照例句替换画线部分进行练习。

[例] この図書館は多くの人が利用できます／夜9時まで開いています

　　　→ この図書館は多くの人が利用できるように, 夜9時まで開いています。

　　　忘れません／メモしておきましょう

　　　→ 忘れないように, メモしておきましょう。

(1) 最終の新幹線に間に合います／急いで出かけましょう

(2) お年寄りも使えます／操作が簡単になっています

(3) みんなに聞こえます／大きな声で話してください

(4) 風邪を引きません／気をつけてください

(5) 転びません／ゆっくり歩きましょう

(6) 日本に留学できます／一生懸命勉強しています

3. 仿照例句替换画线部分进行练习。

[例] 足の具合はいかがですか／昨日から少し歩きます

　　　→ 甲: 足の具合はいかがですか。

衛星放送(卫星广播)　　畳(草席)　　急いで(急急忙忙地)　　具合(情况)

乙: やっと，昨日から少し歩けるようになりました。

甲: それはよかったですね。

(1) ピアノの練習はどうですか／1曲弾きます
(2) 日本語の勉強はどうですか／日本語でレポートを書きます
(3) 日本食には慣れましたか／刺し身も食べます
(4) 機械の操作は慣れましたか／1人で動かします

4. 仿照例句替换画线部分进行练习。

[例] 研修に全員参加します → 研修に全員参加するようにしてください。
　　 電話番号を間違えません → 電話番号を間違えないようにしてください。

(1) 毎日メールをチェックします　　(2) 必ずかぎをかけます
(3) 約束の時間を忘れません　　(4) このごみ箱にペットボトルを捨てません

5. 听录音，仿照例句替换画线部分回答提问。

[例] 健康のために，何をしていますか。
　　――(1週間に2回プールで泳ぎます)
　　　→ 1週間に2回プールで泳ぐようにしています。
　　――(寝る前に食べません)
　　　→ 寝る前に食べないようにしています。

(1) 毎日 30 分歩きます　　(2) 十分睡眠をとります
(3) お酒をたくさん飲みません　　(4) できるだけ運動します
(5) ストレスをためません　　(6) 野菜をたくさん食べます

6. 听录音，仿照例句替换画线部分练习会话。

[例] 英語がうまく話せないんですが…。／毎日テープを聞きます／話します

甲: 英語がうまく話せないんですが…。
乙: 毎日テープを聞けば，話せるようになると思いますよ。
甲: じゃあ，やってみます。

(1) この自転車はまだ乗れますか。／タイヤを取り替えます／乗ります
(2) なかなか試合で勝てないんですが…。／もっと練習します／勝ちます
(3) この商品は売れるでしょうか。／もう少し安くします／売ります

日本食(日本食品)　刺し身(生鮮魚、貝片)　動かします(开动)　ごみ箱(垃圾箱)　ペットボトル(塑料瓶)
ストレス(精神緊張状态)　タイヤ(轮胎)　取り替えます(更换)　試合(比赛)　勝ちます(取胜)

练习Ⅱ

1. 将( )中的词语变成适当的可能形式，完成句子。

[例] キムさんは1キロメートルぐらい (泳ぎます → 泳げます)。

(1) この本は来週の木曜日まで (借ります → 　　　　　)。

(2) 社員の名前がなかなか (覚えます → 　　　　　)。

(3) 冬でもスイカが (食べます → 　　　　　) ようになりました。

(4) 今仕事がとても忙しいので，日曜日でも (休みます → 　　　　　)。

(5) 駅前の本屋で日本語のテープが (買います → 　　　　　) でしょう。

(6) ニュースによると，飛行機は雪で (飛びます → 　　　　　) そうです。

2. 听录音，回答提问。

[例] もう出かけられますか。（はい）

　　──はい，出かけられます。

(1) いいえ　　　　(2) はい　　　　(3) はい　　　　(4) いいえ

3. 读下面的书信，与书信内容一致的在( )中画○，不一致的画×。

田中さん，お元気ですか。

　東京に来て1か月です。仕事にもずいぶん慣れて，会社の人と日本語で話せるように

なりました。でも，一人暮らしは少し寂しいです。

　先週風邪を引いてしまいました。高い熱があって，何も食べられませんでした。早く

治るように，病院に行って薬をもらいましたが，3日間会社を休んでしまいました。

これからは健康にも十分気をつけるようにしたいと思います。

　田中さんもお体を大切にしてください。

　また手紙を書きます。　　　劉英

[例] 劉さんは田中さんに手紙を書きました。　　　　　　　　(○)

(1) 劉さんは中国にいます。　　　　　　　　　　　　　　　(　)

(2) 病院に行ったので，風邪はすぐ治りました。　　　　　　(　)

(3) 劉さんは会社の人と日本語で話します。　　　　　　　　(　)

(4) これから劉さんは健康に気をつけようと思っています。　(　)

4. 将下面的句子译成日语。

(1) 小戴会说英语。

(2) 伤已经痊愈，能够走路了。

(3) 为了保持身体健康，(你平时)做点什么吗？──是的，(我)每天早晨坚持散步1个小时。

生词表

しょうひん（商品）　　［名］　商品

ごみばこ（ごみ箱）　　［名］　垃圾箱

コップ　　［名］　杯子，杯

ペットボトル　　［名］　塑料瓶

エンジン　　［名］　发动机，引擎

タイヤ　　［名］　轮胎

フートン（胡同）　　［名］　胡同

ろじ（路地）　　［名］　小巷，弄堂

ヨウティアオ（油条）　　［名］　油条

にほんしょく（日本食）　　［名］　日本食品

さしみ（刺し身）　　［名］　生鲜鱼、贝片

たな（棚）　　［名］　橱柜，搁板

たたみ（畳）　　［名］　草席，草垫

きもの（着物）　　［名］　和服，衣服

ぐあい（具合）　　［名］　情况

ひらがな（平仮名）　　［名］　平假名

あかちゃん（赤ちゃん）　　［名］　婴儿，幼儿

はんぶん（半分）　　［名］　一半

さいしゅう（最終）　　［名］　最终

しあい（試合）　　［名］　比赛，竞赛

えいじしんぶん（英字新聞）　　［名］　英文报纸

えいせいほうそう（衛星放送）　　［名］　卫星广播

ストレス　　［名］　精神紧张状态

でんとうてき（伝統的）　　［形 2］　传统的

いりくみます（入り組みます）　　［动 1］　错综复杂

へります（減ります）　　［动 1］　减少

うごかします（動かします）　　［动 1］

開动，移动，摇动

かちます（勝ちます）　　［动 1］　取胜，获胜

とおりぬけます（通り抜けます）　［动 2］

走得出去，穿过，通过

かんじます（感じます）　　［动 2］　感觉，觉得

とりかえます（取り替えます）　　［动 2］　更换，交换

てつやします（徹夜～）　　［动 3］　熬通宵，彻夜

やけどします（火傷～）　　［动 3］　烫伤，烧伤

なんだか　　［副］　总觉得，总有点

うえのどうぶつえん（上野動物園）　　［专］

上野动物园

....

このへん（この辺）　　这一带，这附近，这儿

いそいで（急いで）　　急急忙忙，匆忙地

专栏　**东京的地名**

　　有些城市市区分为两个区域，即"下町"和"山の手"。"下町"指城市中地势较低、工商业发达的地带，"山の手"指地势较高的居民区。在东京采用这种称呼是在第二次世界大战以后。以旧江户城（现在的皇宫）为中心，东面接近东京湾的地区是"下町"，即现在的"上野"到"品川"一带。西面的一部分是"山の手"，即现在的"青山""六本木""白金"等地区。

　　在东京的地名中还有江户时代的痕迹。20 世纪 60 年代以后，由于城市的发展，旧街道的身影也大多从东京消失了，但是，与现代的景观不相称的地名却一直沿用到了今天。譬如，新宿区有"箪笥町""納戸町""細工町"，是由于在江户时期，这三个地方分别是管理武器弹药、财物支出、日常生活用品的幕府官员的官邸。

　　此外，东京最为有名的地点之一的"歌舞伎町"则是在第二次世界大战后，东京政府原本打算设立歌舞伎剧场，但最终未能实现，如今只是留下了这个地名。

　　"町"的读法分为"まち"和"ちょう"两种。一般而言，幕府官员等武士居住的地方称为"～町"，工商业者居住的地方称为"～町"。

第 39 課
眼鏡（めがね）をかけて本（ほん）を読（よ）みます

基本課文

1. 眼鏡（めがね）をかけて本（ほん）を読（よ）みます。
2. 道路工事（どうろこうじ）のために，道（みち）が込（こ）んでいます。
3. 李（り）さんは急（いそ）いで帰（かえ）っていきました。
4. 去年（きょねん），日本（にほん）で歌舞伎（かぶき）を見（み）てきました。

A
甲: 森（もり）さんは傘（かさ）を持（も）っていきましたか。
乙: いいえ，持（も）たないで出（で）かけました。

B
甲: 李（り）さん，遅（おそ）かったですね。
乙: すみません。事故（じこ）があったために，
　　電車（でんしゃ）が遅（おく）れたんです。

C
甲: ずいぶんたくさん人（ひと）が乗（の）ってきましたね。
乙: ええ，ちょうど通勤（つうきん）ラッシュの時間（じかん）ですから。

D
甲: ちょっと手紙（てがみ）を出（だ）してきます。
乙: じゃあ，これもお願（ねが）いします。

道路工事（道路施工）　通勤ラッシュ（上下班高峰）

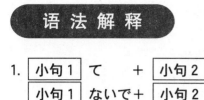

1. 小句1 て ＋ 小句2

  小句1 ないで＋ 小句2

　　表示进行"小句2"的动作主体处于"小句1"的状态时，"小句1"句尾使用"动词て形"或"动词ない形＋で"。

▶ 眼鏡をかけて本を読みます。（戴着眼镜看书。）

▶ 手を挙げて横断歩道を渡ります。（举着手过人行横道。）

▶ 今日は傘を持たないで出かけました。（今天没有带伞就出门了。）

　　"～ないで"也可以说成"～ずに"，"～ずに"是古日语的残留形式，多用于书面语。

▶ 今日は傘を持たずに出かけました。（今天没有带伞就出门了。）

　　以前我们曾经学过"～て"的①表示动作相继发生（☞第14课"语法解释2"）；②表示并列（☞第16课"语法解释1～3"）；③表示原因、理由（☞第36课"语法解释1"）等连接动词的3种用法。在这些用法中，"～て"前后的主语可以不一致。然而，本课学习的表示动作主体的状况的"～て"，其前后的主语必须一致。

▶ 春が過ぎて，夏が来ました。（春天过去，夏天来了。）〔动作相继发生〕

▶ 李さんが来てくれて，わたしはうれしかったです。（小李来了，我非常高兴。）〔原因〕

2. 小句1（简体形） ために， 小句2 ② 〔原因、理由〕

  名 ＋の＋ために， 小句 ② 〔原因、理由〕

　　表示"小句1"是"小句2"的原因、理由。"小句1"表示的是非意志性的事态或状态。"小句1"为二类形容词小句时使用"二类形容词＋な＋ために"的形式。多用于书面语或比较郑重的场合。

▶ 事故があったために，電車が遅れたんです。（由于发生事故，电车晚点了。）

▶ 明日マラソン大会があるために，この道路は*通行禁止になります。

（明天有马拉松大会，所以这条路禁止通行。）

▶ この*村は交通が不便なために，住んでいる人が少ないです。

（这个村子因为交通不便，居住的人很少。）

前接名词时，用"名词＋の＋ために"的形式。

▶ 道路工事のために，道が込んでいます。（因为施工，道路非常拥堵。）

注意　第11课、第30课和第36课分别学习了表示原因、理由的"～から"（☞第11课"语法解释4"）、"～ので"（☞第30课"语法解释4"）和"～て"（☞第36课"语法解释1"）。与"～から"、"～ので"、"～て"相比，"～ために"更多地用于表示不情愿的事情的原因。

▶ ○ 部長になったから，給料が*増えました。（因为当了部长所以工资增加了。）

○ 部長になったので，給料が増えました。（因为当了部长所以工资增加了。）

○ 部長になって，給料が増えました。（因为当了部长所以工资增加了。）

× 部長になったために，給料が増えました。

163

另外，"～から""～ので／んで"和"～て"可以用来结句，而"～ために"没有这种用法。

> 遅かったね。（你来晚了。）

　　—— 〇 うん、事故があったから。（嗯，出事故了。）

　　—— 〇 うん、事故があったんで。（嗯，出事故了。）

　　—— 〇 うん、事故があって。（嗯，出事故了。）

　　—— × うん、事故があったために。

参考　第 34 课学习了"～ために"表示目的的用法(☞第 34 课"语法解释 4")，表示目的时，"ために"前面为意志性动词的基本形，而且"小句 1"和"小句 2"的动作主体相同。

> 海外旅行をするために、貯金しています。（为了去海外旅游，一直在攒钱。）

3. 动 ていきます／きます

"动词て形＋いきます／きます"的形式有下面几种情况。

(1) "～ていきます／きます"表示以说话人为起点的移动的方向

接在"帰ります""歩きます""走ります""泳ぎます""飛びます""乗ります"等表示移动的动词后面，"～ていきます"表示由近及远的移动，"～てきます"表示由远及近的移动。

> 李さんは急いで帰っていきました。（小李急急忙忙地回去了。）
> ずいぶんたくさん人が乗ってきましたね。（上来这么多人啊！）

(2) "～ていきます／きます"表示一种独立的动作

——"て"前面的动词也表示一种独立的动作

"～ていきます／きます"接在一部分动词后面时表示一种独立的动作。"动词て形＋いきます／きます"分别表示两个相继发生的动作。

> 去年、日本で歌舞伎を見てきました。（去年，在日本看了歌舞伎。）
> 疲れているんでしょう？　ちょっと休んでいきなさい。（累了吧？歇会儿再走吧。）

(3) "～ていきます／きます"表示一种独立的动作

——"て"前面的动词表示动作主体的状况

"～ていきます／きます"接在一部分动词后面时表示一种独立的动作。"～て"前面的动词表示"いきます／きます"的动作主体的状况。这里的"～て"即是本课"语法解释 1"里的"～て"。

> 子供を病院に*連れていきます。（带孩子去医院。）
> 明日お弁当を持ってきてください。（明天请带盒饭来。）

(4) "～てきます"表示循环性的动作

在口语中，"～てきます"常常用于描述说话人或其他人去了一个地方，然后又回到原来的场所的情况。

> ちょっと手紙を出してきます。（我去寄封信就回来。）
> ちょっと手を洗ってきます。ここで待っていてください。

　　　　　　　　　　　　　　　　　　（我去洗洗手就来。请在这里等我。）

表达及词语讲解

1. も　［超出预想］

　　助词"も"有时可用来表示数量比事先预想的或应有的多时的心情。应用课文中在"２度（两次）"后面加"も"表示说话人觉得因为发生火灾而烧过两次实在太多了。

　　▶ 天安門は，火事のために２度も焼けたことがあるんですよ。

　　　　　　　　　　　　　　　　　　　　　　　　（天安门因为火灾烧毁过两次。）

　　▶ 今日は３*リットルも水を飲みました。（今天喝了足有３升水。）

2. *遠く

　　第 31 课学习了一类形容词词尾"い"变成"く"后可以用做副词(☞第 31 课"语法解释 3")，不过"遠く""近く"属例外。它们一般不用来修饰动词，而是用做名词，分别表示"远处""近处"的意思。

　　▶ 今朝は*霧がかかっているために，遠くまで見えないと思いますが…。

　　　　　　　　　　　　　　　　　　　　　　　　（今天早上有雾，我想可能看不远。）

　　▶ 近くに銀行はありませんか。（附近有银行吗?）

3. *絶対

　　"絶対"既可以修饰否定的内容，也可以修饰肯定的内容。应用课文中的"絶対来たい"里的"絶対"是用来修饰肯定的内容的。有时后面加"に"成"絶対に"，但意思不变。

　　▶ わたしは映画を見て，絶対来たいと思っていたんです。

　　　　　　　　　　　　　　　　　　　　　　　（我就是看了电影，才想一定来这儿看看的。）

　　▶ 森さん，約束の時間は７時です。絶対に遅れないでくださいね。

　　　　　　　　　　　　　　（森先生，约好的时间是７点。请千万别迟到呀!）

4. *せっかく

　　"せっかく～"译成汉语为"特意""好不容易"等，其含义是对某种行为或事态的价值应充分利用。应用课文中表示既然来了北京就应该充分利用在北京逗留的时间参观一些地方。

　　"せっかく"一般用来修饰动词，但也有用在"です"前面的情况，如"せっかくですから""せっかくですが…"。当别人劝说自己做某事时，接受其好意时用"せっかくですから"，拒绝时则用"せっかくですが…"。

　　▶ せっかく北京へ来て，ここを見ないで帰ることはできませんよ。

　　　　　　　　　　　　　　　　（好容易来到北京，不看看这儿是不能回去的。）

　　▶ コーヒー入れましたから，どうぞ。

　　　　──せっかくですが，時間がないので，失礼します。

　　　　　　　　　　（咖啡冲好了，请。 ──谢谢，不过我没时间了，这就告辞了。）

📖 颜色

黒（くろ）　黑色	ピンク　粉红色	紺（こん）　藏青色
白（しろ）　白色	水色（みずいろ）　淡蓝色	茶色（ちゃいろ）　茶色
赤（あか）　红色	黄緑（きみどり）　黄绿色	紫（むらさき）　紫色
青（あお）　青色，蓝色	オレンジ　橙色	金色（きんいろ）　金黄色
緑（みどり）　绿色	ベージュ　米色	銀色（ぎんいろ）　银白色
黄色（きいろ）　黄色	灰色（はいいろ）　灰色	

📖 有关中国的词语

中華人民共和国（ちゅうかじんみんきょうわこく）　中华人民共和国	天安門広場（てんあんもんひろば）　天安门广场
中国共産党（ちゅうごくきょうさんとう）　中国共产党	故宮（こきゅう）　故宫
主席（しゅせき）　主席	万里の長城（ばんりのちょうじょう）　万里长城
書記（しょき）　书记	トロリーバス　无轨电车
党員（とういん）　党员	春節（しゅんせつ）　春节
人民大会堂（じんみんだいかいどう）　人民大会堂	旧正月（きゅうしょうがつ）　农历正月
	国慶節（こっけいせつ）　国庆节
人民元（じんみんげん）　人民币	合弁会社（ごうべんがいしゃ）　合资公司
経済特区（けいざいとっく）　经济特区	一人っ子政策（ひとりこせいさく）　独生子女政策

📖 外国的主要城市

ニューヨーク　纽约	プサン　釜山
ロサンゼルス　洛杉矶	シドニー　悉尼
サンフランシスコ　旧金山	ロンドン　伦敦
ワシントンＤＣ（ディーシー）　华盛顿特区	パリ　巴黎
マニラ　马尼拉	ローマ　罗马
バンコク　曼谷	ベルリン　柏林
シンガポール　新加坡	モスクワ　莫斯科
ソウル　汉城	

応用課文

故宮 (こきゅう)

清晨，小李和小野来到了天安门。在薄薄的晨雾中，两人决定先登城楼眺望天安门广场，然后再参观故宫博物院。

（在天安门城楼下）

李：この門は，昔，火事のために２度も焼けたことがあるんですよ。

小野：そうなんですか。それにしても立派な建物ですね。中に入れるんですか。

李：ええ，入れますよ。チケットを買ってきましょうか。

（小李返回来，带小野去行李寄存处）

李：かばんを持って入ることができませんから，ここに預けていきましょう。

（边登天安门城楼边说）

小野：天安門からはいろんな建物が見渡せるんですか。

李：ええ。でも，今朝は霧がかかっているために，遠くまで見えないと思いますが…。

（在故宫博物院）

李：ここは，別名「紫禁城」と言って，映画の舞台になった所です。

小野：そうそう。わたしは映画を見て，絶対来たいと思っていたんです。
せっかく北京へ来て，ここを見ないで帰ることはできませんよ。

（穿过太和门，看见太和殿）

小野：屋根が黄色で，とてもきれいですね。

李：ええ，あれは「瑠璃瓦」と言います。
青い空にとてもよく合いますね。

小野：李さん，あの建物をバックにして，
いっしょに写真を撮りませんか。

李：いいですね。

昔(以前)　見渡します(眺望)　そうそう(是的是的)　屋根(屋顶)　バック(背景)

練　習

練習 I

1. 仿照例句，将（　　　）中的动词变成适当的形式进行练习。

［例1］森さんは傘を（ 持ちます → 持って ）出かけました。

(1) 冬は帽子を（ かぶります → 　　　　　）出かけます。

(2) 母にもらったネックレスを（ します → 　　　　　）パーティーに行きました。

(3) 時間がなかったので，タクシーに（ 乗ります → 　　　　　）来ました。

(4) 今日は荷物が少ないので，（ 歩きます → 　　　　　）帰ります。

［例2］森さんは傘を（ 持ちません → 持たないで ）行きました。

(5) 祖母は 70 歳ですが，眼鏡を（ かけません → 　　　　　　　）本を読みます。

(6) 砂糖を（ 入れません → 　　　　　　　）コーヒーを飲んでみます。

(7) 話をよく（ 聞きません → 　　　　　　　）書いたので，間違えました。

(8) 明日のスピーチは原稿を（ 見ません → 　　　　　　　）するつもりです。

2. 仿照例句替换画线部分进行练习。

［例1］道路工事／道が込んでいます → 道路工事のために，道が込んでいます。

(1) 病気／欠席しました　　　　　　(2) 故障／この電話は使えません

(3) 貸し切り／一般の人は入れません　　(4) 台風／音楽会は中止です

(5) 地震／家が壊れました　　　　　　(6) 雪／バスが遅れています

［例2］事故がありました／電車が止まりました

　　　→ 事故があったために，電車が止まりました。

　　　風が非常に強いです／野外コンサートは中止です

　　　→ 風が非常に強いために，野外コンサートは中止です。

(7) 大雨が降りました／野球は中止になりました

(8) 円高が続きました／輸出に影響が出ています

(9) 車が急に増えました／交通事故が増えました

(10) 日本は資源が少ないです／資源のほとんどを海外から輸入しています

(11) 思ったより高かったです／買うことができませんでした

(12) 今年の夏は気温が低かったです／稲がよく育ちませんでした

欠席します(缺席)　貸し切り(包租)　野外コンサート(露天音乐会)　円高(日元升值)

続きます(继续)　輸出(出口)　輸入します(进口)　稲(稻子)　育ちます(生长)

3. 仿照例句替换画线部分进行练习。

[例 1] 駅まで走ります → 駅まで走っていきます。

(1) 地下鉄に乗ります
(2) 馬さんが自転車で帰ります
(3) クジラが沖へ泳ぎます
(4) 鳥が山の方へ飛びます

[例 2] こちらに歩きます／有名な歌手

　　　→ こちらに歩いてくるのは有名な歌手じゃありませんか。

(5) 走ります／森さん
(6) 飛びます／UFO
(7) 泳ぎます／サメ
(8) 歩きます／森さんのお母さん

[例 3] 新聞を買います → 新聞を買ってきます。

(9) 手紙を出します
(10) 手を洗います
(11) 図書館で調べます
(12) 友達に会います
(13) 電話をします
(14) 先生に報告します

4. 听录音，仿照例句替换画线部分练习会话。

[例 1] お茶がなくなりました／買います

　　　→ 甲: お茶がなくなりましたね。

　　　　　乙: じゃあ，買ってきましょうか。

　　　　　甲: ええ，お願いします。

(1) 鈴木さんの家の電話番号が分かりません／聞きます
(2) 森さんが来ません／電話をかけます
(3) のどが渇きました／飲み物を買います
(4) コップが汚いです／洗います

[例 2] 写真展を見ました

　　　→ 甲: お帰りなさい。どこに行っていたんですか。

　　　　　乙: 写真展を見てきました。

　　　　　甲: よかったですか。

　　　　　乙: ええ，まあまあでした。

(5) 映画を見ました
(6) ジャズを聞きました
(7) 音楽会に行きました

クジラ(鯨)　沖(海上)　方(方面)　UFO(不明飞行物)　サメ(鲨鱼)　なくなります(完)
ジャズ(爵士乐)

练习Ⅱ

1. 将（　　）中的词语变成适当的形式完成句子。

[例] そのニュースを（ 聞きます → 聞いて ），びっくりしました。

(1) 携帯電話で（ 話します →　　　　）ながら歩かないでください。

(2) 寒いので，コートを（ 着ます →　　　　）出かけます。

(3) お弁当を（ 買います →　　　　）帰って，家で食べました。

(4) （ 飲みます →　　　　）だら乗るな。（ 乗ります →　　　　　）なら飲むな。

(5) つまらない本です。——じゃあ，（ 読みません →　　　　　）ことにします。

(6) 明日，ピクニックに（ 行けません →　　　　　）かもしれません。

(7) この薬を（ 飲みます →　　　　）ば，すぐ治りますよ。

(8) 午前中に予約を（ します →　　　　）こようと思います。

2. 从 a～e 中选择合适的答案，将字母填入（　　　）中。

[例] 馬さんは雨の中，傘を持たないで出かけました。（ b ）

(1) 馬さんは手紙を出してきました。　　　　　　（　　）

(2) 馬さんは手紙を出しに行きました。　　　　　（　　）

(3) 馬さんは子供を連れてきました。　　　　　　（　　）

(4) 馬さんは子供を連れてきませんでした。　　　（　　）

> a 馬さんはここにいません。　　　　　　b 馬さんはぬれました。
>
> c 馬さんの子供は，ここにいません。　　d 馬さんはここにいます。
>
> e 馬さんの子供は，今，ここにいます。

3. 给正确的答案画〇。

[例] この本は（ おもしろいから ・ おもしろくて ），読んでください。

(1) 暑くて，（ 寝ません ・ 全然寝られません ）。

(2) （ 暇で ・ 暇だから ），行きます。

(3) 事故が（ あったために ・ あるために ），遅れました。

(4) （ おいしくて ・ おいしくても ），たくさん食べてしまいました。

(5) これは音が（ 悪いために ・ 悪いから ），会議では使わないでください。

4. 将下面的句子译成日语。

(1) 森先生带伞了吗？——没有。没带〈就出去了〉。

(2) 因为〈道路〉施工，道路非常拥堵。

(3) 去年，在日本看了歌舞伎。

生　词　表

むら（村）　　[名]　村子，村庄	サメ　　[名]　鲨鱼
いね（稲）　　[名]　稲子	ユーフォー（UFO）　　[名]　不明飞行物
きり（霧）　　[名]　雾	むかし（昔）　　[名]　以前
もん（門）　　[名]　城门，门，大门	べつめい（別名）　　[名]　别名
ぶたい（舞台）　　[名]　舞台	ほう（方）　　[名]　方，方面
やね（屋根）　　[名]　屋顶，房顶	どうろこうじ（道路工事）　　[名]　道路施工
るりがわら（瑠璃瓦）　　[名]　琉璃瓦	つうきんラッシュ（通勤～）　　[名]　上下班高峰
きいろ（黄色）　　[名]　黄色，黄颜色	つうこうきんし（通行禁止）　　[名]　禁止通行
そら（空）　　[名]　天空	とおく（遠く）　　[名]　远处，远方
バック　　[名]　背景	みわたします（見渡します）　　[动1]　眺望，远眺
かしきり（貸し切り）　　[名]　包租	つづきます（続きます）　　[动1]　继续，持续
いっぱん（一般）　　[名]　一般	なくなります　　[动1]　完，丢失
そぼ（祖母）　　[名]　祖母，外婆	そだちます（育ちます）　　[动1]　生长，成长
おんがくかい（音楽会）　　[名]　音乐会	ふえます（増えます）　　[动2]　增加，增多
ジャズ　　[名]　爵士乐	つれます（連れます）　　[动2]　带，领
やがいコンサート（野外～）　　[名]　露天音乐会	けっせきします（欠席～）　　[动3]　缺席
えんだか（円高）　　[名]　日元升值	ゆにゅうします（輸入～）　　[动3]　进口，输入
ゆしゅつ（輸出）　　[名]　出口，输出	せっかく　　[副]　好(不)容易，特意
えいきょう（影響）　　[名]　影响	ぜったい（絶対）　　[副]　绝对，一定
しげん（資源）　　[名]　资源	そうそう　　[叹]　是的是的
きおん（気温）　　[名]　气温	しきんじょう（紫禁城）　　[专]　紫禁城
おき（沖）　　[名]　海上，湖心	....
がいがい（海外）　　[名]　海外	～リットル
クジラ　　[名]　鲸	

专栏　日本人喜欢的中国电影

　　从 20 世纪 80 年代开始，中国电影在日本盛行起来。1987 年，影片《末代皇帝》公映。即使不是中国影迷的日本人也至少看过一次。该影片之所以受到日本人的欢迎，原因之一是其外景拍摄场地是著名的北京紫禁城。凭借紫禁城这个宏大的舞台，以及达数万人的群众演员和逼真的宫廷服装等，使得该影片极具震撼力。

　　此外，反映 20 世纪 20 年代农村生活的影片《红高粱》(1987 年)的最后那个镜头，火红的夕阳映满了整个银幕，给人留下非常深刻的印象。可以说，正是这部影片使得日本的中国影迷激增。

　　20 世纪 90 年代以后，《一个都不能少》(1999 年)、《那山、那人、那狗》(1999 年)、《我的父亲母亲》(2000 年)、《和你在一起》(2002 年)等描写老百姓的日常生活和人际关系的作品大量介绍到日本。影片中的山村、田园等自然风光的美丽画面，给日本影迷留下了非常深刻的印象。

第 **40** 課
これから友達と食事に行くところです

基本課文

1. これから友達と食事に行くところです。
2. 森さんは会議の資料をそろえているところです。
3. 馬さんは，今，空港に着いたところです。
4. このモノレールは去年開通したばかりです。

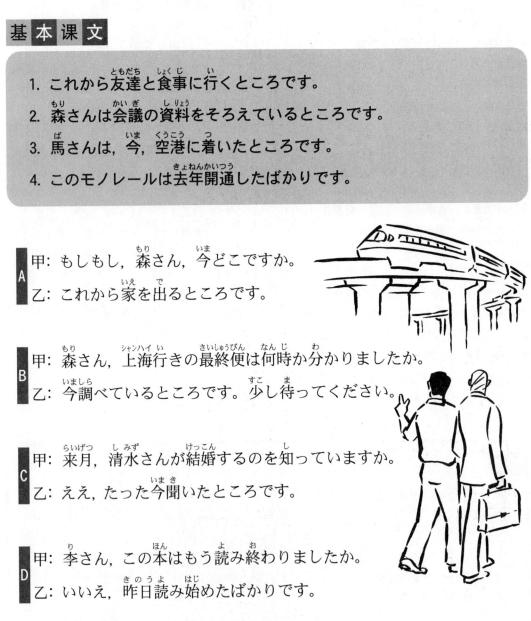

A
甲: もしもし，森さん，今どこですか。
乙: これから家を出るところです。

B
甲: 森さん，上海行きの最終便は何時か分かりましたか。
乙: 今調べているところです。少し待ってください。

C
甲: 来月，清水さんが結婚するのを知っていますか。
乙: ええ，たった今聞いたところです。

D
甲: 李さん，この本はもう読み終わりましたか。
乙: いいえ，昨日読み始めたばかりです。

そろえます(备齐)　モノレール(单轨铁路)　最終便(最晚航班)

语 法 解 释

1. 　动　**ところです**

　　表示动作处于某种阶段。其阶段根据前接动词形式的不同而异。

(1) 　动(基本形)　**ところです**

　　表示动作即将进行。

　　▶　これから友達と食事に　**行く**　**ところです。**　（我正要和朋友一起去吃饭。）
　　▶　　　　これから家を　**出る**　**ところです。**　（我正要出门。）
　　▶　　　今，風呂に　**入る**　**ところなので，**後でこちらから電話します。

　　　　　　　　　　　　　　　　　　（我现在正要洗澡，待会儿给你去电话。）

(2) 　动　**ているところです**

　　表示动作的持续。

　　▶　森さんは会議の資料を　**そろえている**　**ところです。**（森先生正在整理会议资料。）
　　▶　　　　　　今，　**調べている**　**ところです。**（现在正在查。）
　　▶　　　　　本を　**読んでいる**　**ところです。**（正在看书。）

　　"～ているところです"表示包含若干个阶段的某事态目前的进展状况。例如，正从大阪分公司乘新干线前往东京总公司的公司职员接到公司打来的电话，问他"今どこにいますか（现在在哪里?）"时，他一般回答"新幹線に乗っているところです（在新干线上呢）"。

　　注意　"～ているところです"一般不能前接非意志性动作。
　　　　　✕　今，ドアが開いているところです。

(3) 　动　**たところです**

　　表示动作或事件刚刚结束。

　　▶　　馬さんは，今，空港に　**着いた**　**ところです。**（小马刚刚到达机场。）
　　▶　そのニュースは，たった今　**聞いた**　**ところです。**（这条消息是刚听说的。）
　　▶　　　さっき，家に　**帰ってきた**　**ところです。**（刚刚回到家。）

2. 　动　**たばかりです**

　　表示动作或事情刚刚结束，与"动词た形＋ところです"用法基本相同。

　　▶　このモノレールは，去年　**開通した**　**ばかりです。**

　　　　　　　　　　　　　　　　　　　　（这条单轨铁路是去年刚开通的。）
　　▶　わたしは，先月中国に　**来た**　**ばかりです。**（我上个月刚来中国。）
　　▶　この本は，昨日　**読んだ**　**ばかりです。**（这本书我昨天刚看完。）

　　注意　"～たばかりです"可以表示动作行为结束后经过了较长一段时间的事态，与此相反，"～たところです"一般用于表示动作行为结束后经过的时间极短的事态，特别是说话人所在的现场的情况。

▶ あの２人は去年結婚したばかりです。（他们两人去年刚结婚。）

× あの２人は去年結婚したところです。

▶ 準備はできましたか。（准备工作做好了吗?）

　　——はい，今準備ができたところです。（是的，刚准备好。）

× ——はい，今準備ができたばかりです。

3. 动 始めます／出します

表示动作或变化的开始。其接续方式为动词"ます形"去掉"ます"加"始めます／出します"。"～始めます"一般用于表示动作、变化开始，而"～出します"则偏重于表示突然出现了某种情况。

▶ この本は，昨日　読み　始めたばかりです。　（这本书我昨天刚开始看。）

▶ 　　　雨が　降り　始めました。　（开始下雨了。）

▶ だんだん人が　帰り　始めましたね。　（人们逐渐开始回去了。）

▶ 　　子供が　泣き　出して，困りました。　（孩子哭起来了，一筹莫展。）

▶ さっきまであんなに*機嫌がよかったのに，

　　　急に　怒り　出してびっくりしました。

　　　（刚才情绪一直很好，突然就发起火来，把人吓了一跳。）

4. 动 続けます

表示动作或状态的不间断的持续。其接续方式为动词"ます形"去掉"ます"加"続けます"。

▶ 古い建物を修理しながら　使い　続けていました。　（旧房子一直修修补补地用着。）

▶ 　　　　３時間　歩き　続けました。　（持续步行了３小时。）

▶ 　　　車の*オイルが　*漏れ　続けています。　（汽车的油一直在漏着。）

▶ ２時間前からずっと　立ち　続けています。　もう疲れました。

　　　（从两个小时前起一直站着，站累了。）

不过，"降ります"不能后续"続けます"而须后续"続きます"。

▶ 雨が１週間降り続きました。　（雨连续下了一个星期。）

5. 动 終わります

表示动作或行为的结束，用于该动作、行为具有一定的量，而且行将结束。其接续方式为动词"ます形"去掉"ます"加"終わります"。

▶ 　　　その本はもう　読み　終わりました。　（把那本书看完了。）

▶ 先週もらった薬はもう　飲み　終わりました。　（上个星期拿到的药已经吃完了。）

表达及词语讲解

1. *お待たせしました

"お待たせしました (让您久等了)"是让别人等待后所说的寒暄语。约会迟到的时候，一般用"お待たせして，すみません (让您久等了，对不起)"来表示道歉。应用课文中的"すみません。お待たせして"是其倒装形式，用得也很多。

▶ すみません。**お待たせして。**

──いいえ，わたしたちもちょっと前に着いたところです。

(对不起，让你们久等了。──没关系。我们也刚到一会儿。)

▶ 〔餐厅服务员端着菜来到餐桌旁〕

お待たせしました。どうぞ。(让您久等了，请慢用。)

2. "チケット" 和 "*券"

日语的"チケット""切符""券"等译成汉语都是"票"。是选用外来词"チケット"，还是选用日语固有词"切符"，还是来自汉语的"券"，存在一定的个人差异，让我们先来看前两者之间的区别：

▶ コンサート／映画／京劇の**チケット** (音乐会/电影/京剧的入场券)

▶ バス／電車の**切符** (公共汽车/电车的车票)

虽然也说"コンサート／映画の切符"，但是使用外来词"チケット"听起来似乎更高雅一些，所以年轻人多倾向于使用"チケット"。

与前两者相比，"券"多用来构成复合词，如"*入場券(入场券)""*招待券(招待券)""*回数券(回数券)"等。

3. まだ*耳の*奥に音楽が残っています

这个句子译成汉语是"耳边还留着音乐的余韵呢"。在汉语里我们说"耳边"，而在日语里只能说"耳の奥"而不能说"耳のそば"。

📖 有关乐器的词语

楽器（がっき）　乐器

ピアノ　钢琴

オルガン　风琴

アコーディオン　手风琴

エレクトーン　电子琴

ギター　吉他

バイオリン　小提琴

ビオラ　中提琴

チェロ　大提琴

コントラバス　低音大提琴

ハープ　竖琴

クラリネット　单簧管

サキソフォン（サックス）　萨克斯管

オーボエ　双簧管

イングリッシュホルン　英国管

ファゴット　大管

フルート　长笛

ピッコロ　短笛

トランペット　小号

チューバ　大号

フレンチホルン　圆号

トロンボーン　长号

小太鼓（こだいこ）　小鼓

大太鼓（おおだいこ）　大鼓

ティンパニー　定音鼓

シンバル　铙钹

トライアングル　三角铁

タンバリン　手鼓

カスタネット　响板

木琴（もっきん）　木琴

鉄琴（てっきん）　钢片琴

シンセサイザー　电子合成器

マラカス　响葫芦

ハーモニカ　口琴

リコーダー　八孔竖笛

笛（ふえ）　笛子

三味線（しゃみせん）　日本三弦

鼓（つづみ）　鼓，日本鼓

琴（こと）　古筝，古琴

二胡（にこ）　二胡

演奏（えんそう）します　演奏

弾（ひ）きます　弹奏

吹（ふ）きます　吹奏

たたきます　打击

176

応用課文

京劇

小野回国的前一天。小李和小野去王府井购物。晚上，她们一起去看京剧。两人约好在剧场前与森会合。

（小野和小李在剧场前等森）

森：すみません。お待たせして。

小野：いいえ，わたしたちもちょっと前に着いたところです。

森：そうですか。よかった。チケットは?

李：これから買うところです。

森：じゃあ，ぼくが買ってきますよ。ここで待っていてください。

（进入剧场就坐）

小野：この劇場，新しそうですね。

李：ええ，去年改築したばかりです。それまでは，清の時代にできた建物を修理しながら使い続けていました。

（演出结束后响起掌声。森急急忙忙跑向卫生间）

李：小野さん，いかがでしたか。

小野：すばらしかったです。見終わったばかりで，まだ耳の奥に音楽が残っています。

（森从卫生间回来，发现小野不见了）

森：あれっ，小野さんは?

李：（指舞台）小野さんなら，あそこです。今，舞台の上で，役者さんといっしょに写真を撮っているところですよ。

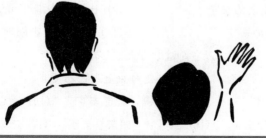

劇場（剧场）　改築します（改建）　役者（演员）

练习

练习 I

1. 看图，仿照例句进行练习。

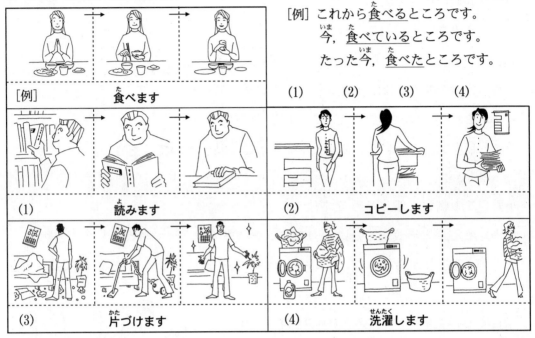

[例] これから<u>食</u>べるところです。
今，<u>食</u>べているところです。
たった今，<u>食</u>べたところです。

(1)　　(2)　　(3)　　(4)

2. 仿照例句替换画线部分进行练习。

[例1] 手紙を書きます → 甲: もう<u>手紙を書きました</u>か。

　　　　　　　　　　　乙: いいえ，これから<u>書く</u>ところです。

(1) 掃除を始めます　　　(2) 引っ越します　　　(3) あの映画を見ます

(4) メールを送ります　　(5) 小野さんに新しい住所を知らせます

[例2] 日本語のテープを聞きます → 甲: 今，何をしていますか。

　　　　　　　　　　　　　　　　乙: <u>日本語のテープを聞いて</u>いるところです。

(6) 辞書で意味を調べます　　　　　　　(7) パーティーの準備をします

(8) スピーチの資料をまとめます　　　　(9) 出張で空港へ向かいます

(10) 住所と名前を確かめます　　　　　(11) コピー機を修理してもらいます

[例3] 森さん／来ます → 甲: <u>森さん</u>はもう<u>来ました</u>か。

　　　　　　　　　　　乙: はい，たった今<u>来た</u>ところです。

(12) 小野さん／帰ります　　(13) 飛行機／着きます　　(14) 会議／終わります

(15) 切符／李さんに渡します　(16) 試写会／始まります　(17) あの本／読み終わります

向かいます（往～去）　コピー機（复印机）　試写会（试映会）

3. 仿照例句替换画线部分进行练习。

[例1] この時計は昨日買いました。→ この時計は昨日買ったばかりです。

(1) 王さんは課長になりました。　　　(2) 昨日ボーナスが出ました。

(3) 清水さんは先月結婚しました。　　(4) 子供はやっと歩き始めました。

(5) あのビルは先月完成しました。　　(6) 息子は９月に就職しました。

(7) 昨日旅行から帰りました。　　　(8) 娘は今年大学に入学しました。

[例2] さっき買いました／使っていません → さっき買ったばかりで，まだ使っていません。

(9) さっき起きました／眠いです

(10) 先日この町へ引っ越してきました／何も分かりません

(11) この子犬は昨日生まれました／名前がありません

(12) 入社しました／研修が続いています

(13) 中国語の勉強を始めました／全然話せません

4. 仿照例句造句。

[例] この本を昨日から読みます（始めました）→この本を昨日から読み始めました。

(1) 来週からダンスを習います（始めます）

(2) 子供が急に泣きます（出しました）

(3) 都会では自動車が増えます（続けています）

(4) 桜の花はもう咲きます（終わったでしょう）

(5) 隣の部屋で電話が鳴ります（続けています）

🎧 5. 听录音，仿照例句替换画线部分进行练习。

[例] お茶を飲みます／出かけます

　　→ 甲: 今からお茶を飲むところです。いっしょにいかがですか。

　　　　乙: あっ，ありがとうございます。でも，これから出かけるところなので。

　　　　甲: じゃあ，また。いってらっしゃい。

　　　　乙: いってきます。

(1) テニスをします／旅行に行きます

(2) みんなで食事に行きます／大阪へ出張します

(3) 買い物に行きます／友達を空港へ迎えに行きます

娘（女儿）　先日（前几天）　子犬（小狗）　ダンス（跳舞）

練習Ⅱ

1. 在（　　）中填入一个平假名，完成句子。

［例］健康（の）ために，タバコ（を）やめました。

(1) 壁（　　）カレンダー（　　）掛けてあります。

(2) 日本へ帰って（　　），中国語の勉強（　　）続けてください。

(3) 荷物を運ぶ（　　）に便利です。

(4) 今日は特に道（　　）込んでいますね。

(5) 入り口のところ（　　）李さんが立っているの（　　）見えますか。

(6) 小野さんは1人（　　）着物が着られますか。

(7) 社長が来なけれ（　　），出発できません。

2. 从￤￤￤￤￤中选择适当的词语填入（　　）中。

［例］今月は3日（しか）雨が降っていません。

(1) 先月日本へ来た（　　　　）で，まだ日本の習慣が分かりません。

(2) これから日本語を勉強する（　　　　）です。日本の会社で働きたいんです。

(3) 今会議をしている（　　　　）です。もう少し待ってください。

(4) レポートを書く（　　　　），資料を集めています。

(5) 遅れない（　　　　），少し早く家を出ました。

(6) あなた（　　）できますよ。わたし（　　）できるんですから。

(7) あなたに（　　）教えてあげますから，だれにも言わないでくださいね。

| なら | ところ | しか | だけ | ために | ばかり | ように | でも | つもり |

3. 听录音，与文章内容一致的在（　　）中画〇，不一致的画×。

> 昨日の夜はずっと雨が降り続いていました。朝になってやみました。今日は日曜日です。今起きて，コーヒーを飲みながら，ゆっくり新聞を読んでいます。これから掃除や洗濯をします。ゆうべ，馬さんから電話がありました。今日の午後遊びに来るそうです。馬さんが好きな日本料理を作っておこうと思っています。

［例］雨はやんでいます。（〇）

(1)（　）　(2)（　）　(3)（　）　(4)（　）　(5)（　）　(6)（　）

4. 将下面的句子译成日语。

(1) 正要和朋友一起去吃饭。

(2) 森先生正在整理会议资料。

(3) 小李，这本书看完了吗？ ——没有。昨天才开始看。

生词表

モノレール	[名]	单轨铁路，单轨电车	
オイル	[名]	油，润滑油	
ダンス	[名]	跳舞，舞	
じだい（時代）	[名]	时代	
やくしゃ（役者）	[名]	演员	
むすめ（娘）	[名]	女儿	
こいぬ（子犬）	[名]	小狗	
とかい（都会）	[名]	都市，城市	
げきじょう（劇場）	[名]	剧场，剧院	
ししゃかい（試写会）	[名]	试映会，预映会	
みみ（耳）	[名]	耳朵	
おく（奥）	[名]	里头，内部；深处	
きげん（機嫌）	[名]	情绪，心情	
せんじつ（先日）	[名]	前几天，前些天	
コピーき（〜機）	[名]	复印机	
けん（券）	[名]	券，票	

さいしゅうびん（最終便）　［名］　最晚航班
にゅうじょうけん（入場券）　［名］　入场券，门票
しょうたいけん（招待券）　［名］　招待券，请帖
かいすうけん（回数券）　［名］　回数券
むかいます（向かいます）　［动1］　往～去
そろえます　［动2］　备齐，凑齐；使一致
もれます（漏れます）　［动2］　漏，泄漏
かいつうします（開通〜）　［动3］　开通
かいちくします（改築〜）　［动3］　改建
かんせいします（完成〜）　［动3］　完成
にゅうしゃします（入社〜）　［动3］　进公司，入社
しん（清）　［专］　清，清代

....

おまたせしました（お待たせしました）

让您久等了

歌舞伎

歌舞伎是日本具有代表性的传统戏曲之一。和中国的京剧一样，也是以音乐和舞蹈为中心，由台词、歌曲、武打场面等构成的综合舞台艺术。歌舞伎起源于17世纪初的一位叫做"出雲の阿国(出云阿国)的女性"，她非常善于表演当时的社会习俗，受到人们的极大欢迎。然而，此后随着历史的变迁，歌舞伎改成了全部由男性表演，即使是女性的角色，也由称作"女形(旦角儿)"的男演员担任，直到现在也是如此。

歌舞伎演员的艺名一般世袭"名跡(称号)"，如"市川團十郎(人名)""尾上菊五郎(人名)"等。此外，还拥有不同于称号的"屋号(堂号)"，如"市川團十郎"的堂号是"成田屋"，"尾上菊五郎"的堂号是"音羽屋"。在节目的最精彩场面，观众对自己喜欢的演员直呼其堂号，表示对其演技的赞赏。

歌舞伎的剧目可分为"荒事(武戏)""和事(文戏)"。"武戏"是以英雄豪杰为主人公的剧目，其特征是表演动作十分夸张。如京剧中所见到的那样，通过描绘脸谱的化妆手法，在主要演员的脸上描绘红色或蓝色的粗条纹来反映人物的个性。红色条纹代表善，青色条纹代表恶。而"文戏"则是以优柔寡断的美男子为主人公，反映剧中人物丰富情感的爱情故事。一般为比较写实的表演。

閲読文

進化し続ける携帯電話

小野さんは北京にいます。今，天安門の前から，日本へ電話しているところです。小野さんは，北京へ来る前に，携帯電話を新しい機種に変更したばかりです。小野さんの新しい携帯は国際電話がかけられます。ほとんどの携帯電話は，申し込みをすれば，海外でも使えるようになりました。

携帯電話の機能は進化し続けています。最初は通話機能だけでしたが，やがてメールとカメラの機能が標準装備になったため，携帯を持っていれば，いつでも写真を送れるようになりました。さらに，動画が撮れる携帯やテレビ電話の機能が付いた携帯が登場し始めました。

その後，携帯にナビゲーション機能が付いて，住所や電話番号を入力すれば，すぐに目的地が見つけられるようになりました。初めての場所でも迷子になることはありません。地図を持たずに外出できます。

最近は，クレジットカードやプリペイドカードの機能が付いた携帯も登場し始めています。携帯があれば，現金がなくても買い物ができるようになりました。コンビニで買い物する時も，携帯を使って支払いができます。

進化し続ける携帯電話，今度はどんな機能が付くのでしょうか。

小野さんは，携帯で天安門の写真を撮りました。これから日本の友達にメールで送るところです。

※「携帯電話」を略して「携帯」とも言います。

小野现在在北京。在天安门前往日本打电话。小野在来北京之前刚换了一款新手机。该款手机可以直接拨打国际长途。只要提出申请，大多数手机在国外都可以使用。

手机的功能在不断发展。最初只有通话功能，而近来发短信和拍照已经成为手机的标准功能配置，只要有手机，随时都可以发照片。而且，有摄像以及电视电话功能的手机也开始登场了。

之后，具有导航功能的手机也亮相了，只要输入地址或电话号码，马上就可以找到目的地。即使是陌生的地方也不会迷失方向。这样就不必再带着地图出门了。

最近，甚至出现了具备信用卡及预付费用磁卡功能的手机。只要有手机，即使不带现金也可以购物。在便利店买东西也可以用手机支付。

不断发展的手机将会被赋予怎样的功能呢？

小野用手机拍摄了天安门的照片，正准备发送给在日本的朋友。

※"携带电话"可以省略说成"携带"。

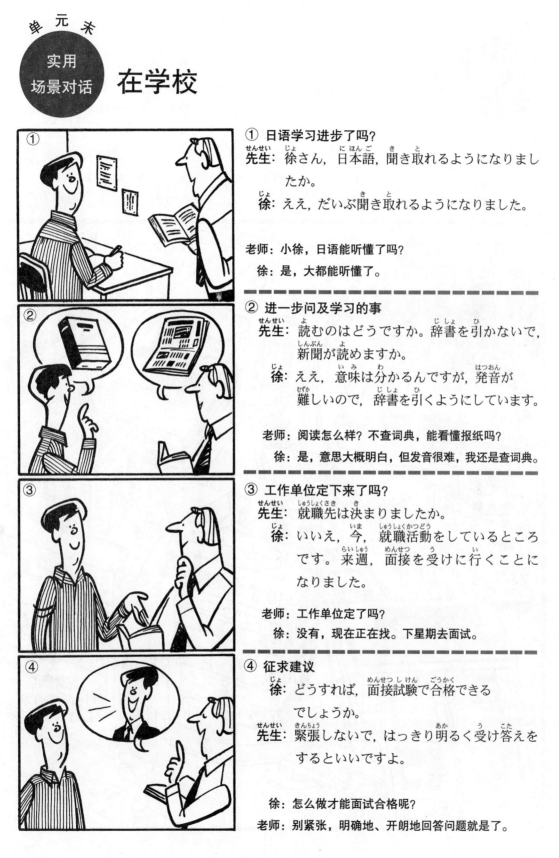

单元末 实用场景对话 在学校

① 日语学习进步了吗?

先生: 徐さん，日本語，聞き取れるようになりましたか。

徐: ええ，だいぶ聞き取れるようになりました。

老师: 小徐，日语能听懂了吗?

徐: 是，大都能听懂了。

---

② 进一步问及学习的事

先生: 読むのはどうですか。辞書を引かないで，新聞が読めますか。

徐: ええ，意味は分かるんですが，発音が難しいので，辞書を引くようにしています。

老师: 阅读怎么样? 不查词典，能看懂报纸吗?

徐: 是，意思大概明白，但发音很难，我还是查词典。

---

③ 工作单位定下来了吗?

先生: 就職先は決まりましたか。

徐: いいえ，今，就職活動をしているところです。来週，面接を受けに行くことになりました。

老师: 工作单位定了吗?

徐: 没有，现在正在找。下星期去面试。

---

④ 征求建议

徐: どうすれば，面接試験で合格できるでしょうか。

先生: 緊張しないで，はっきり明るく受け答えをするといいですよ。

徐: 怎么做才能面试合格呢?

老师: 别紧张，明确地、开朗地回答问题就是了。

単元末
词　语
之　泉

まち
町

① お寺　寺庙
② お墓　墓
③ 高速道路　高速公路
④ 渋滞　堵塞

⑤ 料金所　收费站
⑥ 交通事故　交通事故
⑦ パトカー　警车
⑧ 救急車　急救车

⑨ 病院　医院
⑩ 学校　学校
⑪ 劇場　剧场
⑫ 歩道橋　过街天桥
⑬ 映画館　电影院
⑭ 神社　神社
⑮ ホテル　宾馆
⑯ 駐車場　停车场
⑰ 交番　派出所，岗亭

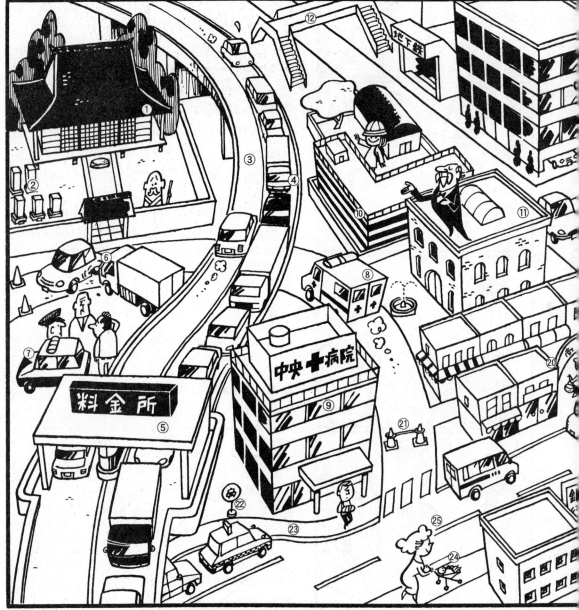

⑱ガソリンスタンド　加油站
よう ち えん
⑲幼稚園　幼儿园
しょうてんがい
⑳商店街　商业街
つうこう ど
㉑通行止め　禁止通行
の ば
㉒タクシー乗り場

　　　　　　　出租车停靠点
ほ どう
㉓歩道　人行道
㉔ベビーカー　婴儿车
しゃどう
㉕車道　行车道

こう さ てん
㉖交差点　道路交叉点
おうだん ほ どう
㉗横断歩道　人行横道
しんごう
㉘信号　信号灯
はし
㉙橋　桥
てい
㉚バス停　公交车站
でんちゅう
㉛電柱　电线杆
でんせん
㉜電線　电线
ち か どう
㉝地下道　地下通道
じ てんしゃ
㉞自転車　自行车

㉟バイク　摩托车
しゅうしゅうしゃ
㊱ごみ収集車　垃圾清运车
㊲トラック　货车
しょうぼうしゃ
㊳消防車　消防车
ふたりの
㊴２人乗り　骑车带人
㊵ポスト　邮筒
でん わ
㊶電話ボックス　电话亭
じ どうはんばい き
㊷自動販売機　自动售货机
かんばん
㊸看板　招牌，广告牌

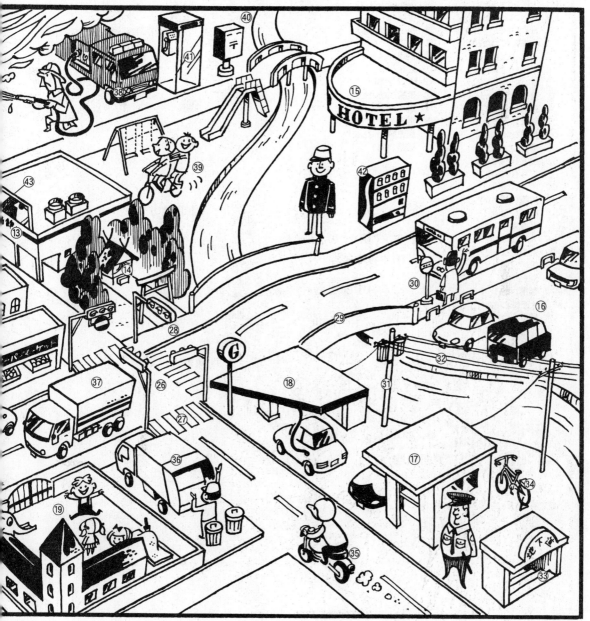

单元米

日本风情

日本行政区划

日本分为 47 个行政区，这些行政区通称为"都道府县"。其中"都"指"東京都"，"道"指"北海道"，"府"指"大阪府"和"京都府"，其余 43 个为"县"。

47 个行政区的名称参见地图，其政府所在城市名称参见左上附表。

县厅所在地

① 札幌（さっぽろ）
② 青森（あおもり）
③ 盛岡（もりおか）
④ 秋田（あきた）
⑤ 仙台（せんだい）
⑥ 山形（やまがた）
⑦ 福島（ふくしま）
⑧ 水戸（みと）
⑨ 宇都宮（うつのみや）
⑩ 前橋（まえばし）
⑪ 千葉（ちば）
⑫ さいたま
⑬ 東京（とうきょう）
⑭ 横浜（よこはま）
⑮ 新潟（にいがた）
⑯ 長野（ながの）
⑰ 富山（とやま）
⑱ 金沢（かなざわ）
⑲ 福井（ふくい）
⑳ 甲府（こうふ）
㉑ 静岡（しずおか）
㉒ 岐阜（ぎふ）
㉓ 名古屋（なごや）
㉔ 大津（おおつ）
㉕ 京都（きょうと）
㉖ 神戸（こうべ）
㉗ 津（つ）
㉘ 奈良（なら）
㉙ 大阪（おおさか）
㉚ 和歌山（わかやま）

㉛ 鳥取（とっとり）
㉜ 松江（まつえ）
㉝ 岡山（おかやま）
㉞ 広島（ひろしま）
㉟ 山口（やまぐち）
㊱ 高松（たかまつ）
㊲ 徳島（とくしま）
㊳ 松山（まつやま）
㊴ 高知（こうち）
㊵ 福岡（ふくおか）
㊶ 佐賀（さが）
㊷ 大分（おおいた）
㊸ 長崎（ながさき）
㊹ 熊本（くまもと）
㊺ 宮崎（みやざき）
㊻ 鹿児島（かごしま）
㊼ 那覇（なは）

186

11 在北京的工作情况

太田就职的 CS 公司，即将发行新的运动饮料。JC 策划公司被委托进行市场调查以及新商品的宣传策划，这项工作主要由森和小李负责。

第41課 李さんは部長にほめられました

市場調査

森和小李外出进行市场调查。森提交的调查报告的内容是……

第42課 テレビをつけたまま，出かけてしまいました

企画案

JC 策划公司关于运动饮料的项目就要正式启动了。森的调查报告按理说应该已经送到 CS 公司了……

第43課 陳さんは，息子をアメリカに留学させます

プレゼンテーション

森和小李为了准备在 CS 公司的策划方案说明会，每晚都工作到很晚。策划方案说明会能成功吗？

第44課 玄関のところにだれかいるようです

売れ行き

JC 策划北京分公司承担的这个项目成功了吗？新商品的销售情况怎么样呢？

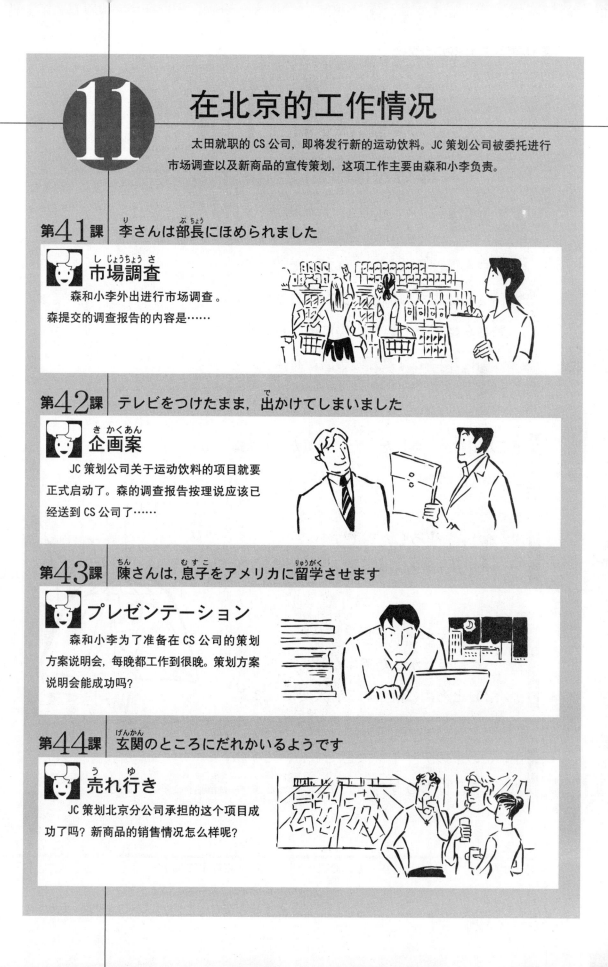

第 **41** 課
李さんは部長にほめられました

 基本课文

> 1. 李さんは部長にほめられました。
> 2. 馬さんは森さんにカメラを壊されました。
> 3. 陳さんは飼っていた小鳥に逃げられました。
> 4. 2010 年に上海で万博が開かれます。

A
甲: 太田君，どうしたんだ。元気がないね。
乙: ええ。部長にしかられたんです。

B
甲: 李さん，どうしたんですか。
乙: 昨日犬に手をかまれたんです。

C
甲: 週末にキャンプに行きました。
乙: へえ。楽しかったですか。
甲: 2日とも雨に降られて，大変でしたよ。

D
甲: この車のデザインはとてもいいですね。
乙: ええ。日本の有名なデザイナーによって設計されました。

ほめます（表扬）　万博（世博会）　しかります（训，责备）　かみます（咬）

语 法 解 释

1. 被动形式

被动形式是表示做主语的人或事物承受某种动作或影响的表达方式。其构成方式如下：

■ 一类动词：把"ない形"的"ない"变成"れる"。

■ 二类动词：把"ない形"的"ない"变成"られる"。

■ 三类动词：把"来る"变成"来られる"，把"する"变成"される"。

类　　形	基本形	ない形		被动形式（基本形）	被动形式（ます形）
一类动词	書く	かか**ない**	→	かかれる	かかれます
	急ぐ	いそが**ない**	→	いそがれる	いそがれます
	死ぬ	しな**ない**	→	しなれる	しなれます
	読む	よま**ない**	→	よまれる	よまれます
	飛ぶ	とば**ない**	→	とばれる	とばれます
	売る	うら**ない**	→	うられる	うられます
	買う	かわ**ない**	→	かわれる	かわれます
	待つ	また**ない**	→	またれる	またれます
	話す	はなさ**ない**	→	はなされる	はなされます
二类动词	食べる	たべ**ない**	→	たべられる	たべられます
	見る	み**ない**	→	みられる	みられます
三类动词	来る	———————→		こられる	こられます
	する	———————→		される	されます

※ "（ら）れます"的活用方式与二类动词相同。

2. 名 は（名 に）動 （ら）れます

表示被动时，动作对象做主语，而动作主体用助词"に"表示。

> 部長は　李さんを　ほめました。（部长表扬小李了。）
>
> 李さんは　部長に　ほめられました。（小李受到了部长的表扬。）

▶ 森さんは小野さんに食事に*誘われました。（森先生被小野女士邀请去吃饭了。）

▶ 李さんは部長にほめられませんでした。（小李没有被部长表扬。）

参考　表示受益时通常使用"〜てもらいます"的形式。（☞ 第 28 課"语法解释 3"）

▶ 李さんは友達に*助けられました。（小李得到了朋友的帮助。）〔客观叙述,不表示受益〕

▶ 李さんは友達に助けてもらいました。（小李得到了朋友的帮助。）〔表示受益〕

3. 名 は 名 に 名 を 動 （ら）れます

日语有一种物主做主语的被动句，即某事物的拥有者在被动句里做主语，而该事物在被动句里仍然充当宾语。这种被动句一般表示该事物的拥有者遭受了某种麻烦或损失。

森さんは　馬さんの　カメラを　壊しました。（森先生把小马的照相机弄坏了。）

馬さんは　森さんに　カメラを　壊されました。

（小马让森先生把照相机给弄坏了。）

▶ 李さんは昨日犬に手をかまれました。（小李昨天被狗咬了手。）
▶ 森さんは田中さんに本を汚されました。（森先生让田中先生把书给弄脏了。）

4. 名 は 名 に 动 （ら）れます

日语中还有一种纯粹表示受害的被动句，在这种被动句里受害者不是直接的而是间接的承受某种事态的影响。不仅是他动词，自动词也可以用于这种被动句。另外，这种被动句一般不具有否定形式。

小鳥が　逃げました。（小鸟飞走了。）

陳さんは　小鳥に　逃げられました。（老陈的小鸟飞走了。）

▶ 張さんは隣の人に夜遅くまで騒がれました。

（邻居闹到很晚，小张（休息受到了影响）。）

▶ 食事中，隣の人にタバコを吸われました。

（吃饭的时候，旁边有人抽烟。（我非常不愉快））

注意 在这种被动句里助词"に"前面一般是人或动物，但有时候也可以是"雪"和"雨"。不过这时候的动词必须是"降ります"。

▶ わたしたちは雨に降られました。（我们被雨淋了。）

5. 名 が／は 动 （ら）れます

日语中还有一种用事物来做主语的被动句。这种被动句的动作主体一般是某一不确定的人的群体，一般不在句中出现。

▶ 2010 年に上海で万博が開かれます。（2010 年将在上海举办世博会。）
▶ 2010 年の万博は上海で開かれます。（2010 年的世博会将在上海举办。）
▶ 駅前に高いビルが建てられました。（车站附近盖起了高楼。）

6. 名 は 名 によって 动 （ら）れます

在用事物做主语的被动句里，有时动词的主体是特定的，这时候动作主体用"によって"来提示。"によって"不能用"に"来替换。

▶ この車は日本の有名なデザイナーによって設計されました。

（这款车是由日本著名设计师设计的。）

▶ 「*万有引力の法則」は*ニュートンによって*発見されました。

（"万有引力定律"是牛顿发现的。）

▶ この本は山田先生によって書かれました。（这本书为山田先生所著。）

表达及词语讲解

1. ～とも

接在数量词后，表示该数量的全部。数量词一般在 10 以内。基本课文 C 中的 "2 日とも" 的意思是 "两天都～"。

▶ ２日とも雨に降られて，大変でしたよ。（两天都下雨，糟透了。）

▶ 社員は３人いますが，今は３人とも出かけています。

（工作人员共有 3 个人，现在 3 个人都外出了。）

2. *いやあ　［叹词 ⑧］

主要为男性使用。用于感到不好意思或情绪激动等。

▶ いやあ，*参りましたよ。タクシーで帰ってきたんですが，渋滞に*巻き込まれて。

（哎呀！真倒霉！我坐出租车回来的，路上给堵住了。）

▶ いやあ，小野さん，久しぶり！（哎呀！小野女士，好久不见!）

3. 参りました

用于遇到困难或麻烦而感到苦恼。应用课文中，表示堵车后森十分疲惫而苦恼的心情。

▶ 事故でもあったのかな。次の電車，なかなか来ないけど。
　　——ええ。参りましたね。会議が始まってしまいますね。

（是不是出什么事故了？下一班电车还不来啊。——是啊，真糟糕！会议要开了。）

▶ 参りましたよ。雨に降られて，*びしょぬれです。

（真糟糕！被雨淋成个落汤鸡了。）

4. 巻き込まれて

"巻き込まれます" 表示说话人被卷进某种不好的事情当中而受到了影响。动词 "巻き込む" 多以这种被动形式使用。应用课文中指受到堵车的影响。而 "巻き込まれて" 前面的消极事态用助词 "に" 表示。

▶ パリ行きの飛行機は大きな*嵐に巻き込まれてしまいました。

（飞往巴黎的飞机被卷入了剧烈的暴风雨中。）

▶ あの会社の課長は*汚職事件に巻き込まれて，*辞職したそうです。

（据说那家公司的科长因卷入贪污事件而引咎辞职。）

5. 正式的书面语

如本课应用课文那样，写报告、文章时要使用书面语。下面我们来看一下书面语和口语在词汇和语法方面的区别。

(1) 书面语的词汇特征

与口语相比，书面语多使用汉字词，如本课应用课文中的"*一昨年(いっさくねん)""*大量(たいりょう)に""*低価格(ていかかく)"。这三个词在口语中的说法是"*おととし(前年)""たくさん(很多)""安(やす)い値段(ねだん)(便宜的价格)"。

(2) 书面语的语法特征

①**句尾形式**：口语多用"～ます""～です"等敬体形，而书面语则一般用简体形。尤其是在公文当中名词和二类形容词不用一般的简体形"～だ"，而用正规的简体形"～である"。

②**句中停顿**：在一个句子内部作短暂停顿时，口语用"て形"而在书面语中则动词用"ます形"去掉"ます"的形式，一类形容词用"～く"，二类形容词和名词用"～で"或正规简体形"～である"的活用形式"～であり"。

③**助词**：口语中一般用日语固有的助词，而书面语常常使用由于古汉语的影响而形成的复合词。如口语中的"～まで"在书面语中作"～に*至(いた)る"。

④**被动形式**：与口语相比，书面语中较频繁地出现用事物做主语的被动句（☞本课"语法解释 5"）。如：

口语	书面语
昨日(きのう)運動会(うんどうかい)があった。	昨日(きのう)運動会(うんどうかい)が行(おこな)われた。
(昨天开运动会了。)	
わたしの学校(がっこう)は 1949(せんきゅうひゃくよんじゅうきゅうねん) 年にできた。	わたしの学校(がっこう)は 1949(せんきゅうひゃくよんじゅうきゅうねん) 年に*創立(そうりつ)された。
(我们学校是 1949 年成立的。)	
*遺跡(いせき)が*見(み)つかった。	遺跡(いせき)が発見(はっけん)された。
(遗址找到了。)	

以上讲的是正式的书面语的情况，而书信、电子邮件等写给特定的个人的文章类则和口语一样，要用"～です""～ます"的敬体形。

6.　外来词的造句方式及其使用效果　[外来词 ③]

日语中的外来词一部分是把外语中的词汇变成日语词。如："インク ink""コンピュータ computer"。也有一部分是把外语的两个词拼凑起来形成的。如："ガソリンスタンド(gasoline stand → gas station)""ジェットコースター(jet coaster → roller coaster)"。

日语的书面语多使用汉字词和日语固有词，但有时为了某种表达效果，有意使用一些外来词。应用课文中的"*コストダウン costdown"和"*ネーミング naming"就是这样的两个例子。"コストダウン"的意思是"降低成本"，"ネーミング"的意思是"命名"。

对日本人来说，这样的外来词有一种轻松、含蓄、新颖的语感，因此能把说话人的意图有效地传达给对方。另外，外来词由于用片假名书写，适当地夹杂在汉字和平假名书写的文章中，能给人一种耳目一新的印象。

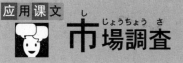

応用課文

市場調査

太田所在的 CS 公司计划近期推出一种新开发的饮用水。JC 策划北京分公司接受委托，负责市场调查和商品宣传策划。北京分公司的森和小李分头出去调查。

（小李回到办公室后不久，森也回来了）

李：あっ，森さん，お疲れ様でした。遅かったですね。

森：いやあ，参りましたよ。タクシーで帰ってきたんですが，渋滞に巻き込まれて。北京の交通事情は大変ですね。

李：ええ，そうなんです。わたしも毎日，バスの中で足を踏まれていますよ。

（森被加藤经理叫去了。回来后小李问他）

李：森さん，支社長に呼ばれて何か言われたんですか。

森：ええ。ＣＳ公司から依頼された調査のレポートが遅いって，しかられました。

（森把调查结果整理成报告）

「ＣＳ公司」調査報告書

森 健太郎

　　……昨年発売された清涼飲料水は５種類あり，最も売れているのは，中国のＡ社によって開発された「爽快」である。定価が最も安く，子供からお年寄りまで，幅広い世代に人気がある。一昨年，Ａ社と日本のＢ社によって北京に合弁会社が作られ，「爽快」は昨年から大量に製造されるようになった。

　　製造から出荷に至るまですべてコンピュータで管理され，大幅なコストダウンが図られているため，低価格が実現できたと考えられる。……

　　清涼飲料水の市場は今後も成長が見込まれるが，新しい商品に求められるのは，魅力あるネーミングと洗練されたデザインである。……

踏みます（踩）　依頼します（委托）　発売します（上市）　幅広い（广泛）　合弁会社（合资公司）

出荷（上市）　すべて（全部）　図ります（谋求）　見込みます（预料）　求めます（要求）

练　习

练习 I

1. 仿照例子，将动词变成被动形式。然后听录音确认。

[例] 巻き込みます → 巻き込まれます

(1) 言います	(2) 誘います	(3) 聞きます	(4) 汚します
(5) 死にます	(6) 呼びます	(7) 盗みます	(8) かみます
(9) 入ります	(10) 知ります	(11) 見ます	(12) いじめます
(13) 間違えます	(14) 放送します	(15) 生産します	(16) 来ます

2. 看图，仿照例句替换画线部分进行练习。

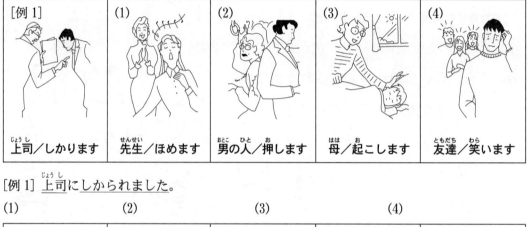

[例1] 上司／しかります　　(1) 先生／ほめます　　(2) 男の人／押します　　(3) 母／起こします　　(4) 友達／笑います

[例1] 上司にしかられました。

(1)　　　　　　　(2)　　　　　　　(3)　　　　　　　(4)

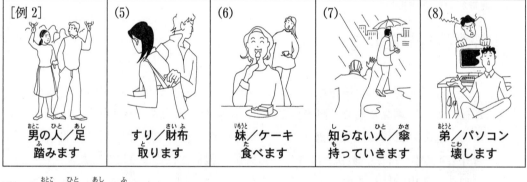

[例2] 男の人／足踏みます　　(5) すり／財布取ります　　(6) 妹／ケーキ食べます　　(7) 知らない人／傘持っていきます　　(8) 弟／パソコン壊します

[例2] 男の人に足を踏まれました。

(5)　　　　　　　(6)　　　　　　　(7)　　　　　　　(8)

3. 仿照例句替换画线部分进行练习。

[例] 雨が降ります／ぬれてしまいました → 雨に降られて，ぬれてしまいました。

(1) 田中さんが休みます／1日中とても忙しかったです

盗みます(盗取)　　いじめます(欺负)　　放送します(广播)　　起こします(叫醒)　　すり(扒手)

(2) 夜中に赤ちゃんが泣きます／寝られませんでした

(3) 若い社員が辞めます／困っています

(4) 夜遅く友達が来ます／寝られませんでした

4. 听录音，仿照例句用被动句回答提问。

[例] 甲: 元気がありませんね。

　　乙: (泥棒がお金を盗みました) → 泥棒にお金を盗まれたんです。

(1) 甲: うれしそうですね。

　　乙: (先生がほめました)

(2) 甲: どうしてそんなに怒っているんですか。

　　乙: (母が手紙を読みました)

(3) 甲: 足，どうしたんですか。

　　乙: (昨日犬がかみました)

(4) 甲: 元気がありませんね。

　　乙: (課長がしかりました)

5. 听录音，仿照例句替换画线部分练习会话。

[例] 車をぶつけます／どこで／高速道路

　　→ 甲: 遅かったですね。

　　　乙: 車をぶつけられてしまったんです。

　　　甲: どこでぶつけられたんですか。

　　　乙: 高速道路です。

　　　甲: それは大変でしたね。

(1) 急に仕事を頼みます／だれに／社長　　(2) 自転車を盗みます／どこで／駅前

6. 仿照例句替换画线部分进行练习。

[例 1] この歌を日本でよく歌います → この歌は日本でよく歌われています。

(1) 青島ビールを日本でもよく飲みます。

(2) この本を多くの国で翻訳します。

(3) この店の牛肉をオーストラリアから輸入します。

[例 2] ニュートンが万有引力の法則を発見しました。

　　→ 万有引力の法則はニュートンによって発見されました。

(4) 魯迅が『阿Q正伝』を書きました。

(5) 有名な建築家がこのホテルを設計しました。

(6) ノーベルがダイナマイトを発明しました。

ぶつけます(碰上)　翻訳します(翻译)　オーストラリア(澳大利亚)　ノーベル(诺贝尔)

ダイナマイト(炸药)

练习 Ⅱ

1. 从 ☐ 中选择动词，变成适当的形式完成句子。

［例］男の人に（　押され　）て，けがをしてしまいました。

(1) 昨日急に友達に（　　　　　　）て，全然勉強できませんでした。

(2) わたしは中田ですが，よく「田中さん」と（　　　　　　）ます。

(3) 雨に（　　　　　　）て，ぬれてしまいました。

(4) スキーで転んで，みんなに（　　　　　　）てしまいました。

(5) 張さんは遅刻して，先生に（　　　　　　）ました。

(6) 大勢の社員に（　　　　　　）て，困っています。

~~押します~~　辞めます　注意します　言います　笑います　降ります　来ます

2. 用（　　）中的词语做主语，造被动句。

［例］兄はわたしの恋人の写真を見ました。（わたし）

　→ わたしは兄に恋人の写真を見られました。

(1) 若い人が魯迅の小説を読んでいます。（魯迅の小説）

(2) 部長は小野さんに仕事を頼みました。（小野さん）

(3) 多くの国でこのソフトを使っています。（このソフト）

(4) 泥棒がわたしの時計を盗みました。（わたし）

(5) 昨日，森さんは小野さんを食事に誘いました。（小野さん）

(6) 上司はわたしに「もっと早く来い」と言いました。（わたし）

3. 在（　　）中填入一个平假名。

［例］わたしは飼っていた犬（　に　）逃げられました。

(1) 電車の中（　　　）足を踏まれたので，靴が汚れました。

(2) 外国人（　　　）道（　　　）聞かれました。

(3) 日本（　　　）（　　　）中国に多くの機械が輸出されています。

(4) この工場（　　　）は 1 日（　　　）1 万台の車が生産されています。

(5) 昨日，映画（　　　）誘われましたが，忙しくて行けませんでした。

4. 将下面的句子译成日语。

(1) 昨天受到部长的表扬。

(2) 小马让森先生把照相机给弄坏了。

(3) 这款车是由日本著名设计师设计的。

生 词 表

ことり（小鳥）	［名］	小鸟, 鸟儿	
ばんぱく（万博）	［名］	世博会, 万国博览会	
いせき（遺跡）	［名］	遗址, 遗迹	
じょうし（上司）	［名］	上司	
すり	［名］	扒手, 小偷	
ぜだい（世代）	［名］	世代；一代	
しじょう（市場）	［名］	市场	
ちょうさ（調査）	［名］	调查	
しゅっか（出荷）	［名］	上市, 运出货物	
せいちょう（成長）	［名］	成长	
あらし（嵐）	［名］	暴风雨, 风暴	
ダイナマイト	［名］	炸药	
ネーミング	［名］	名称, 命名, 取名	
コストダウン	［名］	降低成本	
ていかかく（低価格）	［名］	低价(格)	
ぎゅうにく（牛肉）	［名］	牛肉	
いっさくねん（一昨年）／おととし	［名］	前年	
さくねん（昨年）	［名］	去年	
こんご（今後）	［名］	今后	
すべて	［名］	全部, 所有	
びしょぬれ	［名］	落汤鸡, 湿透, 濡湿	
みりょく（魅力）	［名］	吸引力, 魅力	
おしょくじけん（汚職事件）	［名］	贪污事件	
しじょうちょうさ（市場調査）	［名］	市场调查	
こうつうじじょう（交通事情）	［名］	交通状况	
ごうべんがいしゃ（合弁会社）	［名］	合资公司	
しかります	［动1］	训, 责备, 斥责	
かみます	［动1］	咬, 嚼	
さそいます（誘います）	［动1］	邀请, 约请	
まきこみます（巻き込みます）	［动1］	卷入, 卷进	
いたります（至ります）	［动1］	到达, 达到	
みつかります（見つかります）	［动1］	找到, 发现	
ふみます（踏みます）	［动1］	踩, 踏	
はかります（図ります）	［动1］	谋求；考虑	
みこみます（見込みます）	［动1］	预料, 估计	
ぬすみます（盗みます）	［动1］	盗取, 偷盗	

おこします（起こします）	［动1］	叫醒, 唤醒	
ほめます	［动2］	表扬, 赞扬	
もとめます（求めます）	［动2］	要求；追求, 寻求	
いじめます	［动2］	欺负, 折磨, 欺侮	
ぶつけます	［动2］	碰上, 撞上；扔, 投, 掷	
はっけんします（発見〜）	［动3］	发现	
じしょくします（辞職〜）	［动3］	辞职	
そうりつします（創立〜）	［动3］	成立, 创立	
いらいします（依頼〜）	［动3］	委托, 请求	
はつばいします（発売〜）	［动3］	上市, 发售, 出售	
かいはつします（開発〜）	［动3］	开发	
せいぞうします（製造〜）	［动3］	生产, 制造	
かんりします（管理〜）	［动3］	管理	
じつげんします（実現〜）	［动3］	实现	
せんれんします（洗練〜）	［动3］	精炼, 洗练	
ほうそうします（放送〜）	［动3］	广播, 播送	
せいさんします（生産〜）	［动3］	生产	
ほんやくします（翻訳〜）	［动3］	翻译, 笔译	
はつめいします（発明〜）	［动3］	发明	
はばひろい（幅広い）	［形1］	广泛, 宽广, 辽阔	
おおはば（大幅）	［形2］	大幅(度), 广泛	
たいりょう（大量）	［形2］	大量	
もっとも（最も）	［副］	最	
いやあ	［叹］	哎呀	
ニュートン	［专］	牛顿	
アーベル	［专］	诺贝尔	
オーストラリア	［专］	澳大利亚	
シーエスコンス（CS 公司）	［专］	CS 公司	
チンタオビール（青島〜）	［专］	青岛啤酒	
あキューせいでん（阿Q正伝）	［专］	阿Q正传	

....

まいりました（参りました）	真糟糕, 真倒霉
ばんゆういんりょくのほうそく（万有引力の法則）	万有引力定律

第 42 課
テレビをつけたまま，出かけてしまいました

基本課文

1. テレビをつけたまま，出かけてしまいました。
2. 目覚ましをかけておいたのに，今朝は起きられませんでした。
3. 会議は 5 時までですから，もうすぐ終わるはずです。
4. 張さんは入院中ですから，旅行に行くはずがありません。

A
甲: 昨日，窓を開けたまま寝たので，風邪を引いてしまいました。
乙: それはいけませんね。お大事に。

B
甲: すみません，このパソコン，電源を
　　入れたのに動かないんですが…。
乙: ああ，そのパソコンは壊れているんです。

C
甲: 森さんはどこですか。
乙: 1 時間ほど前に会社を出ましたから，もう家に着いているはずです。

D
甲: 太田さん，遅いですね。
乙: ええ。でも，太田さんは責任者ですから，
　　遅れるはずはないんですが…。

目覚まし(闹钟)　責任者(负责人)

语 法 解 释

1. | 小句1(动词た形／ない形) | まま， | 小句2 |

   | 名 | ＋の＋まま， | 小句 |

   表示将理应改变的状态保持着去进行另外的动作。"まま"前为肯定形式时用"动词た形＋まま"，"まま"前为否定形式时用"动词ない形＋まま"。

   ▶ テレビを**つけたまま**，出かけてしまいました。(开着电视就出门了。)

   ▶ 李さんはコートを**着たまま**，ベッドで寝てしまいました。

   (小李穿着外套就躺在床上睡了。)

   ▶ 馬さんは*行き先を***告げないまま**，家を出てしまいました。

   (小马没有说去哪里就离开了家。)

   前接名词时，用"名词＋の＋まま"的形式。

   ▶ わたしたちは*空腹のまま，出発しました。(我们空着肚子就出发了。)

   注意　"まま"前不能用敬体形。

   × テレビを**つけましたまま**，出かけてしまいました。

2. | 小句1(简体形) | のに， | 小句2 |

   表示在"小句1"的情况下发生的"小句2"的情况不符合常识常理。如果"小句1"为二类形容词小句和名词小句时，要用"二类形容词／名词＋な＋のに"的形式。

   ▶ 目覚ましを**かけておいたのに**，今朝は起きられませんでした。

   (尽管上了闹钟，今天早上还是没起来。)

   ▶ 今日はこんなに**寒いのに**，森さんは寒くないと言いました。

   (今天尽管很冷，森先生却说不冷。)

   ▶ この家は駅から近くて**便利なのに**，買う人がいません。

   (这个房子离车站近而方便，却没有人购买。)

   ▶ 田中さんは**作家なのに**，読書が嫌いです。(田中先生尽管是作家却讨厌读书。)

   ▶ 森さんは昨日**病気だったのに**，*出勤しました。

   (森先生昨天生着病却去上班了。)

   注意　"のに"前一般不用敬体形。

   × 電源を**入れましたのに**，動きませんでした。

   注意　"～が"(☞第16课"语法解释5")、"～けど"(☞第22课"语法解释6")的意思与"～のに"相近，但其前后的两个小句独立性强，因此"小句1"句尾可以使用"～です""～ます""～でしょう"等形式，并且"小句2"可以为命令句。与此相反，"～のに"前后的两个小句独立性弱，因此"小句1"句尾不可以使用"～です""～ます""～でしょう"等形式，并且"小句2"也不可以是祈使、请求的句式。

▶ 寒いですが，*換気のために窓を開けてください。

(虽然寒冷，不过为了换换空气，请打开窗户。)

× 寒い<u>のに</u>，換気のために窓を開けてください。

3. 小句(简体形) はずです

　　表示根据某种理由做出某种推断。用于对所推测的内容非常有把握的情况。小句为二类形容词小句和名词小句时，分别使用"二类形容词＋な＋はずです""名词＋の＋はずです"的形式。

▶ 会議は5時までですから，もうすぐ終わるはずです。

(会议5点钟结束，应该快完了。)

▶ この映画は人気がありますから，*観客は多いはずです。

(这部电影很受欢迎，看的人应该很多。)

▶ キムさんはこの大学の学生のはずです。(金女士应该是这所大学的学生。)

　　由于"～はずです"表示的是根据某种理由做出的判断，因此既可以用于说话人自身经历过但记忆已经不十分准确，也可以用于实际情况与自己的考虑不一致。

▶ たしか，書類は机の上に置いたはずです。(我记得文件应该是放在桌子上了。)

▶ 清水さんはまだ来ていませんが，今日は来るはずです。

(清水先生还没有来，不过今天应该会来。)

4. 小句(简体形) はずがありません

　　"～はずがありません"是"～はずです"的否定形式，表示根据某种理由做出某种否定性的推断，也可以说成"～はずはないです"。小句为二类形容词小句和名词小句时，分别使用"二类形容词＋な＋はずがありません""名词＋の＋はずがありません"的形式。

▶ 張さんは入院中ですから，旅行に行くはずがありません。

(小张在住院，不可能去旅行。)〔听到了小张去旅行的传言〕

▶ 7月のオーストラリアは冬ですから，暑いはずがありません。

(7月的澳大利亚正好是冬季，不可能热。)〔被问到7月的澳大利亚是否热〕

▶ 太田さん，遅いですね。

──ええ。でも，太田さんは責任者ですから，遅れるはずはないんですが…。

(太田先生真够晚的。──是啊。太田先生是负责人，不应该迟到呀……)

▶ 森さんはスキーがあんなに上手ですから，初心者のはずがありません。

(森先生的滑雪技术那么好，不可能是初学者。)

〔森先生自称是初学者，但实际水平很高〕

表达及词语讲解

1. 目覚ましをかけます

　　"目覚まし"是"目覚まし時計(闹钟)"的省略说法。设定时间一般说"目覚ましをかけます(上闹钟)"。也可以说"目覚ましを*セットします(上闹钟)""*アラームをセットします(上闹钟)"。

2. おととい送ったんですものね

　　句尾形式"〜ですもの"表示原因、理由。一般用于关系密切的人之间。与"〜ですから"相比，"〜ですもの"语气较弱。主要用于表示与说话人本身相关的理由。因此常常具有一种申明自己的行为是正当的语感。使用者多为女性。

　　应用课文中，小李认为自己一方确实已经寄出了文件，对方不可能没有收到，因此使用了"おととい送ったんですものね(前天寄出去的嘛)"。

> 〔田中(甲)跟女同事(乙)说话〕
> 甲: 今月から給料が上がったそうですね。(听说从这个月开始涨工资了呀。)
> 乙: こんなにたくさん仕事しているんですもの。*当然でしょう。
>
> （工作量这么大，当然(应该涨)啦！）

　　小孩子和部分女性使用"〜ですもの"的简体形式"〜だもの"时，常发音为"〜だもん"。与"〜ですもの""〜だもの"相比，"〜だもん"有一种撒娇的语感。

> 〔母亲(甲)问孩子(乙)〕
> 甲: どうして宿題しないの？(为什么不做作业？)
> 乙: 学校にノートを忘れちゃったんだもん。(把作业本忘在学校了嘛。)

3. せっかく〜のに

　　第 39 课学习了"せっかく(特意)"(☞ 第 39 课"表达及词语讲解 4")，本课学习其与"のに"呼应使用的形式"せっかく〜のに"。

　　"せっかく〜のに"表示对自己或对方的付出没有得到相应的回报或没有收到预期的效果而表示惋惜、遗憾的心情。

> せっかくアメリカに留学したのに，英語が上手になりませんでした。
>
> （煞费苦心去了美国留学，英语却没能学好。）
> せっかく教えてあげたのに，彼は全部忘れてしまいました。
>
> （特意教了他，他却忘得一干二净。）
> せっかく来てくれたのに，*留守にしてすみませんでした。
>
> （您特意来一趟，我却不在，实在抱歉。）

4. こちらこそ

第 1 课学习了当对方说"どうぞよろしくお願いします(请多关照)"时，应该紧跟着回应"こちらこそ"的说法(☞第 1 课"表达及词语讲解 4")。

应用课文中，太田向森道歉说"すみませんでした"之后，森回答说"いえ，こちらこそ"。这里的"いえ"是针对对方的道歉而说的，表示"不值得道歉"。"こちらこそ"后面省略了"すみませんでした"，是就自己事先没有联系好就贸然前去拜访表示歉意。

> 〔路上擦身而过碰着了肩〕
>
> あっ，すみません。 （哎呀，对不起。）
>
> ——いえ，**こちらこそ**。 （哪里，是我不好。）

5. *早速

表示迅速进行某种行为的情况。"すぐ"也具有相近的语义，但与"すぐ"相比，"早速"倾向于表示说话人或听话人积极主动地开始行动，而不能用于客观描写。

应用课文中，太田说"早速，*企画案を*検討してみます(马上组织讨论策划方案)"，给人一种态度积极，热情向上的感觉。

另外，"早速"在书信里有一种习惯用法，这时候的"早速"不能用"すぐ"来代替。

> **早速**の*お返事，どうもありがとうございました。

(你这么快就给我回信了，非常感谢。)

> **早速**ですが，*次回会議の*日程をお知らせします。

(现在请允许我通知您下一次会议的日程。)

応用課文
企画案(きかくあん)

JC策划北京分公司，以森和小李为主，制定了CS公司委托的新商品宣传策划方案。在策划方案说明会之前，为了征求意见，森把策划方案送到了CS公司。

（加藤经理接到CS公司太田先生的电话后，向小李确认）

加藤：今，太田さんから電話があったんだけど，まだ企画案が届いていないそうだよ。

李：変ですね。森さんがおととい送ったはずですが。

（小李向森确认）

森：ええ？　おかしいな。そんなはずはないですよ。

李：そうですよね。おととい送ったんですものね。

森：いえ，自分で届けたんです。西長安街の方へ行く用事があったので。

李：じゃあ，太田さんに直接渡したんですか。

森：いえ，太田さんは外出中でしたから，会社の人に預けてきました。

（不久太田先生给森打来电话）

太田：すみません。企画案，届いていました。
　　　同僚が預かったままだったんです。

森：そうだったんですか。よかったです。

太田：せっかく来てくれたのに，留守に
　　　して，すみませんでした。

森：いえ，こちらこそ。連絡もせずに，
　　　訪ねてしまって。

（通话结束前）

太田：早速，企画案を検討してみます。来週中には，お返事できるはずです。

森：よろしくお願いします。

同僚(同事)　預かります(保管)

練　習

練習 I

1. 仿照例句替换画线部分进行练习。

[例] テレビをつけます／出かけます → <u>テレビをつけた</u>まま，<u>出かけて</u>しまいました。

(1) 窓を開けます／寝ます

(2) 座ります／先生にあいさつします

(3) 友達に本を借ります／忘れます

(4) 眼鏡をかけます／顔を洗います

2. 仿照例句替换画线部分进行练习。

[例] 靴／脱ぎます／はきます

　　→ 甲: 講堂に入る時，<u>靴を脱が</u>なければなりませんか。

　　　　乙: <u>はいた</u>ままでいいですよ。

(1) コート／脱ぎます／着ます

(2) 帽子／脱ぎます／かぶります

(3) 荷物／預けます／持ちます

(4) 携帯の電源／切ります／入れます

3. 仿照例句替换画线部分进行练习。

[例] 電源を入れました／動きません → <u>電源を入れた</u>のに，<u>動きません</u>。

寒いです／海で泳いでいます → <u>寒い</u>のに，<u>海で泳いでいます</u>。

便利です／使いません → <u>便利な</u>のに，<u>使いません</u>。

(1) 絶対に来ると言いました／まだ来ません

(2) 地震がありました／気づきませんでした

(3) 目覚ましをかけませんでした／起きられました

(4) 冷蔵庫でスイカを 2 時間冷やしました／ちっとも冷えていません

(5) この機械は新しいです／もう故障しました

(6) この問題は難しくなかったです／だれもできませんでした

(7) 戴さんは英語が上手です／あまり使いません

(8) うわさは確かではないです／みんなが信じています

(9) 春です／まだ寒いです

(10) まだ 5 時過ぎです／もう会社にだれもいません

4. 听录音，注意画线部分并反复进行练习。

(1) 2 年間も日本語を勉強している<u>のに</u>，上手に話せません。

2 年間も日本語を勉強している<u>ので</u>，とても上手に話せます。

(2) おもしろい<u>のに</u>，だれも読みません。

おもしろい<u>ので</u>，大勢の人が読んでいます。

講堂(讲堂)　気づきます(发觉)　冷やします(冰镇)　冷えます(变冷)　確か(确实)

信じます(相信)

(3)　明日試験なのに，全然勉強しません。
　　明日試験なので，一生懸命勉強します。

5. 仿照例句替换画线部分进行练习。

［例］もう家に着いています → もう家に着いているはずです。

　　　おいしいです → おいしいはずです。
　　　上手です → 上手なはずです。
　　　60 歳です → 60 歳のはずです。

(1)　絶対来ます　　　　　　　　(2)　さっき帰りました

(3)　来ません　　　　　　　　　(4)　きっと思い出します

(5)　丈夫だから，折れません　　(6)　北京で行われます

(7)　正しいです　　　　　　　　(8)　すばらしいです

(9)　楽しくないです　　　　　　(10)　高かったです

(11)　確かです　　　　　　　　(12)　答えは簡単です

(13)　まだ学生です　　　　　　(14)　昼間は留守です

(15)　4 時からです　　　　　　(16)　出張中です

6. 仿照例句替换画线部分进行练习。

［例］張さんは入院中です／旅行に行きます

　　　→ 張さんは入院中です。だから，旅行に行くはずがありません。

(1)　李さんは優しいです／怒ります

(2)　清水さんはオーストラリアで働いたことがあります／英語が分かりません

(3)　小野さんとちゃんと約束をしました／来ません

7. 仿照例句替换画线部分进行练习。

［例］今人気のあのお菓子を買います

　　　→ 甲: 今人気のあのお菓子を買いたいんですが…。
　　　　　乙: 午前中に行けば，買えるはずです。

(1)　車を駅前の駐車場に止めます

(2)　ＪＣ企画の社長に会います

(3)　教室のパソコンを使います

きっと(一定)　　思い出します(想起)　　丈夫(牢固)　　折れます(折，断)　　正しい(正確的)

昼間(白天)

练习 II

1. 从 ▭ 中选择词语，变成适当的形式完成句子。

［例］一生懸命やりましたから，きっと（成功する）はずです。

(1) せっかく住所を書いて（　　　　）のに，なくしてしまいました。

(2) 今までにゴルフをしたことがないんですって。（　　　　）のに上手ですね。

(3) （　　　　）のに会費を払わなければなりません。

(4) 辞書で調べたから，この漢字は（　　　　）はずです。

(5) 月曜日，図書館は（　　　　）はずです。

(6) パソコンを（　　　）まま，外出しないようにしてください。

休みです	初めてです	正しいです	出席しません
~~成功します~~	もらいました	つけます	

2. 在（　　）中填入"のに"或"ので"完成句子。

［例］夏休みな（ので），学校へ行かなくていいです。
　　　夏休みな（のに），毎日学校へ行きます。

(1) ここは禁煙な（　　　　），タバコを吸うことができません。
　　　ここは禁煙な（　　　　），タバコを吸っている人がいます。

(2) 外がうるさい（　　　　），全然起きないでずっと寝ています。
　　　外がうるさい（　　　　），窓を閉めます。

(3) まじめに働くと言った（　　　　），雇いました。
　　　まじめに働くと言った（　　　　），すぐ辞めました。

3. 听录音，仿照例句从 ▭ 中选择合适的答案。

［例］李さんは親切だから，＿＿＿③＿＿＿

(1) ＿＿＿＿＿　　(2) ＿＿＿＿＿　　(3) ＿＿＿＿＿　　(4) ＿＿＿＿＿

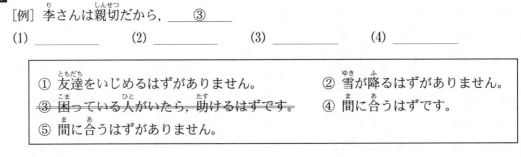

① 友達をいじめるはずがありません。	② 雪が降るはずがありません。
~~③ 困っている人がいたら，助けるはずです。~~	④ 間に合うはずです。
⑤ 間に合うはずがありません。	

4. 将下面的句子译成日语。

(1) 开着电视就出门了。

(2) 尽管上了闹钟，今天早上还是没起来。

(3) 会议 5 点钟结束，应该快完了。

生 词 表

せきにんしゃ（責任者）　［名］	负责人	つげます（告げます）　［动2］ 说，告诉
どうりょう（同僚）　［名］	同事	ひえます（冷えます）　［动2］ 变冷；感觉凉
かんきゃく（観客）　［名］	观众	しんじます（信じます）　［动2］ 相信，信任
くうふく（空腹）　［名］	空肚子，空腹，饿	おれます（折れます）　［动2］ 折，断；拐弯
かんき（換気）　［名］	换气	しゅっきんします（出勤〜）　［动3］ 上班，出勤
るす（留守）　［名］	不在家	セットします　［动3］ 设定，设置
こうどう（講堂）　［名］	讲堂	けんとうします（検討〜）　［动3］ 讨论
ひるま（昼間）　［名］	白天，白日	ただしい（正しい）　［形1］ 正确的
にってい（日程）　［名］	日程	とうぜん（当然）　［形2］ 当然，应当
じかい（次回）　［名］	下次，下回	たしか（確か）　［形2］ 确实，确切；大概
めざまし（目覚まし）　［名］	闹钟；叫醒	じょうぶ（丈夫）　［形2］ 牢固，结实
アラーム　［名］	闹钟，闹铃	さっそく（早速）　［副］ 马上，立即
きかくあん（企画案）　［名］	策划方案	ちょくせつ（直接）　［副］ 直接
おへんじ（お返事）　［名］	回信	きっと　［副］ 一定
いきさき（行き先）　［名］	去的地方，目的地	だって　［连］ 可是，但是
あずかります（預かります）　［动1］ 保管，收存		にしちょうあんがい（西長安街）　［专］
きづきます（気づきます）　［动1］ 发觉，发现		西长安街
ひやします（冷やします）　［动1］ 冰镇，冷却		
おもいだします（思い出します）　［动1］		るすにします（留守にします）
想起，想出		不在家，无人在家

专栏 由于送货上门服务的兴盛发达，寄送文件、货物十分方便了。现在，今天寄出的货物明天就能送达已经是极为普通的事了。另外还有钟点服务，如果在下午7点以前办理完寄送手续，在第二天早上10点前货物就能送达。不过，这种服务一般有送达区域的限制。此外，不仅能够指定送达日期，如果是下午的话，还可以以每两个小时作为一个时间段指定送达时间。这样，就可以根据收件人的时间安排寄送货物了。

摩托快递 公司之间，有些需要当天送达对方但无法通过电子邮件发送的文件或物件。针对这种情况，出现了"バイク便（摩托快递）"，也叫做"即配便（即时快递）"。这是一种利用摩托车的灵活机动性递送货物的服务，其宣传口号是"东京都内、邻近县内，从取件到送达只需60分钟"。

原则上，送货服务的费用根据物品的大小、重量而定。但是，摩托快递的费用则是依据递送距离的远近而定。按照取件地点与送达地点在地图上的直线距离计算费用，例如，以2公里内收费2 000日元作为基本费用，每增加1公里加收300日元。另外，摩托快递对货物的大小、重量有限制，一般要求不超过20公斤。

第 43 課

陳さんは，息子をアメリカに留学させます

基本課文

1. 陳さんは，息子をアメリカに留学させます。
2. 部長は太田さんにレポートを書かせました。
3. 疲れました。少し休ませてください。
4. このボールペンはとても書きやすいです。

A
甲: 今，子供を買い物に行かせています。
乙: お手伝いですか。わたしもよく子供に家の仕事を手伝わせます。

B
甲: 遠いですから，駅まで部下に送らせましょうか。
乙: 大丈夫です。ありがとうございます。

C
甲: 部長，気分が悪いので，早く帰らせてください。
乙: ええ，いいですよ。お大事に。

D
甲: この駅は乗り換えが分かりにくいですね。
乙: ええ，とても大きい駅ですからね。

お手伝い（帮忙）　気分（身体状况）　乗り換え（换车）

语法解释

1. 使役形式

使役形式是表示使役主体强制或指示动作主体进行动作的语法形式，也可以用来表示使役主体对动作主体的行为的许可或放任。其构成方式如下：

■ 一类动词：把"ない形"的"ない"变成"せる"。
■ 二类动词：把"ない形"的"ない"变成"させる"。
■ 三类动词：把"来る"变成"来させる"，把"する"变成"させる"。

类 ＼ 形	基本形	ない形		使役形式（基本形）	使役形式（ます形）
一类动词	書く	かか**ない**	→	かか**せる**	かか**せます**
	急ぐ	いそが**ない**	→	いそが**せる**	いそが**せます**
	死ぬ	し**ない**	→	し**なせる**	し**なせます**
	読む	よま**ない**	→	よま**せる**	よま**せます**
	飛ぶ	とば**ない**	→	とば**せる**	とば**せます**
	売る	うら**ない**	→	うら**せる**	うら**せます**
	買う	かわ**ない**	→	かわ**せる**	かわ**せます**
	待つ	また**ない**	→	また**せる**	また**せます**
	話す	はなさ**ない**	→	はなさ**せる**	はなさ**せます**
二类动词	食べる	たべ**ない**	→	たべ**させる**	たべ**させます**
	見る	み**ない**	→	み**させる**	み**させます**
三类动词	来る	——————→		こ**させる**	こ**させます**
	する	——————→		**させる**	**させます**

※ "（さ）せます"与二类动词的活用方式相同。

2. 名 は 名 を 自动 （さ）せます

在使役句里不是动作主体而是使役主体做主语，如动词是自动词时，动作主体用助词"を"表示。

　　　　　　李さんは　出張します。（小李出差。）
　　　部長は　李さんを　出張させます。（部长让小李出差。）

▶ 陳さんは，息子をアメリカに留学させます。（老陈让儿子去美国留学。）
▶ 田中さんは公園で子供を遊ばせています。（田中先生让孩子在公园玩耍。）
▶ あの課長は部下を休ませません。（那个科长不让部下休息。）

3. 名 は 名 に 名 を 他动 （さ）せます

在使役句里不是动作主体而是使役主体做主语，如动词是他动词时，动作主体用助词"に"表示。这里的动作主体不用"を"而用"に"表示，是因为在日语中一般尽量避免在同一个句子里重复使用"を"的缘故。

森さんは　歌を歌います。（森先生唱歌。）

陳さんは　森さんに　歌を歌わせます。（老陈让森先生唱歌。）

× 陳さんは　森さんを　歌を歌わせます。

▶ 部長は太田さんにレポートを書かせました。（部长让太田先生写报告。）

▶ 先生は生徒にこの本を読ませます。（老师让学生读这本书。）

▶ 先生は生徒にたくさんの歌を覚えさせました。（老师让学生学习了许多歌曲。）

参考　**使役被动形式**：由使役形式加被动形式构成。一般表示一种被迫性的动作。其具体构成方式如下：

■ 一类动词：把"ない形"的"ない"变成"される"。

■ 二类动词：把"ない形"的"ない"变成"させられる"。

■ 三类动词：把"来る"变成"来させられる"，把"する"变成"させられる"。

类　　形	基本形	ない形		使役被动形式（基本形）	使役被动形式（ます形）
一类动词	書く	かかない	→	かかされる	かかされます
二类动词	食べる	たべない	→	たべさせられる	たべさせられます
三类动词	来る	——————→		こさせられる	こさせられます

*選手は　走ります。　（运动员跑步。）

*監督は　選手を　走らせます。（教练让运动员跑步。）

選手は　監督に　走らされます。（运动员被教练要求跑步。）

4. 動 （さ）せてください

请求别人允许自己做某事时，用"～（さ）せてください"。在这个句型里，说话人一般不出现。如需要特别强调时则可以用"わたしを""わたしに"的形式。

▶ 疲れました。（わたしを）少し休ませてください。（我累了。让我稍稍休息一会儿。）

▶ すみません，（わたしに）ちょっとこの自転車を使わせてください。

（对不起，请让我用一下这辆自行车。）

▶ この仕事はわたしにやらせてください。（请让我干这份工作。）

5. 動 やすいです／にくいです

表示事物的某种性质，其接续方式为动词"ます形"去掉"ます"加"やすいです／にくいです"。"～やすいです"表示事物有"易于～"的倾向，"～にくいです"表示事物有"难于～"的倾向。

▶ このボールペンはとても書きやすいです。（这支圆珠笔很好用。）

▶ この本は読みやすいです。（这本书好读〈很简单〉。）

▶ この店の場所は分かりにくかったです。（这个商店的地址很难找。）

▶ 運動をしている人は太りにくいです。（经常做运动的人不容易发胖。）

表达及词语讲解

1. お手伝い ［动词转换为名词］

"お手伝い"是动词"手伝います"的"ます形"去掉"ます"，再前接表示尊敬的"お"构成的名词。在日语中一部分动词的"ます形"去掉"ます"可以作名词使用。下面是几个常用的例子。

休み 休息	*考え 想法	手伝い 帮忙
乗り換え 换车	持ち帰り 打包，带走	*申し出 申请，提议

2. "行ってもらいます"和"行かせます"

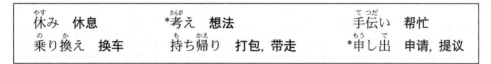

第28课学习了"〜てもらいます"表示说话人请别人做某事的用法（☞第28课"语法解释3"）。这种用法和使役形式的功能相近。两者之间的区别是：使役形式是直接命令别人，语气强硬。而"〜てもらいます"则是委托别人做某事，语气比较柔和。

▶ ＣＳ公司の*プレゼン，だれに行ってもらいましょうか。
——森君と李さんを行かせるつもりです。

（CS公司的策划方案说明会，您打算派谁去？——打算让森和小李去。）

3. 〜のではないでしょうか ［婉转陈述意见的表达 ①］

这个表达形式可以分析为由"〜＋の＋ではない＋でしょうか"构成。"〜のではない"表示否定，"でしょうか"是第31课学过的比较礼貌的疑问形式（☞第31课"语法解释4"）。否定加疑问，相当于汉语的"不是〜吗"，表达的是一种委婉的肯定的意思，整体上相当于"〜と思います"，但比"〜と思います"更委婉。

在应用课文中，森用了"*避けたほうがいいのではないでしょうか"的说法，这样说比直接用"避けたほうがいいと思います"更令人容易接受。这时，句尾读降调。

▶ *アルファベットは分かりにくいので，避けたほうがいいのではないでしょうか。

（英语字母比较晦涩，还是避开比较好。）

▶ *免税店では，*女性向けの商品がよく*売れるのではないでしょうか。

（在免税店，女性专用的商品好卖一些吧？）

4. *ぐっと ［拟声词 ②］

本意表示动作急促、力度大，引申为变化的幅度大或动作迅猛。

▶ 森さんは小野さんの手をぐっと*引っ張りました。（森猛地拉了一下小野的手。）
▶ 商品の*イメージがぐっとよくなって，*消費者が安心して買えると思います。

（商品形象要好得多，消费者就会放心购买。）

211

5. 郑重的口语表达

　　第 41 课学习了书面语文体（☞ 第 41 课"表达及词语讲解 5"）。其实，口语体自身也有正式和随便之分。正式口语体除本课应用课文那样用于商务场合以外，多用于学术发表等场合。下面是正式口语体和非正式口语体对比的例子。

正式口语体	非正式口语体
*言うまでもなく（不言而喻）	もちろん（当然）
～のではないでしょうか（我想～）	～んじゃない?（我想～）
やはり（仍然）	やっぱり（还是）
など（之类）	*なんか（等等）

📖 **计算机用语** ────────────────

ウィンドウズ　Windows［视窗］

マッキントッシュ　苹果机

ディスプレイ　显示器

キーボード　键盘

マウス　鼠标

マウスパッド　鼠标垫

ＵＳＢ　　USB［通用串行总线］

インストール　安装

ダウンロード　下载

ＣＤ-ＲＯＭ　CD-ROM［只读光盘］

フロッピー　软盘

クリック　点击

インターネット　互联网

Ｅメール　电子邮件

アドレス　（电子邮箱）地址

　　@　　圏 a, at

ホームページ　主页

ネットサーフィン　上网

インターネットカフェ　上网咖啡馆（网吧）

設定します　设定

接続します　连接

保存します　保存

添付します　添加

应用课文

プレゼンテーション

JC 策划北京分公司受 CS 公司委托，承担他们新产品的策划、宣传。森和小李在 CS 公司就新产品的名称以及设计图案等做了说明。

（在北京分公司的办公室。加藤经理告诉老陈派森和小李去 CS 公司）

陳：CS公司のプレゼン，だれに行ってもらいましょうか。

加藤：森君と李さんを行かせるつもりです。

（在 CS 公司的会议室，森和小李利用大屏幕做说明）

森：……言うまでもなく品質は重要ですが，ネーミングとデザインもとても

大切です。まず，ネーミングですが，理解しやすくて単純なものがいいと

考えます。しかも，多くの人に親近感を感じさせるものが理想的です。アル

ファベットは分かりにくいので，避けたほうがいいのではないでしょうか。

李：では，ネーミングについて具体的に提案させてください。例えば，「动力」は

どうでしょう？　力強い感じを受けませんか。「Energy」や「Power」などの

英語を使うこともできますが，英語が分からない人には商品のイメージが

浮かびにくいと思います。……

森：次に，デザインですが，やはりインパクトのあるものが必要です。

そこで，今回，赤と黄色を使った斬新なデザインを考えてみました。

今，デザイナーにいくつか試作させて

います。……

（最后谈到了定价）

森：定価については，少し高いほうがいいと

考えます。商品のイメージがぐっと

よくなって，消費者が安心して買えると

思います。……

しかも（而且）　多く（多数）　もの（东西）　提案します（建议）　例えば（比如）　力強い（强有力）

感じ（感觉）　受けます（感受）　浮かびます（想起）　インパクト（冲击力）　そこで（因此）

練 習

練習 I

1. 仿照例子，将动词变成使役形式。然后听录音确认。

[例] 行きます → 行かせます　　食べます → 食べさせます

　　します → させます　　　　来ます → 来させます

(1) 歩きます　　(2) 話します　　(3) 持ちます　　(4) 遊びます

(5) 読みます　　(6) 帰ります　　(7) 買います　　(8) 歌います

(9) 調べます　　(10) 覚えます　　(11) 経験します　　(12) 持ってきます

2. 仿照例句替换画线部分进行练习。

[例1] 子供が歩きます → 親は子供を歩かせます。

(1) 子供が塾に行きます　　　　　　(2) 子供が外で遊びます

(3) 兄が日本へ留学します　　　　　(4) 妹が休みます

(5) 弟が家に帰ります　　　　　　　(6) 姉が結婚します

[例2] 学生が本を読みました（先生）→ 先生は学生に本を読ませました。

(7) 娘がスープを温めました（母）　(8) 子供が電気を消します（父）

(9) 森さんがレポートを書きます（課長）　(10) 学生が例文を暗記します（先生）

(11) 社員は新しい企画を考えます（部長）　(12) 息子が車を運転します（母）

3. 仿照例句，造使役句。

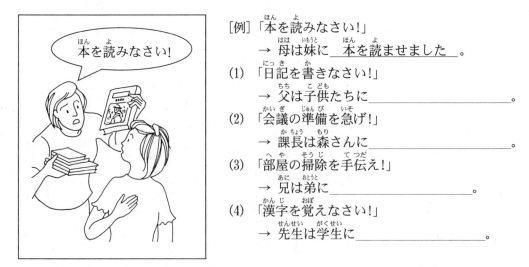

[例]「本を読みなさい!」

　　→ 母は妹に　本を読ませました　。

(1)「日記を書きなさい!」

　　→ 父は子供たちに＿＿＿＿＿＿＿＿＿＿。

(2)「会議の準備を急げ!」

　　→ 課長は森さんに＿＿＿＿＿＿＿＿＿＿。

(3)「部屋の掃除を手伝え!」

　　→ 兄は弟に＿＿＿＿＿＿＿＿＿＿。

(4)「漢字を覚えなさい!」

　　→ 先生は学生に＿＿＿＿＿＿＿＿＿＿。

親(双亲)　塾(私塾)　温めます(热)　例文(例句)　暗記します(熟记, 背诵)

4. 仿照例句替换画线部分进行练习。

[例1] 気分が悪いです／早退します　→　気分が悪いので，早退させてください。

(1) 時間になりました／始めます

(2) 用事があります／明日休みます

(3) 荷物が重いです／ここに置きます

(4) 課長がまだ来ません／ここで待ちます

[例2] 仕事／わたし／やります　→　その仕事は，ぜひわたしにやらせてください。

(5) 歌／わたし／歌います

(6) 企画／我々／考えます

(7) 会場の案内役／わたしたち／やります

(8) プレゼンテーション／李さんとわたし／担当します

5. 仿照例句替换画线部分进行练习。

[例] この肉はとても柔らかいです／食べます

　　　→　この肉はとても柔らかいので，食べやすいです。
　　　この肉はちょっと硬いです／食べません

　　　→　この肉はちょっと硬いので，食べにくいです。

(1) この説明書は字が大きいです／分かります

(2) 雪が降っています／道が滑ります

(3) この会社は設備が整っています／働きます

(4) 今は梅雨です／洗濯物が乾きません

(5) このガラスのコップは厚いです／割れません

(6) 日本は物価が高いです／暮らしません

🎧 6. 听录音，仿照例句替换画线部分练习会话。

[例] 明日休みます／妻が入院することになりました／それはいけませんね。お大事に

　　　→　甲: 部長，すみませんが，明日休ませてください。

　　　　　乙: どうしたんですか。

　　　　　甲: 妻が入院することになりました。

　　　　　乙: そうですか。それはいけませんね。お大事に。

　　　　　甲: ありがとうございます。

(1) 午後早退します／両親を空港まで迎えに行きたいんです／まあ，いいですよ

(2) １年間休職します／中国に留学したいんです／いいでしょう。頑張ってください

(3) アメリカへ行きます／広告の研究をしたいんです／社長と相談してみましょう

我々(我们)　　案内役(向导)　　柔らかい(柔软)　　整います(齐备)　　洗濯物(洗的衣服)

乾きます(干，干燥)　　ガラス(玻璃)　　暮らします(生活)　　休職します(停职)

练习Ⅱ

1. 给正确的答案画○。

[例] たぶん明日は（（暇なはず）・ 暇なつもり ）です。

(1) 電話番号を（ 忘れたために ・ 忘れるために ），連絡できませんでした。

(2) すみませんが，今日（ 休まれて ・ 休ませて ）ください。

(3) 若い人は最近，健康に気を（ つけるように ・ つけることに ）なりました。

(4) 通勤ラッシュの時間ですね。電車が込んで（ きました ・ いきました ）。

(5) 夏は食べ物が（ 腐りやすい ・ 腐りにくい ）ので，気をつけてください。

(6) 急に森さんに（ 休まれた ・ 休ませた ）ので，今日は忙しいです。

2. 听录音，与录音内容一致的在（　　）中画○，不一致的画×。

[例] 今の親は子供に勉強ばかりさせます。　　　　　（ ○ ）

(1) 今の親は子供に手伝いをよくさせます。　　　　（　　）

(2) わたしは子供の時，母に部屋を掃除させました。　（　　）

(3) 母はわたしによく家の手伝いをさせました。　　（　　）

(4) 母はわたしに料理を作らせました。　　　　　　（　　）

(5) 母は宿題や復習をきちんとさせました。　　　　（　　）

(6) 試験の成績が悪いと，母にしかられました。　　（　　）

3. 用"～やすい／～にくい"完成句子。

[例] 食べ（ やすい ）ように，小さく切ってください。

(1) このガラスは割れ（　　　　）ので，安心して使えます。

(2) 日本を外国人が住み（　　　　）国にしましょう。

(3) 雨の日でも，滑り（　　　　）て，はき（　　　　）靴はありませんか。

(4) 道が広くなって，人も車も通り（　　　　）なりました。

(5) この曲はちょっと歌い（　　　　）ですね。もっと歌い（　　　　）のを
教えてください。

4. 将下面的句子译成日语。

(1) 老陈让儿子去美国留学。

(2) 我经常让孩子帮着做家务。

(3) 这个圆珠笔很好用。

生 词 表

おてつだい（お手伝い）　［名］　帮忙，帮助

のりかえ（乗り換え）　［名］　换车，换乘

かんがえ（考え）　［名］　想法，思想

じょせいむけ（女性向け）　［名］

　　　　　　　　　　女性专用，专为女性

もうしで（申し出）　［名］　申请，提议

かんじ（感じ）　［名］　感觉

おおく（多く）　［名］　多，多数

ぶか（部下）　［名］　部下

かんとく（監督）　［名］　教练，领队

せんしゅ（選手）　［名］　运动员，选手

しょうひしゃ（消費者）　［名］　消费者

あんないやく（案内役）　［名］　向导，导游

おや（親）　［名］　双亲，父母

プレゼンテーション／プレゼン　［名］

　　　　　　　　　　策划方案说明（会）

アルファベット　［名］　英语字母，拉丁字母

イメージ　［名］　形象，印象

インパクト　［名］　冲击力，力量感

ガラス　［名］　玻璃，玻璃杯

きぶん（気分）　［名］　（身体）舒适（与否）；情绪

しんきんかん（親近感）　［名］　亲切感

ひんしつ（品質）　［名］　质量，品质

ぶっか（物価）　［名］　物价

めんぜいてん（免税店）　［名］　免税店

せつめいしょ（説明書）　［名］　说明书

じゅく（塾）　［名］　私塾，补习学校

れいぶん（例文）　［名］　例句

かいじょう（会場）　［名］　会场

せつび（設備）　［名］　设备

せんたくもの（洗濯物）　［名］　洗的衣服

もの　［名］　东西，事物

じ（字）　［名］　字

つま（妻）　［名］　妻子

われわれ（我々）　［代］　我们

ひっぱります（引っ張ります）　［動1］　拉，拽

うかびます（浮かびます）　［動1］

　　　　　　　　　　想起，浮，浮现

ととのいます（整います）　［動1］　齐备，完备

かわきます（乾きます）　［動1］　干，干燥

くらします（暮らします）　［動1］　生活

さけます（避けます）　［動2］　回避，避免

うれます（売れます）　［動2］　好卖，畅销

うけます（受けます）　［動2］　感受，受到

あたためます（温めます）　［動2］　热，温

りかいします（理解〜）　［動3］　理解

ていあんします（提案〜）　［動3］　建议，提案

しさくします（試作〜）　［動3］　试作，试制

けいけんします（経験〜）　［動3］　经验，经历

あんきします（暗記〜）　［動3］　熟记，背诵

そうたいします（早退〜）　［動3］　早退

きゅうしょくします（休職〜）　［動3］

　　　　　　　　　　（暂时）停职

ちからづよい（力強い）　［形1］

　　　　　　　　　　强有力；心里踏实

やわらかい（柔らかい）　［形1］　柔软

かたい（硬い）　［形1］　硬

あつい（厚い）　［形1］　厚

じゅうよう（重要）　［形2］　重要

たんじゅん（単純）　［形2］　单纯

りそうてき（理想的）　［形2］　理想

ぐたいてき（具体的）　［形2］　具体

ざんしん（斬新）　［形2］　新颖，崭新

ぐっと　［副］　更加；用力

たとえば（例えば）　［副］　比如，例如

しかも　［連］　而且

そこで　［連］　因此，于是，所以；那么

………………………………………………………

いうまでもなく（言うまでもなく）　不言而喻

〜なんか

第 44 課

玄関のところにだれかいるようです

基本課文

1. 玄関のところにだれかいるようです。
2. 小野さんは森さんが好きみたいです。
3. 今度の社員旅行は韓国へ行くらしいです。
4. 昼ご飯を食べ過ぎました。

A
甲: 葉子さんは留学試験に合格したようですよ。
乙: それはよかったですね。

B
甲: 毎日暑いですね。この暑さはいつまで続くんでしょう。
乙: 天気予報によると，まだまだ続くみたいですよ。

C
甲: 新しい遊園地は，とても人気があるみたいですね。
乙: ええ。馬さんたちも来週行くらしいですよ。

D
甲: ゆうべ行ったビアガーデンはなかなかよかったですね。
乙: ええ。でも，ちょっと飲み過ぎました。

暑さ（暑热）　ビアガーデン（庭院式的啤酒店）

语 法 解 释

1. 小句(简体形) ようです　①　［推测］
   名 ＋の＋ようです　①　［推测］

　　表示根据说话人感知的某种情况进行推测。小句为二类形容词小句时把其简体形的"だ"换成"な"，使用"二类形容词＋な＋ようです"的形式。

　　▶ 玄関のところにだれかいるようです。(门厅那儿好像有人。)
　　▶ エンジンが故障したようです。(好像是发动机出故障了。)
　　▶ 店の前には*行列ができています。あの店の料理はおいしいようです。

　　　　　　　　　　　　　　　　(那个饭店前面排起了长队，看来菜的味道不错。)
　　▶ 値段はほかの店の*倍です。ここの料理は*かなり*豪華なようです。

　　　　　　　　　　　　　　　　(价钱是别的饭店的两倍，这儿的菜看起来很豪华。)

　　前接名词时，用"名词＋の＋ようです"的形式。

　　▶ 遠くから何か飛んできます。飛行機のようですね。

　　――そのようですね。(什么东西从远处飞过来了，好像是飞机。——好像是。)

2. 小句(简体形) みたいです　①　［推测］

　　与"～ようです"基本相同，也表示根据说话人感知的某种情况进行推测，是比较随便的说法，不用于书面语。小句为二类形容词小句和名词小句时把其简体形的"だ"换成"みたいです"。

　　▶ 小野さんは森さんをよく見ていますね。小野さんは森さんが好きみたいです。

　　　　　　　　　　　　　　　　(小野女士老是看森先生，她好像喜欢森先生。)
　　▶ 雨の音が聞こえません。雨がやんだみたいです。(听不见雨声了。好像雨停了。)
　　▶ 外の人はみんなコートを着ています。外は寒いみたいです。

　　　　　　　　　　　　　　　　(行人都穿着大衣。外面好像很冷。)
　　▶ 雲が*広がっています。明日は雨みたいですよ。

　　　　　　　　　　　　　　　　(云层向四周蔓延。明天好像要下雨。)

3. 小句(简体形) らしいです　［推测］［传闻］

　　"～らしいです"既可以表示根据某种观察到的情况进行推测，也可以用来婉转地叙述听来的信息。小句为二类形容词小句和名词小句时把其简体形的"だ"换成"らしいです"。

　　▶ 今度の社員旅行は韓国へ行くらしいです。(下次的全社旅行好像是去韩国。)
　　▶ 李さんは頭が痛いらしいです。(小李好像头疼。)
　　▶ 林さんはお酒が好きらしいですよ。(林先生好像喜欢喝酒。)
　　▶ 電気が消えています。李さんは出かけたらしいです。

　　　　　　　　　　　　　　　　(电灯关着。小李大概是出去了。)

▶ *パトカーの*サイレンが聞(き)こえます。近所(きんじょ)で事故(じこ)があったらしいです。

(警车叫呢。这附近好像出什么事儿了。)

参考　"～ようです""～らしいです"两者都可以表示推测。如果站在第三者的角度客观地叙述推测的结论时，既可以使用"～ようです"也可以使用"～らしいです"。反之，直接对被观察、被推测的人发话时，则只能使用"～ようです"。

▶ 〔看到小李房间的电灯关着〕
○ 李さんは出(で)かけたらしいです。（小李大概是出去了。）
○ 李さんは出(で)かけたようです。（小李大概是出去了。）

▶ 〔看着激烈咳嗽的对方〕
○ 風邪(かぜ)を引(ひ)いたようですね。（你好像感冒了。）
× 風邪(かぜ)を引(ひ)いたらしいですね。

4. 动词／一类形／二类形 過(す)ぎます

表示某种动作或事物的性质等超过了正常的量或程度。其接续方式为动词"ます形"去掉"ます"加"過ぎます"。一类形容词时把词尾"い"换成"過(す)ぎます"，二类形容词时后续"過(す)ぎます"。"過(す)ぎます"的活用方式与二类动词相同。

▶ 昼(ひる)ご飯(はん)を食(た)べ過(す)ぎました。（午饭吃多了。）
▶ このスープは熱(あつ)過(す)ぎませんか。（你不觉得这个汤太烫吗？）
▶ この説明(せつめい)は複雑(ふくざつ)過(す)ぎます。（这说明太复杂。）

5. 一类形 ＋ さ

"一类形容词＋さ"构成一种表示某种状态的名词。其构成方式是把词尾"い"换成"さ"。

▶ この暑(あつ)さはいつまで続(つづ)くんでしょう。（这种炎热的天气要持续到什么时候呢？）
▶ 富士山(ふじさん)の*美(うつく)しさが*心(こころ)に残(のこ)っています。（富士山的美留在了我的心底。）
▶ 仕事(しごと)の*おもしろさがやっと分(わ)かりました。（终于体会到了工作的趣味。）

参考　部分一类形容词后续"さ"，成为表示大小、长短、轻重等的名词。

一类形	～さ	一类形	～さ	一类形	～さ
大(おお)きい	*大(おお)きさ 大小	高(たか)い	*高(たか)さ 高度	*深(ふか)い	*深(ふか)さ 深度
長(なが)い	*長(なが)さ 長度	広(ひろ)い	*広(ひろ)さ 面积	太(ふと)い	*太(ふと)さ 粗(度)
重(おも)い	*重(おも)さ 重量	厚(あつ)い	*厚(あつ)さ 厚度	速(はや)い	*速(はや)さ 速度

参考　某些二类形容词也可以后续"さ"。但不如一类形容词用得普遍。例如：可以说"*便利(べんり)さ(方便程度)""*複雑(ふくざつ)さ(复杂程度)"，但不说"×きれいさ""×暇(ひま)さ"。

表达及词语讲解

1. 試験に合格しました

意思是"考试考中了"，这里的"に"表示"成功"或"失败"的对象。

2. *おかげさまで

用于对对方的关心、惦念表示感谢时，可以只用"おかげさまで"，也可以后续一些其他句子。

▶ 森さん，「动力」，*売れ行きが*好調のようですね。（森，"动力"好像很畅销啊。）

——ええ，**おかげさまで**。（是啊，托大家的福。）

▶ 風邪はいかがですか。（感冒怎么样了？）

——ええ，**おかげさまで**，元気になりました。（托您的福，已经好了。）

3. *けっこう　［表示程度的副词 ⑦］

口语形式，有多种含义，应用课文中的"けっこう評判がいいみたい（评价好像很不错）"中的"けっこう"表示受欢迎的程度比自己预想的要高。与第14课学过的"なかなか"（☞ 第14课"表达及词语讲解 4"）意思相近，但"なかなか"只能用于不能量化的程度，如"いい""おいしい"，而"けっこう"还能用于可以量化的程度，如"長い""高い"。

▶ ここのレストラン，初めて来たけど，**けっこう**おいしいね。〔〇なかなか〕

（我第一次来这儿的西餐厅，味道还真不错呢。）

▶ このビルは**けっこう**高いね。（这座建筑很高啊。）　　　〔×なかなか〕

4. *何と言っても

表示从多种因素中着重选择一种。原意是"不管别人怎么说"。应用课文中的"何と言ってもおいしさです（首先是好喝）"表示"不管怎么说首要是好喝"。

▶ ご主人のどこが好きですか。

——**何と言っても**，まじめで優しいところです。

（你喜欢你先生什么？——首先是他认真而温和的性格。）

5. デザインが*しゃれていて

表示产品的设计新颖。日语的动词用来表示某种性质时，需用"～ています"的形式，而不能只用"ます形"。

▶ デザインが**しゃれていて**，人気があるみたいですね。

（设计很别致，似乎很受欢迎。）

▶ この帽子，**しゃれている**でしょう？（这顶帽子很别致吧？）

——本当ね。色もすてきね。（真不错。颜色也漂亮。）

6. 受ける

表示受到别人赞赏或欢迎。表演戏剧、单口相声等博得观众的笑声、掌声时，也用"受ける"。

▶ それに，ネーミングも**受けた**ようです。（另外，名称也好像得到认可了。）

▶ 今，ヨーロッパで，日本の*アニメが**受けている**そうですよ。

（据说，现在日本的动画片在欧洲很受欢迎。）

7. *パワー

来自英语的"power"，本意是体力，但现在用来表示意志、干劲、能量等综合形成的力量。在应用课文中，指 CS 公司的干劲和能量。

▶ ＣＳ公司では，もう次の商品の開発を始めているらしいですよ。

—— すごい**パワー**ですね。

（CS 公司，好像已经开始开发下一个产品了。——真有干劲儿啊。）

8. *控えめ

有两种含义，一是分量少，二是做事有节制。应用课文中的"*甘さが控えめ（甜度适中）"用的是第一种意思。第二种意思用于表示态度或性格。日本文化极重谦虚，因此，"控えめな*態度（谨慎的态度）""控えめな性格（拘谨的性格）"往往能得到好的评价。

▶ 健康のため，お酒を**控えめ**にしようと思います。（为了健康，我今后喝酒要节制。）

▶ *新入社員の山田君は，とても**控えめ**で*おとなしい*性格です。

（新来的山田君性格非常谨慎、温顺。）

9. ビアガーデン

夏天，日本往往在高楼大厦的屋顶上或者屋外开设酒吧，提供以啤酒为主的各种酒类、菜肴，有的还配有电视供人们观看棒球或足球比赛，或者特邀嘉宾在特设的舞台上表演。这类酒吧统称"ビアガーデン（庭院式的啤酒店）"。

10. 社員旅行

为加深职员之间的互相了解，谋求和睦融洽，日本的公司往往组织集体旅游活动，日语中称之为"社員旅行"。一般来说，旅游费用的全部或者部分由公司负担，也有个人负担的情况。如果公司负担费用的话，一般要求全员参加，但由于和同事一起出去拘于日常的人际关系而不能彻底放开，或者由于不愿意牺牲周末的个人时间，也有人不愿意参加这种集体旅游。

応用課文

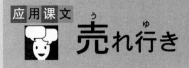

売れ行き

CS公司的新产品——运动饮料在北京和上海上市了。销售情况不错。但市场对该产品的命名和图案设计评价如何呢？负责市场调研和广告业务的 JC 策划北京分公司正在谈论此事。

（在 JC 策划北京分公司办公室）

馬: 森さん，「动力」，売れ行きが好調のようですね。

森: ええ，おかげさまで。とりあえず，北京と上海で売り出したんですが，

けっこう評判がいいみたいなんですよ。

馬: どの辺が受けたんでしょうか。

森: 何と言ってもおいしさですが，容器のデザインも好評らしいです。

戴: デザインがしゃれていて，人気があるみたいですね。

李: そうなんです。それに，ネーミングも受けたようです。

戴: よかったですね。

李: ええ。ネーミングとデザインの重要さを実感しましたね。

（接下来）

森: 評判がいいので，今度は，中国全土で売り出すようです。

戴: 売れ行きがどうなるか，楽しみですね。

馬: 売れ過ぎて，笑いが止まらなくなるかもしれませんよ。

森: そうだといいんですが…。

李: ＣＳ公司では，もう次の商品の開発を

始めているらしいですよ。

馬: すごいパワーですね!

（大家喝着 CS 公司送来的"动力"）

戴: 甘さが控えめで，確かにおいしいですね。

李: それに，健康にもいいらしいですよ。

評判（评价）　　おいしさ（美味）　　重要さ（重要程度）　　実感します（切实感受）

練　習

練習 I

🎧 **1. 听录音，仿照例句进行练习。**

[例] 晴れます → 晴れるようです ／ 晴れるみたいです／ 晴れるらしいです

　　暑いです → 暑いようです ／ 暑いみたいです／ 暑いらしいです

　　大事です → 大事なようです ／ 大事みたいです／ 大事らしいです

　　社長です → 社長のようです ／ 社長みたいです ／ 社長らしいです

(1) 降ります　　　　　　　　(2) 増えます　　　　　　　　(3) 入院します

(4) 戻りません　　　　　　　(5) 終わりました　　　　　　(6) 驚きました

(7) 空いています　　　　　　(8) 壊れていません　　　　　(9) 好きです

(10) 安全ではありません　　(11) おもしろくないです　　(12) 日本人です

2. 仿照例句替换画线部分进行练习。

[例] 佐々木さんはイタリアに留学します。→ 佐々木さんはイタリアに留学するようです。

(1) 電車は事故のために，少し遅れています。　　(2) 会議室は今だれも使っていません。

(3) 佐藤さんは上司にしかられました。　　　　　(4) 小野さんは恥ずかしいです。

(5) あの人は果物なら何でも好きです。　　　　　(6) これはだれかの忘れ物です。

3. 仿照例句进行练习。

[例] 甲: 煙が見えますね。

　　　乙:（ 火事です → 火事のようです ）。

(1) 甲: 今朝から頭ものども痛いです。どうも風邪を（ 引きました →　　　　　　）。

　　　乙: 早く帰って寝たほうがいいですよ。

(2) 甲: 駅前に人が大勢います。何か（ ありました →　　　　　　　　）。

　　　乙: 行ってみましょう。

(3) 甲: みんな（ 忙しいです →　　　　　　　　）から，また明日来ることにします。

　　　乙: すみませんが，そうしてください。

(4) 甲: あそこに中国語を話している人がいますね。あれは（ 李さんです →　　　　　　）。

　　　乙: そうですね。呼んでみましょう。

4. 仿照例句替换画线部分造句。

[例] 今，コピー機は使えません。→ 今，コピー機は使えないみたいです。

(1) だれでも参加できます。　　　　　　(2) 王さんは何も食べたくないです。

(3) 今日も昼ご飯はラーメンです。　　　(4) その話は確かではありません。

大事(重要)　戻ります(返回)　驚きます(惊讶)　恥ずかしい(害羞)

5. 仿照例句进行练习。

［例］甲: 新しい遊園地はおもしろそうですね。

　　　乙: ええ，珍しい乗り物が（ あります → あるらしいです ）。

　　　甲: じゃあ，今度いっしょに行きましょう。

(1) 甲: 部長が入院したそうですね。

　　乙: ええ，かなり（ 無理をしました →　　　　　　　　　）。

(2) 甲: 今年の冬は寒くなるのでしょうか。

　　乙: 長期予報によると，（ 暖かいです →　　　　　　　）。

　　甲: 去年は寒かったですからね。

(3) 甲: 国際会議はどこで開かれますか。

　　乙: あそこの（ 会議場です →　　　　　　　　　）。

　　甲: それなら近くて，いいですね。

(4) 甲: あの場所に何が建つか知っていますか。

　　乙: ええ，近所の人の話では，（ 大型スーパーです →　　　　　　　）。

　　甲: じゃあ，便利になりますね。

6. 仿照例句替换画线部分进行练习。

［例］食べます／3キロ太ってしまいました

　　　→ 食べ過ぎて，3キロ太ってしまいました。

　　　内容が難しいです／理解できません → 内容が難し過ぎて，理解できません。

(1) 笑います／おなかが痛くなりました

(2) 熱いです／スープがなかなか飲めません

(3) 辞書の字が小さいです／読めません

(4) 服をたくさん着ます／汗をかいてしまいました

7. 仿照例句替换画线部分进行练习。

［例1］富士山／高い → 富士山の高さはどのくらいですか。

(1) スーツケース／重い　　　　　　　　(2) 新幹線／速い

(3) 琵琶湖／深い　　　　　　　　　　　(4) 東京タワー／高い

［例2］東京タワー／高い／ 333 メートル

　　　　→ 東京タワーの高さは　333　メートルです。

(5) スーツケース／重い／ 18 キログラム　　(6) この湖／深い／ 360 メートル

(7) のぞみ／速い／時速 260 キロメートル

(8) 荷物／大きい／縦 50 センチ，横 80 センチ，高さ 40 センチ

珍しい(珍奇)　乗り物(乘坐物)　～キロ(～千克)　のぞみ(希望号)　縦(竖)　～センチ(～厘米)

练习Ⅱ

1. 将( )中的词语变成适当的形式完成会话。

[例] 甲: あっ, あそこに立っているのは (佐藤さん → 佐藤さんの) ようです。

乙: そうですか。でも, 佐藤さんはもっと背が高いと思いますが。

(1) 甲: 今年もボーナスは増えないでしょうね。

乙: いや, それが (増えます → 　　　　　) らしいですよ。

(2) 甲: 足が (痛いです → 　　　　) そうですね。

乙: ええ, 昨日山で少し (歩きます → 　　　　) 過ぎました。

(3) 甲: コピー機が (新しくなりました → 　　　　　　) らしいですね。

乙: ええ, 今度のは操作がすごく (簡単です → 　　　) ようです。

(4) 甲: 誠君はどうしてお母さんに (しかりました → 　　　　　) んですか。

乙: 勉強しないで毎日漫画ばかり (読んでいました→ 　　　　　) ようです。

(5) 甲: 泥棒に (入ります→ 　　　　　) そうですね。大変でしたね。

乙: ええ, どうも窓を開けたまま (出かけてしまいました→ 　　　　　　　)
ようです。

(6) 甲: これはどこで生産されたものですか。

乙: よく分かりませんが, (日本製です → 　　　) ようです。

🎧 2. 听录音, 从 ▢▢▢ 中选择正确的答案, 并将序号写在 　　　 上。

[例] 東京タワーの高さは 　　③　　

(1) 　　　　　 (2) 　　　　　 (3) 　　　　　 (4) 　　　　

> ①ビールよりラーメンがよく売れるようです。 ②5キログラムです。
> ③ ~~333 メートルです。~~
> ④ビールがよく売れたそうです。
> ⑤1,500 メートルです。

🎧 3. 听录音, 与录音内容一致的在( )中画〇, 不一致的画×。

[例] わたしはこの店にあまり行きません。(×)

(1) (　　) (2) (　　) (3) (　　) (4) (　　)

4. 将下面的句子译成日语。

(1) 门厅那儿好像有人。

(2) 下次的全社旅行好像是去韩国。

(3) 午饭吃多了。

生 词 表

しゃいんりょこう（社員旅行）　［名］　员工旅行

しんにゅうしゃいん（新入社員）　［名］

　　　　　　　　　　　　　　　　新来的职员

かいぎじょう（会議場）　［名］　会场

こくさいかいぎ（国際会議）　［名］　国际会议

ビアガーデン　［名］　庭院式的啤酒店

おおがたスーパー（大型～）　［名］　大型超市

みずうみ（湖）　［名］　湖

パトカー　［名］　警车，巡逻车

サイレン　［名］　警笛，警报器

アニメ　［名］　动画片

パワー　［名］　能力，力量

こころ（心）　［名］　心

たいど（態度）　［名］　态度

せいかく（性格）　［名］　性格

ひょうばん（評判）　［名］　评价，评论

ぎょうれつ（行列）　［名］　行列，队伍

ようき（容器）　［名］　容器

ないよう（内容）　［名］　内容

うれゆき（売れ行き）　［名］　销路，销售（情况）

のりもの（乗り物）　［名］　交通工具

あせ（汗）　［名］　汗

ばい（倍）　［名］　倍，加倍

たて（縦）　［名］　纵，竖

ちゅうごくぜんど（中国全土）　［名］　全中国

ちょうきよほう（長期予報）　［名］　长期预报

わらい（笑い）　［名］　笑

あつさ（暑さ）　［名］　暑热，暑气

うつくしさ（美しさ）　［名］　美好，美丽程度

おもしろさ　［名］　趣味，有趣程度

おおきさ（大きさ）　［名］　大小

たかさ（高さ）　［名］　高度

ふかさ（深さ）　［名］　深度

ながさ（長さ）　［名］　长度

ひろさ（広さ）　［名］　面积

ふとさ（太さ）　［名］　粗（度）

おもさ（重さ）　［名］　重量

あつさ（厚さ）　［名］　厚度

はやさ（速さ）　［名］　速度

べんりさ（便利さ）　［名］　方便程度

ふくざつさ（複雑さ）　［名］　复杂程度

おいしさ　［名］　美味，好吃程度

じゅうようさ（重要さ）　［名］

　　　　　　　　　　　　重要性，重要程度

あまさ（甘さ）　［名］　甜度

ひろがります（広がります）　［动1］　蔓延，拓宽

もどります（戻ります）　［动1］　返回，回到

おどろきます（驚きます）　［动1］　惊讶，吃惊

しゃれます　［动2］　别致，风趣；打扮得漂亮

じっかんします（実感～）　［动3］

　　　　　　　　　　　　切实感受，真切感受

ふかい（深い）　［形1］　深

おとなしい　［形1］　温顺，老实

はずかしい（恥ずかしい）　［形1］

　　　　　　　　　　　　害羞，难为情

めずらしい（珍しい）　［形1］　珍奇，新奇

ごうか（豪華）　［形2］　豪华，奢华

こうちょう（好調）　［名・形2］　顺利，情况良好

ひかえめ（控えめ）　［形2］

　　　　　　　　　　分量少，节制，控制；拘谨

こうひょう（好評）　［形2］　好评，称赞

だいじ（大事）　［形2］　重要，宝贵

かなり　［副］　颇，相当

けっこう　［副］　很，相当

ささき（佐々木）　［专］　佐佐木

びわこ（琵琶湖）　［专］　琵琶湖

のぞみ　［专］　"希望号"［新干线的名称］

....

おかげさまで　托您的福

なんといっても（何と言っても）

　　　　　　　　　　　首先是，无论如何

～キロ／～キログラム／～センチ

227

单元末

阅读文

新しいスポーツ飲料

今年七月、北京市に拠点を置くCS公司から新しいスポーツ飲料が発売された。

「动力」(トンリー)と名づけられたスポーツ飲料は、CSスポーツ研究所によって開発された。エネルギーとパワーをイメージさせる赤と黄色を使った容器のデザインが若者の間で好評だ。三百五十ccの缶は六元(約九十円)で、他の飲料より少し高めだが、売れ行きは好調らしい。どうやら安さより質の高さを求める消費者に受け入れられたようだ。

開発担当者によると、独自の研究から得られたデータを基に、コラーゲンやミネラルなど、美容と健康に効果のある八種類の栄養素がバランスよく配合されているので、普段の食事で不足しやすい成分も補給できるそうだ。グレープフルーツ風味で甘さは控えめ。しかも過剰に摂取された栄養素は分解されて体外に排出されるため、飲み過ぎてカロリーを気にする心配もない。

現在は、北京、上海を中心とした沿海地域で販売されているが、年内には、重慶や西安など、内陸部の都市へも販売地域を拡大させる方針らしい。

さらに、一年後には日本市場への参入も計画されている。日本でも必ず受け入れられるはずだと、開発担当者は自信たっぷりだ。

果たして中国での好調さを維持したまま、日本で市場を拡大することができるか。「动力」の日本上陸は間近だ。

【北京支局】

「动力」即将上市日本

今年 7 月，以北京为据点的 CS 公司开发了新的运动饮料。

取名为「动力」的运动饮料由 CS 体育研究所开发，以使人联想到能量和力量的红色和黄色为基调的容器设计图案颇受年轻人的好评。每罐 350 cc，价格为 6 元(约 90 日元)，虽比其他饮料稍贵，但却非常畅销，大概(该产品)已被放弃低价位，而追求高品质的消费者所接受。

据开发负责人介绍，他们以独家研究获得的数据为基础，将成胶质、矿物质等对美容、健康有效的八种营养素均衡配方，因此可以用来补充平时饮食中容易缺乏的营养成分。葡萄柚口味，甜度也控制得很好。并且由于摄取的过剩的营养素分解以后将自动排出体外，因此不必担心过量饮用而带来热量过剩。

目前主要在北京、上海等沿海地区销售，预计年内将向重庆、西安等内地城市扩大销售。而且计划在一年以后打入日本市场。开发者胸有成竹地表示相信日本市场也一定能够接受该产品。

动力饮料究竟能否持续在中国的畅销势头而顺利打入日本市场？「动力」即将上市日本。

【北京分社】

在公司

① 送资料

呉: 鈴木さんに頼まれた資料を持ってきたんですが…。

佐々木: あっ，そうですか。鈴木なら部長に呼ばれて，ちょっと席を外しています。

吴：我带来了铃木先生要的资料。

佐佐木：啊，是吗？铃木被部长叫走了，暂时不在。

② 马上就回来吗？

佐々木: 書類を広げたままですから，すぐ戻るはずです。

呉: じゃあ，ちょっと待たせてください。

佐佐木：文件还摊开着，应该马上会回来。

吴：那么，请让我等一会儿。

③ 迟迟回不来

佐々木: せっかく来てくださったのに，お待たせしてすみません。

呉: いいえ，鈴木さんにお話したいことがあるので。待つのは慣れていますから。

佐佐木：您特意来了，却让您等着，真抱歉。

吴：哪里。我有事跟铃木先生说，另外，等人我也习惯了。

④ 回来了

鈴木: やあ，呉さん，お待たせしてすみません。

呉: いいえ。大丈夫です。

铃木：呀，吴先生，对不起让你久等了。

吴：哪里。没关系。

单　元　末

词　语　之　泉

オフィス

① 受付　接待处
② ロビー　前厅
③ ソファー　沙发
④ 社長室　总经理办公室
⑤ 秘書　秘书
⑥ 金庫　保险柜
⑦ 会議室　会议室
⑧ ホワイトボード　白色写字板
⑨ 応接室　会客室
⑩ 倉庫　仓库
⑪ 棚　搁板，架子
⑫ 資料室　资料室
⑬ 給湯室　供热水室

⑭ コーヒーメーカー　煮咖啡机
⑮ 喫煙所　吸烟室
⑯ デスク　桌子
⑰ 電気スタンド　台灯
⑱ ロッカー　橱柜
⑲ ハンガー　衣架
⑳ 傘立て　立伞架
㉑ ごみ箱　垃圾箱
㉒ ファックス　传真机
㉓ タイムカード　工作时间记录卡
㉔ 予定表　（工作）计划表
㉕ シュレッダー　切书机
㉖ コピー機　复印机

㉗ カレンダー　挂历
㉘ お弁当(べんとう)　盒饭
㉙ セロハンテープ　透明胶带
㉚ 鉛筆(えんぴつ)　铅笔
㉛ 消(け)しゴム　橡皮
㉜ ボールペン　圆珠笔
㉝ 手帳(てちょう)　笔记本，杂记本
㉞ 付(ふ)せん　签条
㉟ 封筒(ふうとう)　信封
㊱ 便(びん)せん　信笺，信纸
㊲ 印鑑(いんかん)　印章
㊳ マグカップ　杯子
㊴ ファイル　文件夹
㊵ メモ帳(ちょう)　便条
㊶ 鉛筆削(えんぴつけず)り器(き)　削铅笔机
㊷ ガムテープ　胶条
㊸ のり　糨糊
㊹ 修正液(しゅうせいえき)　修改液
㊺ 名刺(めいし)　名片
㊻ 電卓(でんたく)　台式电子计算器
㊼ ホッチキス　订书机
㊽ はさみ　剪刀
㊾ 押(お)しピン　图钉
㊿ クリップ　曲别针
(51) 定規(じょうぎ)　规尺，尺子
(52) 引(ひ)き出(だ)し　抽屉

公司机构

　　在日本，不同的公司、行业，其机构也各式各样。最近，在日本也增加了外资企业，以前的公司机构也发生了变化。下面是公司机构图的一个示例。

头衔及组织名称

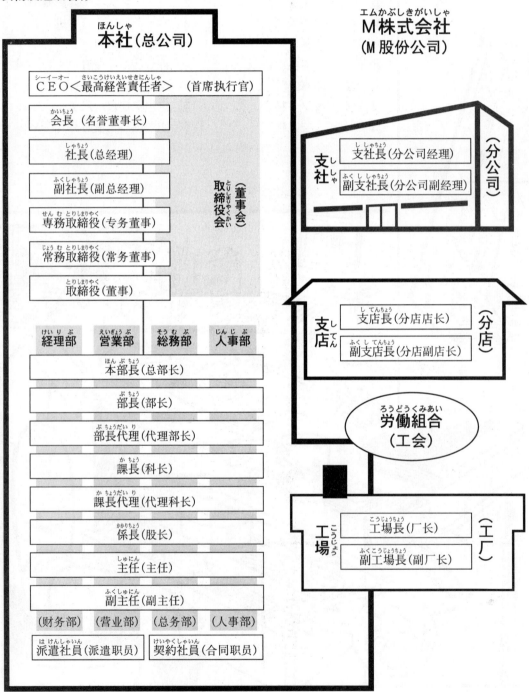

12 新的拓展

森来到北京分公司半年了。为了扩大 JC 策划公司的规模，公司决定在上海开设事务所。主要由分公司陈副经理负责上海事务所的筹建工作。

第45課 少子化が進んで，日本の人口はだんだん減っていくでしょう

シャンハイ
上海

陈副经理和森为了寻找上海事务所所址来到了上海。初次来到上海的森有些兴奋。

第46課 これは柔らかくて，まるで本物の毛皮のようです

じむしょさが
事務所探し

房产商带着陈副经理和森看了好多办公用房，他们能找到合适的地方吗？

第47課 周先生は明日日本へ行かれます

しゃちょう したみ
社長の下見

为视察上海事务所，JC 策划公司的总经理来到上海。他满意陈副经理和森找的房子吗？

第48課 お荷物は私がお持ちします

シャンハイ じむしょ
上海事務所

上海事务所开业了。JC 策划公司上海分公司会怎样发展呢？

第45課

しょうしか　　　すす　　　　　　にほん　　じんこう　　　　　　　へ
少子化が進んで，日本の人口はだんだん減っていくでしょう

基本課文

1. 少子化が進んで，日本の人口はだんだん減っていくでしょう。
2. ずっと本を読んでいたので，目が疲れてきました。
3. おいしいし，手軽だし，わたしは冷凍食品をよく食べます。
4. この本は読めば読むほどおもしろいです。

A
甲：最近，中国へ旅行に行く日本人が増えてきましたね。
乙：ええ，ホテルや交通の便がよくなりましたからね。

B
甲：お母さん，雨が降ってきたよ。
乙：あら，大変。誠，洗濯物入れてよ。

C
甲：休みだし，天気もいいし，どこかに出かけませんか。
乙：いいですね。わたしはハイキングに行きたいです。

D
甲：商品は安ければ安いほど売れるんでしょう？
乙：いいえ。品質が悪いと，安くても売れません。

少子化(孩子減少現象)　　手軽(簡便)　　便(方便)

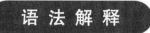

语法解释

1. 动 ていきます／きました　[持续]　[变化]

　　第 39 课学习了"动词て形＋いきます／きます"表示空间移动的用法(☞ 第39课"语法解释 3")。本课学习其表示从基准时间观察的动作一直持续或性质、状态的变化的用法。动作的持续或性质、状态的变化在基准时间以前时用"～てきました"，在基准时间以后时用"～ていきます"。

以前　→	基准时间	以后　→
～てきました		～ていきます

> 少子化が進んで，日本の人口はだんだん減っていくでしょう。
>
> 　　　　　　　　　　（孩子减少现象日益加剧，日本的人口将会越来越少吧。）
> 最近，中国へ旅行に行く日本人が増えてきましたね。
>
> 　　　　　　　　　　（最近，到中国旅行的日本人多起来了。）
> 20年間ずっと日本語を勉強してきました。（这 20 年我一直在学习日语。）
> これからもずっと日本語を勉強していきます。（今后我也要一直坚持学习日语。）

2. 动 てきました　[出现]

　　"动词て形＋きました"另外还有表示某种状态的开始或出现的用法。只限于前接非意志动词。

> ずっと本を読んでいたので，目が疲れてきました。（一直在看书，眼睛累了。）
> お母さん，雨が降ってきたよ。（妈妈，下起雨来了。）
> おなかがすいてきたんですが，そろそろ食事に行きませんか。
>
> 　　　　　　　　　　（肚子有点儿饿了，咱们去吃饭，好吗?）

3. 小句 1 し，小句 2 し，小句 3

　　在叙述并列的几个事项时可用"～し，～し，～"的形式。"し"前面可以是简体形，也可以是敬体形。另外，"小句 1""小句 2"的主语"が"多用"も"替换。

> おいしいし，手軽だし，わたしは冷凍食品をよく食べます。
>
> 　　　　　　　　　　（又好吃，又简便，我经常吃冷冻食品。）
> 休みだし，天気もいいし，どこかに出かけませんか。
>
> 　　　　　　　　　　（今天休息，天气也不错，去哪儿玩儿玩儿吧?）
> にぎやかだし，高いビルが多いし，なんか東京に*似ていますね。
> にぎやかだし，高いビルも多いし，なんか東京に似ていますね。
>
> 　　　　　　　　　　（又繁华，高层建筑又多，总觉得有点儿像东京啊。）

▶ 電気も消えているし，かぎもかかっているし，きっと留守ですよ。

(黑着灯，又锁着门，肯定不在家。)

▶ ここは空気がきれいですし，静かですし，住むのにとてもいい所ですね。

(这里空气又清新，又安静，非常适于居住。)

注意 第16课学习了表示并列的"て形"的用法(☞第16课"语法解释1～3")。"て形"和"～し，～し，～"的区别有以下两点：①"て形"一般只用于连接形容词和名词，而"～し，～し，～"还可以用于连接动词；②"～し，～し，～"一般用于陈述原因、理由，而"て形"则可以用于各种场合。

4. 动／一类形 ば 动／一类形 ほど 小句

用"动词ば形＋动词基本形＋ほど＋小句""一类形容词ば形＋一类形容词＋ほど＋小句"的形式，表示某性质的程度与其相关的动作、性质的正比例关系。

▶ この本は読めば読むほど，おもしろいです。(这本书越读越有意思。)

▶ 住めば住むほど上海の*よさが分かりますよ。(越住越能体会到上海的好。)

▶ 商品は安ければ安いほど売れるんでしょう？(商品越便宜越好卖吧?)

▶ 結婚式のスピーチは，短ければ短いほどいいと言われていますね。

(大家都说结婚典礼上的致辞越短越好。)

参考 二类形容词有时也可以用于这一句型。其接续方式为："二类形容词＋なら＋二类形容词＋な＋ほど"或"二类形容词＋であれば＋二类形容词＋な＋ほど"。前者多用于口语,后者多用于书面语。

▶ 子供は元気なら元気なほどいいです。(小孩越健康、活泼越好。)

▶ 子供は元気であれば元気なほどいいです。(小孩越健康、活泼越好。)

5. "で／へ／から／まで／と" ＋ の

第6课学习了"に／で／へ／から／まで／と＋は"的用法(☞第6课"语法解释6")。 这些助词除了"は"以外还可以后续"の"。不过，助词"に"没有后续"の"的用法。

▶ 空港から*市内までの*アクセスがよくなりました。(从机场到市内的交通方便了。)

▶ 北京から東京への*便は1日に10便以上あります。

(一天有10个以上的航班从北京飞往东京。)

▶ これは母へのプレゼントです。(这是给妈妈的礼物。)

✕ これは母にのプレゼントです。

表达及词语讲解

1. 交通の便がいい

表示"交通非常方便"的意思。基本课文中用的是"ホテルや交通の便（住宿及交通的便利）"，不能单说"ホテルの便がいい"。其反义形式是"交通の便が悪い"。

- ▶ ホテルや**交通の便**がよくなりましたからね。（住宿、交通等都方便了。）
- ▶ この辺は**交通の便が悪い**ので，*部屋代はあまり高くないです。

（这一带交通不方便，所以房租不太高。）

2. *ライトアップされています

是外来词"ライトアップ（景观照明）"加"します"构成的复合动词"ライトアップします"的被动形式。指夜间给建筑物或纪念碑等打上灯光，引人注目。

- ▶ **ライトアップされています**ね。うーん，見れば見るほどきれいだなあ。

（打着灯光呢。嗯，越看越漂亮。）

3. *以前

表示较近的过去。"以前"也可以说"前に"（☞ 第 8 课"表达及词语讲解 9"）。与汉语的"以前"用法基本相同，但日语的"以前"前面不能加修饰语，如不能说"×あなたが来る以前""×10年以前"。"以前"后面有时也可以接续"に"，但一般不用。

- ▶ **以前**住んでいたことがあるんですが，とても住みやすい所ですよ。

（我以前在这里住过，这儿生活起来很方便。）

- ▶ 彼には，**以前**会ったことがあります。（我以前见过他。）
- ▶ この写真は**以前に**見たことがあります。（这张照片以前见过。）

4. *なんか

意思与第 38 课学过的"なんだか"相同（☞ 第 38 课"表达及词语讲解 2"），表示一种理由不明确的感觉或判断，两者都是口语形式，"なんか"比"なんだか"更随便一些。翻译时根据不同的场合，可以翻译成"总觉得"，也可以灵活翻译成"有点儿"等。

- ▶ **なんか**東京に似ていますね。（总觉得有点儿像东京啊。）
- ▶ このお菓子の味，**なんか**変ですね。（这点心的味道，有点儿怪。）

5. ～に似ています

"似ています"是动词"似ます（相似，相像）"的活用形式，"似ます"只能以这种"～ています"的形式使用。前面的"に"表示相似的对象。

- ▶ なんか東京**に似ています**ね。（总觉得有点儿像东京啊。）
- ▶ お嬢さんはご主人**に似ています**ね。（您女儿真像您先生。）

237

6. アクセスがよくなりました

外来词“アクセス”用于交通及计算机方面，引申指“衔接、连接”。“アクセスがいい／悪い(连接好／连接不好)”表示去某个地方，交通是否方便或者连接互联网、发邮件是否通畅、顺利。应用课文中，用“空港から市内までのアクセス”的形式，表示由机场到市内的交通状况。

▶ 新しい高速道路ができて，空港から市内までの**アクセスがよくなりました**。

(新的高速公路建成了，从机场到市内的交通便利了。)

▶ 今の*時間帯は込んでいるから，インターネットの**アクセスが悪い**。

(现在这个时间段线路繁忙，所以上网速度很慢。)

7. 軽く食べていきましょう

在饮食方面用“軽い”有两种含义。一种表示味道清淡、不油腻；另一种表示分量少。应用课文中，意思是由于还不到吃饭时间，作为加餐，稍微吃一点儿。其反义词“重い”不能用于饮食方面。

▶ じゃあ，何か**軽く食べて**いきましょう。〔分量〕

(那么，(我们先)吃点儿什么〈再走〉吧。)

▶ ちょっとおなかの*調子が悪いので，***軽い物**をください。〔种类〕

(我肚子不太好，给我点儿清淡的食物。)

環境、能源

環境保護　环境保护	オゾン層　臭氧层	電気　电气
環境破壊　环境破坏	ごみ　垃圾	エネルギー　能源
公害　公害	産業廃棄物　工业废料	太陽エネルギー　太阳能
大気汚染　大气污染	核廃棄物　核废料	原子力発電　原子能发电
排気ガス　废气	ダイオキシン　二噁英	水力発電　水力发电
酸性雨　酸雨	資源　资源	火力発電　火力发电
フロンガス　氟里昂气体	石炭　煤炭	ダム　水库
地球温暖化　地球变暖现象	石油　石油	省エネ　节约能源
砂漠化　沙漠化	ガソリン　汽油	エネルギー危機　能源危机
環境ホルモン　环境激素	ガス　天然气	リサイクル　回收，再生
電磁波　电磁波		

応用課文

上海(シャンハイ)

JC策划公司计划在上海成立事务所。被内定为事务所所长的老陈带着森到上海寻找事务所的所址。森第一次到上海。他们的日程是三天两夜。

（夜晚，他们在机场通往市内的高速公路上）

陳：森さん，見えてきましたよ。（指着前方）あそこが上海の中心地です。

森：ライトアップされていますね。うーん，見れば見るほどきれいだなあ。

陳：以前住んでいたことがあるんですが，とても住みやすい所ですよ。

森：陳さん，上海に住んでいたんですか。

陳：ええ。本当にいい所です。住めば住むほど，上海のよさが分かりますよ。

（在宾馆办完入住手续后，来到街上）

森：にぎやかだし，高いビルが多いし，なんか東京に似ていますね。

陳：上海は急速に近代化が進んで，町並みが大きく変わってきましたからね。

森：そう言えば，何年か前にリニアモーターカーが開通したんですよね。

陳：ええ。空港から市内までのアクセスがよくなりましたから，人も増えてきたし，これからもっと変わっていくと思いますよ。

（忽然下起雨来了）

陳：あら，雨が降ってきましたね。

森：ひどくなりそうですね。

　　ちょっと雨宿りしましょうか。

陳：ええ。じゃあ，この喫茶店に入りましょう。

　　人も少ないし，店もきれいだし。

森：そうですね。ところで，おなかがすいてきたんですが…。

陳：そうですか。じゃあ，何か軽く食べていきましょう。

中心地(中心地区)　急速(迅速)　近代化(现代化)　町並み(市容)

リニアモーターカー(磁悬浮列车)　雨宿りします(避雨)

練習Ⅰ

1. 仿照例句替换画线部分进行练习。

[例1] 日本の人口／<u>減ります</u> → 日本の人口はだんだん<u>減</u>っていくでしょう。

(1) 地球上の森林／<u>減ります</u>　　(2) 田舎の人口／<u>減ります</u>

(3) 物価／<u>上がります</u>　　(4) 現代人の悩み／<u>増えます</u>

[例2] 中国を旅行する日本人／<u>増えます</u> → 中国を旅行する日本人が<u>増え</u>てきました。

(5) 高齢者／<u>増えます</u>　　(6) 地球の気温／<u>上がります</u>

(7) 都会の空気／<u>汚れます</u>　　(8) 起きる時間／<u>早くなります</u>

(9) けが／<u>治ります</u>　　(10) 仕事のおもしろさ／<u>分かります</u>

2. 仿照例句替换画线部分进行练习。

[例] 少子化が進んで／日本の人口／だんだん減ります

　　→ <u>少子化が進んで</u>，日本の人口はだんだん<u>減</u>っていくでしょう。

(1) タバコは体によくないと言われていますから／喫煙者／どんどん減ります

(2) 歴史に興味がある人が多いので／中国への旅行者／ますます増えます

(3) パソコンが普及して／インターネットの利用者／年々増えます

(4) 地球温暖化の影響で／平均気温／毎年高くなります

(5) 若い人がどんどん都会に出てしまうので／村の平均年齢／上がります

(6) 近くに新しい駅ができるので／店の売り上げ／増えます

3. 仿照例句替换画线部分进行练习。

[例] 電気も消えています／かぎもかかっています／きっと留守ですよ

　　→ <u>電気も消えている</u>し，<u>かぎもかかっている</u>し，<u>きっと留守ですよ</u>。

　　おいしいです／手軽です／わたしは冷凍食品をよく食べます

　　→ <u>おいしい</u>し，<u>手軽だ</u>し，<u>わたしは冷凍食品をよく食べます</u>。

(1) 疲れています／時間もありません／どこも行きません

(2) のども痛いです／熱もあります／風邪を引いたようです

(3) 休みです／天気もいいです／山に登りたいです

(4) あのスーパーは商品も多いです／安いです／よく行きます

(5) 李さんはきれいです／仕事もできます／あこがれの女性です

(6) お金もないです／忙しいです／スキーに行くのはやめます

田舎(乡下)　　悩み(烦恼)　　喫煙者(吸烟者)　　どんどん(连接不断地)　　ますます(越来越)

売り上げ(销售额)　　あこがれ(憧憬)

4. 仿照例句替换画线部分进行练习。

[例1] 読みます → 読めば読むほど，分からなくなります。

(1) 見ます　　　　　(2) 考えます　　　　(3) 聞きます

(4) 知ります　　　　(5) 調べます　　　　(6) 説明されます

[例2] 勉強します／おもしろくなります

　　　→ 勉強すればするほど，おもしろくなります。

(7) かみます／おいしくなります

(8) 磨きます／きれいになります

(9) けんかします／仲がよくなります

(10) 会います／好きになります

[例3] 安いです → 安ければ安いほどいいです。

(11) 大きい　　　　　(12) 小さい　　　　(13) 長い

(14) 強い　　　　　　(15) 早い　　　　　(16) 広い

5. 听录音，仿照例句替换画线部分练习会话。

[例1] 疲れます／ちょっと休みます

　　　→ 甲: 疲れてきましたね。

　　　　　乙: ちょっと休みましょう。

(1) 汚れます／洗います

(2) 寒くなります／窓を閉めます

(3) 曇ります／早く帰ります

(4) 熱が下がります／薬を飲むのをやめます

(5) おなかがすきます／何か食べます

[例2] 休みです／天気もいいです／ハイキング

　　　→ 甲: 休みだし，天気もいいし，どこか行きませんか。

　　　　　乙: いいですね。わたしはハイキングに行きたいです。

(6) 明日は土曜日です／ボーナスも出ました／京都

(7) 仕事も早く終わりました／みんなそろっています／カラオケ

(8) 暇です／暑いです／海

練習Ⅱ

1. 从 [____] 中选择适当的词语变成适当的形式填入（　　）中。

[例] 李さんに中国の歌を歌って（ ほしいです ）ね。

(1) お客さんが多いので，お菓子や果物をいつも用意して（　　　　　）。

(2) インターネットを使う人はますます増えて（　　　　　）でしょう。

(3) 目覚まし時計が止まっていたので，寝坊して（　　　　　）。

(4) みんなで森さんの引っ越しを手伝って（　　　　　）ましょう。

(5) よさそうな映画ね。今度見て（　　　　　）よう。

~~ほしいです~~　みます　あげます　おきます　いきます　しまいます

(6) 入り口に大きな箱が置いて（　　　　　），邪魔です。

(7) その手紙，部長に見て（　　　　　）ほうがいいですよ。

(8) すみません，このいすをあちらへ運んで（　　　　）か。

(9) お父さん，あのおもちゃ，買って（　　　　　）なあ。

(10) お金がなくなったから，ちょっと銀行に行って（　　　　　）。

ほしいです　　きます　　あります　　くれます　　もらいます

2. 在（　　　）中填入一个平假名，完成文章。

[例] 王さん（ の ）日記

今年の夏の暑（　　）は特別だ。プールへ泳ぎ（　　）行った。1時間（　　）待って入ったのに，人が多く（　　），あまり泳げなかった。

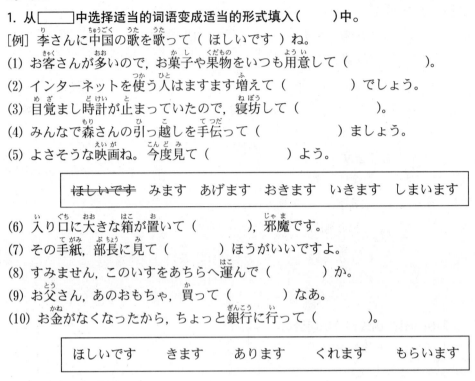

3. 听录音，仿照例句在（　　　）中填入适当的形容词。

[例] 結婚式のスピーチは短ければ短いほどいいです。（ 短い ）

宿題は多いし，複雑だし，1日ではできません。（ 多い ）（ 複雑 ）

(1) （　　　　　）　　　(2) （　　　　　）　　　(3) （　　　　　）

(4) （　　　）（　　　）　(5) （　　　）（　　　）　(6) （　　　）（　　　）

4. 将下面的句子译成日语。

(1) 孩子减少现象日益加剧，日本人口将会越来越少。

(2) 又好吃，又简便，我经常吃冷冻食品。

(3) 这本书越读越有意思。

生 词 表

しょうしか（少子化）　［名］　孩子减少现象

じんこう（人口）　［名］　人口

へいきんねんれい（平均年齢）　［名］　平均年龄

こうつう（交通）　［名］　交通

べん（便）　［名］　方便，便利

アクセス　［名］　连接，衔接

リニアモーターカー　［名］　磁悬浮列车

びん（便）　［名］　航班

しない（市内）　［名］　市内

いなか（田舎）　［名］　乡下，农村

ちゅうしんち（中心地）　［名］　中心地区

きんだいか（近代化）　［名］　现代化

げんだいじん（現代人）　［名］　现代人

じかんたい（時間帯）　［名］　时间段

ちょうし（調子）　［名］　情况，状况；势头

よさ　［名］　长处，好处

へやだい（部屋代）　［名］　房租

しんりん（森林）　［名］　森林

ちきゅう（地球）　［名］　地球

へいきんきおん（平均気温）　［名］　平均气温

ちきゅうおんだんか（地球温暖化）　［名］
地球变暖现象

れいとうしょくひん（冷凍食品）　［名］　冷冻食品

こうれいしゃ（高齢者）　［名］　高齢者

きつえんしゃ（喫煙者）　［名］　吸烟者

りょこうしゃ（旅行者）　［名］　旅行者

りようしゃ（利用者）　［名］　利用者

なやみ（悩み）　［名］　烦恼

まちなみ（町並み）　［名］　市容，街道，街景

うりあげ（売り上げ）　［名］　销售额，营业额

あこがれ　［名］　憧憬

すすみます（進みます）　［动1］　加重，前进

みがきます（磨きます）　［动1］　刷，擦

くもります（曇ります）　［动1］　天阴

にます（似ます）　［动2］　像，相似

ライトアップします　［动3］　景观照明

ふきゅうします（普及～）　［动3］　普及

あまやどりします（雨宿り～）　［动3］　避雨

ひどい　［形1］　残酷，过分；激烈

てがる（手軽）　［形2］　简便，简单，轻便

きゅうそく（急速）　［形2］　迅速，快速

いぜん（以前）　［副］　以前

どんどん　［副］　连接不断地，接二连三地

ますます　［副］　越来越，更加

なんか　［副］　有点，总觉得，有些，好像

ねんねん（年々）　［副］　逐年，每年

....

かるいもの（軽い物）　　清淡的或少量的食物

～上（じょう）

专栏

磁悬浮列车

磁悬浮列车是一种在 21 世纪备受期待的利用超导磁力的无接触超高速运输系统，借助磁石的推斥力使车体在上浮轨道 10 厘米处运行，时速可以高达 500 公里。

在日本，新干线网非常发达。在此基础上，现正在规划利用磁悬浮列车再建立一个新干线网，称为"磁悬浮中央新干线"。日本两大城市东京和大阪间距 550 公里，现在，连接这两个城市的东海道新干线"希望号"大约需要两个半小时。如果"磁悬浮中央新干线"实现的话，仅用 1 个小时就可以走完东京到大阪的路程，使得这两个城市，以及与位于这两者之间的名古屋形成一个巨大的都市圈。

日本易受地震和台风的袭击，因此人们担心灾害会中断以新干线网为主的交通网，特别是沿海绵延的东海道新干线，三分之一以上都被指定为"防震对策强化区域"，有直接遭受自然灾害的可能性。因此，"磁悬浮中央新干线"计划构建东京至大阪、途经神奈川、山梨、长野、岐阜、爱知、三重、奈良的内陆大动脉，一方面避开自然灾害的危险，一方面建立更广泛区域的高速交通网。

第46課
これは柔らかくて，まるで本物の毛皮のようです

基本课文

> 1. これは柔らかくて，まるで本物の毛皮のようです。
> 2. この着物はいかにも日本らしい柄ですね。
> 3. 明日の9時までにこの書類を完成させなければなりません。
> 4. わたしが留学している間に，家の周りもずいぶん変わりました。

A
甲: この野菜，レモンのような味がしますね。
乙: ええ，本当に。まるで果物みたいですね。

B
甲: うちの子供は将来，宇宙飛行士に
　　なりたいんだって。
乙: いかにも子供らしい夢ね。

C
甲: この書類，いつ発送しますか。
乙: そうですね。今月の末までに届くように出してください。

D
甲: オートバイを買うそうだね。高いだろう。
乙: うん，学校が休みの間，アルバイトをするつもりなんだ。

まるで(好像)　本物(真货)　いかにも(典型的)　柄(花纹)　周り(周围)
発送します(发送)　末(末尾)　オートバイ(摩托车)

语 法 解 释

1. | 名＋の | ／ | 动（简体形） | ようです ②　［比喻］
| 名 | ／ | 动（简体形） | みたいです ②　［比喻］

第44课学习了"～ようです""～みたいです"表示推测的用法（☞第44课"语法解释1、2"），除了表示推测以外，这两个形式还可以用来表示比喻。表示比喻时多与副词"まるで"呼应使用。

▶ これは柔らかくて，まるで本物の毛皮のようです。

（这个软软乎乎的，好像真皮一样。）

▶ まるでヨーロッパの町並みを見ているようですね。（真像看到了欧洲的街道。）
▶ この野菜，まるで果物みたいですね。（这种菜好像水果一样。）

除了用于句尾以外，经常以"～ような／みたいな＋名词"或"～ように／みたいに＋动词／形容词"的形式来修饰名词、动词或形容词。

▶ まるでテレビのドラマのような*出来事ですね。

（真好像是电视剧里发生的事情一样。）

▶ 鳥のように空を飛んでみたいなあ。（我想像小鸟一样在天空飞翔。）
▶ 先生みたいに上手に日本語が話せるようになりたいです。

（我想像老师那样流利地说日语。）

2. | 名1 | ＋らしい＋ | 名2 | 　［典型性］

第44课学习了"～らしい"表示推测的用法（☞第44课"语法解释3"）。"～らしい"还可以用"名词1＋らしい＋名词2"的形式，即接在"名词1"后表示"名词2"具有"名词1"的典型特征。这种情况下多与副词"いかにも"呼应使用。

▶ この着物はいかにも日本らしい柄ですね。（这件和服的花纹是典型的日本式。）
▶ 今日は春らしい天気です。（今天像是春天的天气。）
▶ *南京路はいかにも上海らしい所ですよ。（南京路是上海最具代表性的地方。）

（参考） 如果"名词1"与"名词2"为同一个名词时，意思是"真正意义上的～""像样的～"。

▶ 仕事らしい仕事はしたことがありません。（我没干过像样的工作。）
▶ *このごろ忙しくて，食事らしい食事をしていません。

（最近很忙，没正经吃过一顿饭。）

3. | 名［时间］ | までに

"時間＋まで"表示动作持续的最后时间，如"3時までにレポートを書きます（报告写到3点）"意思是写的动作持续到3点。而在形式上与此相似的"時間＋までに"，则表示某种事态发生或完成的期间的终点，如"3時までにレポートを書きます（3点以前完成报告）"表示完成报告的截止时间是3点。

▶ 明日の9時までにこの書類を完成させなければなりません。

（明天9点之前必须完成这份文件。）

> ▶ **今月**の**末**までに，**新しい家**を**見**つけたいです。(在月底之前我想找到一处新房子。)
> ▶ **来月**の*初めまでには事務所*開設の準備を*済ませたいです。

(下个月初之前，要完成开设事务所的所有准备工作。)

4. 名＋の ／ 动(简体形) ＋間／間に

"～**間**"表示某种行为或事态持续的时间段，如"**学校が休みの間**，アルバイトをします(学校放假期间，我打工)"表示打工所持续的时间段。"～**間**"多与副词"ずっと"一起使用。

"～**間に**"表示某种行为或事态发生或完成的时间范围，如"**学校が休みの間に**，アルバイトをします(学校放假期间，我想打工)"表示"打工"这一行为将发生在假期内。

> ▶ **学校が休みの間**，アルバイトをするつもりなんだ。

(我打算在学校放假的时候打工。)

> ▶ **部屋の中を見ている間**，ずっと**外で車の音**がしていましたよ。

(我们在看房间里面的时候，外面一直是过车的噪音。)

> ▶ わたしが**留学している間に**，**家の周り**もずいぶん**変**わりました。

(我留学期间，我家那一带发生了很大的变化。)

> ▶ **子供が寝ている間に**，**部屋**を**掃除**しました。(趁孩子睡觉的时候，我打扫了房间。)

5. 名 のような**味**／*においがします

感觉到某种味道或气味时用"**味**／においがします(有味道／气味)"。

> ▶ この**牛乳**，**変な味**するけど，いつ**買**ったの？

(这牛奶有股怪味儿，你什么时候买的？)

在这种表达的基础上，前面再加上本课所学的表示比喻的"～ようです"，就成为"～のような**味**／においがします"的形式。

> ▶ この**野菜**，*レモンのような**味**がしますね。（这菜有股柠檬的味道。）
> ▶ このスープは，**日本**の*みそ汁のようなにおいがします。

(这汤有股日本酱汤的味儿。)

除了"**味**／におい"之外，表示听觉的，如"**声**／**音**(声音)"，表示感觉的，如"**感じ**(感觉)"等也用"～がします"的形式，即"**声**／**音**／**感じ**がします(有声音／感觉)"。

> ▶ **外で子供の声**がします。(外面有孩子们的声音。)
> ▶ **外**でずっと**車の音**がしていましたよ。(外面一直有汽车的声音。)
> ▶ ここには**昔来**たことがある**感じ**がします。(我觉得以前来过这里。)

注意　这里的"～します"绝对不能说成"～あります"即"×においがあります""×声があります"。

参考　另外，表示身体状况的词语也可以加在"がします"的前面使用，如"*頭痛がします(头疼)""*寒気がします(感到发冷)"。

> ▶ さっきから，ちょっと*吐き気がするんです。（从刚才开始，觉得有点儿恶心。）

表达及词语讲解

1. 済ませたい

"済ませます"是他动词，意思是"结束某件事"。与此对应的自动词是"*済みます"，意思是"事情结束"。

▶ 来月の初めまでには，事務所開設の準備を**済ませたい**です。

（下个月初之前，要完成开设事务所的所有准备工作。）

▶ 事務所開設の準備が**済みました**。（开设事务所的准备工作完成了。）

▶ 外で食事を**済ませました**。（我在外面吃完饭了。）

▶ 食事はもう**済みました**。（已经吃完饭了。）

2. 〜んじゃないですか　[婉转陈述意见的表达　②]

第43课学习了"〜のではないのでしょうか"（☞第43课"表达及词语讲解3"），这里的"〜んじゃないですか"和"〜のではないのでしょうか"意思基本相同，也是一种婉转陈述意见的表达，不过其礼貌程度比"〜のではないのでしょうか"略低一些。

▶ ここ，いい**んじゃないですか**。（这儿不错呀。）

▶ さっきのはもっと広かった**んじゃないですか**。（刚才那家不是更大吗?）

▶ 最近，あの人暇な**んじゃないですか**。（我想最近他有空，你说呢?）

3. いかにも

表示特别像某种样子或浓厚地具有某种性质，多与"〜らしい"呼应使用。"〜らしい"有表示推测（☞第44课"语法解释3"）和表示典型性（☞本课"语法解释2"）两种用法，与"いかにも"呼应使用时，只能表示典型性。

▶ うちの子供は将来宇宙飛行士になりたいんだって。

──**いかにも**子供らしい夢ね。

（我的孩子说，将来想成为一名宇航员。──真是名符其实的孩子的理想啊。）

▶ じゃあ，南京路に行きましょう。**いかにも**上海らしい所ですよ。

（那么，去南京路吧。那儿的确是上海最具代表性的地方。）

▶ 眼鏡をかけているあの人は，**いかにも**大学の先生らしいです。

（戴眼镜的那个人真像大学老师。）

📖 旅行

こくないりょこう 国内旅行　国内旅行	くうこう 空港ターミナル　机场大楼
かいがいりょこう 海外旅行　海外旅行	とうじょうてつづ 搭乗手続き　登机手续
りょこうだいりてん 旅行代理店　旅行代理店	てにもつけんさ 手荷物検査　行李检查
れんきゅう 連休　连休，连续休假	しゅっこく 出国　出境
キャンセル　取消	めんぜいてん 免税店　免税店
りょう キャンセル料　取消的手续费	とうじょうぐち 搭乗口　登机口
	とうじょうけん 搭乗券　登机牌
パックツアー　旅行社全部包办的包干旅行	ばん ～番ゲート　登机口
ヒッチハイク　拦车旅行	
はんにちかんこう 半日観光　半日观光	りりく 離陸　起飞
てんじょういん 添乗員　全陪导游	あんぜん 安全ベルト　安全带
つうやく 通訳　口译	ちゃくりく 着陸　着陆
ガイドブック　旅行手册	きゅうめいどうい 救命胴衣　救生衣
	きないしょく 機内食　机内便餐
パスポート　护照	
ビザ　签证	にゅうこく 入国　入境
	てにもつうけとじょ 手荷物受け取り所　托运行李提取处
こうくうけん 航空券　飞机票	にゅうこくしんさ 入国審査　入境检查
マイレージ　里程数	ぜいかん 税関　海关
こくないせん 国内線　国内航线	けんえき 検疫　检疫
こくさいせん 国際線　国际航线	りょうがえ 両替　兑换，换钱
ファーストクラス　头等舱	
ビジネスクラス　商务舱	たいしかん 大使館　大使馆
エコノミークラス　経済舱	りょうじかん 領事館　领事馆

応用課文

事務所探し

老陈和森今天必须选定上海事务所的所址。一大早，两人就离开宾馆，在房产商的带领下，看了很多地方。另外，森初次来到上海，还想到各处去看一看。

（一大早他们就开始物色）

森：陳さん，今日中に事務所の候補地を探すんですよね。

陳：ええ。来月の初めまでには，開設の準備を済ませたいので。

（他们一边看一边商量）

森：ここ，いいんじゃないですか？

陳：うーん，でも，なんだか教室みたいな所ですね。

森：広くて，明るくて，交通の便もいいし，働きやすいと思いますよ。

陳：さっきのはもっと広かったんじゃないですか？

森：でも，ちょっとうるさかったですね。部屋の中を見ている間，外でずっと車の音がしていましたよ。

陳：そうですね…。

（想了一会儿）じゃあ，ここにしましょうか。

（回宾馆的途中，他们在外滩散步）

陳：この辺は「外灘」と言って，古い建物が多いんです。

森：ここが「外灘」ですか。

まるでヨーロッパの町並みを見ているようですね。
中国にいる間に，一度は来たいと思っていたんです。

（回北京的当天早晨）

森：出発までに時間がありますよね。どこかちょっと寄りませんか。

陳：じゃあ，南京路へ行きましょう。いかにも上海らしい所ですよ。

事務所探し（寻找事务所）　候補地（候选地）

练　习

练习Ⅰ

1. 仿照例句替换画线部分进行练习。

［例1］毛皮　→　甲: まるで本物の毛皮のようですね。

乙: ええ，本当に。

(1) 花　　　(2) 犬　　　(3) 果物　　　(4) 雪　　　(5) 警察官

［例2］あの着物／日本／柄　→　あの着物，いかにも日本らしい柄ですね。

(6) このセーター／春／色 　　　　　(7) このいす／中国／デザイン

(8) この曲／沖縄／明るさ 　　　　　(9) その意見／若者／考え方

(10) この小説／彼／文章 　　　　　(11) このあたり／京都／雰囲気

［例3］今日は暖かいです／春

→　甲: 今日は暖かいですね。

乙: そうですね。まるで春みたいです。

(12) 今日はにぎやかです／お祭り

(13) 大きな体です／お相撲さん

(14) あの先生はきれいです／モデル

(15) 目が大きくてかわいいです／人形

(16) すてきな町です／映画に出てくる町

(17) あの歌舞伎役者はきれいです／本物の女性

(18) 今年は秋が早いです／夏がなかった

(19) あの水泳選手は速いです／魚が泳いでいる

2. 仿照例句替换画线部分进行练习。

［例］野菜／味／苦い／薬のような味

→　甲: この野菜はどんな味ですか。

乙: ちょっと苦くて，薬のような味がします。

(1) スープ／味／辛い／カレーのような味

(2) 香水／におい／甘い／バラのようなにおい

(3) お菓子／味／酸っぱい／レモンのような味

(4) せっけん／におい／さわやか／ランのようなにおい

3. 仿照例句替换画线部分进行练习。

［例1］テレビを見ています／寝てしまいました

→　テレビを見ている間に，寝てしまいました。

明るさ(明朗)　お祭り(祭日)　お相撲さん(相扑选手)　モデル(模特儿)　歌舞伎役者(歌舞伎演员)

せっけん(肥皂)　さわやか(清爽)　ラン(兰花)

(1) 入院しています／庭の花が枯れてしまいました

(2) 出かけています／友達が訪ねてきたようです

(3) 子供が寝ています／家事をしてしまいます

(4) 日本にいます／いろいろな所を旅行したいと思っています

(5) しばらく見ません／ずいぶん大きくなりましたね

[例2] 留守です／日本から電話がありましたよ
　　　→ 留守の間に，日本から電話がありましたよ。

(6) 夜です／雪が50センチも積もりました

(7) 夏休みです／ダイエットするつもりです

(8) 休みです／いっぱい本を読もうと思っています

[例3] 電話をしています／ずっとメモを取っていました
　　　→ 電話をしている間，ずっとメモを取っていました。

(9) 家を建てています／小さいアパートを借りるつもりです

(10) 面接を受けています／ずっと緊張していました

(11) 掃除をしています／この部屋に入らないでください

(12) 電車に乗っています／ずっと雨が降り続いていました

[例4] 夏／涼しい所で過ごします
　　　→ 夏の間，涼しい所で過ごします。

(13) 休み／コンビニでアルバイトをします

(14) インタビュー／その女優はずっとほほえんでいました

(15) 試験／携帯の電源を切っておいてください

🎧 4. 听录音，仿照例句替换画线部分练习会话。

[例] いつ／この仕事をします／来週／2日
　　　→ 甲: いつまでにこの仕事をしないといけませんか。
　　　　 乙: 来週までにお願いします。
　　　　 甲: もう少し遅くできませんか。
　　　　 乙: そうですね。じゃあ，2日だけ延ばしましょう。

(1) 何時／その会場へ行きます／2時／30分

(2) 何時／ホテルに戻ります／11時／1時間

(3) 何日／お金を返します／今月の末／3日

(4) 何月／プランを決めます／3月の初め／1週間

(5) いつ／このビルを完成させます／夏休みの前／半月

枯れます(枯萎)　家事(家务活)　積もります(堆积)　面接(面试)　過ごします(度过)

インタビュー(采访)　ほほえみます(微笑)　延ばします(延长)　プラン(计划)

练习Ⅱ

1. 从▢▢▢中选择适当的词语填入(　　)中。

[例] 予定より（ ずっと ）早く着きましたね。

(1) 来月の会議に間に合うように，（　　　　　　）準備を始めます。

(2) わたしの恋人は（　　　　　　）女優のように美しいです。

(3) （　　　　　　）5時までに戻ってきてください。

(4) （　　　　　　）作ったのに，だれも食べてくれませんでした。

(5) この絵は（　　　　　　）子供らしい夢をかいていますね。

~~ずっと~~　　まるで　　いかにも　　早速　　せっかく　　絶対に

2. 仿照例句，选择画线处与其他用法不同的句子。

[例] ① 遅れない<u>ように</u>，早く家を出ました。
　　② 駅前で火事があった<u>よう</u>です。
　　③ 遠くから読める<u>ように</u>，大きな字で書きました。

(1) ① 電車が遅れた<u>ため</u>に，遅刻してしまいました。
　　② 日本へ留学する<u>ため</u>に，お金をためています。
　　③ 工事の<u>ため</u>に，道が込んでいます。

(2) ① あの声は田中さんの<u>よう</u>ですね。
　　② 本物の鳥の<u>よう</u>ですね。
　　③ レモンの<u>よう</u>な味ですね。

(3) ① いかにも日本人<u>らしい</u>考え方ですね。
　　② 今度来る社長はアメリカ人<u>らしい</u>ですよ。
　　③ 南京路はとても中国<u>らしい</u>感じがする所ですよ。

(4) ① 電源を入れた<u>のに</u>，動きません。
　　② 買ったばかりな<u>のに</u>，もう壊れてしまいました。
　　③ これは自動車を修理する<u>のに</u>使います。

[例]　②

(1)　　　　　　(2)　　　　　　(3)　　　　　　(4)　　　　　

3. 将下面的句子译成日语。

(1) 这个软软乎乎的，好像真皮一样。

(2) 这件和服的花纹是典型的日本式。

(3) 我留学期间，我家那一带发生了很大的变化。

生 词 表

けがわ（毛皮）　[名]　毛皮
ほんもの（本物）　[名]　真货，真东西
がら（柄）　[名]　花纹，花样
レモン　[名]　柠檬
みそしる（みそ汁）　[名]　酱汤
おまつり（お祭り）　[名]　祭日，节日
オートバイ　[名]　摩托车
インタビュー　[名]　采访
プラン　[名]　计划
ずつう（頭痛）　[名]　头疼
さむけ（寒気）　[名]　寒气，寒战
はきけ（吐き気）　[名]　恶心，想要呕吐
かじ（家事）　[名]　家务活
めんせつ（面接）　[名]　面试
できごと（出来事）　[名]　事情，事件
いけん（意見）　[名]　意见
かいせつ（開設）　[名]　开设
こうほち（候補地）　[名]　候选地
まわり（周り）　[名]　一带，周围
あかるさ（明るさ）　[名]　明朗，快活
におい　[名]　味道，气味
せっけん　[名]　肥皂
こうすい（香水）　[名]　香水
ラン　[名]　兰花
すえ（末）　[名]　末尾，末了

はじめ（初め）　[名]　最初
はんつき（半月）　[名]　半月，半个月
モデル　[名]　模特儿
けいさつかん（警察官）　[名]　警察
おすもうさん（お相撲さん）　[名]　相扑选手
かぶきやくしゃ（歌舞伎役者）　[名]　歌舞伎演员
すいえいせんしゅ（水泳選手）　[名]　游泳选手
すみます（済みます）　[动1]　结束，完了
つもります（積もります）　[动1]　堆积；积攒
すごします（過ごします）　[动1]　度过；生活
ほほえみます　[动1]　微笑
のばします（延ばします）　[动1]　延长
すませます（済ませます）　[动2]　搞完，办完
かれます（枯れます）　[动2]　枯萎；干燥
はっそうします（発送～）　[动3]　发送，寄送
きんちょうします（緊張～）　[动3]　紧张
さわやか　[形2]　清爽，爽快
まるで　[副]　好像，就像
いかにも　[副]　典型的；实在；的确
ワイタン（外灘）　[专]　外滩
おきなわ（沖縄）　[专]　冲绳
ナンキンろ（南京路）　[专]　南京路

....

このごろ　最近，近来，最近时期
じむしょさがし（事務所探し）　寻找事务所

专栏

东京的旅游景点

在这里让我们为赴日观光的旅游者推荐几处东京的旅游景点。

首先是"都庁(东京都厅)"。这是一座48层的建筑，在45层(202米)的眺望室可以一睹东京的全貌。天气晴好的时候，还可以看见富士山。

然后是"両国国技館(两国国技馆)"。在这里每年举行3次(1、5、9月)"大相撲(专业力士相扑比赛)"，比赛期间每天有大量的观众前来观战。

这几年新建造的"六本木ヒルズ(六本木建筑群)"和"丸ビル(丸大厦)"是深受年轻女性工薪族喜爱的地方。漂亮、别致的西餐厅和时装店林立，是年轻人约会以及购物的好地方。

如果想追求传统街貌的热闹劲儿，当属"浅草(浅草)"。我们特别推荐从"雷門(雷门)"到"浅草寺(浅草寺)"的"仲見世(寺院圈内的商店街)"，那里是品味东京美食，搜寻小礼品的绝好场所。另外，夏天在浅草寺附近的"隅田川(隅田川)"举行焰火大会，这也是必须欣赏的日本夏季景致之一。

说起东京近郊的娱乐设施，首推"東京ディズニーランド(东京迪斯尼乐园)"和"東京ディズニーシー(东京迪斯尼海洋乐园)"。不论是日本人还是外国人，男女老少都可以游玩，因而很受欢迎。

第47課

周先生は明日日本へ行かれます
しゅうせんせい　あしたにほんへい

基本課文

1. 周先生は明日日本へ行かれます。
   しゅうせんせい　あしたにほんへい

2. お客様はもうお帰りになりました。
   きゃくさま　　　　かえ

3. どうぞお座りください。
   すわ

4. 先生，何を召し上がりますか。
   せんせい　なに　め　あ

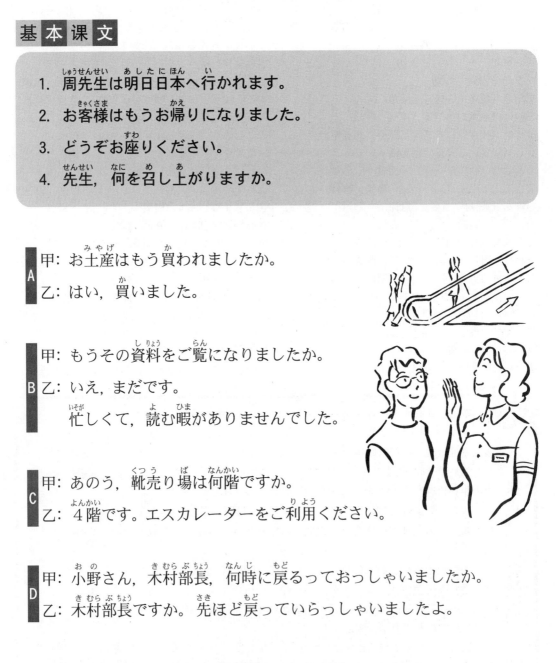

A
甲：お土産はもう買われましたか。
　　みやげ　　　　か
乙：はい，買いました。
　　　　　か

B
甲：もうその資料をご覧になりましたか。
　　　　　しりょう　　らん
乙：いえ，まだです。
　　忙しくて，読む暇がありませんでした。
　　いそが　　　　よ　ひま

C
甲：あのう，靴売り場は何階ですか。
　　　　　くつう　ば　なんかい
乙：4階です。エスカレーターをご利用ください。
　　よんかい　　　　　　　　　　　りよう

D
甲：小野さん，木村部長，何時に戻るっておっしゃいましたか。
　　おの　　　きむらぶちょう　なんじ　もど
乙：木村部長ですか。先ほど戻っていらっしゃいましたよ。
　　きむらぶちょう　　　さき　もど

召し上がります(吃, 喝)　ご覧になります(看)　おっしゃいます(说)　先ほど(刚才)

1. 敬语

敬语用于对会话中涉及的人物或者听话人表示敬意。现代日语的敬语可粗略地分为以下三类：

①"**尊他语**"：用抬高会话中的人物或听话人或听话人一方的方式表示敬意。

②"**自谦语**"：用压低说话人自身或说话人一方的方式表示敬意。

③"**礼貌语**"：通过使用"～です""～ます"等礼貌的说法，表示对听话人的敬意。

2. 尊他语

一般来说，尊他语用于对长辈或上级。不过，即使是长辈或上级，如果关系十分亲密也不使用。例如一般不用于自己的家人，在与其他公司的人谈话而涉及到自己公司的上级时也不用。反之，即使不是长辈或上级，但与自己的关系比较疏远则需要使用。

3. 动 （ら）れます

动词的被动形式也可作为尊他语的一种（☞ 第 41 课"语法解释 1"）。但与被动句不同，这里只是单纯地将原句的动词改为"～（ら）れます"，而不改变句子成分的位置及助词等。

▶ 周先生は日本へ**行かれます**。（周老师去日本。）

▶ 今朝何時に**起きられました**か。（今天早上您几点起床?）

▶ 部長は毎朝公園を**散歩される**そうです。（据说部长每天早上都在公园散步。）

4. お＋ 一类动／二类动 になります

尊他语的另一种表达形式是"お＋动词的ます形去掉ます＋になります"。但一类动词和二类动词的"ます形"去掉"ます"以后只有一个音节的词，如"見ます""寝ます""います"则不能用于这种形式。并且三类动词也不能用于这种形式。

	ます形	去掉"ます"的形式		お　～になります
一类动词	読みます	よみ	→	お読みになります
二类动词	決めます	きめ	→	お決めになります

▶ お客様はもう**お帰り**になりました。（客人已经回去了。）

▶ お食事はもう**お済み**になりましたか。（您已经用过饭了吗?）

▶ 旅行の日程はもう**お決め**になりましたか。（旅行日程您已经定下来了吗?）

5. お＋ 一类动／二类动 ください
ご＋ 三类动的汉字部分 ください

劝说听话人做有益于听话人或有益于公共利益的事情时，可用"お＋一类动词／二类动词的ます形去掉ます＋ください""ご＋三类动词的汉字部分＋ください"的形式。一类动词和二类动词的"ます形"去掉"ます"以后只有一个音节的动词以及三类动词"来ます"和"します"不能用于这种形式。

	ます形	去掉"ます"的形式		お ～ ください
一类动词	歩きます	あるき	→	お歩きください
二类动词	食べます	たべ	→	お食べください

	ます形	汉字部分		ご ～ ください
三类动词	紹介します	しょうかい	→	ご紹介ください

▶ どうぞお座りください。(请坐。)

▶ エスカレーターをご利用ください。(请利用电梯。)

▶ こちらのドアからお入りください。(请从这个门进去。)

6. 尊他语的特殊形式

日语里，有一些动词在表示尊他的意思时有其特殊形式。一般来说，具有这种特殊形式的动词，在表示尊他时优先使用其特殊形式。

基本形			尊他语（基本形）	尊他语（ます形）	尊他语（命令形）
見る　看		→	ご覧になる	ご覧になります	ご覧
食べる　吃 飲む　喝		→	召し上がる	召し上がります	召し上がれ
行く　去 来る　来 いる　在		→	*いらっしゃる *おいでになる	いらっしゃいます おいでになります	いらっしゃい おいで
する　做		→	*なさる	なさいます	なさい
言う　说		→	おっしゃる	おっしゃいます	おっしゃい
くれる　给		→	*くださる	くださいます	ください
～ている		→	～ていらっしゃる	～ていらっしゃいます	～ていらっしゃい
～てくれる		→	～てくださる	～てくださいます	～てください

▶ 先生，何を召し上がりますか。(老师，您吃点儿什么?)

▶ もう，その資料をご覧になりましたか。(您已经看了那份资料了吗?)

▶ 小野さん，木村部長，何時に戻るっておっしゃいましたか。
　　　　——部長は先ほど戻っていらっしゃいましたよ。

　　　　　　(小野女士，木村部长说几点回来? ——部长刚才已经回来了呀。)

▶ まず，ホテルに*チェックインなさいますか。(先到宾馆办理入住手续吗?)

注意 "いらっしゃる""なさる""おっしゃる""くださる"的"ます形"和"命令形"的变换方式比较特殊，详见上表。

参考 尊他语有本课学习的三种形式，其中"～（ら）れます"表示比较轻微的敬意而另外两种表示较深的敬意。有特殊的尊他形式的动词一般不用"お～になります"的形式。既有特殊形式又可用于"お～になります"形式的有"食べます"和"飲みます"两个动词，其特殊形式"召し上がります"比起"お～になります"形式表示的敬意更深。

参考 "知っています"的尊他语是"*ご存じです"。

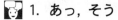
表达及词语讲解

1. あっ，そう

　　是"ああ，そうですか"的较随便的说法。只能用于同辈之间，或对地位、年龄、身份比自己低的人使用。应用课文中，是东京总公司的总经理对部下加藤分公司经理这样说的，所以没有问题。

> **あっ，そう。なかなかいいじゃないか。**（啊，是吗？相当不错嘛。）

> 〔同辈之间的对话〕
> 小野さん，ぼく，残業があるから，先に帰って。
> ——**あっ，そう。**じゃあ，お先に失礼。

　　　　　　　　　（小野，我要加班，你先回去吧。 ——噢，是吗？那我先走了。）

2. ～じゃないか

　　语义与"ね"相近，比"ね"强烈。多为男性上级对下级使用。不能用升调，只能是降调。

> **あっ，そう。なかなかいい<u>じゃないか</u>。**（啊，是吗？相当不错嘛。）

> この企画はなかなかおもしろい**じゃないか**。（这个方案很有趣啊。）

3. "～て"后续的敬语

(1) ～ていらっしゃいました

　　应用课文中，森所说的"社長がほめていらっしゃいましたよ（总经理表扬我们了）"是"社長がほめていましたよ"的敬语形式。"～ていらっしゃいます"不仅是"～ています"的敬语形式，同时也是"～ていきます""～てきます"的敬语形式。

> 社長は会議室で待っ**ていらっしゃいます**。（总经理在会议室等着。）〔～ています〕
> 社長は明日戻っ**ていらっしゃいます**。（总经理明天返回。）　　　〔～てきます〕

(2) ～てくださって

　　应用课文中，陈副经理所说的"よかったです。気に入ってくださって（那太好了，总经理满意就好）"是"（社長が）気に入ってくださって，よかったです（总经理表示满意那太好了）"的倒装说法。这句话也可以说成是"（社長が）気に入って，よかったです"，但加"～てくれて"（☞第28課"语法解释4"）的礼貌说法"～てくださって"则有一种对总经理欣赏自己选定的事务所表示感谢的含义。

　　需要注意的是"～てくれます""～てくださいます"必须在得过对方的恩惠，从而想要感谢对方的场合下使用，否则是不自然的。

> 社長はわたしを見て，「おはよう」と言っ**てくださいました**。

　　　　　　　　　（总经理看见我，对我说"おはよう"。）

　　× その友達はわたしを見て，「おはよう」と言っ<u>てくれました</u>。

　　比较上面的两个例句就可以看出，通常情况下，总经理是不会向每个职工都打招呼的。上面第一个例子里总经理特别向自己打了招呼，所以非常感动，因而使用了"～てください ました"。与此相反，朋友之间相互打招呼是理所当然的事情，没有特别感谢的必要，因此上面第二个例子用"～てくれました"就显得不自然。

📖 **职务、岗位**

社長　总经理，社长

副社長　副经理，副社长

取締役　董事

重役　常务董事

部長　部长

課長　科长

係長　股长

社員　职员

総務部　总务部

人事部　人事部

経理部　财务部

営業部　营业部

広報部　广告宣传部

工場　工厂

工場長　厂长

チーフ　部门负责人

リーダー　领导

主任　主任

アルバイト　打零工

派遣社員　聘任职员

上司　上司

部下　部下

同僚　同事

新入社員　新职员

秘書　秘书

受付　接待人员

本社　总公司

支社　分公司

本店　总店

支店　分店

支社長　分公司经理

支店長　分店店长

営業所　营业所

所長　所长

応用課文　社長の下見

为了视察上海事务所，东京总公司的总经理来到上海。北京分公司的加藤经理和森也来到上海。亲自敲定上海事务所所址的老陈却因为一件重要的生意而离不开北京。

（加藤经理和森到机场接到总经理，他们走向出租车车站）

加藤：お食事はもうお済みになりましたか。

社長：うん，飛行機の中で食べてきたよ。

加藤：では，まずホテルにチェックインなさいますか。それとも，先に事務所をご覧になりますか。

社長：そうだな。事務所へ直行しようか。早く見てみたいからな。

（到了上海事务所）

森：こちらのドアからお入りください。

（一进门就看见正面的墙壁上挂着一幅很大的画）

社長：広くて明るいね。（注意到那幅画）あの絵は？

加藤：ああ，あれは日中商事の社長がくださった絵です。

社長：あっ，そう。なかなかいいじゃないか。

加藤：はい。ところで，社長がおっしゃっていたスタッフの件ですが，李さんに上海に来てもらおうと思うんですが…。

（当天晚上，森给在北京的老陈打电话）

森：いい事務所だって，社長がほめていらっしゃいましたよ。

陳：そうですか。よかったです。気に入ってくださって。それで，社長はこちらにもお寄りになるのかしら？

森：いいえ，そちらへは寄らずに，明日の朝の便で，東京に戻られる予定です。

下見（视察）　直行します（直接去）　スタッフ（职员）

练 习

练习 I

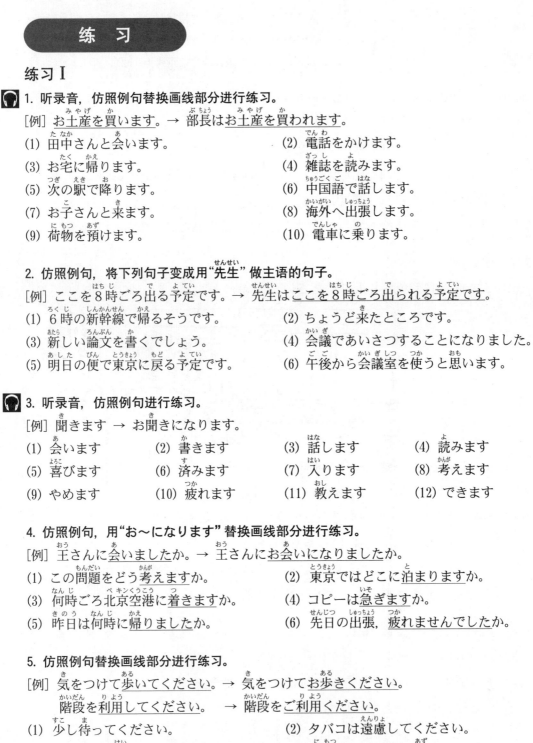

🎧 **1. 听录音，仿照例句替换画线部分进行练习。**

[例] お土産を買います。→ 部長はお土産を買われます。

(1) 田中さんと会います。
(2) 電話をかけます。
(3) お宅に帰ります。
(4) 雑誌を読みます。
(5) 次の駅で降ります。
(6) 中国語で話します。
(7) お子さんと来ます。
(8) 海外へ出張します。
(9) 荷物を預けます。
(10) 電車に乗ります。

2. 仿照例句，将下列句子变成用"先生"做主语的句子。

[例] ここを8時ごろ出る予定です。→ 先生はここを8時ごろ出られる予定です。

(1) 6時の新幹線で帰るそうです。
(2) ちょうど来たところです。
(3) 新しい論文を書くでしょう。
(4) 会議であいさつすることになりました。
(5) 明日の便で東京に戻る予定です。
(6) 午後から会議室を使うと思います。

🎧 **3. 听录音，仿照例句进行练习。**

[例] 聞きます → お聞きになります。

(1) 会います
(2) 書きます
(3) 話します
(4) 読みます
(5) 喜びます
(6) 済みます
(7) 入ります
(8) 考えます
(9) やめます
(10) 疲れます
(11) 教えます
(12) できます

4. 仿照例句，用"お～になります"替换画线部分进行练习。

[例] 王さんに会いましたか。→ 王さんにお会いになりましたか。

(1) この問題をどう考えますか。
(2) 東京ではどこに泊まりますか。
(3) 何時ごろ北京空港に着きますか。
(4) コピーは急ぎますか。
(5) 昨日は何時に帰りましたか。
(6) 先日の出張，疲れませんでしたか。

5. 仿照例句替换画线部分进行练习。

[例] 気をつけて歩いてください。→ 気をつけてお歩きください。
　　 階段を利用してください。 → 階段をご利用ください。

(1) 少し待ってください。
(2) タバコは遠慮してください。
(3) こちらから入ってください。
(4) 荷物はロッカーに預けてください。
(5) 午前中に連絡してください。
(6) ここに名前と住所を書いてください。

お子さん(您的孩子)

6. 听录音，仿照例句进行练习。

［例 1］行きます → いらっしゃいます

(1) 来ます　　　(2) います　　　(3) 言います　　　(4) 食べます

(5) 見ます　　　(6) くれます　　　(7) 飲みます　　　(8) 研究します

［例 2］歌ってくれます → 歌ってくださいます

　　　　持ってきます→ 持っていらっしゃいます

　　　　見ています → 見ていらっしゃいます

(9) 話しています　　　(10) 読んでいます　　　(11) 戻ってきます

(12) 連れてきます　　　(13) 送ってくれます　　　(14) 教えてくれます

7. 仿照例句替换画线部分进行练习。

［例］黄教授はよくお寿司を食べます → 黄教授はよくお寿司を召し上がります。

(1) 社長は毎朝 9 時に事務所に来ます。　　　(2) 先生はお酒を飲みません。

(3) 先生がお土産をくれました。　　　(4) 李さんはゴルフをしません。

(5) 部長は何をしていますか。　　　(6) 王さんが案内してくれました。

(7) 課長はあちらで本を読んでいます。

(8) 先生は「体に気をつけて」と言いました。

8. 听录音，仿照例句替换画线部分练习会话。

［例 1］お部屋にいます（はい）

　　　→ 甲: 張さん，周先生はお部屋にいらっしゃいますか。

　　　　乙: はい，いらっしゃいます。

(1) カタログを見ました（いいえ）

(2) 昨日の音楽会に行きました（はい）

(3) テニスをします（いいえ）

(4) 会議の資料を見ました（はい）

［例 2］いつこちらにいらっしゃいますか。（15 日）

　　　→ 甲: いつこちらにいらっしゃいますか。

　　　　乙: 15 日に来ます。

(5) お飲み物は何になさいますか。（ビール）

(6) お仕事は何をなさっていますか。（教師）

(7) 日曜日は何をなさいますか。（テニス）

(8) 何でいらっしゃいましたか。（地下鉄）

练习Ⅱ

1. 从□□□中选择适当的词语，变成敬语填入（　　　）中。

[例1]　部長は明日２時からの会議に（出られます）。

(1)　昨日，黄教授がわたしに本を（　　　　　　）。

(2)　陳さんは毎朝太極拳を（　　　　　　）か。

(3)　部長は10時に東京を出発して，さっき名古屋に（　　　　　　）そうです。

(4)　中田先生は明日こちらに（　　　　　　）ことになっています。

(5)　社長，12時です。お昼は何を（　　　　　　）か。

~~出ます~~	します	くれます	着きます	食べます	来ます

[例2]　待合室は禁煙ですので，おタバコは（ご遠慮）ください。

(6)　チケットを持っている方はこちらの入り口から（　　　　　　）ください。

(7)　ボールペンを持っていない方は，これで（　　　　　　）ください。

(8)　間もなく出発します。こちらに（　　　　　　）ください。

(9)　来週会社の運動会が行われます。皆さん，ぜひ（　　　　　　）ください。

(10)　エレベーターが故障しているので，階段を（　　　　　　）ください。

~~遠慮します~~	集まります	利用します	参加します	入ります	書きます

2. 参照答句，在（　　　）中填入适当的词语完成问句。

[例]　（どこで）テニスを（なさいます）か。——近くのスポーツセンターでします。

(1)　（　　　　　　）あちらに（　　　　　　）か。——8時に行きました。

(2)　（　　　　　　）番組を（　　　　　　）か。——日本のニュースやスポーツを見ます。

(3)　東京ではどなたに（　　　　　　）か。——王さんに会います。

(4)　（　　　　　　）日本語を（　　　　　　）か。——3年ぐらい勉強しました。

(5)　（　　　　　　）会社に（　　　　　　）か。——地下鉄で来ます。

3. 听录音，与录音内容一致的在（　　　）中画○，不一致的画×。

[例]　わたしは日本の大学で日本語を勉強しました。（　×　）

(1)　（　　　）　(2)　（　　　）　(3)　（　　　）　(4)　（　　　）

4. 将下面的句子译成日语。

(1)　周老师明天去日本。

(2)　(您)已经看了那份资料了吗?

(3)　请(您)利用电梯。

したみ（下見）　［名］　视察

スタッフ　［名］　职员，同事

おこさん（お子さん）　［名］　您的孩子

めしあがります（召し上がります）　［动1］
（尊他）吃，喝

ごらんになります（ご覧になります）　［动1］
（尊他）看，读

おっしゃいます　［动1］　（尊他）说，讲

いらっしゃいます　［动1］　（尊他）去，来，在

おいでになります　［动1］　（尊他）去，来，在

なさいます　［动1］　（尊他）做，干

くださいます　［动1］　（尊他）给

チェックインします　［动3］　办理入住手续

ちょっこうします（直行～）　［动3］　直接去，直达

さきほど（先ほど）　［副］　刚才，方才

きむら（木村）　［专］　木村

こう（黄）　［专］　黄

ペキンくうこう（北京空港）　［专］　北京机场

・・・・・・・・・・・・・・・・・・・・・・・・・・・・・・

ごぞんじです（ご存じです）　（尊他）知道

贺礼

专栏　无论是个人还是公司之间，有时需要赠送礼物，庆贺开店或开业即是一例。在日本有时可以看到新开张的店前，靠着红白镶边的花环。红白相间的花环非常醒目，意味着祝贺买卖兴隆。

开店或开业的贺礼不限于花环。艳丽的鲜花、赏叶植物、日本清酒、装饰用的陈列品以及绘画等都是常见的礼物。如果可能的话，问一问对方的意愿，赠送办公室或店里能用的东西比较好。

祝贺乔迁或翻修时，除了现金之外，人们还常常选择挂钟、绘画、陶器、餐具等适于室内的装饰品以及一些多几件也不让人感到为难的实用物品。另外，在选购赠品时应避开让人联想到火的打火机、火炉等。

祝贺朋友结婚或生产，大家凑份儿购买对方希望的礼品的情景也不少见。例如，要赠送新婚家庭必需的诸如洗衣机、冰箱等时，因为1个人买这些物品太贵，所以召集自愿参加者，大家凑份儿一起购买。

总之，在赠送礼物时，一般认为选择那些自己不想买，但别人送你，你会比较高兴的、既漂亮时髦又方便实用的东西为好。

第48課

お荷物は私がお持ちします

基本課文

1. お荷物は私がお持ちします。
2. 明日，私がそちらへ伺います。
3. コピーは私がいたします。
4. 黄教授に論文を見ていただきました。

A
甲: 昨日，メールをお送りしたんですが…。
乙: ええ，拝見しました。先ほど返事をお出ししました。

B
甲: どちらからいらっしゃったんですか。
乙: 中国の北京から参りました。

C
甲: そろそろ失礼いたします。
　　どうもお邪魔いたしました。
乙: 何のお構いもしませんで。

D
甲: この服，ちょっと小さいので，取り替えていただけますか。
乙: 承知いたしました。少々お待ちください。

私(我)　伺います(去，拜访)　いたします(做)　拝見します(看)　参ります(来)

何のお構いもしませんで(招待不周)　承知します(知道)　少々(稍稍)

语 法 解 释

1. 自谦语

自谦语是通过压低说话人自身或说话人一方的形式表示敬意的表达方式。如跟别人谈到自己的家人或自己公司的上级时，也使用自谦语。

2. お＋ 一类动／二类动 します
ご＋ 三类动的汉字部分 します

"お＋一类动词／二类动词的ます形去掉ます＋します""ご＋三类动词的汉字部分＋します"是自谦语中用得最多的一种表达形式，如"お話しします""ご連絡します"。一类动词和二类动词的"ます形"去掉"ます"以后只有一个音节的动词以及三类动词"来ます"和"します"不能用于这种形式。

	ます形	去掉"ます"的形式		お ～ します
一类动词	話します	はなし	→	お話しします
二类动词	見せます	みせ	→	お見せします

	ます形	汉字部分		ご ～ します
三类动词	連絡します	れんらく	→	ご連絡します

▶ お荷物は私がお持ちします。（您的行李我来拿。）

▶ 昨日メールをお送りしたんですが…。
  ——ええ，拝見しました。先ほど返事をお出ししました。

  （昨天，我给您发了邮件。——是的，已经拜读了。刚刚给您发了回信。）

▶ 明日の午後，ご連絡します。（明天下午我跟您联系。）

3. 自谦语的特殊形式

和尊他语一样，一些动词的自谦语也有特殊形式。

基本形			自谦语（基本形）	自谦语（ます形）
見る	看	→	拝見する	拝見します
食べる	吃	→	*いただく	いただきます
飲む	喝			
行く	去	→	参る／伺う	参ります／伺います
来る	来			
聞く	问	→	伺う	伺います
する	做	→	いたす	いたします
言う	说	→	申す	申します
あげる	给	→	*差し上げる	差し上げます
もらう	得	→	いただく	いただきます
知っている	知道	→	*存じている	存じています
～てあげる		→	～て差し上げる	～て差し上げます
～てもらう		→	～ていただく	～ていただきます

▶ 明日，私がそちらへ伺います。（明天我去您那儿拜访。）

▶ 中国の北京から参りました。（我来自中国北京。）

▶ コピーは私がいたします。（复印的事我来做。）

▶ 黄教授に論文を見ていただきました。（我请黄教授给我看了论文。）

▶ *案内状，拝見いたしました。（开业通知，我们已经拜读了。）

参考　"知りません"的自谦语是"存じません"。

4. 动 ていただけますか ［请求 ③］

"～ていただきます"用于请求对方为自己做某事时要变成"～ていただけますか"的形式。这里的"～ていただけます"是"～ていただきます"的可能形式。"～ていただけますか"的更礼貌的形式是"～ていただけませんか"。

▶ この服，ちょっと小さいので，取り替えていただけますか。

（这件衣服小了点儿，能给我换一下吗？）

▶ この服，ちょっと小さいので，取り替えていただけませんか。

（这件衣服小了点儿，能给我换一下吗？）

▶ 教えていただけますか。（您能教我一下吗？）

▶ 教えていただけませんか。（您能教我一下吗？）

5. 动 (さ)せていただきます

使用频率较高，自谦程度高于"お／ご～します"。其构成方式为在动词使役形式的"て形"后面加"いただきます"。

▶ 早速，資料を届けさせていただきます。（我这就把资料给您送过去。）

▶ 明日，もう一度連絡させていただきます。（请允许我明天再跟您联络一次。）

非常礼貌地请求对方允许自己做某事时，可以使用"～(さ)せていただけますか"和"～(さ)せていただけませんか"两种形式。

▶ 頭が痛いんですが，帰らせていただけますか。（我头疼，能允许我回去吗？）

▶ 来週の水曜日，休ませていただけませんか。

（下个星期三，我想休息一下，行吗？）

6. *ございます／名 でございます

"あります"的更为礼貌的说法是"ございます"。"～です"的更为礼貌的说法是"～でございます"。

▶ すみません，この近くにコンビニがありますか。（请问，这附近有便利店吗？）

——はい，ございます。ホテルの前の道を右に行かれますと，左にございます。

（有。沿着宾馆前面的路向右走，便利店在左边。）

▶ 社長，１つお伺いしたいことがございます。

（经理，我有一个问题向您请教一下。）

▶ 〔接电话时〕はい，ＪＣ企画上海事務所でございます。

（喂，您好。这里是 JC 策划公司上海事务所。）

▶ あのう，お客様，*おつりでございます。（对不起，这是找您的钱。）

表达及词语讲解

1. 动词以外的敬语形式

　　第 47 课学习了表示尊他的动词形式（☞ 第 47 课"语法解释 3～6"），本课学习了表示自谦的动词形式。在使用敬语的时候，不只是动词，同一个句子里的一部分名词、形容词有时也要使用相应的敬语形式。下面是一些常用的名词和形容词的敬语形式。

（1）尊他语

　　在名词和形容词前加"お"或"ご"。日语固有词前一般加"お"，汉字词前一般加"ご"。

名词	お食事　饭　　お荷物　行李　　ご利用　利用 お手紙　信　　お客様　客人　　ご家族　家人

　　　　　　　　　　　　　　　　　　　※"お客様"中的"様"也表示尊敬的含义。

形容词	お忙しい　忙　　　お元気　精神，精力充沛 お若い　年轻　　　お暇　闲暇

> ▶ 一度お会いしたいんですが，*明日はお忙しいでしょうか。

　　　　　　　　　　　　　　　　　　　　　　　（我想见您一面，您明天忙吗?）

> ▶ 家を建てられたそうですね。お若いのに，立派ですね。

　　　　　　　　　（听说您盖自己的房子了。您还这么年轻，真能干啊。）

> ▶ ご両親はお元気ですか。（您父母亲身体好吗？）

> ▶ お暇なら，ちょっと手伝っていただきたいんですが。

　　　　　　　　　　　　　　　　　　　　（您如果有空的话，想请您帮个忙。）

（2）自谦语

　　下面是一组普通说法和自谦语的对应形式。

普通说法	自谦语	普通说法	自谦语
わたし	私	会社	*社
わたしたち	*私ども	人	*者

> ▶ 私，李秀麗と申します。（我叫李秀丽。）

> ▶ こちらは私どもの新しい製品でございます。（这是我们的新产品。）

> ▶ 帰ったら，すぐ社の者に資料を送らせます。（回去以后，马上让公司的人给您寄资料。）

2. "明日"和"昨日"

　　"明日"有"あした""あす""みょうにち"三种读法。"あした"最随便，"あす"较郑重，"みょうにち"郑重程度最高，商业用语中常常与敬语形式呼应使用。

　　"昨日"也有"きのう"和"さくじつ"两种读法，"さくじつ"是比较郑重的说法。

3. 何のお構いもしませんで ［寒暄语 ⑨］

客人离开时，主人往往要说一些没能好好招待之类的话，这时候，常用的一句是"何のお構いもしませんで(招待不周)"，表示没能好好招待、非常抱歉的心情。

同样的内容也可说成"何のお構いもできませんで(招待不周)"。

▶ 〔客人(甲)要走时〕

甲：そろそろ失礼いたします。どうもお邪魔いたしました。

乙：**何のお構いもしませんで。**

（我该告辞了。真是打搅了。——招待不周，请原谅。）

▶ 〔上周拜访过乙的甲再次见到乙时表示感谢〕

甲：先日はいろいろとごちそうになりました。どうもありがとうございました。

乙：いいえ，**何のお構いもできませんで。**

（前几天承蒙款待，非常感谢。——哪里，招待不周，非常抱歉。）

4. 右も左も分かりません

表示新到一个地方，对周围的情况一点儿也不了解。应用课文中，第一天到上海事务所上班的山田，在自我介绍以及寒暄中用以表示自己对工作环境不熟悉。

▶ 大学を卒業したばかりで，**右も左も分かりません**が，一生懸命頑張りますので，ご指導よろしくお願いいたします。

（我刚刚大学毕业，什么都不懂，但我会努力工作的，请多多指教。）

▶ 日本に着いたばかりで，まだ**右も左も分かりません**が，どうぞよろしくお願いいたします。

（我刚到日本，还什么都不懂呢，请多关照。）

5. *おります／〜ております

"います"的更谦和的说法是"おります"。相应的"〜ています"的更为谦和的说法是"〜ております"。

▶ 午後はずっと社におりますが…。(下午我一直在公司。)

▶ ご両親はどちらにいらっしゃいますか。(您父母亲在什么地方?)

——両親は名古屋におります。(我父母在名古屋。)

▶ *いつもお世話になっております。(承蒙多方关照。)

▶ 吉田課長にお会いしたいんですが。

——*申し訳ございません。吉田は*ただ今外出しております。

（我找吉田科长。——非常抱歉。吉田刚才出去了。）

応用課文

上海事務所（シャン ハイ じ む しょ）

上海事务所开业了。北京分公司的老陈兼任所长，小李就任副所长，事务所新聘了新职员山田拓也。上海事务所开业之际，给上海市内的日资企业发出了开业通知。

（第一天上班的山田拓也跟老陈和小李寒暄）

山田: おはようございます。山田です。今日からお世話になります。大学を卒業したばかりで，右も左も分かりませんが，一生懸命頑張りますので，ご指導よろしくお願いいたします。

陳: 期待していますよ。こちらこそよろしく。

李: よろしくお願いします。いっしょに頑張りましょう。

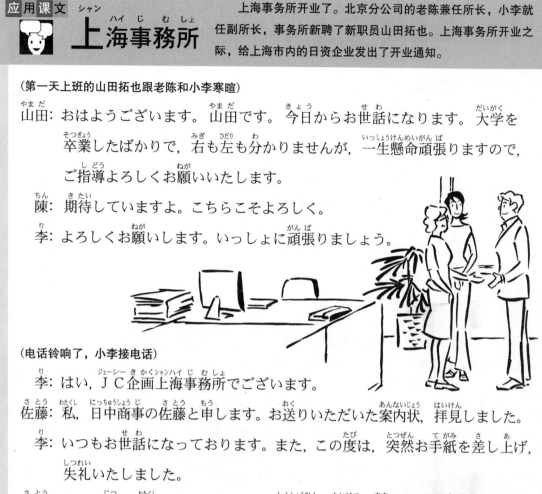

（电话铃响了，小李接电话）

李: はい，ＪＣ企画上海事務所でございます。

佐藤: 私，日中商事の佐藤と申します。お送りいただいた案内状，拝見しました。

李: いつもお世話になっております。また，この度は，突然お手紙を差し上げ，失礼いたしました。

佐藤: いえ。実は，私どもでは，これから新商品の開発を進めていく予定なんです。そこで，ぜひ，詳しいお話を伺いたいのですが。

李: ありがとうございます。早速，資料を届けさせていただきます。

佐藤: そうですか。では，一度社の方においでいただけますか。明日なら午後はずっと社におりますが…。

李: 承知いたしました。私，李秀麗と申します。では，明日の午後，お伺いします。

这是上海事务所的开端。以后会发生什么事情呢？让我们拭目以待。

期待します（希望）　　この度（这次）　　実は（其实）　　進めます（推进）

练　习

练习 I

1. 仿照例句进行练习。

[例1] 持ちます　→　お持ちします。

(1) 送ります (2) 出します (3) 読みます
(4) 届けます (5) 待ちます (6) 貸します

[例2] 連絡します　→　ご連絡します

(7) 案内します (8) 説明します (9) 紹介します
(10) 報告します (11) 用意します (12) 相談します

[例3] 約束します　→　お約束します

(13) 電話します (14) 返事します (15) 世話します

🎧 2. 听录音，仿照例句替换画线部分进行练习。

[例] わたしが行きます。→　わたしが参ります。

(1) わたしがその仕事をします。 (2) 王と言います。
(3) その箱をもらいます。 (4) 写真を見ました。
(5) お名前を知っています。 (6) 昼ご飯を食べます。
(7) 家にいます。 (8) 午後もまたここに来ます。
(9) そちらへ行きます。 (10) お話を聞きます。

3. 仿照例句，替换(　　　)中的说法，回答提问。

[例] 甲: どちらからいらっしゃいましたか。
　　乙: (中国から来ました) → 中国から参りました。

(1) 甲: 名前は何とおっしゃいますか。
　　乙: (王と言います)

(2) 甲: アルバムをご覧になりましたか。
　　乙: (はい，見ました)

(3) 甲: 何を召し上がりましたか。
　　乙: (お寿司を食べました)

(4) 甲: 明日のパーティーにいらっしゃいますか。
　　乙: (いいえ，行きません)

世話します（帮助）

(5) 甲: もうスミスさんに連絡されましたか。

乙: (はい，連絡しました)

(6) 甲: 来週の予定をお聞きになりましたか。

乙: (はい，聞きました)

(7) 甲: 日本酒を召し上がりますか。

乙: (はい，飲みます)

(8) 甲: 明日何時まで会社にいらっしゃいますか。

乙: (3時ごろまでいます)

4. 仿照例句替换画线部分进行练习。

[例1] 論文を見ます

→ 論文を見ていただき，ありがとうございました。

(1) 写真を見せます　　　　　　　　　(2) 東京大学に連れていきます

(3) 黄教授を紹介します　　　　　　　(4) 貴重な本を貸します

(5) 車で送ります　　　　　　　　　　(6) 日本料理をごちそうします

[例2] 小さいので，取り替えます

→ 小さいので，取り替えていただけますか。

(7) 最新のを見せます　　　　　　　　(8) 電話番号を教えます

(9) これの使い方を説明します　　　　(10) 傷があるので，取り替えます

(11) わたしが書いた手紙を見ます　　　(12) 派手過ぎるので，取り替えます

[例3] 届けます → では，届けさせていただきます。

(13) 明日休みます　　　　　　　　　　(14) 4時半に帰ります

(15) 荷物をここに置きます　　　　　　(16) 応接室を使います

(17) 弊社の者を紹介します　　　　　　(18) スピーチを終わります

5. 听录音，仿照例句替换画线部分练习会话。

[例] ＪＣ企画／会社のパンフレット

→ 甲: もしもし?

乙: はい。ＪＣ企画でございます。

甲: すみません，会社のパンフレットありますか。

乙: はい，ございます。1部お送りしましょうか。

甲: はい，お願いします。

(1) 東京料理スクール／パンフレット

(2) 北京日本語学校／入学案内

(3) ＪＣ自動車／新車のカタログ

傷(瑕疵)　　応接室(会客室)　　弊社(敝公司)　　入学案内(入学指南)

练习Ⅱ

1. 在_____上填入适当的词语，完成会话。

［例］中国のどちらからいらっしゃいましたか。――北京から参りました。

(1) 明日，家にいらっしゃいますか。――はい，_____。

(2) どうぞ，お茶を召し上がってください。――ありがとうございます。_____。

(3) だれがくださいましたか。――長島さんに_____。

(4) 明日2時に来てください。――はい。2時に_____。

2. 给正确的答案画〇。

［例］私が李で（ございます ・ いらっしゃいます ）。

(1) お名前は何と（ 申します ・ おっしゃいます ）か。

　　――李と（ 申します ・ おっしゃいます ）。

(2) 美術館で先生の絵を（ 拝見なさい ・ご覧になり ）ましたか。

　　――はい，（ 拝見しました ・ ご覧になりました ）。

(3) もう昼ご飯は（ いただきました ・ お済みになりました ）か。

　　――はい，（ いただきました ・ お済みになりました ）。

(4) わたしは加藤さんにはたいへんお世話になって（ おります ・ いらっしゃいます ）。

(5) 用事があるので，そろそろ（ 失礼していただきます ・ 失礼させていただきます ）。

　　――そうですか。では，どうぞ（ お気をつけて ・ 気をつけます ）。

3. 听录音，从￢￢中选择适当的答句，并将序号写在_____上。

［例］李でございます。――___①___

(1) _____　(2) _____　(3) _____　(4) _____　(5) _____

① はじめまして，佐藤です。	② いいえ，取りに伺います。
③ はい，よく存じています。	④ 午前中なら，おります。
⑤ これ，召し上がりますか。	⑥ 傘をお貸ししましょうか。

4. 将下面的句子译成日语。

(1) 您的行李我来拿。

(2) 明天我去您那儿拜访。

(3) 这件衣服小了点儿，能(给我)换一下吗?

生 词 表

みょうにち（明日）　[名]　明天

あす（明日）　[名]　明天

さくじつ（昨日）　[名]　昨天

このたび（この度）　[名]　这次，这回

わたくし（私）　[代]　我

わたくしども（私ども）　[代]　我们

しゃ（社）　[名]　公司

もの（者）　[名]　人，～的人

へいしゃ（弊社）　[名]　敝公司

しんしゃ（新車）　[名]　新车

きず（傷）　[名]　瑕疵；创伤

しどう（指導）　[名]　指教，指导

おつり　[名]　找的零钱

おうせつしつ（応接室）　[名]　会客室

あんないじょう（案内状）　[名]　通知，请帖

にゅうがくあんない（入学案内）　[名]　入学指南

うかがいます（伺います）　[动1]

　　　　（自谦）去；来；问；拜访；请教

いたします　[动1]　（自谦）做，干

まいります（参ります）　[动1]　（自谦）来，去

いただきます　[动1]　（自谦）吃，喝；得到

おります　[动1]　在

ございます　[动1]　在，有，是

さしあげます（差し上げます）　[动2]　（自谦）给

ぞんじています（存じています）　[动2]

　　　　（自谦）知道

すすめます（進めます）　[动2]　推进，使前进

はいけんします（拝見～）　[动3]　（自谦）看

しょうちします（承知～）　[动3]　知道

きたいします（期待～）　[动3]　希望，期待

せわします（世話～）　[动3]　帮助；照顾

きちょう（貴重）　[形2]　贵重

しょうしょう（少々）　[副]　稍稍，一点儿

ただいま（ただ今）　[副]

　　　　这会儿，方才；马上，立刻

とつぜん（突然）　[副]　突然

じつは（実は）　[副]　其实，实际上

とうきょうりょうりスクール（東京料理～）

　　　　[专]　东京厨师学校

ペキンにほんごがっこう（北京日本語学校）

　　　　[专]　北京日语学校

ジェーシーじどうしゃ（ＪＣ自動車）

　　　　[专]　JC汽车公司

⋯⋯⋯⋯⋯⋯⋯⋯⋯⋯⋯⋯⋯⋯⋯⋯⋯⋯⋯⋯⋯

なんのおかまいもしませんで

　　　（何のお構いもしませんで）　招待不周

いつもおせわになっております

　　　（いつもお世話になっております）　承蒙多方关照

もうしわけございません

　　　（申し訳ございません）　非常抱歉

专栏　**应季的贺卡**

用于问候的贺卡有各种各样，其中，贺年片和盛夏问安的明信片是日本最具代表性的明信片，可以说无论用于个人或公司都是最常见的。

日本过公历新年，新年从1月1日开始，很多日本人都寄贺年片。为使贺年片能于元旦送达，年前就着手准备印制、书写地址。每年年底邮政局宣布只要12月25日左右之前发出贺年片，元旦就能送到。在日本，贺年片不在年前送达，邮局把年前收集的贺年片保存起来，等到元旦汇总送达。人们经常利用"お年玉付年賀はがき（有奖贺年片）"。这是1949年初次发行的附带彩票的贺年片，在贺年片的下面印刷着彩票的号码。抽奖在每年的1月中旬进行，每年都有各种各样的奖品。

夏天人们要发"暑中見舞い（盛夏问安的明信片）"，这是在小暑(7/7)到立秋(8/7)之间发出，立秋以后则称为"残暑見舞い（处暑问安的明信片）"。与贺年片相同，也有称作"かもめーる"的附带彩票的盛夏问安明信片，抽签选中的当选者有各种各样的奖品。

这类应季的贺卡，原本是为了将自己的信息告知对方，因此不论是否中奖，这类的问候都是非常重要的。

阅读文

吉田課長への手紙

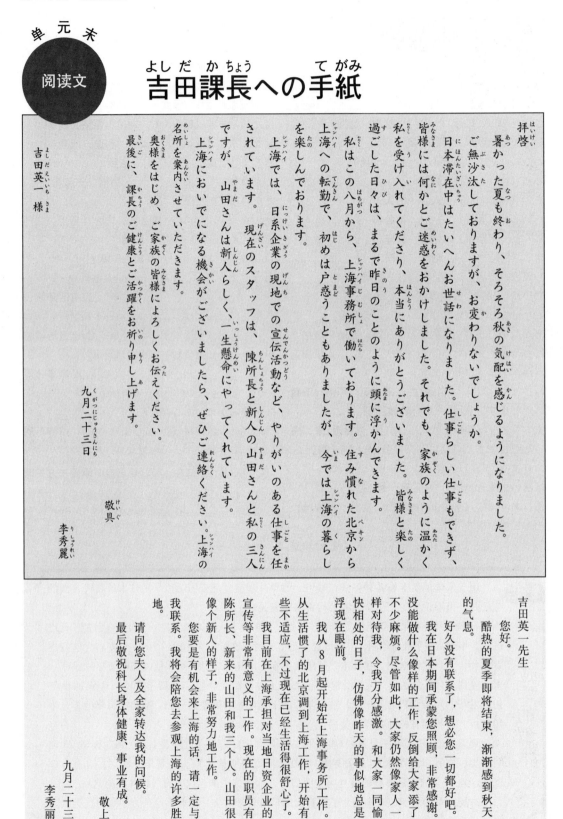

拝啓

暑かった夏も終わり、そろそろ秋の気配を感じるようになりました。ご無沙汰しておりますが、お変わりないでしょうか。

日本滞在中はたいへんお世話になりました。仕事らしい仕事もできず、皆様には何かとご迷惑をおかけしました。それでも、家族のように温かく私を受け入れてくださり、本当にありがとうございました。皆様と楽しく過ごした日々は、まるで昨日のことのように頭に浮かんできます。

私はこの八月から、上海事務所で働いております。住み慣れた北京から上海への転勤で、初めは戸惑うこともありましたが、今では上海の暮らしを楽しんでおります。

上海では、日系企業の現地での宣伝活動など、やりがいのある仕事を任されています。現在のスタッフは、陳所長と新人の山田さんと私の三人ですが、山田さんは新人らしく、一生懸命にやってくれています。

上海においでになる機会がございましたら、ぜひご連絡ください。上海の名所を案内させていただきます。

最後に、課長のご健康とご活躍をお祈り申し上げます。

奥様をはじめ、ご家族の皆様によろしくお伝えください。

敬具

九月二十三日

李秀麗

吉田英一　様

吉田英一先生

您好。

酷热的夏季即将结束，渐渐感到秋天的气息。

好久没有联系了，想必您一切都好吧。

我在日本期间承蒙您照顾，非常感谢。没能做什么像样的工作，反倒给大家添了不少麻烦。尽管如此，大家仍然像家人一样对待我，令我万分感激。和大家一同愉快相处的日子，仿佛像昨天的事似地总是浮现在眼前。

我从8月起开始在上海事务所工作。从生活惯了的北京调到上海工作，开始有些不适应，不过现在已经生活得很舒心了。

我目前在上海承担对当地日资企业的宣传等非常有意义的工作。现在的职员有陈所长、新来的山田和我三个人。山田很像个新人的样子，非常努力地工作。

您要是有机会来上海的话，请一定与我联系。我将会陪您去参观上海的许多胜地。

最后敬祝科长身体健康、事业有成。

请向您夫人及全家转达我的问候。

敬上

九月二十三

李秀丽

单元末

实用 场景对话 面试

① 请接待处帮忙找人

徐: 徐と申しますが，人事課の木下さんは
いらっしゃいますか。

受付: はい，少々お待ちください。

徐：我姓徐，请问人事科的木下先生在吗?

接待员：请稍等。

② 等待面试

木下: では，順番にお呼びしますので，控え室で
お待ちください。

徐: はい，分かりました。

木下：下面，我们按顺序叫，请在休息室等待。

徐：好的，知道了。

③ 轮到自己面试了

面接官: どうぞお入りください。

徐: 失礼いたします。

主考官：请进。

徐：打搅了。

④ 面试结束

面接官: どうもお疲れ様でした。来週までに
合否のご連絡をいたします。

徐: ありがとうございました。
失礼いたします。

主考官：辛苦了。下星期前会通知你是否录用。

徐：谢谢。告辞了。

单元
词语
之泉

自然 <ruby>し<rt></rt></ruby><ruby>ぜん<rt></rt></ruby>

雨　雨　<ruby>あめ<rt></rt></ruby>

雷　雷　<ruby>かみなり<rt></rt></ruby>

① 太陽　太阳　<ruby>たいよう<rt></rt></ruby>
② 雲　云，云彩　<ruby>くも<rt></rt></ruby>
③ 虹　彩虹　<ruby>にじ<rt></rt></ruby>
④ 空　天空　<ruby>そら<rt></rt></ruby>
⑤ 星　星星　<ruby>ほし<rt></rt></ruby>
⑥ 月　月亮　<ruby>つき<rt></rt></ruby>
⑦ 湖　湖　<ruby>みずうみ<rt></rt></ruby>
⑧ ダム　水库
⑨ 山　山　<ruby>やま<rt></rt></ruby>
⑩ 谷　山谷　<ruby>たに<rt></rt></ruby>
⑪ 滝　瀑布　<ruby>たき<rt></rt></ruby>
⑫ 川　河流　<ruby>かわ<rt></rt></ruby>
⑬ 泉　泉水　<ruby>いずみ<rt></rt></ruby>
⑭ 砂漠　沙漠　<ruby>さばく<rt></rt></ruby>
⑮ 森　森林　<ruby>もり<rt></rt></ruby>
⑯ 温泉　温泉　<ruby>おんせん<rt></rt></ruby>
⑰ 井戸　井　<ruby>いど<rt></rt></ruby>
⑱ 畑　田地　<ruby>はたけ<rt></rt></ruby>
⑲ 田んぼ　<ruby>た<rt></rt></ruby>
　　　　水田，田地
⑳ 海岸　海岸　<ruby>かいがん<rt></rt></ruby>
㉑ 砂浜　海滨沙滩　<ruby>すなはま<rt></rt></ruby>
㉒ 灯台　灯塔　<ruby>とうだい<rt></rt></ruby>
㉓ 海　大海　<ruby>うみ<rt></rt></ruby>
㉔ 波　波浪　<ruby>なみ<rt></rt></ruby>
㉕ 火山　火山　<ruby>かざん<rt></rt></ruby>
㉖ 島　岛屿，岛　<ruby>しま<rt></rt></ruby>
㉗ 船　船　<ruby>ふね<rt></rt></ruby>
㉘ 港　港，港口　<ruby>みなと<rt></rt></ruby>

ゆき
雪 雪

たいふう
台風 台风

きり
霧 雾

かぜ
風 风

はる
春 春天

なつ
夏 夏天

あき
秋 秋天

ふゆ
冬 冬天

単 元 米

日 本
风 情

收件人姓名的写法

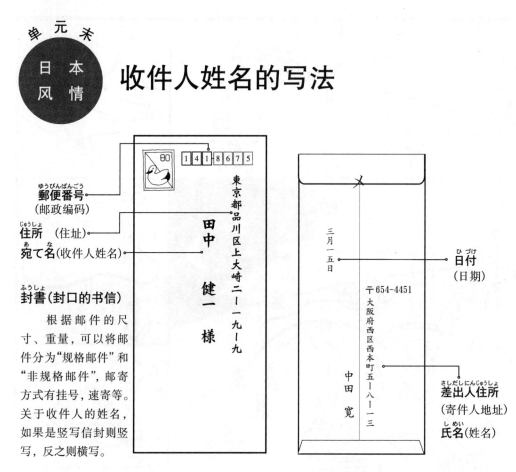

郵便番号
(邮政编码)

住所 (住址)

宛て名(收件人姓名)

封書(封口的书信)

　　根据邮件的尺寸、重量，可以将邮件分为"规格邮件"和"非规格邮件"，邮寄方式有挂号，速寄等。关于收件人的姓名，如果是竖写信封则竖写，反之则横写。

日付
(日期)

差出人住所
(寄件人地址)

氏名(姓名)

はがき
(明信片)

　　明信片有自制明信片(自己贴邮票后寄出)和自带邮票的明信片。还有附带彩票的"贺年明信片"和"盛夏问安的明信片"。收件人姓名不论竖写或横写都可以。

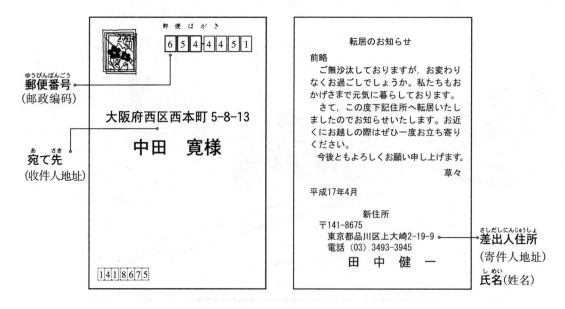

郵便番号
(邮政编码)

宛て先
(收件人地址)

差出人住所
(寄件人地址)

氏名(姓名)

日本语能力测试 N4 模拟试题

注意事项

· 请在安静的地方，把握好时间，同正式考试一样来进行测试。

· 请将答案涂在答题卡(解答用纸)上。

· 做听力测试的中途请不要中断录音。

· 时间分配如下：

语言知识（文字·词汇）30 分钟

语言知识（语法）·读解 60 分钟

休息 10～20分钟

听力 35 分钟

◆评分办法：

语言知识（文字·词汇·语法）·读解120 ×（你答对的题数）÷ 69（题数）= _____

听力

60 ×（你答对的题数）÷ 28（题数）= _____

◆及格与不及格的评判：

要获得及格分数，就须保证综合得分在及格分数以上，以及各分项得分(语言知识·读解·听力)分别在基准分数以上。N4的及格分数与各分项的基准分数如下：

总计得分		语言知识 （文字·词汇·语法）·读解		听力	
得分范围	及格分数	得分范围	基准分数	得分范围	基准分数
0～180分	90 分以上	0～120分	38分	0～60分	19分

※ 日本语能力测试模拟试题内的表记为实际考试时使用的表记方式，同"基本单元"内的表记方式有所不同。

解答用紙
かいとうよう し

■ げんごちしき（もじ・ごい）

受験番号 じゅけんばんごう Examinee Registration Number		名前 な まえ Name	

〈注意 Notes〉

1. くろい えんぴつ（HB、No. 2）で かいて ください。

   （ペンや ボールペンでは かかないで ください）。

2. かきなおす ときは けしゴムで きれいに けして ください。

3. きたなく したり、おったり しないで ください。

4. マークれい

よい れい Correct Example	わるい れい Incorrect Examples
●	⊗ ⊘ ◯ ◎ ⊜ ⊕ ●

■ げんごちしき（もじ・ごい）

もんだい 1				
1	①	②	③	④
2	①	②	③	④
3	①	②	③	④
4	①	②	③	④
5	①	②	③	④
6	①	②	③	④
7	①	②	③	④
8	①	②	③	④
9	①	②	③	④
もんだい 2				
10	①	②	③	④
11	①	②	③	④
12	①	②	③	④
13	①	②	③	④

14	①	②	③	④
15	①	②	③	④
もんだい 3				
16	①	②	③	④
17	①	②	③	④
18	①	②	③	④
19	①	②	③	④
20	①	②	③	④
21	①	②	③	④
22	①	②	③	④
23	①	②	③	④
24	①	②	③	④
もんだい 4				
25	①	②	③	④
26	①	②	③	④

27	① ② ③ ④
28	① ② ③ ④
29	① ② ③ ④
もんだい　5	
30	① ② ③ ④
31	① ② ③ ④
32	① ② ③ ④
33	① ② ③ ④
34	① ② ③ ④

■げんごちしき（ぶんぽう）・どっかい

もんだい　1	
1	① ② ③ ④
2	① ② ③ ④
3	① ② ③ ④
4	① ② ③ ④
5	① ② ③ ④
6	① ② ③ ④
7	① ② ③ ④
8	① ② ③ ④
9	① ② ③ ④
10	① ② ③ ④
11	① ② ③ ④
12	① ② ③ ④
13	① ② ③ ④
14	① ② ③ ④
15	① ② ③ ④
もんだい　2	
16	① ② ③ ④
17	① ② ③ ④

18	① ② ③ ④
19	① ② ③ ④
20	① ② ③ ④
もんだい　3	
21	① ② ③ ④
22	① ② ③ ④
23	① ② ③ ④
24	① ② ③ ④
25	① ② ③ ④
もんだい　4	
26	① ② ③ ④
27	① ② ③ ④
28	① ② ③ ④
29	① ② ③ ④
もんだい　5	
30	① ② ③ ④
31	① ② ③ ④
32	① ② ③ ④
33	① ② ③ ④
もんだい　6	
34	① ② ③ ④
35	① ② ③ ④

■ちょうかい

もんだい　1	
れい	① ② ③ ●
1	① ② ③ ④
2	① ② ③ ④
3	① ② ③ ④
4	① ② ③ ④

5	①	②	③	④
6	①	②	③	④
7	①	②	③	④
8	①	②	③	④
もんだい 2				
れい	①	②	●	④
1	①	②	③	④
2	①	②	③	④
3	①	②	③	④
4	①	②	③	④
5	①	②	③	④
6	①	②	③	④
7	①	②	③	④
もんだい 3				
れい	①	②	●	
1	①	②	③	
2	①	②	③	
3	①	②	③	
4	①	②	③	
5	①	②	③	
もんだい 4				
れい	①	●	③	
1	①	②	③	
2	①	②	③	
3	①	②	③	
4	①	②	③	
5	①	②	③	
6	①	②	③	
7	①	②	③	
8	①	②	③	

言語知識（文字・語彙）

もんだい1　＿＿＿＿の　ことばは　ひらがなで　どう　かきますか。1・2・3・4
　　　　　から　いちばん　いい　ものを　ひとつ　えらんで　ください。

例　わたしの　せんもんは　工学です。
　　1　いがく　　　　2　かがく　　　　　3　こうがく　　　　4　すうがく

（かいとうようし）　│　例　│　①　　②　　●　　④　│

1　この　たてものには、大きな　門が　あります。
　　1　まど　　　　2　もん　　　　3　やね　　　　4　とびら

2　自動車こうじょうで　はたらいて　います。
　　1　じとしゃ　　　2　じとんしゃ　　3　じどっしゃ　　4　じどうしゃ

3　ここは　なつに　なると、よく　台風が　きます。
　　1　だいかぜ　　　2　だいふう　　　3　たいかぜ　　　4　たいふう

4　わたしは　旅行が　だいすきです。
　　1　りょこ　　　　2　りょご　　　　3　りょこう　　　4　りょごう

5　まどの　外に　あかるい　光が　見えました。
　　1　ひかり　　　　2　あかり　　　　3　ほし　　　　4　つき

6　名前と　住所を　かいて　ください。
　　1　じゅしょ　　　2　じゅうしょ　　3　じゅしょう　　4　じゅうしょう

7　あすの　あさ　9じに　出発します。
　　1　しゅんぱつ　　2　しゅうばつ　　3　しゅぱつ　　　4　しゅっぱつ

8　切手を　はって　出して　ください。
　　1　きて　　　　　2　きりて　　　　3　きって　　　　4　きりで

9　外国での　生活は　なれるまで　たいへんです。

1　せいかつ　　　2　せいがつ　　　3　せいかく　　　4　せがく

もんだい2　＿＿＿＿＿の　ことばは　どう　かきますか。1・2・3・4から　いちばん
　　　　　　いい　ものを　ひとつ　えらんで　ください。

例　友だちを　くうこうまで　車で　おくります。
　　　1　運ります　　2　迎ります　　　3　送ります　　　4　通ります

（かいとうようし）　| 例 | ① | ② | ● | ④ |

10　あしたの　よういを　してから　ねます。
　　　1　用易　　　　2　用事　　　　　3　用異　　　　　4　用意

11　きょうの　しあいは　ちゅうしです。
　　　1　詩会　　　　2　試会　　　　　3　試合　　　　　4　詩合

12　水で　あらってから　食べて　ください。
　　　1　洗って　　　2　洗って　　　　3　汗って　　　　4　荒って

13　くうこうから　ホテルまでは　とても　ちかいです。
　　　1　近い　　　　2　近かい　　　　3　短い　　　　　4　短かい

14　えきまで　ごあんないします。
　　　1　安内　　　　2　安肉　　　　　3　案内　　　　　4　案肉

15　その　こうえんには、大きな　いけが　あります。
　　　1　海　　　　　2　池　　　　　　3　沼　　　　　　4　湖

もんだい3　（　　）に　なにを　いれますか。1・2・3・4から　いちばん
　　　　　　　いい　ものを　ひとつ　えらんで　ください。

例　にもつを　ぜんぶ　（　　）に　いれて　ください。
　　　1　アドバイス　　2　スーツケース　　3　オートバイ　　4　オーバー

（かいとうようし）　| 例 | ① | ● | ③ | ④ |

16 新しい 店の まえに 人が たくさん （　　）　います。
1　ふえて　　　　2　むかえて　　　3　ならべて　　　4　あつまって

17 きょうの しゅくだいは むずかしくて （　　）　おわりません。
1　なかなか　　　2　どんどん　　　3　だんだん　　　4　あまり

18 こんどの 休みに 友だちと おんせんへ 行く （　　）が あります。
1　けいけん　　　2　よてい　　　　3　そうだん　　　4　よやく

19 じしょは いちばん 上の （　　）に あります。
1　としょかん　　2　かびん　　　　3　つくえ　　　　4　たな

20 わからない ことは なんでも （　　）して ください。
1　しつれい　　　2　しつもん　　　3　せんもん　　　4　もんだい

21 けいたい電話が （　　）して しまって れんらくが できません。
1　けが　　　　　2　むり　　　　　3　こしょう　　　4　しんぱい

22 この とけいは 母からの （　　）です。
1　プレゼント　　2　レポート　　　3　サービス　　　4　アクセサリー

23 こんで いる 電車の 中で 足を （　　）ました。
1　けされ　　　　2　ひかれ　　　　3　ふまれ　　　　4　わられ

24 夜 おそいので （　　）　ください。
1　こわさないで　　　　　　　　　2　さわがないで
3　いそがないで　　　　　　　　　4　はなさないで

もんだい4 ＿＿＿＿＿の ぶんと だいたい おなじ いみの ぶんが あります。1・2・3・4から いちばん いい ものを ひとつ えらんで ください。

れい
例　　友だちに　おれいを　言いました。

　　　1　友だちに　「おはようございます」と　言いました。

　　　2　友だちに　「おやすみなさい」と　言いました。

　　　3　友だちに　「ありがとう」と　言いました。

　　　4　友だちに　「おねがいします」と　言いました。

（かいとうようし）　　| れい
例 | ①　　②　　●　　④ |
| --- | --- |

25　きけんですから　さわらないで　ください。

　　1　あたたかいですから　さわらないで　ください。

　　2　あぶないですから　さわらないで　ください。

　　3　きたないですから　さわらないで　ください。

　　4　ぐあいが　わるいですから　さわらないで　ください。

26　まっすぐに　すすんで　ください。

　　1　ゆっくり　すすんで　ください。

　　2　いそいで　すすんで　ください。

　　3　まがらないで　すすんで　ください。

　　4　おくれないで　すすんで　ください。

27　この　りょうりは　とても　かんたんです。

　　1　この　りょうりの　つくりかたは　とても　やさしいです。

　　2　この　りょうりの　あじは　とても　おいしいです。

　　3　この　りょうりの　ねだんは　とても　安いです。

　　4　この　りょうりの　りょうは　とても　少ないです。

28　ふくしゅうは　たいせつです。

　　1　毎日　べんきょうする　ことは　たいせつです。

　　2　きょうかしょを　こえに　だして　読む　ことは　たいせつです。

　　3　せんもんいがいの　ことを　べんきょうする　ことは　たいせつです。

　　4　ならった　ことを　もう　いちど　べんきょうする　ことは　たいせつです。

29 父に あやまりました。

　　1 父に 「すみません」と 言いました。

　　2 父に 「ごめんください」と 言いました。

　　3 父に 「どういたしまして」と 言いました。

　　4 父に 「かしこまりました」と 言いました。

もんだい5 つぎの ことばの つかいかたで いちばん いい ものを 1・2・3・4から ひとつ えらんで ください。

例 ひろう

　　1 道に おちて いた さいふを ひろいました。

　　2 つくえの 上の ペンを ひろいました。

　　3 かばんの 中から じしょを ひろいました。

　　4 ゆうびんきょくで にもつを ひろいました。

（かいとうようし）

例	●	②	③	④

30 のりかえる

　　1 よごれたので 新しい ものと のりかえます。

　　2 とうきょうえきで しんかんせんに のりかえます。

　　3 くうこうで 友だちを のりかえます。

　　4 あしたの かいぎの 時間を 2時から 3時に のりかえます。

31 とちゅう

　　1 学校に 行く とちゅうに 大きな 木が あります。

　　2 かばんの とちゅうに じしょが 入って います。

　　3 山田さんと 林さんの とちゅうに 田中さんが すわって います。

　　4 よるの とちゅうに つよい 雨が ふりました。

32 あさい

　　1 かのじょの こえは とても あさいので、ほとんど 聞こえません。

　　2 この 道は とても あさいので、大きな 車は とおれません。

　　3 新しい パソコンは とても あさいので、かるくて べんりです。

　　4 あの 川は とても あさいので、あるいて わたれます。

33 おみまい

1 母と　デパートへ　<u>おみまい</u>に　行きました。

2 びょういんへ　けがを　した　友だちの　<u>おみまい</u>に　行きました。

3 会社の　<u>おみまい</u>に　行って、ここで　はたらきたいと　いいました。

4 休みの　日に　かぞくで　レストランへ　<u>おみまい</u>に　行って、とても　たのしかったです。

34 しょうかい

1 友だちに　まちあわせの　時間を　<u>しょうかい</u>しました。

2 友だちに　コンピュータの　つかいかたを　<u>しょうかい</u>しました。

3 友だちに　わたしの　電話ばんごうを　<u>しょうかい</u>しました。

4 友だちに　わたしの　先生を　<u>しょうかい</u>しました。

言語知識（文法）・読解

もんだい1　（　　）に　何を　入れますか。1・2・3・4から　いちばん　いい
　　　　　　ものを　一つ　えらんで　ください。

（例）　わたしは　朝　コーヒー（　　）　飲みます。

　　1　に　　　　　　2　が　　　　　　3　の　　　　　　4　を

（かいとうようし）

例	①	②	③	●

1　じしん（　　）　ビルが　たおれた。

　　1　を　　　　　　2　と　　　　　　3　に　　　　　　4　で

2　何時に　家に　帰れる（　　）　わかりません。

　　1　か　　　　　　2　は　　　　　　3　の　　　　　　4　を

3　わたしは　何（　　）　食べられます。

　　1　など　　　　　2　でも　　　　　3　か　　　　　4　は

4　空を　見ると、飛行機が　とんで　いる（　　）　見えた。

　　1　が　　　　　　2　を　　　　　　3　のが　　　　　4　のを

5　母親「暗い　ところで　本を　読んで　（　　）いると、目が　悪く　なるよ。」
　　子ども「はーい。わかりました。」

　　1　でも　　　　　2　しか　　　　　3　だけ　　　　　4　ばかり

6　たくさんの　料理が　あった（　　）、　おなかが　いっぱいで　ぜんぶ
　　食べられなかった。

　　1　のに　　　　　2　でも　　　　　3　ながら　　　　4　ように

7　A「何を　見てるの?」
　　B「あの　人、もう　2時間、あそこに　（　　）つづけて　いるんだ。」

　　1　立とう　　　　2　立ち　　　　　3　立つ　　　　　4　立て

8 A「明日の 旅行、田中さんも 来ますか。」
　B「田中さんは 入院して いるので、（　　） はずが ないよ。」
　1　来る　　　　　　2　来て　　　　　　　　3　来ます　　　　　　4　来よう

9 みんなが 子どもの （　　） うれしそうに あそんでいる。
　1　ほどに　　　　2　そうに　　　　　　　3　ように　　　　　　　4　ぐらいに

10 山田さんは おもしろい 話を して よく みんなを （　　）。
　1　わらいさせる　　　　　　　　　2　わらわせる
　3　わらわれる　　　　　　　　　　4　わらえる

11 A「しつれいします」
　B「どうぞ こちらに お（　　） ください。」
　1　すわって　　2　すわれ　　　　　3　すわる　　　　　　4　すわり

12 ねる 前に はを （　　） いけません。
　1　みがけば　　　2　みがいても　　　　3　みがかないで　　　4　みがかなくては

13 A「林さんの へやは 広いですか。」
　B「わたしの へやの （　　）は ここと 同じくらいです。」
　1　広さ　　　　2　広い　　　　　　　3　広く　　　　　　　4　広め

14 A「いい 家ですね。」
　B「わたしも （　　） 家に 住みたいです。」
　1　こう　　　　2　これ　　　　　　　3　ここ　　　　　　　4　こんな

15 A「テレビを 買いたいんですが、 どこが いいですか。」
　B「テレビを （　　）、 駅前の 店が 安くて いいですよ。」
　1　買うと　　　　2　買えば　　　　　3　買うなら　　　　　4　買っても

もんだい2 ___★___ に 入る ものは どれですか。1・2・3・4から いちばん いい ものを 一つ えらんで ください。

16　きのうは 雨も ＿＿＿ ___★___、 ＿＿＿ ＿＿＿ 強かったです。

1 風　　　　　2 し　　　　　3 ひどかった　　　　　4 も

17　子どもの とき、わたしは ピアノが きらいでしたが、毎日 ＿＿＿ ＿＿＿ ＿＿＿

___★___。

1 ました　　　　　2 させ　　　　　3 練習　　　　　4 られ

18　A「旅行の お金、集まりましたか。」

B「さっき＿＿＿ ＿＿＿ ___★___ ＿＿＿ ところです。」

1 から　　　　　2 集め　　　　　3 みんな　　　　　4 終わった

19　「飛行機は はじめてですか。」

「はい、わたしは まだ ＿＿＿ ＿＿＿ ___★___ ＿＿＿ので 楽しみです。」

1 乗った　　　　　2 ない　　　　　3 ことが　　　　　4 飛行機に

20　A「明日、雨が ふったら 試合は 中止ですか。」

B「いいえ、雨が ＿＿＿ ___★___ ＿＿＿ ＿＿＿。」

1 です　　　　　2 つもり　　　　　3 する　　　　　4 ふっても

もんだい3 [21] から [25] に 何を 入れますか。文章の 意味を 考えて、
1・2・3・4から いちばん いい ものを 一つ えらんで ください。

下の 文章は 「おもしろいと 思った 日本語」に ついての 作文です。

　わたしが ふしぎだと 思う 日本語は 「天気」です。「天気」は 「いい 天気」
や 「悪い 天気」のように、はれ [21] 雨 [21] 、いろいろな 意味が あります。
[22] 、日本人は、「明日は 天気ですね」と よく 言います。わたしは さいしょ 意
味が わかりませんでした。外国人には [23] と 思います。意味を [24] と、「明日
は 天気ですね」は 「明日は いい 天気ですね」の 意味だと わかりました。
　その あと、「天気雨」という 言葉を 知りました。さいしょは 「雨が ふりそう
な 天気」という 意味だと 思いましたが、あとで 「いい 天気の ときに 雨
が ふる」という 意味だと わかりました。今では、天気予報で つかわれる 「天
気」の 意味を 考えるのが [25] 。

---

[21]

　　1　も／も　　　　2　など／など　　3　とか／とか　　4　ばかり／ばかり

[22]

　　1　まだ　　　　　2　それで　　　　3　だから　　　　4　しかし

[23]

　　1　わかりにくい　　　　　　　　2　わかりやすい
　　3　わかりはじめる　　　　　　　4　わからなくなる

[24]

　　1　聞いて みる　　　　　　　　2　聞きつづける
　　3　聞きはじめる　　　　　　　　4　聞いて ほしい

[25]

　　1　楽しく なります　　　　　　2　楽しく なりました
　　3　楽しく しましょう　　　　　4　楽しく しては どうでしょう

もんだい4 つぎの(1)から(4)の文章を読んで、質問に答えてください。答え
は、1・2・3・4から、いちばんいいものを一つえらんでください。

(1)
キムさんのつくえの上に、このメモとかぎが置いてあります。

> キムさん
>
> 　今コピー室はしまっています。もし使う場合は開けてください。
>
> 　コピー機はオフになっています。ごみはすてておきました。夜帰るときは、かぎを
> はこに戻しておいてください。明日は、朝早く来るので、わたしが開けます。
>
> 高田

26 キムさんは、帰るとき、何をしますか。

1 コピー機をオフにします。

2 ごみをすてます。

3 かぎをはこに入れます。

4 コピー室を開けます。

(2)
プールの入口に、このお知らせがあります。

> ### プールで遊ぶときの注意
>
> ◆ プールが開いている時間は、午前9時から午後7時です。毎週水曜日は休みです。
>
> ◆ プールに入る人は、かならずぼうしをかぶってください。ぼうしを忘れた人は、
> 受付で借りてください。
>
> ◆ 次のことをしてはいけません。
> ・プールの中で、ボールを使うこと
> ・プールのまわりを走ること

27 このお知らせから、プールについてわかることは何ですか。

1 午後9時にプールに入れます。

2 ぼうしは、受付で買うことができます。

3 プールの中で、遊んではいけません。

4 プールのまわりを走ってはいけません。

(3)

これは、川上さんからマークさんに届いたメールです。

マークさん

今週の土曜日ですが、15時に会社に戻らなければならなくなりました。

でも、最初に約束していたレストランに行くと、15時までに戻るのがむずかしいです。

別のレストランにしてもいいでしょうか。わたしの家から歩いて15分ぐらいの「ビストロ まえだ」というところです。

このメールを読んだら、電話かメールをください。

川上

---

28 川上さんは、どうしてマークさんにメールをしましたか。

1 15時までに戻れるか確かめたいから

2 ほかのレストランでもいいか知りたいから

3 いっしょに食事ができないことをつたえたいから

4 新しいレストランを紹介したいから

(4)

鈴木さんは、スーパーで働いています。店で足りなくなった品物を注文したり、入ってきた品物を並べたりしています。それから、お客さんから品物について質問されたら、答えます。店の中や外を掃除することもあります。

29 鈴木さんの仕事ではないものはどれですか。

1 少なくなった品物を注文します。

2 品物を店の中に並べます。

3 お客さんの欲しい品物を聞きます。

4 店の中や外をきれいにします。

もんだい5　つぎの文章を読んで、質問に答えてください。答えは、1・2・3・4から、いちばんいいものを一つえらんでください。

　　わたしは9月に日之出町のアパートに引っ越しました。荷物はたくさんありましたが、大きい荷物は冷蔵庫と洗濯機だけでした。あまり使わないものは、引っ越しの前にすてたり、実家に送ったりしました。

　　引っ越しの日は、いい天気でした。引っ越し会社の人は、午後2時に来るはずでしたが、15分前に来ました。若い男の人が二人でした。一人の人が「早く着いてしまいましたが、始めてもいいでしょうか。」と聞きました。荷物はぜんぶ準備しておいたので、わたしは、「はい。よろしくお願いします。」と答えました。

　　引っ越し会社の人は、とても慣れていました。大きい物も簡単に運んでいて、30分ぐらいでぜんぶの荷物を外の車に乗せました。二人が車で出発する前に、わたしは友だちを呼びました。そして、友だちの車で、日之出町のアパートに行きました。

　　わたしたちは1時間で新しいアパートに着きましたが、二人はもう駐車場にいました。かぎを開けると、二人はすぐに荷物を部屋に入れました。最後に、二人は紙を見ながら、荷物がぜんぶあるかたしかめていました。引っ越しが終わったあと、友だちと近所のレストランでご飯を食べました。わたしは「引っ越しのとき、何もしなかったのに、疲れたね。」と言いました。

30　引っ越しは何時から始めましたか。

1　1時45分ごろ

2　2時ごろ

3　2時15分ごろ

4　2時30分ごろ

31　冷蔵庫はどうしましたか。

1　こわれているのですてました。

2　使わないので実家に送りました。

3　友だちと車で運びました。

4　引っ越し会社の人が運びました。

32　「わたし」はどうして友だちを呼びましたか。

1　じゅんびを手伝ってほしいから

2　大きいものを運んでほしいから

3　いっしょに昼ごはんを食べたいから

4　車に乗せてもらいたいから

33 引っ越し会社の人が、しなかったことはどれですか。
1 荷物を車に乗せました。
2 先に日之出町に着きました。
3 荷物を部屋に入れました。
4 荷物の大きさをたしかめました。

もんだい6 つぎの「英語スクール」のパンフレットを見て、下の質問に答えてください。答えは、1・2・3・4から、いちばんいいものを一つえらんでください。

34 「英語の歌を歌おう」のクラスに参加したい人は、いくら払わなければなりませんか。
1 6,500円
2 7,000円
3 7,500円
4 8,000円

35 話すだけではなくて、たくさん英語を聞いたり読んだりしたい人は、どのクラスに参加したらいいですか。
1 英会話A
2 英会話B
3 英会話C
4 英語の映画を見よう

ウィング英語スクール

ウィング英語スクールでは、楽しく英語を勉強できます。5つのクラスを用意して、みなさんの参加を待っています。3月31日までに申し込んでください。

	クラス	曜日	時間	お金（1か月）
①	英会話A	月曜日	17:00～18:00	7000 円
	英会話B	水曜日	19:00～20:00	8000 円
	英会話C	金曜日	19:00～20:00	8000 円
②	英語の歌を歌おう	土曜日	14:00～15:00	6000 円
	英語の映画を見よう	火曜日	19:00～20:00	6000 円

※上のお金以外に、①はテキスト代（2000円）、
②はコピー代（500円）が必要です。

- 英会話A
  旅行で使う、短い会話を練習します。
- 英会話B
  仕事や生活のための、少し長い会話を練習します。
- 英会話C
  英語のニュースをうちで読んできて、それについてみんなで英語で話します。
  先生は日本語を使わないで、英語だけを使います。
- 英語の歌を歌おう
  毎月、クラスで新しい歌を練習します。
- 英語の映画を見よう
  毎月、クラスで新しい映画を見ます。見た後で、先生が日本語で説明します。

ウィング英語スクール
赤山駅前のわかばビル1－3階

電話 0321－54－9876

聴 解
もんだい1

　もんだい1では、まず　しつもんを　聞いて　ください。それから　話を　聞いて、もんだいようしの　1から4の　中から、いちばん　いい　ものを　一つえらんで　ください。

れい

1　チーズ　1こ　と　ぎゅうにく　100グラム
2　チーズ　1こ　と　ぎゅうにく　200グラム
3　チーズ　2こ　と　ぎゅうにく　100グラム
4　チーズ　2こ　と　ぎゅうにく　200グラム

1ばん

2ばん

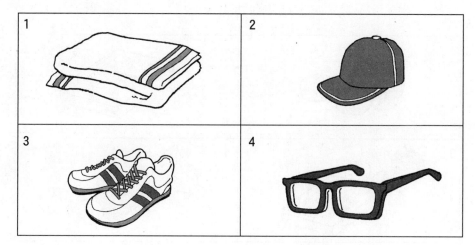

3ばん

4ばん

1 アイ

2 アエ

3 イウ

4 イエ

5ばん

6ばん

7ばん

1 8時50分に きょうしつ

2 9時に きょうしつ

3 8時50分に かいぎしつ

4 9時に かいぎしつ

8ばん

1 白と きいろ

2 白と あお

3 あかと きいろ

4 あかと あお

もんだい2

　もんだい2では、まず しつもんを 聞いて ください。そのあと、もんだいようしを 見て ください。読む 時間が あります。それから 話を 聞いて、もんだいようしの 1から4の 中から、いちばん いい ものを 一つ えらんで ください。

れい

1 ばしょが ふべんだから

2 たてものが 古いから

3 へやが せまいから

4 ちかくに 友だちが いないから

模 拟 试 题

1ばん

1　じゅぎょうが　おもしろいから

2　となりの　へやが　うるさいから

3　せんぱいと　すみたいから

4　大学から　とおいから

2ばん

1　今すぐ

2　今日の　1時半

3　今日の　ゆうがた

4　あしたの　午前中

3ばん

1　新しい　友だちが　いるから

2　ゆうめいな　デパートが　あるから

3　うまに　のりたいから

4　おいしい　りょうりが　食べたいから

4ばん

1　今日の　午前中

2　今日の　ひるごろ

3　今日の　ゆうがた

4　あした

5ばん

1　毎日　する

2　あまり　しない

3　週に　1回ぐらい　する

4　週に　3回ぐらい　する

6ばん

1　絵を　かく

2　こうえんで　あそぶ

3　スポーツを　する

4　プールで　およぐ

7ばん
1　1時10分
2　1時20分
3　1時30分
4　1時40分

もんだい3

　もんだい3では、えを　見ながら　しつもんを　聞いて　ください。➡（やじるし）の　人は　何と　言いますか。1から3の　中から、いちばん　いい　ものを　一つ　えらんで　ください。

れい

1ばん

2ばん

3ばん

4ばん

5ばん

もんだい4

　もんだい4では、えなどが　ありません。まず　ぶんを　聞いて　ください。
それから、そのへんじを　聞いて、1から3の　中から、いちばん　いい　ものを
一つ　えらんで　ください。

聴解スクリプト

（M：男性　　F：女性）

問題1

　問題1では、はじめに質問を聞いてください。それから、話を聞いて、問題用紙の1から4の中からいちばんいいものを一つえらんでください。では、練習しましょう。

例

　男の人が女の人に電話で話しています。男の人は、何を買いますか。

M：今、スーパーにいるけど、何か買うものある？

F：えっと、チーズと……。

M：うん。チーズは、何個？

F：えっと、1個お願い。

M：あ、僕も食べたいから、2個買うよ。

F：うん。それから、牛肉を200グラム。

M：分かった。じゃ、これから買うね。

　男の人は、何を買いますか。

いちばんいいものは4番です。解答用紙の問題1の例のところを見てください。いちばんいいものは4番ですから答えはこのように書きます。では始めます。

1番

　男の人と女の人が話しています。男の人は、何でサッカーを見に行きますか。

M：あさひ公園へサッカーを見に行きたいんですが、どうやって行ったらいいですか。

F：電車かバスで行けますよ。

M：そうですか。

F：電車だと、駅から10分ぐらい歩きますけど、バスは公園のすぐ近くまで行くから、便利ですよ。

M：そうですか。うちは駅から近いから、電車

にしようかな。

F：あとは、40分ぐらいかかりますが、自転車でも行けますよ。

M：そうですか。お金がかからないほうがいいから、そうします。

　男の人は、何でサッカーを見に行きますか。

2番

　男の学生と女の学生が話しています。男の学生は、何を買いますか。

M：来月、マイケルさんが国へ帰るから、プレゼントをあげたいんだけど、何がいいかな。

F：うーん。タオルはどうかな？

M：うん、いいね。マイケルさんスポーツが好きだから、そうするよ。

F：ほかに、帽子とか靴もいいかもしれないね。

M：うーん。でも、この前デパートで買ってたから。

　男の学生は、何を買いますか。

3番

　女の人と男の人が話しています。男の人は、飲み物を何本買いますか。

F：明日のパーティーの飲み物、準備してくれる？

M：うん、いいよ。

F：えっと、コーラを3本と。それから……。

M：コーラは冷蔵庫に1本あったよ。

F：じゃ、2本お願い。それから、ジュースを2本、お茶を1本。

M：あれ、明日は、佐藤さんが友達を連れてくると言ってたよ。

F：じゃあ、お茶は3本、よろしくね。

男の人は、飲み物を何本買いますか。

4番

女の人と男の人が写真について話しています。女の人は、どの写真を使いますか。

F: 来週の授業で、国で撮った写真を使うんだけど、どれがいいと思う?

M: この建物の写真は、遠くから撮ってるから、よく見えないね。

F: うん。じゃあ、この公園の写真はどう? 日本人がよく行く公園なんだ。

M: うん、これ、いいね。

F: あともう1枚は、この、犬と一緒の写真はどうかな?

M: うーん、犬の写真よりも、こっちの家族の写真のほうがいいよ。みんなが笑ってるから。

F: わかった。じゃあ、この2枚を使うことにするね。

女の人は、どの写真を使いますか。

5番

男の人と女の人が話しています。男の人は、何を買いますか。

M: 友達が病気で、入院してるんだ。お見舞いに行きたいんだけど、何を持って行ったらいいかな。

F: そうだね。花を買って行くのはどう?

M: うーん、でも、花はどんなのがいいかよく分からないし。

F: そう。それなら、果物はどう? 話しながら二人で一緒に食べられるから、いいんじゃない?

M: うん、そうするよ。

F: あ、それから、本が好きな人なら、本もいいと思うよ。

M: うん、じゃあ、本も一緒に持って行くことにするよ。

男の人は、何を買いますか。

6番

会社で女の人と男の人が話しています。女の人は今日、このあと何をしますか。

F: すみません、ちょっといいですか?

M: はい。

F: 今、部長に呼ばれて、明日の会議の準備を頼まれたんです。会議室に机と椅子を運ばなければならないから、やってもらえませんか。私は会議の資料をコピーしますから。

M: 分かりました。いくつ運んだらいいですか。

F: 机を3つと、椅子を15です。

M: そうですか。一人で運ぶのは大変なので、田中君にも手伝ってもらいます。

女の人は今日、このあと何をしますか。

7番

教室で、先生が話しています。学生は明日、何時にどこにいなければなりませんか。

F: これから、明日の試験について連絡します。場所は、いつもの1階の教室ではなくて、3階の会議室ですので、間違えないでください。テストは、9時からですが、8時50分までに来てください。皆さんが集まってから、試験を始めますから、遅れないようにしてください。

学生は明日、何時にどこにいなければなりませんか。

8番

お店で男の人と係りの人が話しています。男の人は、このあと、どのボタンを押しますか。

M: すみません。ちょっと、コピーの仕方を教えてもらえませんか。写真をコピーしたく

て、赤いボタンを押したんですが、きれい
に写らないんです。

F： 写真なら、この白いボタンを押してください。

M： はい。もう少し薄くしたいんです。

F： じゃあ、青いボタンを押してください。濃
くするときは、黄色いボタンです。

M： 分かりました。どうもありがとうございます。

男の人は、このあと、どのボタンを押しますか。

問題2

もんだいでは、まず質問を聞いてください。そ
のあと、問題用紙を見てください。読む時間
があります。それから話を聞いて、問題用紙
の1から4の中から、いちばんいいものを一つ
選んでください。では、練習しましょう。

例

女の人と男の人が話しています。女の人
は、どうして引っ越しをしますか。

F： 来月、引っ越すんだけど、手伝ってくれない？

M： うん、いいけど。大学から遠いから引っ越
すの？

F： ううん。建物も新しくて、場所も問題ないん
だけど、部屋が狭くて嫌なんだ。最近、隣
の人と友達になったから、残念なんだけど。

M： そうなんだ。

女の人は、どうして引っ越しをしますか。

いちばんいいものは3番です。解答用紙の問題
2の例のところを見てください。いちばんいい
ものは3ばんですから答えはこのように書きま
す。では、始めます。

1番

学校で、男の先生と女の留学生が話してい
ます。女の留学生は、どうしてアパートに住み

たいですか。

M： キムさん、新しい生活はどう？

F： はい、大学の授業は面白いんですが、寮
の生活になかなか慣れないんです。

M： そう。

F： 毎晩、夜になると、隣の部屋から音楽が聞
こえるから、あまり寝られなくて困ってい
るんです。だから、来月、アパートに引っ
越すつもりです。

M： アパートはもう見つかったの？

F： はい、大学の近くに先輩が住んでいるので、
同じアパートに住むことにしました。

女の留学生は、どうしてアパートに住みたい
ですか。

2番

会社で女の人と男の人が話しています。女
の人は、いつ、男の人に相談しますか。

F： すみません、ちょっと相談したいことがあ
るんですが。

M： うん、何？ 1時半から会議があるんだけど、
今がいい？

F： いえ、いつでもいいです。

M： えーっと、会議は4時ごろまでかかりそう
だから、明日の午前中でもいいかな。

F： すみません、明日は1日、部長と一緒に出
かけるんです。

M： そう。じゃ、今日の会議のあとにしよう。
少し待っててくれる？

F：分かりました。

女の人は、いつ、男の人に相談しますか。

3番

女の先生と男の学生が話しています。男の学
生は、どうして旅行に行きたいですか。

F： 鈴木さん、大学の生活にはもう慣れた？

M：はい。新しい友達がたくさんできました。夏休みは、旅行に行きたいから、デパートでアルバイトを始めました。

F：がんばってるね。旅行は、どこに行こうと思ってるの？

M：山です。中学生のときに山で馬に乗ったことがあって、ぜひもう一度乗りたいんです。

F：そう。おいしいものもたくさん食べてきてね。

M：はい、ありがとうございます。

男の学生は、どうして旅行に行きたいですか。

4番
天気予報を聞いています。いつ雨が降ると言っていますか。

M：東京の今日、明日、あさっての天気予報です。今日の午前中は晴れますが、昼ごろから曇って、夕方には寒くなるでしょう。明日は、一日中雨が降って、気温の低い日となります。あさっては、晴れて暖かくなるでしょう。

いつ雨が降ると言っていますか。

5番
男の人と女の留学生が話しています。女の留学生は、日本でどのぐらいスポーツをしていますか。

M：キムさん、日本ではスポーツをしてる？

F：うーん、国にいるときは毎日バドミントンをしていましたが、日本に来てからは時間がなくて、あまりしていません。

M：そう。

F：ええ、毎日専門の授業の勉強もしなければならないし、日本語の宿題もあるんです。山本さんはどうですか。

M：昨日は友達とサッカーをしたよ。最近、週に3回ぐらいしてるんだ。

F：そうですか。私も週に1回ぐらいはしたいんですが。

女の留学生は、日本でどのぐらいスポーツをしていますか。

6番
男の学生と女の学生が話しています。女の学生は、子どものとき、よく何をして遊んでいましたか。女の学生です。

M：木村さん、小学生のときは何をして遊んでた？

F：そうだね。絵をかくことが多かったかな。

M：他の遊びはしなかったの？

F：うーん、たまには、家の近くの公園で遊んだよ。でも、あまり外には行かなかったな。

M：そっか。僕は、バスケットボールをよくしてたよ。

F：山下君、子どものときからスポーツが好きだったんだね。

M：うん。今日はこれから、プールに泳ぎに行くつもりだよ。

F：そう。

女の学生は、子どものとき、よく何をして遊んでいましたか。女の学生です。

7番
バスガイドの話を聞いています。バスは何時に出発しますか。

F：皆さん、もうすぐ南レストランに入ります。レストランでは、このあと皆さんで食事をします。出発は1時10分の予定です。レストランの前には公園があり、約20分の散歩コースがあります。公園では、たくさんの花を見ながら、散歩することができます。皆さん、歩いてみませんか。

バスは何時に出発しますか。

問題3

問題3では、絵を見ながら質問を聞いてください。矢印の人は、何と言いますか。1から3の中から、いちばんいいものを一つ選んでください。では、練習しましょう。

例

これからご飯を食べます。何と言いますか。

F: 1　ごちそうさま。
　　2　いってきます。
　　3　いただきます。

いちばんいいものは3番です。解答用紙の問題3の例のところを見てください。いちばんいいものは3番ですから、答えはこのように書きます。では、始めます。

1番

誕生日のプレゼントを買いました。弟にあげます。何と言いますか。

F: 1　これ、プレゼント。もらうね。
　　2　これ、プレゼント。ありがとう。
　　3　これ、プレゼント。使って。

2番

明日、二人で食事に行きたいです。何と言いますか。

M: 1　明日、食事に行きたいですよ。
　　2　明日、食事に行かない?
　　3　明日、食事に行きたいそうだよ。

3番

CDの音が小さくて、聞こえません。先生に何と言いますか。

F: 1　すいません、よく聞こえません。
　　2　すいません、聞きませんか。

3　すいません、もう一度聞きましょうか。

4番

先生に、今、質問したいです。何と言いますか。

M: 1　すいません、答えてくれませんか。
　　2　あのう、今よろしいでしょうか。
　　3　明日、相談しましょうか。

5番

友達の消しゴムを借りたいです。何と言いますか。

M: 1　消しゴム、使ってもいい?
　　2　消しゴム、借りてもらえる?
　　3　消しゴム、貸すね。

問題4

問題4では、絵などがありません。まず文を聞いてください。それからその返事を聞いて、1から3の中からいちばんいいものを一つ選んでください。
では、練習しましょう。

例

F: これからスーパーに行きますけど、何か買ってきましょうか。

M: 1　ええ、いいですよ。
　　2　あ、牛乳お願いします。
　　3　はい、買い物に行ってきます。

いちばんいいものは2番です。解答用紙の問題4の例のところを見てください。いちばんいいものは2番ですから、答えはこのように書きます。では、始めます。

1番

F: いつ行くんですか。

M: 1　おとといです。
　　2　去年の6月です。
　　3　来週の土曜日です。

309

2番

F: ねえ、スキー、したことある?

M: 1 うん、あるよ。

    2 ううん、しなかったよ。

    3 そう、したいよ。

3番

F: どうして、宿題をしなかったんですか。

M: 1 難しかったからです。

    2 してはいけません。

    3 簡単かもしれません。

4番

M: 来年国へ帰ったら、何をしますか。

F: 1 友達に会いました。

    2 仕事をするつもりです。

    3 12月に帰ります。

5番

M: 遅れるときは、電話してください。

F: 1 いつ、電話しましたか。

    2 電話をありがとうございます。

    3 はい、分かりました。

6番

M: ジュースを買ってきてもらえませんか。

F: 1 何がいいですか。

    2 いいえ、もらいません。

    3 ありがとうございます。

7番

F: チンさん、カタカナが読めますか。

M: 1 何も勉強しません。

    2 はい、半分ぐらい読めます。

    3 いいえ、読めませんでした。

8番

M: あ、鈴木さん、窓を閉めて来てくれませんか。

F: 1 ありがとうございます。

    2 寒くなりましたね。

    3 はい、今、閉めて来ます。

解答

■言語知識（文字・語彙）

問題1

1	2	2	4	3	4
4	3	5	1	6	2
7	4	8	3	9	1

問題2

10	4	11	3	12	2
13	1	14	3	15	2

問題3

16	4	17	1	18	2
19	4	20	2	21	3
22	1	23	3	24	2

問題4

25	2	26	3	27	1
28	4	29	1		

問題5

30	2	31	1	32	4
33	2	34	4		

■言語知識（文法）・読解

問題1

1	4	2	1	3	2
4	3	5	4	6	1
7	2	8	1	9	3
10	2	11	4	12	4
13	1	14	4	15	3

問題2

16	2	17	1	18	2
19	3	20	3		

問題3

21	3	22	4	23	1
24	1	25	2		

問題4

26	3	27	4	28	2
29	3				

問題5

30	1	31	4	32	4
33	4				

問題6

34	1	35	3

■聴解

問題1

1番	4	2番	1	3番	2
4番	4	5番	3	6番	1
7番	3	8番	2		

問題2

1番	2	2番	3	3番	3
4番	4	5番	2	6番	1
7番	1				

問題3

1番	3	2番	2	3番	1
4番	2	5番	1		

問題4

1番	3	2番	1	3番	1
4番	2	5番	3	6番	1
7番	2	8番	3		

附 录

Ⅰ．课文译文

◆ 课文译文的使用符号如下：

　　（　　）→表示原文没有，但翻译成汉语必须
　　　　　　　增添的词语。

　　〈　　〉→表示原文有，但翻译成汉语时不需
　　　　　　　要的词语。

第25课　这是明天会议要用的资料
＜基本课文＞

1. 这是明天会议要用的资料。
2. 我明天乘坐的飞机是中国航空公司（的）。
3. （我）把在中国买的CD借给朋友了。
4. （我）想要操作简单的个人电脑。

A　甲：小李，这个人是谁？
　　乙：那个人是在中国很受欢迎的女演员。

B　甲：在（那个）窗户那儿的人是谁啊？
　　乙：那是接待处的小戴。

C　甲：（你）在干什么？
　　乙：（我）在读昨天小李送给我的书。

D　甲：这个公司里歌唱得最好的人是谁？
　　乙：我想是森先生。

＜应用课文＞　**去北京市内**

　　森健太郎到北京的那一天，小李和北京分公司的职员马国祥去机场迎接。寒暄后，由小马开车，三人去了市内宾馆。

（上了车）
森：今天入住的宾馆是天安饭店，对吧。
李：是的。请你先在宾馆住一个月左右，慢慢找
　　住处吧。

（上了高速公路）
森：这条路真直啊。
马：这是连接机场和北京市区的高速公路，到市
　　内大约要30分钟。

（车内响起日语歌曲）
森：哎，这是日本歌啊。
马：是的。日本朋友送我的CD。
森：（你）喜欢日本歌吗？
马：嗯，非常喜欢。中国有很多喜欢日本歌儿的人。

**（高速公路两侧的几座大楼映入眼帘。森指着右
侧前方的大楼问道……）**

森：那座白色的大楼是什么？
李：那是最近盖好的〈大楼〉。小马，你知道（那）是
　　什么楼吗？
马：啊，那是汽车零件制造厂。

（接近北京市区，进入三环后开始堵车了）

森：车多起来了啊。
马：是啊。现在走的这条〈路〉是三环路，这一带经
　　常堵车。
李：〈因为〉三环路在北京是交通流量最大的公路。

第26课　骑自行车带人很危险
＜基本课文＞

1. 骑自行车带人很危险。
2. （我）忘了寄信了。
3. 明天早晨会下大雨吧。
4. 森先生今天也许不来〈公司〉上班了。

A　甲：小李你喜欢画画啊！
　　乙：是的，非常喜欢。不过，画得不太好。

B　甲：吉田先生调动工作了，你知道吗？
　　乙：哎，真的？我不知道啊。

C　甲：会议几点结束？
　　乙：两点结束吧。

D　甲：小马还没来啊？
　　乙：也许今天不来了。

＜应用课文＞　**握手和鞠躬**

　　去北京分公司上班后不久，森有机会与主顾杨先生见面了。分公司副经理陈梅芳向森介绍了前来拜访的杨先生。森像在日本时一样，向杨先生鞠躬、寒暄。

（杨先生被介绍后，做自我介绍）
杨：初次见面，我姓杨。（说着，伸出了手）
森：初次见面。我姓森。请多关照。（一边说，一边
　　开始鞠躬，转而慌慌张张地伸出了手）

（杨先生回去后）
陈：日本没有握手的习惯吧。
森：是的。因此，一不注意就忘记握手了。

（说起中日两国的寒暄习惯）
森：在中国一般都是握手吗？

陈:是的。在日本,除了鞠躬还有别的寒暄(方式)吗?

森:怎么说呢?……也有挥手啦,握手什么的,但大部分人还是鞠躬。

(听到他们谈话的小戴插话了)

戴:老陈,森下午的安排是拜访(各有关部门),对吧?

陈:是的。现在是1点半,从现在起能转四家公司吧?

戴:是啊。也许能转五家公司呢。**(面向森)**森,这回可不要忘记握手喲。

第27课 (我)小时候,发生过大地震
＜基本课文＞

1.(我)小时候,发生过大地震。

2.看电影时,(我)经常坐在最后的座位。

3.小李正边看电视边吃饭。

4.小李,(你)明天参加联欢会吧?

A 甲:学生时代(你)学什么(专业)了?

　 乙:(我)学日本经济了。

B 甲:小马,(你)不忙的时候(请)把这个文件整理一下。

　 乙:好的,(我)知道了。

C 甲:叶子边打工边上学呢。

　 乙:是吗?真够辛苦的。

D 甲:森先生,昨天你在车站附近的咖啡馆来着吧?

　 乙:是的。因工作我和杨先生(在那里)见面来着。

＜应用课文＞ **早晨的公园**

　　一天,早早起床的森上班前去公园散步。他看见许多老年人在一起打太极拳、做广播体操、跳舞。到分公司后,森向小李、小戴说起自己的见闻。

(到分公司后)

森:我今天早晨在公园散步时,看见许多人聚在一起。

李:啊,老年人很多吧?

森:是的。(他们)在打太极拳、做广播体操。

李:这叫晨练。也有人跳交际舞吧?

森:是,有。还有人边跳边唱呢。

(聊起公园收费的问题)

森:进公园时(我)买了门票,每个公园都收费吗?

李:是的。收费的公园比较多。

森:那么进行晨练的老人也都要买门票吗?

李:是啊。但是,每天都去公园的人有优惠。

(小戴想起孩提时代的事)

戴:说起来,我小时候常常和祖母去公园。

森:啊?是一起运动吗?

戴:不是,我边玩儿边看祖母打太极拳。

李:休息的时候我也去公园跑跑步。

戴:早晨、傍晚凉爽的时候运动运动,挺舒服的。

第28课 小马给了我(一张)地图
＜基本课文＞

1.小马给了我(一张)地图。

2.森先生帮老年人拿行李了。

3.森先生请小李带他游览了北京。

4.(一位)妇女帮我捡起了钱包。

A 甲:好漂亮的围巾啊。

　 乙:是啊,过生日时小野女士送给我的。

B 甲:森先生明天搬家吧。

　 乙:是的,大家帮他一下吧。

C 甲:(我)不明白这篇文章的意思。

　 乙:让小戴翻译吧,〈因为〉(她)擅长英语。

D 甲:你寄给我的茶很好喝,谢谢。

　 乙:不(用谢),别客气。

＜应用课文＞ **森的新居**

　　来北京两个星期了,森想从宾馆搬进公寓。走了好多家房产公司也没找到满意的房子。分公司经理加藤也惦记着这件事。

(加藤经理对森说)

加藤:森,住处(已经)定了吗?

　森:还没有,刚才老陈给我介绍了一家房产公司。而且,小李、小马也都在帮着找呢。

(第二个星期,森向加藤经理汇报搬家的事)

　森:经理,搬迁的地址定下来了。

加藤:那太好了。在哪儿?

　森:在国际贸易中心附近。

(听到两人谈话的小马说)

　马:是"国贸"啊,那一带我很熟。

　森:是吗?

　马:是的。回头我带你去那一带转转。

　森:谢谢。

(搬家的前一天)

　戴:森,明天搬家吧?

　森:是的。小李和小马来帮忙。

　戴:家具怎么样了?

　森:已经买好了,(家具店)明天送来。冰箱是加藤经理送的。

第29课 关灯!
＜基本课文＞

1.关灯!

2.读下面的文章,回答提问。

3.不要在这儿停车!

4. 这个符号是"禁止吸烟"的意思。

A 甲:刚才部长说什么了?

乙:说"快交文件"。

B 甲:阿诚,快去洗澡!

乙:我正在写作业呢。妈,您先洗吧。

C 甲:对不起,这个怎么读?

乙:读"たちいりきんし",是"禁止入内"的意思。

D 甲:(你)知道这花的名字吗?

乙:知道啊,那是(一种)叫做"紫藤"的花。

<应用课文> 卡拉 OK

一天晚上,森和北京分公司的职员一起去唱卡拉 OK。在融洽的气氛中,大家各自唱着自己喜欢的歌。继小马奔放的歌声之后,加藤经理要求森也来一首……

(加藤经理对森说)

加藤:森,下面该你唱了!

戴:对对。森,"歌いなさい!"

(森脸上显出意外的神色。小李紧跟着说)

李:小戴,森年龄比你大,对他说"歌いなさい"不太礼貌噢。

加藤:是啊。这种场要说"歌ってください"。

戴:是,明白了。森,对不起!

(大家聊起"命令形")

李:在日本时,经常听到日本的男性对朋友说"来い""遠慮するな"这样的话。这些话只对熟悉的人说吧。

森:是的。不过,女性不太说。(你们)还是用"来てください""遠慮しないでください"比较好。

李:也有的女性把"ください"去掉,光说"来て""遠慮しないで"之类的。

戴:是吗。汉语中对熟悉的人也说"来,来!""别客气!"而不用"请"这个字,这倒是一样。

李:是的。还有,我在棒球场听到的有的女性喊"頑張れ!(加油!)"

森:危险的时候或者没有时间客气的时候,这样说也可以。

第 30 课 〈因为〉已经 11 点了,睡觉吧
<基本课文>

1. 〈因为〉已经 11 点了,睡觉吧。

2. (我)今天不想〈去公司〉上班。

3. 明天(我)想去医院。

4. 行李很重,所以用送货上门的方式送达。

A 甲:工作结束后,去喝酒吧。

乙:对不起,明天(我)要早起,今天有点……

B 甲:已经很晚了,(我)该回家了。

乙:(您)辛苦了,路上小心。

C 甲:马上就到黄金周了,(你)有什么安排吗?

乙:(我)想坐船游览长江两岸的风光。

D 甲:星期六还工作?

乙:是啊,有客户从香港来,(我要)去机场迎接。

<应用课文> 春天的郊游

4 月的一个周末,小李想和北京分公司的职员一起去郊游。小李也跟森谈起这件事。

(在办公室)

李:这个周末,大家要去郊游……

森:好啊,去哪儿啊?

李:想去香山。

(当天早晨,在分公司的楼前集合。森迟到了,跑着过来)

加藤:森,你来晚了。

森:对不起,正要出门的时候,来电话了。

加藤:是吗。嗯,得,没辙。

(面向小马)小马,人都到齐了,准备出发吧。

马:好的,出发吧。

(在小马驾驶的车中)

李:〈香山〉附近有北京植物园,回来的时候想顺便去一下。

戴:好啊。我喜欢花,能去看看就好了。

(到了香山,看到众多游客)

森:这么多人啊。

陈:〈因为〉现在正是郊游季节嘛。

马:这个季节,任何一个景点都是游客爆满。

李:秋天的香山也很美哟。下次想来看红叶。

第 31 课 按下这个钮,电源就接通了
<基本课文>

1. 按下这个钮,电源就接通了。

2. 那台电脑偶尔会死机。

3. 小马出色地整理了报告。

4. 小李来吗?

A 甲:劳驾,市政府怎么走?

乙:这条路一直走,有一家百货商店。市政府就在那旁边。

甲:谢谢。

B 甲:(你)每天都正经吃早饭吗?

乙:是的。不过偶尔也有不吃的时候。

C 甲:哎呀,下雨了。

乙:真的,早点回家吧。

D 甲:请问,小马在哪里?

乙:小马刚刚出去了。

＜应用课文＞ 散步

　　北京分公司附近有大小不一的各类公园,有的公园里,还有用混凝土做的乒乓球台。一天,吃完午饭后,森和小马在公司附近散步。

(两人走到了一个公园附近)

马:从这儿拐过去,有一个小公园,孩子们经常在那里打乒乓球。

森:乒乓球? 在公园?

马:是呀。那个公园里有用混凝土做的乒乓球台。

森:用混凝土做的乒乓球台? 哎,有意思。

马:是呀,想打的时候,随时可以打。偶尔从公园那边经过,总有人在打。

(看着前方)

马:从这里走 300 米左右,有个体育中心。

森:体育中心? 谁都可以利用吗?

马:是的,谁都可以利用,不过是收费的。

森:你也经常去吗?

马:(我)有时去游泳池游泳。不过要不是会员的话,8 点以后就不能进了,所以我想入会呢。

森:入了会还有什么其他优惠吗?

马:会员的家属也可以享受优惠价。

(走了一会儿)

森:现在几点了?

马:就快 1 点 15 分了。

森:那得〈马上〉回去了,要不下午的会议要开始了。

第 32 课　这个星期天打算去游乐园
＜基本课文＞

1. 这个星期天打算去游乐园。
2. 明天和朋友去看电影。
3. 从下个月起工资涨了。
4. 听说小马的儿子今年上小学。

A 甲:我打算用这次的奖金买车。
　　乙:是吗? 不错呀。
B 甲:你坐火车去广州吗?
　　乙:不,(我)〈决定〉坐飞机去。
C 甲:小李,是去出差吗?
　　乙:是的。(我)从星期一起去香港三天。
D 甲:据报道今年冬天流行流感。
　　乙:是吗? 那(我们也)注意点儿吧。

＜应用课文＞ 五一黄金周

　　马上就到五一黄金周了,小野要来北京。小李和森在办公室谈论五一黄金周的安排。

(在办公室)

森:小李,五一黄金周你有什么打算?

李:我打算带小野到北京各处转转。

森:天气没问题吧。

李:天气预报说,连休期间一直是晴天。

(根据小野来的邮件,小李把将去太田家访问的事告诉了森)

李:小野说(她)要去太田家。我也一起去,你呢?

森:(她)给我也发来了邮件,我也准备一起去。

李:小野来邮件说,要在太田家一起包饺子。〈所以〉要我帮忙。

森:包饺子? 那好啊!

(他们聊起太田)

李:哎,太田先生是怎样的一个人?

森:(我)来北京后见过一面,是个很爽快的人。听他说在一家体育用品公司承担宣传广告工作。

李:那说不定今后还要一起工作呢。

森:是啊。因此我也想尽量(跟他)保持联系。

第 33 课　电车突然停了
＜基本课文＞

1. 电车突然停了。
2. 房间的灯关着。
3. 森先生把奖金都花光了。
4. 这个蛋糕看上去很好吃。

A 甲:是你开的窗户吗?
　　乙:不,是风刮开的。
B 甲:剪刀在哪儿?
　　乙:在抽屉里呢。
C 甲:从爷爷那儿得到的(那块)手表坏了。
　　乙:那太遗憾了。
D 甲:好像要下雨。
　　乙:那明天的运动会也许会中止的。

＜应用课文＞ 重逢

　　五一期间放长假。小野今天从东京过来。森和小李到机场去迎接。森是从客户处直接赶过来的。因为气流的关系,小野提前到了 30 分钟左右。

(办理入境手续处排起了长队。小野一边排队等候,一边嘟囔着)

小野:我到早了,不知森他们到了没有? *(看着长队)*要说,这排队的人可真多啊。

(小野办完入境手续从海关出来,发现小李后挥手招呼)

小野:小李!

　李:*(小李跑了过来)*小野,好久不见。

小野:真是好久不见了,看起来你气色挺好啊。

　李:嗯。你也挺精神的嘛。

317

(过了一会儿，森跑了过来)

森：对不起，小野，我来晚了。

小野：真是江山易改，本性难移啊。森，不过你
　　　看上去挺精神的，这比什么都强。

(森看见小野的行李)

森：小野，你的旅行箱好像很重啊。

小野：是吗？装了一些衣服和小东西。里面大半
　　　都是空的。我这是第一次来北京，所以想
　　　买很多礼品带回去。

(在出租车车站，森准备把旅行箱放进后备箱)

森：咦，后备箱没开。

李：让司机开一下吧。

第 34 课　墙上挂着挂历

＜基本课文＞

1. 墙上挂着挂历。
2. 客人来之前把房间打扫好。
3. 太田先生试着用汉语写了(一封)信。
4. 我正在为去日本留学攒钱。

A　甲：森先生，(你)把车停在哪儿了？
　　乙：停在公园前面了。

B　甲：森先生，会议的资料怎么办？
　　乙：〈请〉复印好 10 份。

C　甲：我做了咖喱饭，〈请〉你尝尝。
　　乙：哇，看上去好香啊。〈我吃了。〉

D　甲：太田先生，(您)戒烟了吗？
　　乙：是的，为了健康，(我)戒掉了。

＜应用课文＞　北京烤鸭

　　森和小李为了祝贺与小野的重逢，预订了北
京有名的烤鸭店。小野到北京的第二天，三个人
一起去吃饭。

(傍晚，森和小李去宾馆接小野)

森：为了欢迎你，我们预订了一家有特色的餐馆。

小野：真的!? 太谢谢了。

李：是(一家)北京烤鸭很不错的餐馆。

(在餐厅，烤鸭端了上来)

小野：哇，烤得真好啊。

李：是啊，这颜色看上去就挺好吃的。

(厨师在身边削着烤鸭，服务员小姐把削好的烤鸭
卷在薄饼里递给小野)

小野：(尝了一口)真好吃。我以前从来没吃过这
　　　么好吃的〈东西〉。

森：还得说本帮菜最地道，你说呢？

小野：是啊。真地道。这次我自己卷一个试试。

森：还点了很多其他菜呢。

(其后，又有菜端上来)

李：小野，你今天可得吃好了，明天开始日程
　　很紧张，要到处去转。

(吃完后，看到很多剩下的菜肴)

小野：剩了这么多，太可惜了。

李：是啊。那么，(我们)打包带走吧。

森：小野，今天还预订了卡拉 OK，怎么样？

小野：我当然想去。

第 35 课　明天要是下雨,马拉松大会就不搞了

＜基本课文＞

1. 明天要是下雨，马拉松大会就不搞了。
2. 回到日本也请继续学习汉语。
3. 今年的暑假只有三天。
4. 会议室只有小李一个人。

A　甲：大学毕业后有什么打算？
　　乙：(我)想去外国工作。

B　甲：小马(有点儿)没精神，发生什么事儿了吗？
　　乙：无论(我)怎么问，(他)什么都不说。

C　甲：小李，资料还没准备好吗？
　　乙：对不起，再等一会儿就好了。

D　甲：这个游戏车大人也能坐吗？
　　乙：不行，只能孩子坐。

＜应用课文＞　家庭宴会

　　太田先生和夫人住在天坛公园附近的公寓
里。小李、森和小野一起去太田夫妇家拜访，一
起包饺子。

(小野和太田夫人帮忙打下手，饺子主要由小李来
做。小李正在拌饺子馅儿)

李：对不起，要是有酒的话，给放一点儿好吗？

(太田夫人倒了一勺绍兴酒)

夫人：一勺就够了吗？

李：不够，放三勺吧。

夫人：小李做饺子的手艺真不错。

李：是呀。在北京家家户户都自己包饺子吃。就
　　是小孩也能包得很好。

夫人：我照着书做也老是做不好，怎么做才能好
　　　吃呢？

小野：多做几次慢慢就会做了。

李：要是有时间的话，我们再一起做吧。

(不一会儿，饺子做好了)

太田：要是准备好了，咱们就干杯吧。

(酒斟好后，太田提议干杯)

太田：祝大家健康，干杯!

（大家吃着饺子）

小野:森，你可真能吃，我再努力也就能吃 20 个左右。

森:要是小野做的饺子，我吃 30 个也没问题。

第 36 课　我迟到了，真抱歉
＜基本课文＞

1. 我迟到了，真抱歉。

2. 这张照片申请护照用。

3. 小张（整天）光喝酒。

4. 可以看到机场的入口处站着警官。

A 甲:老陈，明天的联欢会(你)去吗?

　　乙:不行，明天(我)有工作，去不了。

B 甲:哇，这么小的照相机呀!

　　乙:是啊。这相机很轻，携带非常方便啊。

C 甲:(你)为什么光吃蔬菜呀?

　　乙:(我)正在减肥。

D 甲:你听到小李叫(你)了吗?

　　乙:〈没,〉我没听到。

＜应用课文＞ 北京的生活

小李、小野同太田夫人一起，从建国门向西走。小李和小野问起太田夫人在北京的生活。现在，太田夫人已经完全习惯了北京的生活，但起初好像遇到过一些困难。

（走到二环路附近，听到"呜呜"的声音。）

小野:你们听到一种奇怪的声音了吗?

　李:(手指天空)(那是)风筝的声音。

　　　你们瞧，那儿在放风筝，看见了吧?

小野:啊，真的。刚才我听到的是风筝的声音啊。

（小野、小李和太田夫人边走边聊）

小野:太田夫人，你习惯北京的生活不容易吧?

夫人:是呀。特别是开始的时候语言不通，非常困难。

小野:现在怎么样，已经很流利了吧。

夫人:哪里，不过日常会话是没问题了。

　李:买东西呢?

夫人:自己去市场买。市场上除了吃的东西以外，还卖其他的，(购物)非常方便。

　李:是呀。不过市场上是不是称斤卖的店比较多?

夫人:是呀。(那时)买食品时净说那些自己会的说法。鸡蛋也是 1 斤，苹果也是 1 斤……

（小李转换话题）

李:欸，来这里后您和您先生一起去哪儿旅行过吗?

夫人:没有，他光是工作、工作，我们哪儿也没去。

第 37 课　如果获胜，就能够参加奥运会
＜基本课文＞

1. 如果获胜，就能够参加奥运会。

2. 如果去天安门，坐地铁很方便。

3. 去看电影怎么样?

4. 联欢会上，碰到了小戴、杨先生等许多人。

A 甲:我不知道老陈的手机号码……

　　乙:问小李就知道了。

B 甲:小李，去游泳怎么样?

　　乙:今天有点事儿。明天倒是有空。

C 甲:最近有点胖了。

　　乙:那就运动运动怎么样?

D 甲:叶子女士，(最近)大甩卖，昨天你去了吗?

　　乙:嗯。买了外套、鞋等好多东西。

＜应用课文＞ 万里长城

小李打算带小野游览北京的各种名胜古迹。首先去万里长城。两人清早乘出租车前往万里长城的旅游景点之一——八达岭。

（在前往八达岭的出租车里）

小野:到"八达岭"需要多长时间?

　李:走高速公路的话，大约 1 个小时。如果乘火车的话，需要两个多小时吧。

小野:还能乘火车去呀?

　李:是的。如果乘火车的话，北京北站很方便。有直达列车。

（抵达八达岭）

　李:"八达岭"是万里长城的旅游点之一。离北京很近，是最有名的(一处)景点。

小野:(我)以前在电视、影集中看过，但实地这么一看，规模确实宏大，不愧是"世界遗产"。

（登长城途中）

小野:为什么叫"万里长城"呢?

　李:长城全长 5 000 公里以上。在中国，"1 里"等于 0.5 公里，因此，如果换算成中国的计量单位，就超过 1 万里了。

（下长城途中）

小野:(我)想买点礼品……

　李:买礼品的话，T恤衫啦纪念章啦，各式各样的都有。

小野:是吗。那就买纪念章什么的吧。

　李:慢慢找的话，还会有一些其他好东西。

第 38 课　小戴会说英语
＜基本课文＞

1. 小戴会说英语。

2. 为了让人看得清楚，(把字)写得大大的。

3. 伤已经痊愈，能够走路了。

4. 老陈坚持每天看英文报纸。

A 甲:小戴能吃寿司吗?

　　乙:没问题。我什么都能吃。

B 甲:小李,两点左右离开公司哟。

　　乙:好的。(我)已经准备好了,随时都可以
　　　　出发。

C 甲:小野女士,(你)会自己穿和服吗?

　　乙:是的,(我)跟母亲学得能(自己)穿了。

D 甲:为了保持身体健康,(你平时)做点什么吗?

　　乙:是的,(我)每天早晨坚持散步 1 个小时。

＜应用课文＞ 胡同

　　小李和小野来到了胡同。胡同保持着传统的
街道样式,是最能展现老北京生活特色的地方。
在胡同里,既有卖蔬菜、水果之类的小市场,也
会看到卖包子、油条的摊贩。

(走在胡同中)

小野:这种小巷就是"胡同"吧?

　李:是的,这一带是北京传统的街道。有人〈实
　　　际〉住着,〈所以〉请别照相。

小野:知道了。可是,这条道能走得出去吗?

　李:能。虽然曲里拐弯,但是能走得出去。

(边走边感受老北京的风情)

小野:胡同让我感受到古老的北京,真是太好了!

　李:是啊。所以有空时或者有外国朋友来的时候,
　　　(我)总要到胡同来走一走。

(小李看到了一家卖油条的店铺)

　李:小野,能吃油条吗?

小野:能。非常喜欢!

(买了油条递给小野)

　李:挺烫的,注意别烫着了。

(过了一会儿)

　李:近来盖公寓、盖楼房,胡同拆了不少。

小野:总觉得很可惜啊!

　李:是啊。现在能看到胡同的地方已经很少了!

第 39 课　戴着眼镜看书

＜基本课文＞

1. 戴着眼镜看书。

2. 因为〈道路〉施工,道路非常拥堵。

3. 小李急急忙忙地回去了。

4. 去年,在日本看了歌舞伎。

A 甲:森先生带伞了吗?

　　乙:没有。没带〈就出去了〉。

B 甲:小李,(你)可来晚了。

　　乙:对不起。〈因为〉出了事故,电车晚点了。

C 甲:上来这么多人啊!

　　乙:是啊。〈因为〉正好是上〈下〉班高峰。

D 甲:我去寄封信〈就回来〉。

　　乙:那么,帮(我)把这个也寄了吧。

＜应用课文＞ 故宫

　　清晨,小李和小野来到了天安门。在薄薄的
晨雾中,两人决定先登城楼眺望天安门广场,然
后再参观故宫博物院。

(在天安门城楼下)

　李:这座城门以前因为火灾烧毁过两次。

小野:是吗?这可真是座雄伟的建筑啊!能进得去吗?

　李:能,进得去。(我)去买票吧。

(小李返回来,带小野去行李寄存处)

　李:不能带包进去,存在这儿吧。

(边登天安门城楼边说)

小野:从天安门城楼上可以看到各式各样的建筑吗?

　李:是的。不过,今天早上有雾,我想可能看不远。

(在故宫博物院)

　李:这里又叫"紫禁城",还曾经拍过电影呢。

小野:是的是的。我就是看电影以后,才想一定来
　　　(这儿看看)的。好容易来到北京,不看看
　　　这儿是不能回去的。

(穿过太和门,看见太和殿)

小野:屋顶是黄色的,真漂亮啊!

　李:是的。那叫"琉璃瓦"。与蓝天很和谐吧!

小野:小李,以那座建筑为背景,一起照张相好吗?

　李:好啊。

第 40 课　(我)正要和朋友一起去吃饭

＜基本课文＞

1. (我)正要和朋友一起去吃饭。

2. 森先生正在整理会议资料。

3. 小马现在刚刚到达机场。

4. 这条单轨铁路是去年刚开通的。

A 甲:喂! 森先生,(您)现在在哪里?

　　乙:(我)正要出门。

B 甲:森先生,飞往上海的最晚航班是几点,(您)
　　　搞清楚了吗?

　　乙:现在正在查。稍等一会儿。

C 甲:(你)知道下个月清水先生要结婚吗?

　　乙:知道。刚刚听说的。

D 甲:小李,这本书看完了吗?

　　乙:没有。昨天才看完始看。

＜应用课文＞ 京剧

　　小野回国的前一天。小李和小野去王府井购

物。晚上,她们一起去看京剧。两人约好在剧场前与森会合。

(小野和小李在剧场前等森)

森:对不起,(让你们)久等了。

小野:没关系。我们也刚到一会儿。

森:是吗。那就好。(买)票(了吗)?

李:这就去买。

森:那,我去买吧。(你们)在这儿等着。

(进入剧场就座)

小野:这个剧场看上去挺新的。

李:嗯。是去年刚改建的。在这以前一直是修修补补地用着清代的建筑。

(演出结束后响起掌声。森急急忙忙跑向卫生间)

李:小野,(感觉)怎么样?

小野:很精彩。刚看完耳边还留着音乐的余韵呢。

(森从卫生间回来,发现小野不见了)

森:咦!小野呢?

李:*(指舞台)*小野嘛,在那儿。〈现在〉正在舞台上和演员一起照相呢。

第41课 小李受到部长的表扬
<基本课文>

1.小李受到部长的表扬。

2.小马让森先生把照相机给弄坏了。

3.老陈养的小鸟飞走了。

4.2010年将在上海举办世博会。

A 甲:太田〈先生〉怎么了,没精打采的。

乙:嗯。挨部长训了。

B 甲:小李,(你)怎么了?

乙:昨天被狗把手咬了。

C 甲:周末去野营了。

乙:是吗?很愉快吧?

甲:两天都下雨,糟透了。

D 甲:这(款)车的设计非常好。

乙:是的。是由日本著名设计师设计的。

<应用课文> 市场调查

太田所在的 CS 公司计划近期推出一种新开发的饮用水。JC 策划北京分公司接受委托,负责市场调查和商品宣传策划。北京分公司的森和小李分头出去调查。

(小李回到办公室后不久,森也回来了)

李:啊,森,辛苦了。(你回来得)这么晚呀。

森:哎呀,真倒霉!我坐出租车回来的,(路上)给堵住了。北京的交通真够呛啊!

李:是啊。我也每天在公共汽车上被人踩脚呀。

(森被加藤经理叫去了。回来后小李问他)

李:森,被(分公司)经理叫去说了些什么?

森:噢,我挨说了,他说我 CS 公司委托的调查报告(完成得)太慢了。

(森把调查结果整理成报告)

"CS 公司"调查报告   森 健太郎

……去年上市的饮用水有 5 种,其中最畅销的是中国 A 公司开发的"爽快"。定价最低,受到从小孩到老人的广泛欢迎。前年,A 公司与日本 B 公司在北京成立了合资公司,"爽快"是从去年起批量生产的。由于从生产到上市全部采用计算机管理,大幅度降低了成本,实现了〈物美〉价廉。……

饮用水市场今后还有增长的趋势。对新产品的要求是商品名称要有吸引力、(包装)设计简洁大方。……

第42课 开着电视就出门了
<基本课文>

1.开着电视就出门了。

2.尽管上了闹钟,今天早上还是没起来。

3.会议5点钟结束,应该快完了。

4.小张在住院,不可能去旅行。

A 甲:昨天,(我)开着窗就睡了,所以着凉了。

乙:那可不行呀。请多保重(身体)。

B 甲:对不起,这台电脑开了却不启动……

乙:噢,那台电脑坏了。

C 甲:森先生在哪里?

乙:大约1小时前离开公司的,应该已经到家了吧。

D 甲:太田先生真够晚的。(怎么还没来啊。)

乙:是啊。不过,太田先生是负责人,不应该迟到的呀……(按说不会迟到呀……)

<应用课文> 策划方案

JC 策划北京分公司,以森和小李为主,制定了 CS 公司委托的新商品宣传策划方案。在策划方案说明会之前,为了征求意见,森把策划方案送到了 CS 公司。

(加藤经理接到 CS 公司太田先生的电话后,向小李确认)

加藤:刚才太田先生来电话,说策划方案还没有收到。

李:(这就)奇怪了。森应该是前天就寄出了呀。

(小李向森确认)

森:什么?真奇怪!那不可能啊!

李:是啊。前天寄出去的嘛。

森:不,是我亲自送去的。因为(当时)有事去西长安街〈方向〉。

李:那么,是直接交给太田先生的吗?

森:不是。因为太田先生外出,(我就)交给他们公司的其他人了。

(不久太田先生给森打来电话)

太田:对不起,策划方案收到了。 一个同事保管着(忘了给我)。

森:是这样呀! 那就好。

太田:您特意来一趟,(我)却不在,实在抱歉。

森:哪里,是我不好。(我)事先没有联系好就前去拜访了。

(通话结束前)

太田:(我们)马上组织讨论策划方案。下周应该可以给您回话。

森:(那就)拜托了。

第 43 课　老陈让儿子去美国留学

＜基本课文＞

1. 老陈让儿子去美国留学。
2. 部长让太田先生写报告。
3. (我)累了。让(我)稍稍休息一会儿。
4. 这个圆珠笔很好用。

A 甲:我刚才让孩子去买东西了。

　　乙:是(让孩子)帮忙吗? 我也经常让孩子帮着做家务。

B 甲:很远的,我让部下送你到车站吧。

　　乙:没关系。谢谢。

C 甲:部长,我不太舒服,请让我早点回去吧。

　　乙:好,可以。多保重!

D 甲:这个车站怎么换车很难搞清楚啊。

　　乙:是啊,〈因为〉车站太大了。

＜应用课文＞　策划方案说明会

　　JC 策划北京分公司受 CS 公司委托,承担他们新产品的策划、宣传。森和小李在 CS 公司就新产品的名称以及设计图案等做了说明。

(在北京分公司的办公室。加藤经理告诉老陈派森和小李去 CS 公司)

陈:CS 公司的策划方案说明会,(您)打算派谁去?

加藤:打算让森和小李去。

(在 CS 公司的会议室,森和小李利用大屏幕做说明)

森:……质量(的重要性)不言而喻,产品名称和设计也非常重要。首先是名称,我们觉得容易理解又简洁、单纯的名称比较好。〈而且〉,能让更多的人有亲近感的名称最理想。英语字母比较晦涩,还是避免比较好。

李:下面请让我具体地谈一谈名称。比如,"动力"怎么样?大家不觉得(这个词儿)有一种力量感吗? 当然,用"Energy"或者"Power"等英语也可以, 但对不懂英语的人来说,很难联想到这是什么产品。……

森:接着我们来看产品设计,还是需要有冲击力的设计。因此,这次我们设计以使用红色和黄色为基调的新颖图案。已经在让设计师试作几种样品。……

(最后谈到了定价)

森:关于定价,(我们觉得定得)稍微高一些比较好。(这样)商品形象要好得多,消费者就会放心购买。

第 44 课　门厅那儿好像有人

＜基本课文＞

1. 门厅那儿好像有人。
2. 小野女士好像喜欢森先生。
3. 下次的全社旅行好像是去韩国。
4. 午饭吃多了。

A 甲:听说叶子女士通过了留学考试。

　　乙:那太好了。

B 甲:〈每天〉真热啊。 这种天气要持续到什么时候啊。

　　乙:根据天气预报,好像要持续相当一段时间呢。

C 甲:新的游乐园好像很受欢迎啊。

　　乙:是的。好像小马他们下个星期也要去。

D 甲:昨天晚上去的那家庭院式的啤酒店真不错呀。

　　乙:是啊。不过(我)有点儿喝多了。

＜应用课文＞　销售情况

　　CS 公司的新产品——运动饮料在北京和上海上市了。 销售情况不错。但市场对该产品的命名和图案设计评价如何呢? 负责市场调研和广告业务的 JC 策划北京分公司正在谈论此事。

(在 JC 策划北京分公司办公室)

马:森,"动力"好像很畅销啊。

森:是啊,托大家的福。首先在北京和上海上市,评价好像很不错。

马:哪方面得到了(消费者)的认可?

森:首先是好喝,容器的图案设计似乎也很受欢迎。

戴:设计很别致,似乎很有人气。

李:是的。另外,名称也好像得到认可了。

戴:太好了。

李:是啊。我们切实感受到名称和设计的重要性了。

(接下来)

森:因为反映还不错,所以今后好像准备在全国

上市。

戴:销量究竟会怎么样,但愿成功。

马:也许畅销得大家会笑得合不拢嘴呢。

森:真能那样敢情好了。

李:CS 公司,好像已经开始开发下一个产品了。

马:真有干劲儿啊。

(大家喝着 CS 公司送来的"动力")

戴:甜度适中,确实很好喝啊。

李:另外,看来对身体也有好处。

第 45 课 孩子减少现象日益加剧,日本人口将会越来越少

<基本课文>

1. 孩子减少现象日益加剧,日本人口将会越来越少。

2. 一直在看书,眼睛累了。

3. 又好吃,又简便,我经常吃冷冻食品。

4. 这本书越读越有意思。

A 甲:最近,去中国旅行的日本人多起来了。

   乙:〈因为〉住宿、交通等都方便了。

B 甲:妈妈,下起雨来了。

   乙:哎呀,糟了。阿诚,快把衣服收进来。

C 甲:(今天)休息,天气也不错,去哪儿玩儿玩儿吧?

   乙:好啊。我想去郊游。

D 甲:商品越便宜越好卖吧?

   乙:不。质量不好的话,便宜也卖不动。

<应用课文> 上海

JC 策划公司计划在上海成立事务所。被内定为事务所所长的老陈带着森到上海寻找事务所的所址。森第一次到上海。*他们的日程是三天两夜。*

(夜晚,他们在机场通往市内的高速公路上)

陈:森,你瞧,看见了吧。**(指着前方)**那儿就是上海市中心。

森:打着灯光呢。嗯,越看越漂亮。

陈:我以前在这里住过,这儿生活起来很方便。

森:老陈,(你)以前在上海住过?

陈:是的。这儿真是一个好地方。越住越能体会到上海的好处。

(在宾馆办完入住手续后,来到街上)

森:又繁华,高层建筑又多,总觉得有点儿像东京啊。

陈:上海现代化搞得非常快,市容发生了很大变化。

森:说起来,几年前上海开通了磁悬浮列车,是不是?

陈:是的。从机场到市内的交通方便了,(来上海

的)人也增多了,今后还会发生更大变化的。

(忽然下起雨来了)

陈:哎呀,下起雨来了。

森:好像要下大了。我们避会儿雨吧。

陈:好的。〈那么,〉我们进这家咖啡馆吧。人少,店又干净。

森:嗯……。哎,(我)肚子(有点儿)饿了。

陈:是吗? 那么,(我们先)吃点儿什么〈再走〉吧。

第 46 课 这个软软乎乎的,好像真皮一样

<基本课文>

1. 这个软软乎乎的,好像真皮一样。

2. 这件和服的花纹是典型的日本式。

3. 明天 9 点之前必须完成这份文件。

4. 我留学期间,我家那一带发生了很大的变化。

A 甲:这菜有股柠檬的味道。

   乙:嗯,真的。好像水果一样。

B 甲:我的孩子说,将来想成为(一名)宇航员。

   乙:真是名副其实的孩子的理想啊。

C 甲:这份文件,什么时候发出?

   乙:是啊。这个月底以前能收到就可以了。

D 甲:听说你想买摩托车。(很)贵吧?

   乙:嗯,(所以我)打算在学校放假的时候打工。

<应用课文> 寻找事务所

老陈和森今天必须选定上海事务所的所址。一大早,两人就离开宾馆,在房产商的带领下,看了很多地方。另外,森初次来到上海,还想到各处去看一看。

(一大早他们就开始物色)

森:老陈,今天必须找到事务所的候选地,是吧。

陈:是啊。(我)想下个月初之前完成所有的准备工作。

(他们一边看一边商量)

森:这儿不错呀。

陈:嗯……但是,总觉得像教室一样。

森:又宽敞又明亮,交通也方便。我觉得便于工作。

陈:刚才那不是更大吗?

森:但是太吵了。(我们)在看房间里面的时候,外面一直是过车的噪声。

陈:那倒也是。**(想了一会儿)**那么,就定这里吧。

(回宾馆的途中,他们在外滩散步)

陈:这一带叫"外滩",古老的建筑很多。

森:这儿就是"外滩"啊。真像是在看欧洲的街道。我想在中国期间(一定)要到这儿来一趟。

(回北京的当天早晨)

森:离出发还有一点儿时间。我们顺道儿去哪儿看一看？

陈:那么，去南京路吧。(那儿)是上海最具代表性的地方。

第47课　周老师明天去日本

〈基本课文〉

1. 周老师明天去日本。

2. 客人已经回去了。

3. 请坐。

4. 老师，您吃点儿什么？

A　甲:买礼品了吗？

　　乙:是的，买了。

B　甲:(您)已经看了那份资料了吗？

　　乙:没有，还没看。太忙了没有时间看。

C　甲:请问，卖鞋的柜台在几层？

　　乙:在4层。请(您)利用电梯。

D　甲:小野女士，木村部长说(他)几点回来？

　　乙:是木村部长吗？刚才已经回来了呀。

〈应用课文〉 总经理的视察

　　为了视察上海事务所，东京总公司的总经理来到上海。北京分公司的加藤经理和森也来到上海。亲自敲定上海事务所所址的老陈却因为一件重要的生意而离不开北京。

(加藤经理和森到机场接到总经理，他们走向出租车车站)

加藤:您吃过饭了吗？

总经理:嗯，在飞机上吃了。

加藤:那么，(您)是先到宾馆办理入住手续呢？还是先去看事务所？

总经理:嗯，直接去事务所吧，(我)想早点儿看看(事务所)。

(到了上海事务所)

森:请从这个门进。

(一进门就看见正面的墙壁上挂着一幅很大的画)

总经理:挺宽敞的，采光也不错。**(注意到那幅画)**那幅画是……

加藤:啊，那是日中商务(公司)的总经理送给咱们的。

总经理:啊，是吗？是张好画儿啊。

加藤:是。总经理，您曾提到的人选的事儿，我想让小李到上海事务所来。

(当天晚上，森给在北京的老陈打电话)

森:总经理夸(咱们找的)事务所不错。

陈:是吗？那就好。(总经理)满意就好。另外，总经理还到这边儿来吗？

森:不，不去那边儿了，坐明天早上的航班回东京。

第48课　您的行李我来拿

〈基本课文〉

1. 您的行李我来拿。

2. 明天我去您那儿拜访。

3. 复印(的事)我来做。

4. 我请黄教授(给我)看了论文。

A　甲:昨天，(我给您)发了邮件。

　　乙:是的，已经拜读了。刚刚(给您)发了回信。

B　甲:(您)从哪儿来的？

　　乙:(我)从北京来。

C　甲:我该告辞了。真是打搅了。

　　乙:(请原谅我)招待不周。

D　甲:这件衣服小了点儿，能(给我)换一下吗？

　　乙:知道了。请稍等。

〈应用课文〉 上海事务所

　　上海事务所开业了。北京分公司的老陈兼任所长，小李就任副所长，事务所新聘了新职员山田拓也。上海事务所开业之际，给上海市内的日资企业发出了开业通知。

(第一天上班的山田拓也跟老陈和小李寒暄)

山田:早上好。我是山田。从今天起承蒙关照了。〈我〉刚刚大学毕业，什么都不懂，但〈我〉会努力工作的，请多多指教。

陈:〈我们〉希望你好好干。多多关照。

李:请多关照。咱们一块好好儿干吧。

(电话铃响了，小李接电话)

李:喂，你好。(这里)是JC策划公司上海事务所。

佐藤:我是日中商务(公司)的佐藤。贵公司寄来的开业通知已经拜读了。

李:承蒙多方关照。这次(又)突然给您寄了通知，(冒昧之处，)请多原谅。

佐藤:哪里哪里。其实，我们正在计划开发新的产品，因此，很想了解(贵公司的)详细情况。

李:谢谢。我这就把资料给您送过去。

佐藤:是吗？那么，您能到我们公司来一趟吗？要是明天的话，我下午一直在〈公司〉。

李:好的。我叫李秀丽。那么明天下午我去拜访〈您〉。

　　这是上海事务所的开端。以后会发生什么事情呢？让我们拭目以待。

II. 练习 II 参考答案

◆ 练习 II 参考答案的使用符号如下：
   甲／乙→表示甲乙都可以。
   (丙)→表示可以省略丙。

练习 II 参考答案

第 25 課

练习 II – 1

(1) b   (2) a   (3) e   (4) d

练习 II – 2

(1) いつ   (2) どこ   (3) どう

(4) どんな   (5) 何

练习 II – 3

(1) 写真を撮っている

(2) コピーを取っている

(3) 資料を見ている

(4) 明日から出張する

(5) スミスさんと話している

练习 II – 4

(1) これは明日会議で使う資料です。

(2) 中国で買った CD を友達に貸しました。

(3) 操作が簡単なパソコンが欲しいです。

第 26 課

练习 II – 1

(1) 消すのを   (2) 遊ぶのは

(3) 行くのを   (4) 走るのが

(5) 食べたのは

练习 II – 2

(1) 来ない   (2) 嫌い

(3) 合格する   (4) 暑い

(5) いる

练习 II – 3

(1) (○) 旅行に行きませんでした。

(2) (○) ゴルフをします。

(3) (○) あの 2 人は結婚しました。

练习 II – 4

(1) 李さんは絵をかくのが好きです。

(2) 手紙を出すのを忘れました。

(3) 森さんは今日会社を休むかもしれません。

第 27 課

练习 II – 1

(1) タバコを吸いながら, テレビを見ています。

(2) 歌を歌いながら, 公園を散歩しています。

(3) お茶を飲みながら, 音楽を聞いています。

(4) 笑いながら, アルバムを見ています。

练习 II – 2

(1) はさみ   (2) クレジットカード

(3) 携帯電話   (4) 食堂   (5) 郵便局

练习 II – 3

(1) かけている   (2) 好きな

(3) 来なかった   (4) 歌い

(5) 休み

练习 II – 4

(1) 子供の時, 大きな地震がありました。

(2) 李さんはテレビを見ながら食事をしています。

(3) 森さん, 昨日, 駅前の喫茶店にいたでしょう?

第 28 課

练习 II – 1

(1) に   を   (2) が   を

(3) に   を   (4) くれました

(5) もらいました   (6) あげましょう

练习 II – 2

(1) もしかしたら   (2) それに

(3) すぐに   (4) ほとんど

(5) それで   (6) そう言えば

练习 II – 3

(1) ○   (2) ×   (3) ×   (4) ○

练习 II – 4

(1) 馬さんはわたしに地図をくれました。

(2) 森さんは李さんに北京を案内してもらいま

した。

(3) 森さんは明日引っ越しですね。

―ええ，みんなで手伝ってあげましょう。

第29課
练习II-1

(1) 静かにしなさい

(2) 頑張りなさい

(3) 話しなさい

练习II-2

(1) 出すな　見せろ　　　(2) 止まれ

(3) 入るな　寝ろ　　　　(4) 勉強しろ

练习II-3

(1) ×　　(2) ×　　(3) ○　　(4) ○

(5) ×

练习II-4

(1) さっき部長は何と言いましたか。

―「書類を早く提出しろ」と言いました。

(2) このマークは「タバコを吸うな」という意味
です。

(3) 誠，早くお風呂に入りなさい。

第30課
练习II-1

(1) 買おう　　(2) 見せ　　　(3) 届けて

(4) しよう　　(5) 撮るな

练习II-2

(1) 上手ではない　　　(2) 行く

(3) 病気な　　　　　　(4) 住んでいた

(5) 働いている

练习II-3

(1) 日本語を勉強しました。

(2) (2人は今，)日本にいます。

(3) (陳さんは)料理を作るのが好きです。

(4) (陳さんは)日本料理のいろいろな店でアル
バイトをしました。

(5) (2人の夢は)中国で日本料理の店を開くこ
とです。

(2人の夢は)中国人に日本料理を食べても
らうことです。

练习II-4

(1) 仕事が終わってから，飲みに行こうよ。

(2) 明日病院へ行こうと思っています。

(3) 荷物が重いので，宅配便で送ります。

第31課
练习II-1

(1) 静かに　　　(2) 押す　　　(3) 帰った

(4) 美しく　　　(5) 降る　　　(6) 元気に

(7) ない

练习II-2

(1) ③　　　　　　(2) ④

练习II-3

まっすぐ　　交差点　　左　　渡る　　右

练习II-4

(1) このボタンを押すと，電源が入ります。

(2) 朝ご飯は毎日きちんと食べますか。

―ええ，でもたまに食べないことがあります。

(3) すみません，馬さんはどちらでしょうか。

第32課
练习II-1

(1) 大好きだ　　　(2) 晴れる

(3) 雨　　　　　　(4) 行った

(5) 合格しない　　(6) 買わない

练习II-2

(1) どこ　　　　　(2) だれ

(3) いつ　　　　　(4) だれ

练习II-3

(1) そろそろ　　　(2) 必ず

(3) たまに　　　　(4) ところで

练习II-4

(1) 来週の水曜日(の午前中)に(中田さんと)会
うことになりました。

(2) 飛行機で行くことにしました。

(3) 京都へ(桜を見に)行くつもりです。

練習 II - 5

(1) 今度のボーナスで車を買うつもりです。

(2) 明日，友達と映画を見に行くことにしました。

(3) ニュースによると，今年の冬はインフルエンザが流行するそうです。

第 33 課

練習 II - 1

(1) 開けて	(2) 開きました
(3) 汚れて	(4) 壊れて
(5) 入れます	(6) 入りました

練習 II - 2

(1) はいて	(2) している	(3) 消えて
(4) よさ	(5) 高	(6) 食べて

練習 II - 3

(1) ③	(2) ⑤	(3) ②
(4) ④	(5) ①	

練習 II - 4

(1) あなたが窓を開けたんですか。

　　―いいえ，風で開いたんです。

(2) 森さんはボーナスを全部使ってしまいました。

(3) このケーキはとてもおいしそうです。

第 34 課

練習 II - 1

(1) あります	(2) おいた	(3) おいて
(4) みよう	(5) います	

練習 II - 2

(1) ○	(2) ○	(3) ×	(4) ×
(5) ×	(6) ○	(7) ○	(8) ×
(9) ○	(10) ×		

練習 II - 3

(1) ちゃんと	(2) あちこち
(3) こんなに	(4) つい
(5) ずっと	(6) そろそろ
(7) 必ず	

練習 II - 4

(1) 森さん，車をどこに止めましたか。

　　―公園の前に止めてあります。

(2) 会議の資料を 10 部コピーしておいてください。

(3) 日本へ留学するために，お金をためています。

第 35 課

練習 II - 1

(1) 使ったら	(2) 取ることができたら
(3) うるさかったら	(4) 分からなかったら
(5) 降ったら	(6) 来なかったら

練習 II - 2

(1) ④	(2) ①	(3) ⑤
(4) ②	(5) ⑥	(6) ③

練習 II - 3

(1) 引いたら	(2) 疲れません
(3) 聞いても	(4) 働きます

練習 II - 4

(1) しか	(2) でも	(3) だけ

練習 II - 5

(1) 大学を卒業したら，どうしますか。

　　―外国で働きたいです。

(2) 会議室には李さんしかいません。

(3) 日本へ帰っても，中国語の勉強を続けてください。

第 36 課

練習 II - 1

(1) 見えます	(2) 聞いて／見て
(3) 聞こえます／見えます	

練習 II - 2

(1) 遅くなって	(2) 寒い（です）から
(3) 交通事故で	(4) 危ないから
(5) 熱で	

練習 II - 3

(1) の	(2) で	(3) に
(4) が	(5) も	

練習 II - 4

公園／スーパー	スーパー／公園
2	3,000 万

练习II－5

(1) 陳さん，明日のパーティーに行きますか。
　　—いいえ，明日は仕事で行くことができません。
(2) この写真はパスポートを申請するのに使います。
(3) 空港の入り口に警官が立っているのが見えます。

第 37 課

练习II－1

(1) 押すと　　(2) いい天気なら
(3) 困ったら　(4) なければ
(5) 暑いなら　(6) だったら　　でも

练习II－2

(1) しか　　(2) だけ　　(3) でも
(4) とか　とか　(5) でも

练习II－3

(1) ②　　　　(2) ②

练习II－4

(1) 優勝すれば，オリンピックに出場することができます。
(2) 天安門へ行くなら，地下鉄が便利ですよ。
(3) 最近ちょっと太りました。
　　—じゃあ，運動でもしたらどうですか。

第 38 課

练习II－1

(1) 借りられます　　(2) 覚えられません
(3) 食べられる　　(4) 休めません
(5) 買える　　(6) 飛べない

练习II－2

(1) いいえ，話せません。
(2) はい，登れます。
(3) はい，来られます。
(4) いいえ，見られません。

练习II－3

(1) ×　　(2) ×　　(3) ○　　(4) ○

练习II－4

(1) 戴さんは英語が話せます。

(2) けがが治って，歩けるようになりました。
(3) 健康のために何かしていますか。
　　—ええ，毎朝1時間散歩するようにしています。

第 39 課

练习II－1

(1) 話し　　(2) 着て
(3) 買って　(4) 飲ん　　乗る
(5) 読まない　(6) 行けない
(7) 飲め　　(8) して

练习II－2

(1) d　　(2) a
(3) e　　(4) c

练习II－3

(1) 全然寝られません
(2) 暇だから
(3) あったために
(4) おいしくて
(5) 悪いから

练习II－4

(1) 森さんは傘を持っていきましたか。
　　—いいえ，持たないで出かけました。
(2) 道路工事のために，道が込んでいます。
(3) 去年，日本で歌舞伎を見てきました。

第 40 課

练习II－1

(1) に　　が　(2) も　　を
(3) の　　　(4) が
(5) に　　が　(6) で
(7) ば

练习II－2

(1) ばかり　(2) つもり　(3) ところ
(4) ために　(5) ように
(6) なら　でも　(7) だけ

练习II－3

(1) ○　　(2) ○　　(3) ×
(4) ○　　(5) ×　　(6) ×

練習 II－4

(1) これから友達と食事に行くところです。

(2) 森さんは会議の資料をそろえているところです。

(3) 李さん，この本はもう読み終わりましたか。
―いいえ，昨日読み始めたばかりです。

第 41 課

練習 II－1

(1) 来られ　　　　(2) 言われ

(3) 降られ　　　　(4) 笑われ

(5) 注意され　　　(6) 辞められ

練習 II－2

(1) 魯迅の小説は若い人に読まれています。

(2) 小野さんは部長に仕事を頼まれました。

(3) このソフトは多くの国で使われています。

(4) わたしは泥棒に時計を盗まれました。

(5) 昨日，小野さんは森さんに食事に誘われました。

(6) わたしは上司に「もっと早く来い」と言われました。

練習 II－3

(1) で　　　　　　(2) に　　　を

(3) か　　ら　　　(4) で　　　に

(5) に

練習 II－4

(1) 昨日部長にほめられました。

(2) 馬さんは森さんにカメラを壊されました。

(3) この車は日本の有名なデザイナーによって設計されました。

第 42 課

練習 II－1

(1) もらった　　　(2) 初めてな

(3) 出席しない　　(4) 正しい

(5) 休みの　　　　(6) つけた

練習 II－2

(1) ので　　のに　　(2) のに　　ので

(3) ので　　のに

練習 II－3

(1) ①　　(2) ②　　(3) ④　　(4) ⑤

練習 II－4

(1) テレビをつけたまま出かけてしまいました。

(2) 目覚ましをかけておいたのに，今朝は起きられませんでした。

(3) 会議は 5 時までの予定ですから，もうすぐ終わるはずです。

第 43 課

練習 II－1

(1) 忘れたために　　(2) 休ませて

(3) つけるように　　(4) きました

(5) 腐りやすい　　　(6) 休まれた

練習 II－2

(1) ×　　(2) ×　　(3) ○　　(4) ×

(5) ○　　(6) ×

練習 II－3

(1) にくい　　　　　(2) やすい

(3) にくく　　やすい　(4) やすく

(5) にくい　　やすい

練習 II－4

(1) 陳さんは，息子をアメリカに留学させます。

(2) わたしはよく子供に家の仕事を手伝わせます。

(3) このボールペンはとても書きやすいです。

第 44 課

練習 II－1

(1) 増える　　　　　(2) 痛　　　歩き

(3) 新しくなった　　簡単な

(4) しかられた　　　読んでいた

(5) 入られた　　　　出かけてしまった

(6) 日本製の

練習 II－2

(1) ②　　(2) ①　　(3) ④　　(4) ⑤

練習 II－3

(1) ○　　(2) ×　　(3) ×　　(4) ○

練習 II－4

(1) 玄関のところにだれかいるようです。

(2) 今度の社員旅行は韓国へ行くらしいです。

(3) 昼ご飯を食べ過ぎました。

第 45 課

练习 II－1

(1) おきます　　　　(2) いく

(3) しまいました　　(4) あげ

(5) み　　　　　　　(6) あって／あるので

(7) もらった　　　　(8) くれません／くれます

(9) ほしい　　　　　(10) きます

练习 II－2

さ　　　に　　　も　　　て

练习 II－3

(1) 多い

(2) 長い　　　　　(3) 新しい

(4) すてき　　　　安い

(5) 高い　　　　　まずい

(6) 広い　　　　　きれい

练习 II－4

(1) 少子化が進んで，日本の人口はだんだん減っ
ていくでしょう。

(2) おいしいし，手軽だし，わたしは冷凍食品を
よく食べます。

(3) この本は読めば読むほどおもしろいです。

第 46 課

练习 II－1

(1) 早速　　　　　(2) まるで

(3) 絶対に　　　　(4) せっかく

(5) いかにも

练习 II－2

(1) ②　　　(2) ①　　　(3) ②　　　(4) ③

练习 II－3

(1) これは柔らかくて，まるで本物の毛皮のよ
うです。

(2) この着物はいかにも日本らしい柄ですね。

(3) わたしが留学している間に，家の周りもず
いぶん変わりました。

第 47 課

练习 II－1

(1) くださいました　　　(2) なさいます

(3) 着かれた／お着きになった

(4) いらっしゃる／来られる

(5) 召し上がります

(6) お入り　　　(7) お書き　　　(8) お集まり

(9) ご参加　　　(10) ご利用

练习 II－2

(1) 何時に／いつ　　　　いらっしゃいました

(2) どんな　　　　ご覧になります

(3) お会いになります／会われます

(4) どのぐらい／どれぐらい／何年（ぐらい）
勉強されました

(5) 何で／どうやっていらっしゃいます／来ら
れます／おいでになります

练习 II－3

(1) ×　　　(2) ○　　　(3) ×　　　(4) ○

练习 II－4

(1) 周先生は明日日本へ行かれます。

(2) もうその資料をご覧になりましたか。

(3) エスカレーターをご利用ください。

第 48 課

练习 II－1

(1) おります　　　　(2) いただきます

(3) いただきました　(4) 伺います／参ります

练习 II－2

(1) おっしゃいます　　　申します

(2) ご覧になり　　　拝見しました

(3) お済みになりました　　　いただきました

(4) おります

(5) 失礼させていただきます　　　お気をつけて

练习 II－3

(1) ⑥　　　(2) ⑤　　　(3) ③

(4) ④　　　(5) ②

练习 II－4

(1) お荷物は私がお持ちします。

(2) 明日私がそちらへ伺います。

(3) この服，ちょっと小さいので，取り替えてい
ただけますか。

Ⅲ. 练习录音内容

◆这里提供了练习Ⅰ、练习Ⅱ的听力练习题的录音内容。但与配套的录音并非完全一致。录制时还包括练习要求等，这里只提供听力练习的主要内容，供学习者确认。

练习录音内容

第 25 課

练习Ⅰ- 4

[例1] 陳／小野さんにもらいました／CD を聞きます／買い物

→甲: もしもし，李さんですか。陳です。

乙: あっ，陳さん，こんにちは。

甲: 今，忙しいですか。

乙: いいえ，別に。今，小野さんにもらった CD を聞いていますが。

甲: そうですか。じゃあ，いっしょに買い物に行きませんか。

乙: ええ，いいですよ。

(1) 甲: もしもし，李さんですか。唐です。

乙: あっ，唐さん，こんにちは。

甲: 今，忙しいですか。

乙: いいえ，別に。今，日本から来たメールをチェックしていますが。

甲: そうですか。じゃあ，いっしょに食事に行きませんか。

乙: ええ，いいですよ。

(2) 甲: もしもし，李さんですか。田中です。

乙: あっ，田中さん，こんにちは。

甲: 今，忙しいですか。

乙: いいえ，別に。今，先月の旅行で撮った写真を見ていますが。

甲: そうですか。じゃあ，いっしょに美術館に行きませんか。

乙: ええ，いいですよ。

(3) 甲: もしもし，李さんですか。森です。

乙: あっ，森さん，こんにちは。

甲: 今，忙しいですか。

乙: いいえ，別に。今，日本の友達に出す手紙を書いていますが。

甲: そうですか。じゃあ，いっしょに公園に行きませんか。

乙: ええ，いいですよ。

[例2] 今，田中さんと話しています／見ました

→甲: あの人はだれですか。

乙: どの人ですか。

甲: 今，田中さんと話している人です。

乙: ああ，あの人ですか。見たことはあるんですが，名前はちょっと…。

(4) 甲: あの人はだれですか。

乙: どの人ですか。

甲: あそこでコピーを取っている人です。

乙: ああ，あの人ですか。話したことはあるんですが，名前はちょっと…。

(5) 甲: あの人はだれですか。

乙: どの人ですか。

甲: 今，李さんとお茶を飲んでいる人です。

乙: ああ，あの人ですか。顔を見たことはあるんですが，名前はちょっと…。

(6) 甲: あの人はだれですか。

乙: どの人ですか。

甲: さっき入り口で会った人です。

乙: ああ，あの人ですか。一度会ったことはあるんですが，名前はちょっと…。

(7) 甲: あの人はだれですか。

乙: どの人ですか。

甲: あそこで電話をかけている人です。

乙: ああ，あの人ですか。一度話したことはあるんですが，名前はちょっと…。

(8) 甲: あの人はだれですか。

乙：どの人ですか。

甲：窓のところにいる人です。

乙：ああ，あの人ですか。何度か顔を見たことはあるんですが，名前はちょっと…。

練習Ⅱ- 3

[例] 林さんはどの人ですか。

　　　　—あそこでビールを飲んでいる人です。

(1) 李さんはどの人ですか。

　　　　—あそこで写真を撮っている人です。

(2) コピーを取っている人は吉田さんですか。

　　　　—いいえ，ちがいます。吉田さんはもう帰りました。

(3) 馬さんはあそこで電話をかけている人ですか。

　　　　—いいえ，馬さんは今，資料を見ています。

(4) 森さんはいつ中国へ出張しますか。

　　　　—明日から行きます。

(5) スミスさんと話している人は陳さんですか。

　　　　—いいえ，あれは唐さんですよ。

第26課

練習Ⅰ- 6

[例] 毎日スポーツをします

　　　　→毎日スポーツをするのは体にいいです。

(1) 朝早く散歩します

　　　　→朝早く散歩するのは気持ちがいいです。

(2) お風呂に入ります

　　　　→お風呂に入るのが好きです。

(3) 吉田さんが転勤します

　　　　→吉田さんが転勤するのを昨日聞きました。

練習Ⅱ- 3

[例] あっ，この手紙，出すのを忘れたわ。

(1) お金がないから，旅行に行くのをやめました。

(2) 忙しいけど，ゴルフをする時間はあります。

(3) あの2人が結婚したのを知りませんでした。

第27課

練習Ⅰ- 3

[例] 子供の時，どこに住んでいましたか。（上海）

—上海に住んでいました。

(1) 眠い時，何を飲みますか。

　　　　—コーヒーか紅茶を飲みます。

(2) 外国へ行く時，何が要りますか。

　　　　—お金とパスポートが要ります。

(3) 暇な時，何がしたいですか。

　　　　—旅行がしたいです

(4) 会社で先に帰る時，何と言いますか。

　　　　—「お先に失礼します」と言います。

(5) 困った時，だれに相談しますか。

　　　　—家族や友達に相談します。

(6) 学生の時，どんなスポーツをしましたか。

　　　　—卓球やバスケットボールをしました。

練習Ⅰ- 6

[例] 葉子さん／李さん／大学に通います

→甲：あのう，葉子さんでしょう？

　乙：あっ，李さん，しばらくですね。

　甲：本当に。お元気ですか。

　乙：ええ。去年からこの近くの大学に通っています。

(1) 甲：あのう，キムさんでしょう？

　　　乙：あっ，木下さん，しばらくですね。

　　　甲：本当に。お元気ですか。

　　　乙：ええ。去年からこの近くのスーパーで働いています。

(2) 甲：あのう，田中さんでしょう？

　　　乙：あっ，張さん，しばらくですね。

　　　甲：本当に。お元気ですか。

　　　乙：ええ。去年からこの近くのマンションに住んでいます。

(3) 甲：あのう，陳さんでしょう？

　　　乙：あっ，田村さん，しばらくですね。

　　　甲：本当に。お元気ですか。

　　　乙：ええ。去年からこの近くの会社で働いています。

第28課

練習Ⅰ- 4

[例1] テレビをつけます／お茶も入れます

→甲: ちょっとテレビをつけてくれますか。

　乙: はい。

　甲: それから，お茶も入れてくれませんか。

　乙: ええ，いいですよ。

(1) 甲: ちょっと鉛筆を貸してくれますか。

　　乙: はい。

　　甲: それから，辞書も貸してくれませんか。

　　乙: ええ，いいですよ。

(2) 甲: ちょっとこれを 5 枚コピーしてくれますか。

　　乙: はい。

　　甲: それから，部長に届けてくれませんか。

　　乙: ええ，いいですよ。

[例 2] 1 人で帰ります／車で送ります

→甲: 1 人で帰りましたか。

　乙: いいえ。王さんに車で送ってもらいました。

　甲: 王さんが車で送ってくれたんですか。

　乙: ええ，そうなんですよ。

(3) 甲: 1 人で作りましたか。

　　乙: いいえ。王さんに手伝ってもらいました。

　　甲: 王さんが手伝ってくれたんですか。

　　乙: ええ，そうなんですよ。

(4) 甲: 1 人でこの手紙を読みましたか。

　　乙: いいえ。王さんに訳してもらいました。

　　甲: 王さんが訳してくれたんですか。

　　乙: ええ，そうなんですよ。

練習II－3

[例] 森さん，すてきなマフラーですね。

　　―ええ，小野さんが誕生日にくれたんです。

(1) 森君，お茶を入れてくれますか。

　　―あっ，いいですよ。

(2) あっ，雨。困ったな。

　　―李さん，この傘を使ってください。

　　―どうもありがとう。

(3) 森さん，その書類，コピーしましょうか。

　　―ええ，お願いします。

(4) 長島さん，雨が降っているから，駅まで車で

　　送りましょうか。

　　―すみません，ありがとうございます。

第 29 課

練習 I － 5

[例] 森さん／早く企画書を出します

→甲: 森さんは何と言ったんですか。

　乙: 「早く企画書を出して」と言いました。

(1) 甲: 森さんは何と言ったんですか。

　　乙: 「時間を守って」と言いました。

(2) 甲: 友達は何と言ったんですか。

　　乙: 「約束を忘れないで」と言いました。

(3) 甲: 警官は何と言ったんですか。

　　乙: 「横断歩道を渡って」と言いました。

(4) 甲: 先生は何と言ったんですか。

　　乙: 「友達とけんかをしないで」と言いました。

練習 I － 6

[例] 「きんえん」（禁煙）／タバコを吸いません

→甲: すみません，この漢字は何と読みますか。

　乙: それは「きんえん」と読みます。

　甲: どういう意味ですか。

　乙: 「タバコを吸うな」という意味です。

(1) 甲: すみません，この漢字は何と読みますか。

　　乙: それは「たちいりきんし」と読みます。

　　甲: どういう意味ですか。

　　乙: 「ここに入るな」という意味です。

(2) 甲: すみません，この漢字は何と読みますか。

　　乙: それは「ちゅうしゃきんし」と読みます。

　　甲: どういう意味ですか。

　　乙: 「ここに車を止めるな」という意味です。

(3) 甲: すみません，この漢字は何と読みますか。

　　乙: それは「かきげんきん」と読みます。

　　甲: どういう意味ですか。

　　乙: 「ここで火を使うな」という意味です。

(4) 甲: すみません，この漢字は何と読みますか。

　　乙: それは「おうだんきんし」と読みます。

　　甲: どういう意味ですか。

　　乙: 「ここを渡るな」という意味です。

練習II－3

[例] 田中さんは昨日おもしろい映画を見ました。

(1) 課長は田中さんに「遅れるな」と言いました。

(2) 課長は田中さんに「タバコを吸うな」と言いました。

(3) 課長は田中さんに「仕事をサボるな」と言いました。

(4) 課長は田中さんに「レポートを出せ」と言いました。

(5) 田中さんは今日レポートを出しました。

第30課

練习Ⅰ-1
(→P. 330)

練习Ⅰ-6
[例1] テニスをします
→甲: 週末に何をしますか。
　乙: テニスをしようと思っています。
　甲: わたしもしようと思っています。
　乙: じゃあ、いっしょにしませんか。

(1) 甲: 週末に何をしますか。
　　乙: 山に登ろうと思っています。
　　甲: わたしも(山に)登ろうと思っています。
　　乙: じゃあ、いっしょに登りませんか。

(2) 甲: 週末に何をしますか。
　　乙: 家族とピクニックに行こうと思っています。
　　甲: わたしも(家族と)ピクニックに行こうと思っています。
　　乙: じゃあ、いっしょに行きませんか。

(3) 甲: 週末に何をしますか。
　　乙: フランス語を勉強しようと思っています。
　　甲: わたしも(フランス語を)勉強しようと思っています。
　　乙: じゃあ、いっしょに勉強しませんか。

(4) 甲: 週末に何をしますか。
　　乙: 公園で太極拳をしようと思っています。
　　甲: わたしも(公園で)太極拳をしようと思っています。
　　乙: じゃあ、いっしょにしませんか。

[例2] 道を間違えました
→甲: ずいぶん遅かったね。

乙: すみません。道を間違えたので、遅くなりました。
甲: じゃあ、仕方ないな。

(5) 甲: ずいぶん遅かったね。
　　乙: すみません。自転車がパンクしたので、遅くなりました。
　　甲: じゃあ、仕方ないな。

(6) 甲: ずいぶん遅かったね。
　　乙: すみません。電車が遅れたので、遅くなりました。
　　甲: じゃあ、仕方ないな。

(7) 甲: ずいぶん遅かったね。
　　乙: すみません。バスが全然来なかったので、遅くなりました。
　　甲: じゃあ、仕方ないな。

(8) 甲: ずいぶん遅かったね。
　　乙: すみません。病院に寄ったので、遅くなりました。
　　甲: じゃあ、仕方ないな。

練习Ⅱ-3
[例] 陳さんは留学生ですか。―はい、そうです。
(1) 陳さんと王さんは日本で何をしましたか。
(2) 2人は今どこにいますか。
(3) 陳さんは何をするのが好きですか。
(4) 陳さんはどこでアルバイトをしましたか。
(5) 2人の夢は何ですか。

第31課

練习Ⅰ-4
[例] いつも朝ご飯を食べます／食べません
→甲: いつも朝ご飯を食べますか。
　乙: ええ。でも、たまに食べないことがあります。

(1) 甲: いつも電車で行きますか。
　　乙: ええ。でも、たまにバスで行くことがあります。

(2) 甲: 毎日部長に報告しますか。
　　乙: ええ。でも、たまに忘れることがあります。

(3) 甲: いつも昼ご飯を食べないんですか。

乙: ええ。でも，たまに食べることがあり
　　ます。
(4) 甲: 毎日ジョギングをしますか。
　　乙: ええ。でも，たまにしないことがあり
　　　　ます。

练习Ⅰ- 6

[例] 市役所へ行きたいです／この道をまっすぐ
　　　行きます／左にあります
→甲: あのう，すみません。市役所へ行きたい
　　　んですが…。
　　乙: この道をまっすぐ行くと，左にありますよ。
　　甲: ああ，どうもありがとうございます。
　　乙: いいえ，どういたしまして。
(1) 甲: あのう，すみません。音が出ないんです
　　　　が…。
　　乙: これを右に回すと，出ますよ。
　　甲: ああ，どうもありがとうございます。
　　乙: いいえ，どういたしまして。
(2) 甲: あのう，すみません。パソコンが動かな
　　　　くなったんですが…。
　　乙: サービスセンターに電話すると，教えて
　　　　くれますよ。
　　甲: ああ，どうもありがとうございます。
　　乙: いいえ，どういたしまして。
(3) 甲: あのう，すみません。お手洗いを探して
　　　　いるんですが…。
　　乙: あの階段を下りると，左にありますよ。
　　甲: ああ，どうもありがとうございます。
　　乙: いいえ，どういたしまして。

第 32 課

练习Ⅰ- 2

[例 1] ボーナスで何を買いますか。（車）
　　　　—車を買うつもりです。
(1) 夏休みどこへ行きますか。
　　—タイへ行くつもりです。
(2) 明日何をしますか。
　　—野球をするつもりです。

(3) 東京でだれに会いますか。
　　—周先生に会うつもりです。
[例 2] 今日はお酒を飲まないんですか。
　　　　（はい／飲みません）
　　　　—はい，飲まないつもりです。
(4) 葉子さんと結婚しないんですか。
　　—はい，しないつもりです。
(5) もうタバコを吸わないんですか。
　　—はい，吸わないつもりです。
(6) 大学に行かないんですか。
　　—はい，行かないつもりです。

练习Ⅰ- 6

[例] ①明日何時に出発することになりましたか。
　　　—午前 8 時に出発することになりました。
　　　②何で行くつもりですか。
　　　—車で行くつもりです。
(1) ①次の会議はどこで行うことになりましたか。
　　　—京都で行うことになりました。
　　　②いつからいつまで行うことになりましたか。
　　　—9 月 1 日から 7 日まで行うことになり
　　　　ました。
(2) ①劉英さんは何で行くことにしましたか。
　　　—新幹線で行くことにしました。
　　　②劉英さんはだれと食事をするつもりですか。
　　　—佐藤さんと食事をするつもりです。

练习Ⅱ- 4

李: 王さん，忙しいですか。
王: ええ。来週大阪に出張なんです。
李: 中田さんに会うんですよね。
王: ええ，水曜日の午前中に中田さんと会うこ
　　とにしました。
李: 新幹線で行くんですか。
王: いいえ，朝早いので，飛行機で行こうと思い
　　ます。
李: 仕事が終わった後，どこかへ行きますか。
王: 京都は今，桜がきれいだそうです。京都と大
　　阪は近いですから，見に行こうと思います。
李: そうですか。それは楽しみですね。

[例] 王さんはどこに出張しますか。―大阪です。

(1) いつ中田さんと会うことになりましたか。

(2) 大阪へ何で行くことにしましたか。

(3) 仕事が終わってから，何をするつもりですか。

第33課

練習 I－6

[例1] 使い方を忘れました

→甲: どうしたんですか。

乙: 使い方を忘れてしまったんです。

(1) 甲: どうしたんですか。

乙: かぎをなくしてしまったんです。

(2) 甲: どうしたんですか。

乙: 飼っていた犬が死んでしまったんです。

(3) 甲: どうしたんですか。

乙: 車が故障してしまったんです。

(4) 甲: どうしたんですか。

乙: 道を間違えてしまったんです。

[例2] お菓子／おいしい

→甲: このお菓子，どうですか。

乙: おいしそうなお菓子ですね。

(5) 甲: この人，どうですか。

乙: 優しそうな人ですね。

(6) 甲: この仕事，どうですか。

乙: 楽そうな仕事ですね。

(7) 甲: この映画どうですか。

乙: おもしろくなさそうな映画ですね。

(8) 甲: この本，どうですか。

乙: 難しそうな本ですね。

練習 II－3

[例] 雨が降りそうなので，散歩に行くのをやめました。

(1) 借りた本を読んでしまったので，

(2) 森さんの部屋は電気がついているので，

(3) 今日はたいへん暑いので，

(4) もう5時なので，

(5) ボールペンを忘れてしまったので，

第34課

練習 I－6

[例1]

甲: (窓を開けます) →あのう，この窓を開けておいてもいいですか。

(窓を閉めません) → あのう，この窓を閉めておかなくてもいいですか。

乙: ええ。そのままにしておいてください。

甲: じゃあ，お先に失礼します。

乙: お疲れ様でした。

(1) 甲: あのう，このパソコンの電源をつけておいてもいいですか。

乙: ええ。そのままにしておいてください。

甲: じゃあ，お先に失礼します。

乙: お疲れ様でした。

(2) 甲: あのう，この資料を机の上に置いておいてもいいですか。

乙: ええ。そのままにしておいてください。

甲: じゃあ，お先に失礼します。

乙: お疲れ様でした。

(3) 甲: あのう，この辞書を本棚に戻しておかなくてもいいですか。

乙: ええ。そのままにしておいてください。

甲: じゃあ，お先に失礼します。

乙: お疲れ様でした。

(4) 甲: あのう，この会議室を片づけておかなくてもいいですか。

乙: ええ。そのままにしておいてください。

甲: じゃあ，お先に失礼します。

乙: お疲れ様でした。

[例2] お菓子／食べます

→甲: このお菓子，おいしそうですね。

乙: どうぞ食べてみてください。

甲: いいですか，じゃあ，ちょっと…。あっ，おいしいですね。

乙: そうですか。どうぞたくさん食べてください。

甲: ありがとうございます。じゃあ，遠慮なく。

(5) 甲: このワイン，おいしそうですね。

乙：どうぞ飲んでみてください。

甲：いいですか，じゃあ，ちょっと…。

　　あっ，おいしいですね。

乙：そうですか。どうぞたくさん飲んでください。

甲：ありがとうございます。じゃあ，遠慮なく。

(6) 甲：この料理，おいしそうですね。

乙：どうぞ食べてみてください。

甲：いいですか，じゃあ，ちょっと…。

　　あっ，おいしいですね。

乙：そうですか。どうぞたくさん食べてください。

甲：ありがとうございます。じゃあ，遠慮なく。

(7) 甲：このチーズ，おいしそうですね。

乙：どうぞ食べてみてください。

甲：いいですか，じゃあ，ちょっと…。

　　あっ，おいしいですね。

乙：そうですか。どうぞたくさん食べてください。

甲：ありがとうございます。じゃあ，遠慮なく。

練習Ⅱ－2

[例] 部屋にテーブルが置いてあります。

(1) テーブルの上に花が飾ってあります。

(2) 本棚に本が並べてあります。

(3) 本棚の上に人形が飾ってあります。

(4) 窓が閉めてありません。

(5) ドアが開けてあります。

(6) 壁にカレンダーが掛けてあります。

(7) ドアに何もはってありません。

(8) テーブルの下にかばんが置いてあります。

(9) テレビは消してあります。

(10) カレンダーの横にコートが掛けてあります。

第35課

練習Ⅰ－1

[例]

雨が降ります → 雨が降ったら → 雨が降らなかったら

安いです → 安かったら → 安くなかったら

今月暇です → 今月暇だったら → 今月暇でなかったら

(1) 日本に行きます → 日本に行ったら → 日本に行かなかったら

(2) かぎを見つけます → かぎを見つけたら → かぎを見つけなかったら

(3) 友達と話します → 友達と話したら → 友達と話さなかったら

(4) 優勝します → 優勝したら → 優勝しなかったら

(5) 会社を休みます → 会社を休んだら → 会社を休まなかったら

(6) ワインが残ります → ワインが残ったら → ワインが残らなかったら

(7) 明日晴れます → 明日晴れたら → 明日晴れなかったら

(8) お金があります → お金があったら → お金がなかったら

(9) おじを訪ねます → おじを訪ねたら → おじを訪ねなかったら

(10) 料理ができます → 料理ができたら → 料理ができなかったら

(11) 連絡します → 連絡したら → 連絡しなかったら

(12) 台風が来ます → 台風が来たら → 台風が来なかったら

(13) 暖かいです → 暖かかったら → 暖かくなかったら

(14) カタログが欲しいです → カタログが欲しかったら → カタログが欲しくなかったら

(15) 成績がいいです → 成績がよかったら → 成績がよくなかったら

(16) 自由です → 自由だったら → 自由でなかったら

(17) 有名です → 有名だったら → 有名でなかったら

(18) 必要です → 必要だったら → 必要でなかったら

(19) 雨です → 雨だったら → 雨でなかったら

(20) 午前中です　→　午前中だったら　→　午前中
　　　でなかったら

(21) 宇宙飛行士です　→　宇宙飛行士だったら
　　　→　宇宙飛行士でなかったら

練習Ⅰ-7

[例] 問題が分かりません／先生に聞きます／友達

→甲: 問題が分からなかったら, どうしますか。

　　乙: 先生に聞きます。

　　甲: 友達はどうですか。

　　乙: 友達でも大丈夫です。

(1) 甲: パソコンが壊れたら, どうしますか。

　　乙: 新しいのを買います。

　　甲: 中古パソコンはどうですか。

　　乙: 中古パソコンでも大丈夫です。

(2) 甲: 地震が起きたら, どうしますか。

　　乙: まずドアを開けて, 外へ逃げます。

　　甲: 机の下はどうですか。

　　乙: 机の下でも大丈夫です。

練習Ⅱ-2

[例] 大学を卒業したら, 中国に帰って働きます。

(1) 仕事が大変でも,

(2) 今年は冬になっても,

(3) 暇だったら,

(4) いくら食べても,

(5) この薬を飲んでも,

(6) お酒を飲んだら,

第36課

練習Ⅰ-2

[例1] 鈴木さんが結婚しました／昨日聞きました

→甲: 鈴木さんが結婚したのを知っていますか。

　　乙: ええ, 昨日聞いて, びっくりしました。

(1) 甲: メキシコで大きな地震があったのを知っ
　　　　ていますか。

　　乙: ええ, 新聞で読んで, びっくりしました。

(2) 甲: 王さんが会社を辞めたのを知っていますか。

　　乙: ええ, 王さんからメールをもらって,
　　　　びっくりしました。

(3) 甲: あの交差点で交通事故があったのを
　　　　知っていますか。

　　乙: ええ, ニュースを見て, びっくりしました。

練習Ⅰ-4

[例] これは何に使いますか。

　　―パスポートを申請するのに使います。

(1) これは何に使いますか。

　　―魚を切るのに使います。

(2) これは何に使いますか。

　　―物を包むのに使います。

(3) これは何に使いますか。

　　―自転車を修理するのに使います。

(4) これは何に使いますか。

　　―お金を運ぶのに使います。

練習Ⅱ-4

「わたしは新しい家に引っ越しました。子供は小学生ですが, 学校までは10分しかかかりません。家の前に静かな公園があって, とてもいい所です。何でも売っているスーパーも近くにあります。生活するのに便利で, 気に入っています。

　でも, 会社に8時半に着くために, 6時半に家を出なければなりません。それに, 家を買うのに3,000万円払いました。」

第37課

練習Ⅰ-4

[例] 高ければ, 買いませんか。

　　―(はい) →はい, 高ければ買いません。

　　―(いいえ) →いいえ, 高くても買います。

(1) 遠ければ, 行きませんか。

　　―はい, 遠ければ行きません。

(2) 聞かなければ, 分かりませんか。

　　―いいえ, 聞かなくても分かります。

(3) 雨なら, 運動会は中止ですか。

　　―はい, 雨なら運動会は中止です。

(4) 時間がなければ, 勉強しませんか。

　　―いいえ, 時間がなくても勉強します。

练习 I − 5

[例1] お茶を飲みます

→甲: お久しぶりですね。お元気ですか。

　乙: ええ, 相変わらずです。

　甲: もし, 時間があるなら, ちょっとお茶でも

　　　飲みませんか。

　乙: いいですね。そうしましょう。

(1) 甲: お久しぶりですね。お元気ですか。

　　乙: ええ, 相変わらずです。

　　甲: もし, 時間があるなら, ちょっとビール

　　　　でも飲みませんか。

　　乙: いいですね。そうしましょう。

(2) 甲: お久しぶりですね。お元気ですか。

　　乙: ええ, 相変わらずです。

　　甲: もし, 時間があるなら, ちょっと昼ご飯

　　　　でも食べませんか。

　　乙: いいですね。そうしましょう。

(3) 甲: お久しぶりですね。お元気ですか。

　　乙: ええ, 相変わらずです。

　　甲: もし, 時間があるなら, ちょっと話でも

　　　　しませんか。

　　乙: いいですね。そうしましょう。

[例2] 何を買いましたか／Tシャツ／サンダル

→甲: 何を買ったんですか。

　乙: Tシャツとかサンダルとか, いろいろ買い

　　　ました。

　甲: ずいぶんたくさん買ったんですね。

(4) 甲: どんなお土産を買ったんですか。

　　乙: シルクのハンカチとかネクタイとか,

　　　　いろいろ買いました。

　　甲: ずいぶんたくさん買ったんですね。

(5) 甲: 何を食べたんですか。

　　乙: 寿司とか天ぷらとか, いろいろ食べました。

　　甲: ずいぶんたくさん食べたんですね。

(6) 甲: どこへ行ったんですか。

　　乙: 天安門とか万里の長城とか, いろいろ行

　　　　きました。

　　甲: ずいぶんたくさん行ったんですね。

练习 II − 3

[例]

　甲: 新しいパソコン, 安ければ買いますか。

　乙: そうですね…。今使っているのをもう

　　　少し使ってみます。

⇒この人は新しいパソコンを買いますか。

　―①はい, 買います。

　―②いいえ, 買いません。

(1)

甲: 歓迎会のために予約したレストランの行き

　　方, 分かりますか。

乙: 森さんに聞けば, 分かるかもしれませんよ。

甲: それが知らないんですって。

乙: じゃあ, 馬さんなら絶対に知っていますよ。

　　馬さんがよく行くレストランですから。

⇒だれに聞いたら分かりますか。

　―①森さんに聞けば, 分かります。

　―②馬さんに聞けば, 分かります。

(2)

甲: 日曜日, 天気がよければ, ピクニックに行き

　　ませんか。

乙: いいですね。雨だったら, どうしますか。

甲: そうですね…。雨だったら, 来月にしましょう。

⇒日曜日, 雨でもピクニックに行きますか。

　―①はい, 雨でも行きます。

　―②いいえ, 雨だったら行きません。

第 38 課

练习 I − 5

[例] 健康のために, 何をしていますか。

　　　―(1週間に2回プールで泳ぎます)

　　　→1週間に2回プールで泳ぐようにして

　　　　います。

　　　―(寝る前に食べません)

　　　→寝る前に食べないようにしています。

(1) 健康のために, 何をしていますか。

　　―毎日30分歩くようにしています。

(2) 健康のために, 何をしていますか。

　　―十分睡眠をとるようにしています。

(3) 健康のために，何をしていますか。

　　—お酒をたくさん飲まないようにしています。

(4) 健康のために，何をしていますか。

　　—できるだけ運動するようにしています。

(5) 健康のために，何をしていますか。

　　—ストレスをためないようにしています。

(6) 健康のために，何をしていますか。

　　—野菜をたくさん食べるようにしています。

練習 I － 6

[例] 英語がうまく話せないんですが…。／毎日

　　　テープを聞きます／話します

→甲: 英語がうまく話せないんですが…。

　乙: 毎日テープを聞けば，話せるようになると

　　　思いますよ。

　甲: じゃあ，やってみます。

(1) 甲: この自転車はまだ乗れますか。

　　乙: タイヤを取り替えれば，乗れるようにな

　　　　ると思いますよ。

　　甲: じゃあ，やってみます。

(2) 甲: なかなか試合で勝てないんですが…。

　　乙: もっと練習すれば，勝てるようになると

　　　　思いますよ。

　　甲: じゃあ，やってみます。

(3) 甲: この商品は売れるでしょうか。

　　乙: もう少し安くすれば，売れるようになる

　　　　と思いますよ。

　　甲: じゃあ，やってみます。

練習 II － 2

[例] もう出かけられますか。（はい）

　　　—はい，出かけられます。

(1) 英語が話せますか。

(2) 11 月でも山に登れますか。

(3) 明日来られますか。

(4) このホテルは衛星放送が見られますか。

第 39 課

練習 I － 4

[例 1] お茶がなくなりました／買います

→甲: お茶がなくなりましたね。

　乙: じゃあ，買ってきましょうか。

　甲: ええ，お願いします。

(1) 甲: 鈴木さんの家の電話番号が分かりませんね。

　　乙: じゃあ，聞いてきましょうか。

　　甲: ええ，お願いします。

(2) 甲: 森さんが来ませんね。

　　乙: じゃあ，電話をかけてきましょうか。

　　甲: ええ，お願いします。

(3) 甲: のどが渇きましたね。

　　乙: じゃあ，飲み物を買ってきましょうか。

　　甲: ええ，お願いします。

(4) 甲: コップが汚いですね。

　　乙: じゃあ，洗ってきましょうか。

　　甲: ええ，お願いします。

[例 2] 写真展を見ました

→甲: お帰りなさい。どこに行っていたんですか。

　乙: 写真展を見てきました。

　甲: よかったですか。

　乙: ええ，まあまあでした。

(5) 甲: お帰りなさい。どこに行っていたんですか。

　　乙: 映画を見てきました。

　　甲: よかったですか。

　　乙: ええ，まあまあでした。

(6) 甲: お帰りなさい。どこに行っていたんですか。

　　乙: ジャズを聞いてきました。

　　甲: よかったですか。

　　乙: ええ，まあまあでした。

(7) 甲: お帰りなさい。どこに行っていたんですか。

　　乙: 音楽会に行ってきました。

　　甲: よかったですか。

　　乙: ええ，まあまあでした。

第 40 課

練習 I － 5

[例] お茶を飲みます／出かけます

→甲: 今からお茶を飲むところです。いっしょ

　　　にいかがですか。

乙: あっ, ありがとうございます。でも, こ
　　れから出かけるところなので。

甲: じゃあ, また。いってらっしゃい。

乙: いってきます。

(1) 甲: 今からテニスをするところです。いっしょ
　　　にいかがですか。

　　乙: あっ, ありがとうございます。でも, こ
　　　れから旅行に行くところなので。

　　甲: じゃあ, また。いってらっしゃい。

　　乙: いってきます。

(2) 甲: 今からみんなで食事に行くところです。
　　　いっしょにいかがですか。

　　乙: あっ, ありがとうございます。でも, こ
　　　れから大阪へ出張するところなので。

　　甲: じゃあ, また。いってらっしゃい。

　　乙: いってきます。

(3) 甲: 今から買い物に行くところです。いっしょ
　　　にいかがですか。

　　乙: あっ, ありがとうございます。でも, こ
　　　れから友達を空港へ迎えに行くところ
　　　なので。

　　甲: じゃあ, また。いってらっしゃい。

　　乙: いってきます。

練習Ⅱ-3

[例] 雨はやんでいます。

(1) わたしは今起きたばかりです。

(2) 今コーヒーを飲んでいます。

(3) さっき新聞を読んだところです。

(4) これから掃除や洗濯をするところです。

(5) さっき馬さんから電話をもらったばかりです。

(6) 今, 馬さんが好きな日本料理を作っている
　　ところです。

第41課

練習Ⅰ-1

[例] 巻き込みます → 巻き込まれます

(1) 言います → 言われます

(2) 誘います → 誘われます

(3) 聞きます → 聞かれます

(4) 汚します → 汚されます

(5) 死にます → 死なれます

(6) 呼びます → 呼ばれます

(7) 盗みます → 盗まれます

(8) かみます → かまれます

(9) 入ります → 入られます

(10) 知ります → 知られます

(11) 見ます → 見られます

(12) いじめます → いじめられます

(13) 間違えます → 間違えられます

(14) 放送します → 放送されます

(15) 生産します → 生産されます

(16) 来ます → 来られます

練習Ⅰ-4

[例] 甲: 元気がありませんね。

　　乙: (泥棒がお金を盗みました)

　　　→泥棒にお金を盗まれたんです。

(1) 甲: うれしそうですね。

　　乙: 先生にほめられたんです。

(2) 甲: どうしてそんなに怒っているんですか。

　　乙: 母に手紙を読まれたんです。

(3) 甲: 足, どうしたんですか。

　　乙: 昨日犬にかまれたんです。

(4) 甲: 元気がありませんね。

　　乙: 課長にしかられたんです。

練習Ⅰ-5

[例] 車をぶつけます／どこで／高速道路

→甲: 遅かったですね。

　　乙: 車をぶつけられてしまったんです。

　　甲: どこでぶつけられたんですか。

　　乙: 高速道路です。

　　甲: それは大変でしたね。

(1) 甲: 遅かったですね。

　　乙: 急に仕事を頼まれてしまったんです。

　　甲: だれに頼まれたんですか。

　　乙: 社長です。

　　甲: それは大変でしたね。

(2) 甲: 遅かったですね。

乙: 自転車を盗まれてしまったんです。

甲: どこで盗まれたんですか。

乙: 駅前です。

甲: それは大変でしたね。

第42課

練習Ⅰ-4

(1) 2年間も日本語を勉強しているのに, 上手に話せません。

　2年間も日本語を勉強しているので, とても上手に話せます。

(2) おもしろいのに, だれも読みません。

　おもしろいので, 大勢の人が読んでいます。

(3) 明日試験なのに, 全然勉強しません。

　明日試験なので, 一生懸命勉強します。

練習Ⅱ-3

[例] 李さんは親切だから, 困っている人がいたら, 助けるはずです。

(1) 李さんは優しい人だから,

(2) 今, 夏ですから,

(3) まだ15分あるから,

(4) あと5分しかないから,

第43課

練習Ⅰ-1

[例] 行きます → 行かせます

　食べます → 食べさせます

　します → させます

　来ます → 来させます

(1) 歩きます → 歩かせます

(2) 話します → 話させます

(3) 持ちます → 持たせます

(4) 遊びます → 遊ばせます

(5) 読みます → 読ませます

(6) 帰ります → 帰らせます

(7) 買います → 買わせます

(8) 歌います → 歌わせます

(9) 調べます → 調べさせます

(10) 覚えます → 覚えさせます

(11) 経験します → 経験させます

(12) 持ってきます → 持ってこさせます

練習Ⅰ-6

[例] 明日休みます／妻が入院することになりました／それはいけませんね。お大事に

→甲: 部長, すみませんが, 明日休ませてください。

　乙: どうしたんですか。

　甲: 妻が入院することになりました。

　乙: そうですか。それはいけませんね。お大事に。

　甲: ありがとうございます。

(1) 甲: 部長, すみませんが, 午後早退させてください。

　乙: どうしたんですか。

　甲: 両親を空港まで迎えに行きたいんです。

　乙: そうですか。まあ, いいですよ。

　甲: ありがとうございます。

(2) 甲: 部長, すみませんが, 1年間休職させてください。

　乙: どうしたんですか。

　甲: 中国に留学したいんです。

　乙: そうですか。いいでしょう。頑張ってください。

　甲: ありがとうございます。

(3) 甲: 部長, すみませんが, アメリカへ行かせてください。

　乙: どうしたんですか。

　甲: 広告の研究をしたいんです。

　乙: そうですか。社長と相談してみましょう。

　甲: ありがとうございます。

練習Ⅱ-2

「今の親はあまり子供に手伝いをさせません。勉強ばかりさせます。

　わたしが子供の時, 母はよく家の手伝いをさせました。部屋の掃除や洗濯, 食事の片づけなどです。わたしは料理が好きだったので, あまり手伝いなさいと言われませんでしたが, よく手伝いました。それでいろいろな料理の作り方を覚えましたから, よかったと思っています。

もちろん，母は学校の勉強も頑張るように言いました。宿題や復習をきちんとしなければ，しかられました。でも，試験の成績が悪くてもしかられませんでした。」

第44課
練習Ⅰ-1
[例] 晴れます → 晴れるようです／晴れるみたいです／晴れるらしいです
　　暑いです → 暑いようです／暑いみたいです／暑いらしいです
　　大事です → 大事なようです／大事みたいです／大事らしいです
　　社長です → 社長のようです／社長みたいです／社長らしいです
(1) 降ります → 降るようです／降るみたいです／降るらしいです
(2) 増えます → 増えるようです／増えるみたいです／増えるらしいです
(3) 入院します → 入院するようです／入院するみたいです／入院するらしいです
(4) 戻りません → 戻らないようです／戻らないみたいです／戻らないらしいです
(5) 終わりました → 終わったようです／終わったみたいです／終わったらしいです
(6) 驚きました → 驚いたようです／驚いたみたいです／驚いたらしいです
(7) 空いています → 空いているようです／空いているみたいです／空いているらしいです
(8) 壊れていません → 壊れていないようです／壊れていないみたいです／壊れていないらしいです
(9) 好きです → 好きなようです／好きみたいです／好きらしいです
(10) 安全ではありません → 安全ではないようです／安全ではないみたいです／安全ではないらしいです
(11) おもしろくないです → おもしろくないよ

うです／おもしろくないみたいです／おもしろくないらしいです
(12) 日本人です → 日本人のようです／日本人みたいです／日本人らしいです

練習Ⅱ-2
[例] 東京タワーの高さは333メートルです。
(1) スーツケースの重さは
(2) 寒い夏には,
(3) 去年の夏は暑さが厳しかったので,
(4) あの橋の長さは

練習Ⅱ-3
「日本には100円で何でも買える店があります。品物の種類が多いのにはびっくりします。わたしもよく行きますが，安いので，つい買い過ぎてしまいます。要らない物も買ってしまうので，将来，家の中が使わない物でいっぱいになってしまうでしょう。これからはよく考えて買うことにします。」
[例] わたしはこの店にあまり行きません。
(1) 安いので，たくさん買います。
(2) この店は何でも50円で買えます。
(3) 今まで必要な物だけ買いました。
(4) これからはよく考えて買います。

第45課
練習Ⅰ-5
[例1] 疲れます／ちょっと休みます
→甲: 疲れてきましたね。
　乙: ちょっと休みましょう。
(1) 甲: 汚れてきましたね。
　乙: 洗いましょう。
(2) 甲: 寒くなってきましたね。
　乙: 窓を閉めましょう。
(3) 甲: 曇ってきましたね。
　乙: 早く帰りましょう。
(4) 甲: 熱が下がってきましたね。
　乙: 薬を飲むのをやめましょう。
(5) 甲: おなかがすいてきましたね。

乙: 何か食べましょう。

[例2] 休みです／天気もいいです／ハイキング

→甲: 休みだし，天気もいいし，どこか行きませ
　　んか。

　乙: いいですね。わたしはハイキングに行き
　　たいです。

(6) 甲: 明日は土曜日だし，ボーナスも出たし，ど
　　こか行きませんか。

　乙: いいですね。わたしは京都に行きたい
　　です。

(7) 甲: 仕事も早く終わったし，みんなそろって
　　いるし，どこか行きませんか。

　乙: いいですね。わたしはカラオケに行きた
　　いです。

(8) 甲: 暇だし，暑いし，どこか行きませんか。
　乙: いいですね。わたしは海に行きたいです。

練習Ⅱ-3

[例] 結婚式のスピーチは短ければ短いほどいい
　　です。

　　宿題は多いし，複雑だし，1日ではできません。

(1) 友達は多ければ多いほどいいです。

(2) 休暇は長ければ長いほどいいです。

(3) 野菜は新しければ新しいほどいいです。

(4) このカバンはすてきだし，安いし，妹に買っ
　　てあげます。

(5) ここの料理は高いし，まずいし，もう来た
　　くないです。

(6) この部屋は広いし，きれいだし，また泊ま
　　りたいです。

第46課

練習Ⅰ-4

[例] いつ／この仕事をします／来週／2日

→甲: いつまでにこの仕事をしないといけませ
　　んか。

　乙: 来週までにお願いします。

　甲: もう少し遅くできませんか。

　乙: そうですね。じゃあ，2日だけ延ばしま

しょう。

(1) 甲: 何時までにその会場へ行かないといけま
　　せんか。

　乙: 2時までにお願いします。

　甲: もう少し遅くできませんか。

　乙: そうですね。じゃあ，30分だけ延ばしま
　　しょう。

(2) 甲: 何時までにホテルに戻らないといけませ
　　んか。

　乙: 11時までにお願いします。

　甲: もう少し遅くできませんか。

　乙: そうですね。じゃあ，1時間だけ延ばし
　　ましょう。

(3) 甲: 何日までにお金を返さないといけませんか。

　乙: 今月の末までにお願いします。

　甲: もう少し遅くできませんか。

　乙: そうですね。じゃあ，3日だけ延ばしま
　　しょう。

(4) 甲: 何月までにプランを決めないといけませ
　　んか。

　乙: 3月の初めまでにお願いします。

　甲: もう少し遅くできませんか。

　乙: そうですね。じゃあ，1週間だけ延ばし
　　ましょう。

(5) 甲: いつまでにこのビルを完成させないとい
　　けませんか。

　乙: 夏休みの前までにお願いします。

　甲: もう少し遅くできませんか。

　乙: そうですね。じゃあ，半月だけ延ばしま
　　しょう。

第47課

練習Ⅰ-1

[例] お土産を買います。→ 部長はお土産を買
　　われます。

(1) 田中さんと会います。

　→ 部長は田中さんと会われます。

(2) 電話をかけます。→ 部長は電話をかけられます。

(3) お宅に帰ります。→ 部長はお宅に帰られます。

(4) 雑誌を読みます。→ 部長は雑誌を読まれます。

(5) 次の駅で降ります。

   → 部長は次の駅で降りられます。

(6) 中国語で話します。→ 部長は中国語で話されます。

(7) お子さんと来ます。

   → 部長はお子さんと来られます。

(8) 海外へ出張します。

   → 部長は海外へ出張されます。

(9) 荷物を預けます。→ 部長は荷物を預けられます。

(10) 電車に乗ります。→ 部長は電車に乗られます。

練習 I - 3

[例] 聞きます → お聞きになります

(1) 会います → お会いになります

(2) 書きます → お書きになります

(3) 話します → お話しになります

(4) 読みます → お読みになります

(5) 喜びます → お喜びになります

(6) 済みます → お済みになります

(7) 入ります → お入りになります

(8) 考えます → お考えになります

(9) やめます → おやめになります

(10) 疲れます → お疲れになります

(11) 教えます → お教えになります

(12) できます → おできになります

練習 I - 6

[例1] 行きます → いらっしゃいます

(1) 来ます → いらっしゃいます

(2) います → いらっしゃいます

(3) 言います → おっしゃいます

(4) 食べます → 召し上がります

(5) 見ます → ご覧になります

(6) くれます → くださいます

(7) 飲みます → 召し上がります

(8) 研究します → 研究なさいます

[例2] 歌ってくれます → 歌ってくださいます

    持ってきます → 持っていらっしゃいます

見ています → 見ていらっしゃいます

(9) 話しています → 話していらっしゃいます

(10) 読んでいます → 読んでいらっしゃいます

(11) 戻ってきます → 戻っていらっしゃいます

(12) 連れてきます → 連れていらっしゃいます

(13) 送ってくれます → 送ってくださいます

(14) 教えてくれます → 教えてくださいます

練習 I - 8

[例1] お部屋にいます（はい）

→甲: 張さん, 周先生はお部屋にいらっしゃいますか。

  乙: はい, いらっしゃいます。

(1) 甲: 張さん, 周先生はカタログをご覧になりましたか。

  乙: いいえ, ご覧になりませんでした。

(2) 甲: 張さん, 周先生は昨日の音楽会にいらっしゃいましたか。

  乙: はい, いらっしゃいました。

(3) 甲: 張さん, 周先生はテニスをなさいますか。

  乙: いいえ, なさいません。

(4) 甲: 張さん, 周先生は会議の資料をご覧になりましたか。

  乙: はい, ご覧になりました。

[例2] いつこちらにいらっしゃいますか。（15日）

→甲: いつこちらにいらっしゃいますか。

  乙: 15日に来ます。

(5) 甲: お飲み物は何になさいますか。

  乙: ビールにします。

(6) 甲: お仕事は何をなさっていますか。

  乙: 教師をしています。

(7) 甲: 日曜日は何をなさいますか。

  乙: テニスをします。

(8) 甲: 何でいらっしゃいましたか。

  乙: 地下鉄で来ました。

練習 II - 3

「わたしは上海の大学で日本語を勉強しました。大学で日本語を教えてくださったのは中田先生です。先生は去年帰国されて, 今大阪の大学

で教えていらっしゃいます。

　わたしは先日お手紙を書きましたが，すぐお返事をくださいました。お手紙によると，3月に中国にいらっしゃるそうです。わたしは今から3月を楽しみにしています。」

[例] わたしは日本の大学で日本語を勉強しました。

(1) 中田先生は今，上海の大学の先生です。

(2) 中田先生は日本の大学で教えています。

(3) わたしは中田先生に電話をかけました。

(4) 中田先生は3月に中国に来ます。

第48課

練習I-2

[例] わたしが行きます。→ わたしが参ります。

(1) わたしがその仕事をします。

　　→ わたしがその仕事をいたします。

(2) 王と言います。→ 王と申します。

(3) その箱をもらいます。→ その箱をいただきます。

(4) 写真を見ました。→ （お）写真を拝見しました。

(5) お名前を知っています。→ お名前を存じております。

(6) 昼ご飯を食べます。→ 昼ご飯をいただきます。

(7) 家にいます。→ 家におります。

(8) 午後もまたここに来ます。

　　→ 午後もまたここに参ります。

(9) そちらへ行きます。→ そちらへ伺います。

(10) お話を聞きます。→ お話を伺います。

練習I-5

[例] JC企画／会社のパンフレット

→甲: もしもし?

　乙: はい。JC企画でございます。

　甲: すみません，会社のパンフレットありますか。

　乙: はい，ございます。1部お送りしましょうか。

　甲: はい，お願いします。

(1) 甲: もしもし?

　　乙: はい。東京料理スクールでございます。

　　甲: すみません，パンフレットありますか。

　乙: はい，ございます。1部お送りしましょうか。

　甲: はい，お願いします。

(2) 甲: もしもし?

　　乙: はい。北京日本語学校でございます。

　　甲: すみません，入学案内ありますか。

　　乙: はい，ございます。1部お送りしましょうか。

　　甲: はい，お願いします。

(3) 甲: もしもし?

　　乙: はい。JC自動車でございます。

　　甲: すみません，新車のカタログありますか。

　　乙: はい，ございます。1部お送りしましょうか。

　　甲: はい，お願いします。

練習II-3

[例] 李でございます。—はじめまして，佐藤です。

(1) 雨が降ってきてしまったよ。

(2) 忙しくて，まだ食事していないんです。

(3) あの方，ご存じですか。

(4) 明日会社にいらっしゃいますか。

(5) 音楽会のチケット，お届けしましょうか。

第 30 課

练习 I-1

	基本形	意志形		基本形	意志形
①	聞く	聞こう	⑧	貸す	貸そう
②	泳ぐ	泳ごう	⑨	消す	消そう
③	飲む	飲もう	⑩	あげる	あげよう
④	遊ぶ	遊ぼう	⑪	やめる	やめよう
⑤	待つ	待とう	⑫	食べる	食べよう
⑥	買う	買おう	⑬	来る	来よう
⑦	洗う	洗おう	⑭	相談する	相談しよう

IV. 动词一览表

◆ 实际不使用的活用形用 ——— 表示。

◆ 课次栏的数字表示该动词初次出现的课次。

◆ 活用形括号内的数字表示该活用形初次出现的课次。

	ます形(13)	て形(14)	ない形(19)	基本形(20)	た形(21)
	あ（会）います	あって	あわない	あう	あった
	あ（合）います	あって	あわない	あう	あった
	あ（上）がります	あがって	あがらない	あがる	あがった
	あ（開）きます	あいて	あかない	あく	あいた
	あ（空）きます	あいて	あかない	あく	あいた
	あず（預）かります	あずかって	あずからない	あずかる	あずかった
	あそ（遊）びます	あそんで	あそばない	あそぶ	あそんだ
	あ（当）たります	あたって	あたらない	あたる	あたった
	あつ（集）まります	あつまって	あつまらない	あつまる	あつまった
	あやま（謝）ります	あやまって	あやまらない	あやまる	あやまった
	あら（洗）います	あらって	あらわない	あらう	あらった
	あります	あって	ない	ある	あった
	ある（歩）きます	あるいて	あるかない	あるく	あるいた
	い（言）います	いって	いわない	いう	いった
	い（行）きます	いって	いかない	いく	いった
	いそ（急）ぎます	いそいで	いそがない	いそぐ	いそいだ
一类动词	いたします	いたして	いたさない	いたす	いたした
	いただきます	いただいて	いただかない	いただく	いただいた
	いた（至）ります	いたって	いたらない	いたる	いたった
	いらっしゃいます	いらっしゃって	いらっしゃらない	いらっしゃる	いらっしゃった
	いりく（入り組）みます	いりくんで	いりくまない	いりくむ	いりくんだ
	い（要）ります	いって	いらない	いる	いった
	いわ（祝）います	いわって	いわわない	いわう	いわった
	うかが（伺）います	うかがって	うかがわない	うかがう	うかがった
	う（浮）かびます	うかんで	うかばない	うかぶ	うかんだ
	うご（動）かします	うごかして	うごかさない	うごかす	うごかした
	うご（動）きます	うごいて	うごかない	うごく	うごいた
	うた（歌）います	うたって	うたわない	うたう	うたった
	う（売）ります	うって	うらない	うる	うった
	えら（選）びます	えらんで	えらばない	えらぶ	えらんだ
	おいでになります	おいでになって	おいでにならない	おいでになる	おいでになった
	お（置）きます	おいて	おかない	おく	おいた
	おく（送）ります	おくって	おくらない	おくる	おくった
	お（起）こします	おこして	おこさない	おこす	おこした
	おこな（行）います	おこなって	おこなわない	おこなう	おこなった
	おこ（怒）ります	おこって	おこらない	おこる	おこった
	お（押）します	おして	おさない	おす	おした
	おっしゃいます	おっしゃって	おっしゃらない	おっしゃる	おっしゃった

命令形(29)	意志形(30)	ば形(37)	可能形式(38)	被动形式(41)	使役形式(43)	课次
あえ	あおう	あえば	あえる	あわれる	あわせる	8
———	———	あえば	———	———	あわせる	34
あがれ	あがろう	あがれば	あがれる	あがられる	あがらせる	32
あけ	———	あけば	———	———	———	18
———	———	あけば	———	———	———	35
あずかれ	あずかろう	あずかれば	あずかれる	あずかられる	あずからせる	42
あそべ	あそぼう	あそべば	あそべる	あそばれる	あそばせる	13
あたれ	あたろう	あたれば	あたれる	あたられる	あたらせる	35
あつまれ	あつまろう	あつまれば	あつまれる	あつまられる	あつまらせる	27
あやまれ	あやまろう	あやまれば	あやまれる	あやまられる	あやまらせる	29
あらえ	あらおう	あらえば	あらえる	あらわれる	あらわせる	14
———	———	あれば	———	———	———	4
あるけ	あるこう	あるけば	あるける	あるかれる	あるかせる	14
いえ	いおう	いえば	いえる	いわれる	いわせる	24
いけ	いこう	いけば	いける	いかれる	いかせる	6
いそげ	いそごう	いそげば	いそげる	いそがれる	いそがせる	14
いたせ	いたそう	いたせば	———	———	———	48
いただけ	いただこう	いただけば	いただける	———	———	48
いたれ	いたろう	いたれば	いたれる	いたられる	いたらせる	41
いらっしゃい	———	いらっしゃれば	———	———	———	47
———	———	いりくめば	———	———	いりくませる	38
———	———	いれば	———	———	———	27
いわえ	いわおう	いわえば	いわえる	いわわれる	いわわせる	35
うかがえ	うかがおう	うかがえば	うかがえる	———	うかがわせる	48
うかべ	———	うかべば	うかべられる	うかばれる	うかばせる	43
うごかせ	うごかそう	うごかせば	うごかせる	うごかされる	うごかさせる	38
うごけ	うごこう	うごけば	うごける	うごかれる	うごかせる	31
うたえ	うたおう	うたえば	うたえる	うたわれる	うたわせる	15
うれ	うろう	うれば	うれる	うられる	うらせる	14
えらべ	えらぼう	えらべば	えらべる	えらばれる	えらばせる	14
———	———	おいでになれば	おいでになれる	おいでになられる	———	47
おけ	おこう	おけば	おける	おかれる	おかせる	19
おくれ	おくろう	おくれば	おくれる	おくられる	おくらせる	8
おこせ	おこそう	おこせば	おこせる	おこされる	おこさせる	41
おこなえ	おこなおう	おこなえば	おこなえる	おこなわれる	おこなわせる	32
おこれ	おころう	おこれば	おこれる	おこられる	おこらせる	31
おせ	おそう	おせば	おせる	おされる	おさせる	31
———	———	おっしゃれば	———	おっしゃられる	———	47

	ます形(13)	て形(14)	ない形(19)	基本形(20)	た形(21)
	お（落）とします	おとして	おとさない	おとす	おとした
	おど（踊）ります	おどって	おどらない	おどる	おどった
	おどろ（驚）きます	おどろいて	おどろかない	おどろく	おどろいた
	おもいだ（思い出）します	おもいだして	おもいださない	おもいだす	おもいだした
	おも（思）います	おもって	おもわない	おもう	おもった
	およ（泳）ぎます	およいで	およがない	およぐ	およいだ
	おります	おって	———	おる	おった
	お（下）ろします	おろして	おろさない	おろす	おろした
	お（終）わります	おわって	おわらない	おわる	おわった
	か（買）います	かって	かわない	かう	かった
	か（飼）います	かって	かわない	かう	かった
	かえ（返）します	かえして	かえさない	かえす	かえした
	かえ（帰）ります	かえって	かえらない	かえる	かえった
	かかります	かかって	かからない	かかる	かかった
	か（掛）かります	かかって	かからない	かかる	かかった
	か（書）きます	かいて	かかない	かく	かいた
	かきます	かいて	かかない	かく	かいた
	かざ（飾）ります	かざって	かざらない	かざる	かざった
	か（貸）します	かして	かさない	かす	かした
	かせ（稼）ぎます	かせいで	かせがない	かせぐ	かせいだ
	か（勝）ちます	かって	かたない	かつ	かった
一	かぶります	かぶって	かぶらない	かぶる	かぶった
类	かみます	かんで	かまない	かむ	かんだ
动	かよ（通）います	かよって	かよわない	かよう	かよった
词	かわ（渇）きます	かわいて	かわかない	かわく	かわいた
	かわ（乾）きます	かわいて	かわかない	かわく	かわいた
	か（変）わります	かわって	かわらない	かわる	かわった
	がんば（頑張）ります	がんばって	がんばらない	がんばる	がんばった
	き（聞）きます	きいて	きかない	きく	きいた
	き（効）きます	きいて	きかない	きく	きいた
	き（気）づきます	きづいて	きづかない	きづく	きづいた
	き（決）まります	きまって	きまらない	きまる	きまった
	き（切）ります	きって	きらない	きる	きった
	くさ（腐）ります	くさって	くさらない	くさる	くさった
	くださいます	くださって	くださらない	くださる	くださった
	くも（曇）ります	くもって	くもらない	くもり	くもった
	く（暮）らします	くらして	くらさない	くらす	くらした
	くりかえ（繰り返）します	くりかえして	くりかえさない	くりかえす	くりかえした
	け（消）します	けして	けさない	けす	けした
	ございます	ござって	———	ござる	ござった
	こま（困）ります	こまって	こまらない	こまる	こまった
	こ（込）みます	こんで	こまない	こむ	こんだ
	ごらん（ご覧）になります	ごらんになって	ごらんにならない	ごらんになる	ごらんになった
	ころ（転）びます	ころんで	ころばない	ころぶ	ころんだ
	こわ（壊）します	こわして	こわさない	こわす	こわした
	さが（探）します	さがして	さがさない	さがす	さがした

命令形(29)	意志形(30)	ば形(37)	可能形式(38)	被动形式(41)	使役形式(43)	课次
おとせ	おとそう	おとせば	おとせる	おとされる	おとさせる	19
おどれ	おどろう	おどれば	おどれる	おどられる	おどらせる	27
おどろけ	おどろこう	おどろけば	おどろける	おどろかれる	おどろかせる	44
おもいだせ	おもいだそう	おもいだせば	おもいだせる	おもいだされる	おもいださせる	42
おもえ	おもおう	おもえば	おもえる	おもわれる	おもわせる	24
およげ	およごう	およげば	およげる	およがれる	およがせる	13
———	———	———	———	———	———	48
おろせ	おろそう	おろせば	おろせる	おろされる	おろさせる	14
おわれ	おわろう	おわれば	おわれる	おわられる	おわらせる	5
かえ	かおう	かえば	かえる	かわれる	かわせる	7
かえ	かおう	かえば	かえる	かわれる	かわせる	33
かえせ	かえそう	かえせば	かえせる	かえされる	かえさせる	19
かえれ	かえろう	かえれば	かえれる	かえられる	かえらせる	6
かかれ	かかろう	かかれば	かかれる	かかられる	かからせる	13
かかれ	かかろう	かかれば	かかれる	かかられる	かからせる	33
かけ	かこう	かけば	かける	かかれる	かかせる	7
かけ	かこう	かけば	かける	かかれる	かかせる	8
かざれ	かざろう	かざれば	かざれる	かざられる	かざらせる	34
かせ	かそう	かせば	かせる	かされる	かさせる	8
かせげ	かせごう	かせげば	かせげる	かせがれる	かせがせる	34
かて	かとう	かてば	かてる	かたれる	かたせる	34
かぶれ	かぶろう	かぶれば	かぶれる	かぶられる	かぶらせる	33
かめ	かもう	かめば	かめる	かまれる	かませる	41
かよえ	かよおう	かよえば	かよえる	かよわれる	かよわせる	27
———	———	かわけば	———	———	———	19
かわけ	———	かわけば	———	———	———	43
かわれ	かわろう	かわれば	かわれる	かわられる	かわらせる	29
がんばれ	がんばろう	がんばれば	がんばれる	がんばられる	がんばらせる	29
きけ	きこう	きけば	きける	きかれる	きかせる	7
———	———	きけば	———	———	———	35
きづけ	きづこう	きづけば	きづける	きづかれる	きづかせる	42
———	———	きまれば	———	———	———	23
きれ	きろう	きれば	きれる	きられる	きらせる	13
———	———	くされば	———	———	くさらせる	35
ください	———	くだされば	———	———	———	47
くもれ	———	くもれば	———	———	くもらせる	45
くらせ	くらそう	くらせば	くらせる	くらされる	くらさせる	43
くりかえせ	くりかえそう	くりかえせば	くりかえせる	くりかえされる	くりかえさせる	36
けせ	けそう	けせば	けせる	けされる	けさせる	14
———	———	———	———	———	———	48
こまれ	こまろう	こまれば	こまれる	こまられる	こまらせる	27
こめ	———	こめば	———	———	———	23
———	———	ごらんになれば	———	ごらんになられる	———	47
ころべ	ころぼう	ころべば	ころべる	ころばれる	ころばせる	19
こわせ	こわそう	こわせば	こわせる	こわされる	こわさせる	33
さがせ	さがそう	さがせば	さがせる	さがされる	さがさせる	24

附　录

	ます形(13)	て形(14)	ない形(19)	基本形(20)	た形(21)
	さ（下）がります	さがって	さがらない	さがる	さがった
	さ（咲）きます	さいて	さかない	さく	さいた
	さそ（誘）います	さそって	さそわない	さそう	さそった
	サボります	サボって	サボらない	サボる	サボった
	さわ（騒）ぎます	さわいで	さわがない	さわぐ	さわいだ
	さわ（触）ります	さわって	さわらない	さわる	さわった
	しかります	しかって	しからない	しかる	しかった
	し（死）にます	しんで	しなない	しぬ	しんだ
	しまいます	しまって	しまわない	しまう	しまった
	し（閉）まります	しまって	しまらない	しまる	しまった
	し（知）ります	しって	しらない	しる	しった
	す（吸）います	すって	すわない	すう	すった
	すきます	すいて	すかない	すく	すいた
	す（過）ごします	すごして	すごさない	すごす	すごした
	すす（進）みます	すすんで	すすまない	すすむ	すすんだ
	すべ（滑）ります	すべって	すべらない	すべる	すべった
	す（住）みます	すんで	すまない	すむ	すんだ
	す（済）みます	すんで	すまない	すむ	すんだ
	すわ（座）ります	すわって	すわらない	すわる	すわった
	そだ（育）ちます	そだって	そだたない	そだつ	そだった
	そろいます	そろって	そろわない	そろう	そろった
一类动词	だ（出）します	だして	ださない	だす	だした
	たたきます	たたいて	たたかない	たたく	たたいた
	た（立）ちます	たって	たたない	たつ	たった
	た（建）ちます	たって	たたない	たつ	たった
	たの（頼）みます	たのんで	たのまない	たのむ	たのんだ
	ちが（違）います	ちがって	ちがわない	ちがう	ちがった
	つか（使）います	つかって	つかわない	つかう	つかった
	つきます	ついて	つかない	つく	ついた
	つ（着）きます	ついて	つかない	つく	ついた
	つ（付）きます	ついて	つかない	つく	ついた
	つく（作）ります	つくって	つくらない	つくる	つくった
	つづ（続）きます	つづいて	つづかない	つづく	つづいた
	つつ（包）みます	つつんで	つつまない	つつむ	つつんだ
	つ（積）もります	つもって	つもらない	つもる	つもった
	てつだ（手伝）います	てつだって	てつだわない	てつだう	てつだった
	とお（通）ります	とおって	とおらない	とおる	とおった
	とど（届）きます	とどいて	とどかない	とどく	とどいた
	ととの（整）います	ととのって	ととのわない	ととのう	ととのった
	と（飛）びます	とんで	とばない	とぶ	とんだ
	と（泊）まります	とまって	とまらない	とまる	とまった
	と（止）まります	とまって	とまらない	とまる	とまった
	と（撮）ります	とって	とらない	とる	とった
	とります	とって	とらない	とる	とった
	と（取）ります	とって	とらない	とる	とった
	なお（直）します	なおして	なおさない	なおす	なおした

命令形(29)	意志形(30)	ば形(37)	可能形式(38)	被动形式(41)	使役形式(43)	课次
さがれ	さがろう	さがれば	さがれる	さがられる	さがらせる	31
さけ	さこう	さけば	さける	さかれる	さかせる	13
さそえ	さそおう	さそえば	さそえる	さそわれる	さそわせる	41
サボれ	サボろう	サボれば	サボれる	サボられる	サボらせる	29
さわげ	さわごう	さわげば	さわげる	さわがれる	さわがせる	36
さわれ	さわろう	さわれば	さわれる	さわられる	さわらせる	19
しかれ	しかろう	しかれば	しかれる	しかられる	しからせる	41
しね	しのう	しねば	しねる	しなれる	しなせる	14
しまえ	しまおう	しまえば	しまえる	しまわれる	しまわせる	34
しまれ	———	しまれば	———	———	———	33
しれ	しろう	しれば	しれる	しられる	しらせる	16
すえ	すおう	すえば	すえる	すわれる	すわせる	13
		すけば				20
すごせ	すごそう	すごせば	すごせる	すごされる	すごさせる	46
すすめ	すすもう	すすめば	すすめる	すすまれる	すすませる	45
すべれ	すべろう	すべれば	すべれる	すべられる	すべらせる	19
すめ	すもう	すめば	すめる	すまれる	すませる	16
		すめば				46
すわれ	すわろう	すわれば	すわれる	すわられる	すわらせる	15
そだて	———	そだてば	———	———	そだたせる	39
そろえ	そろおう	そろえば	そろえる	そろわれる	そろわせる	30
だせ	だそう	だせば	だせる	だされる	ださせる	8
たたけ	たたこう	たたけば	たたける	たたかれる	たたかせる	27
たて	たとう	たてば	たてる	たたれる	たたせる	19
		たてば		たたれる	たたせる	33
たのめ	たのもう	たのめば	たのめる	たのまれる	たのませる	34
	———	ちがえば			ちがわせる	23
つかえ	つかおう	つかえば	つかえる	つかわれる	つかわせる	15
つけ		つけば				31
つけ	っこう	つけば	つける	つかれる	つかせる	33
つけ		つけば				33
つくれ	つくろう	つくれば	つくれる	つくられる	つくらせる	8
つづけ	つづこう	つづけば	つづける	つづかれる	つづかせる	39
つつめ	つつもう	つつめば	つつめる	つつまれる	つつませる	34
		つもれば				46
てつだえ	てつだおう	てつだえば	てつだえる	てつだわれる	てつだわせる	19
とおれ	とおろう	とおれば	とおれる	とおられる	とおらせる	14
とどけ	———	とどけば				8
———		ととのえば		———		43
とべ	とぼう	とべば	とべる	とばれる	とばせる	14
とまれ	とまろう	とまれば	とまれる	とまられる	とまらせる	25
とまれ	とまろう	とまれば	とまれる	とまられる	とまらせる	29
とれ	とろう	とれば	とれる	とられる	とらせる	7
とれ	とろう	とれば	とれる	とられる	とらせる	15
とれ	とろう	とれば	とれる	とられる	とらせる	25
なおせ	なおそう	なおせば	なおせる	なおされる	なおさせる	16

		ます形(13)	て形(14)	ない形(19)	基本形(20)	た形(21)
一类动词		なお (治) ります	なおって	なおらない	なおる	なおった
		な (鳴) きます	ないて	なかない	なく	ないた
		な (泣) きます	ないて	なかない	なく	ないた
		なくします	なくして	なくさない	なくす	なくした
		なくなります	なくなって	なくならない	なくなる	なくなった
		なさいます	なさって	なさらない	なさる	なさった
		なら (習) います	ならって	ならわない	ならう	ならった
		なら (並) びます	ならんで	ならばない	ならぶ	ならんだ
		なります	なって	ならない	なる	なった
		な (鳴) ります	なって	ならない	なる	なった
		にあ (似合) います	にあって	にあわない	にあう	にあった
		ぬ (脱) ぎます	ぬいで	ぬがない	ぬぐ	ぬいだ
		ぬす (盗) みます	ぬすんで	ぬすまない	ぬすむ	ぬすんだ
		ねむ (眠) ります	ねむって	ねむらない	ねむる	ねむった
		のこ (残) ります	のこって	のこらない	のこる	のこった
		の (延) ばします	のばして	のばさない	のばす	のばした
		のぼ (登) ります	のぼって	のぼらない	のぼる	のぼった
		の (飲) みます	のんで	のまない	のむ	のんだ
		の (乗) ります	のって	のらない	のる	のった
		はい (入) ります	はいって	はいらない	はいる	はいった
		はか (図) ります	はかって	はからない	はかる	はかった
		はきます	はいて	はかない	はく	はいた
		はこ (運) びます	はこんで	はこばない	はこぶ	はこんだ
		はじ (始) まります	はじまって	はじまらない	はじまる	はじまった
		はし (走) ります	はしって	はしらない	はしる	はしった
		はたら (働) きます	はたらいて	はたらかない	はたらく	はたらいた
		はな (話) します	はなして	はなさない	はなす	はなした
		はら (払) います	はらって	はらわない	はらう	はらった
		はります	はって	はらない	はる	はった
		ひ (弾) きます	ひいて	ひかない	ひく	ひいた
		ひ (引) きます	ひいて	ひかない	ひく	ひいた
		ひっこ (引っ越) します	ひっこして	ひっこさない	ひっこす	ひっこした
		ひっぱ (引っ張) ります	ひっぱって	ひっぱらない	ひっぱる	ひっぱった
		ひ (冷) やします	ひやして	ひやさない	ひやす	ひやした
		ひら (開) きます	ひらいて	ひらかない	ひらく	ひらいた
		ひろ (拾) います	ひろって	ひろわない	ひろう	ひろった
		ひろ (広) がります	ひろがって	ひろがらない	ひろがる	ひろがった
		ふ (吹) きます	ふいて	ふかない	ふく	ふいた
		ふせ (防) ぎます	ふせいで	ふせがない	ふせぐ	ふせいだ
		ふと (太) ります	ふとって	ふとらない	ふとる	ふとった
		ふ (踏) みます	ふんで	ふまない	ふむ	ふんだ
		ふ (降) ります	ふって	ふらない	ふる	ふった
		ふ (振) ります	ふって	ふらない	ふる	ふった
		へ (減) ります	へって	へらない	へる	へった
		ほほえみます	ほほえんで	ほほえまない	ほほえむ	ほほえんだ
		まい (参) ります	まいって	まいらない	まいる	まいった

命令形(29)	意志形(30)	ば形(37)	可能形式(38)	被动形式(41)	使役形式(43)	课次
なおれ	————	なおれば	————	————	なおらせる	19
なけ	なこう	なけば	なける	なかれる	なかせる	36
なけ	なこう	なけば	なける	なかれる	なかせる	36
なくせ	なくそう	なくせば	なくせる	なくされる	なくさせる	19
なくなれ	————	なくなれば	————	————	なくならせる	39
なされ		なされば	————	————	————	47
ならえ	ならおう	ならえば	ならえる	ならわれる	ならわせる	8
ならべ	ならぼう	ならべば	ならべる	ならばれる	ならばせる	33
なれ	なろう	なれば	なれる	なられる	ならせる	18
————	————	なれば	————	————	ならせる	36
————	————	にあえば	————	————	————	18
ぬげ	ぬごう	ぬげば	ぬげる	ぬがれる	ぬがせる	19
ぬすめ	ぬすもう	ぬすめば	ぬすめる	ぬすまれる	ぬすませる	41
ねむれ	ねむろう	ねむれば	ねむれる	ねむられる	ねむらせる	36
のこれ	のころう	のこれば	のこれる	のこられる	のこさせる	34
のばせ	のばそう	のばせば	のばせる	のばされる	のばさせる	46
のぼれ	のぼろう	のぼれば	のぼれる	のぼられる	のぼらせる	20
のめ	のもう	のめば	のめる	のまれる	のませる	7
のれ	のろう	のれば	のれる	のられる	のらせる	15
はいれ	はいろう	はいれば	はいれる	はいられる	はいらせる	15
はかれ	はかろう	はかれば	はかれる	はかられる	はからせる	41
はけ	はこう	はけば	はける	はかれる	はかせる	33
はこべ	はこぼう	はこべば	はこべる	はこばれる	はこばせる	19
————	————	はじまれば	————	————	はじまらせる	5
はしれ	はしろう	はしれば	はしれる	はしられる	はしらせる	26
はたらけ	はたらこう	はたらけば	はたらける	はたらかれる	はたらかせる	5
はなせ	はなそう	はなせば	はなせる	はなされる	はなさせる	11
はらえ	はらおう	はらえば	はらえる	はらわれる	はらわせる	19
はれ	はろう	はれば	はれる	はられる	はらせる	34
ひけ	ひこう	ひけば	ひける	ひかれる	ひかせる	20
ひけ	ひこう	ひけば	ひける	ひかれる	ひかせる	29
ひっこせ	ひっこそう	ひっこせば	ひっこせる	ひっこされる	ひっこさせる	30
ひっぱれ	ひっぱろう	ひっぱれば	ひっぱれる	ひっぱられる	ひっぱらせる	43
ひやせ	ひやそう	ひやせば	ひやせる	ひやされる	ひやさせる	42
ひらけ	ひらこう	ひらけば	ひらける	ひらかれる	ひらかせる	30
ひろえ	ひろおう	ひろえば	ひろえる	ひろわれる	ひろわせる	28
ひろがれ	ひろがろう	ひろがれば	ひろがれる	ひろがられる	ひろがらせる	44
ふけ	ふこう	ふけば	ふける	ふかれる	ふかせる	26
ふせげ	ふせごう	ふせげば	ふせげる	ふせがれる	ふせがせる	26
ふとれ	ふとろう	ふとれば	ふとれる	ふとられる	ふとらせる	8
ふめ	ふもう	ふめば	ふめる	ふまれる	ふませる	41
ふれ	ふろう	ふれば	ふれる	ふられる	ふらせる	12
ふれ	ふろう	ふれば	ふれる	ふられる	ふらせる	36
————	————	へれば	————	————	————	38
ほほえめ	ほほえもう	ほほえめば	ほほえめる	ほほえまれる	ほほえませる	46
まいれ	まいろう	まいれば	————	————	まいらせる	48

	ます形(13)	て形(14)	ない形(19)	基本形(20)	た形(21)
一类动词	ま（曲）がります	まがって	まがらない	まがる	まがった
	まきこ（巻き込）みます	まきこんで	まきこまない	まきこむ	まきこんだ
	ま（待）ちます	まって	またない	まつ	まった
	まにあ（間に合）います	まにあって	まにあわない	まにあう	まにあった
	まも（守）ります	まもって	まもらない	まもる	まもった
	まよ（迷）います	まよって	まよわない	まよう	まよった
	まわ（回）します	まわして	まわさない	まわす	まわした
	まわ（回）ります	まわって	まわらない	まわる	まわった
	みが（磨）きます	みがいて	みがかない	みがく	みがいた
	みこ（見込）みます	みこんで	みこまない	みこむ	みこんだ
	み（見）つかります	みつかって	みつからない	みつかる	みつかった
	みわた（見渡）します	みわたして	みわたさない	みわたす	みわたした
	む（向）かいます	むかって	むかわない	むかう	むかった
	むす（結）びます	むすんで	むすばない	むすぶ	むすんだ
	めしあ（召し上）がります	めしあがって	めしあがらない	めしあがる	めしあがった
	もう（申）します	もうして	もうさない	もうす	もうした
	もちある（持ち歩）きます	もちあるいて	もちあるかない	もちあるく	もちあるいた
	もちかえ（持ち帰）ります	もちかえって	もちかえらない	もちかえり	もちかえった
	も（持）ちます	もって	もたない	もつ	もった
	もど（戻）します	もどして	もどさない	もどす	もどした
	もど（戻）ります	もどって	もどらない	もどる	もどった
	もらいます	もらって	もらわない	もらう	もらった
	や（焼）きます	やいて	やかない	やく	やいた
	やく（訳）します	やくして	やくさない	やくす	やくした
	やくだ（役立）ちます	やくだって	やくだたない	やくだつ	やくだった
	やす（休）みます	やすんで	やすまない	やすむ	やすんだ
	やと（雇）います	やとって	やとわない	やとう	やとった
	やぶ（破）ります	やぶって	やぶらない	やぶる	やぶった
	やみます	やんで	やまない	やむ	やんだ
	やります	やって	やらない	やる	やった
	よご（汚）します	よごして	よごさない	よごす	よごした
	よ（呼）びます	よんで	よばない	よぶ	よんだ
	よ（読）みます	よんで	よまない	よむ	よんだ
	よ（寄）ります	よって	よらない	よる	よった
	よろこ（喜）びます	よろこんで	よろこばない	よろこぶ	よろこんだ
	わ（分）かります	わかって	わからない	わかる	わかった
	わた（渡）します	わたして	わたさない	わたす	わたした
	わた（渡）ります	わたって	わたらない	わたる	わたった
	わら（笑）います	わらって	わらわない	わらう	わらった
	わ（割）ります	わって	わらない	わる	わった
二类动词	あ（浴）びます	あびて	あびない	あびる	あびた
	い（生）きます	いきて	いきない	いきる	いきた
	います	いて	いない	いる	いた
	お（起）きます	おきて	おきない	おきる	おきた
	お（落）ちます	おちて	おちない	おちる	おちた
	お（降）ります	おりて	おりない	おりる	おりた

命令形(29)	意志形(30)	ば形(37)	可能形式(38)	被动形式(41)	使役形式(43)	课次
まがれ	まがろう	まがれば	まがれる	まがられる	まがらせる	14
まきこめ	まきこもう	まきこめば	まきこめる	まきこまれる	まきこませる	41
まて	まとう	まてば	まてる	またれる	またせる	14
まにあえ	まにあおう	まにあえば	まにあえる	まにあわれる	まにあわせる	36
まもれ	まもろう	まもれば	まもれる	まもられる	まもらせる	29
まよえ	まよおう	まよえば	まよえる	まよわれる	まよわせる	11
まわせ	まわそう	まわせば	まわせる	まわされる	まわさせる	31
まわれ	まわろう	まわれば	まわれる	まわられる	まわらせる	26
みがけ	みがこう	みがけば	みがける	みがかれる	みがかせる	45
みこめ	みこもう	みこめば	みこめる	みこまれる	みこませる	41
———	———	みつかれば	———	———	———	41
みわたせ	みわたそう	みわたせば	みわたせる	みわたされる	みわたさせる	39
むかえ	むかおう	むかえば	むかえる	むかわれる	むかわせる	40
むすべ	むすぼう	むすべば	むすべる	むすばれる	むすばせる	25
めしあがれ	———	めしあがれば	めしあがれる	めしあがられる	———	47
もうせ	もうそう	もうせば	———	———	———	15
もちあるけ	もちあるこう	もちあるけば	もちあるける	もちあるかれる	もちあるかせる	36
もちかえれ	もちかえろう	もちかえれば	もちかえれる	もちかえられる	もちかえらせる	43
もて	もとう	もてば	もてる	もたれる	もたせる	16
もどせ	もどそう	もどせば	もどせる	もどされる	もどさせる	34
もどれ	もどろう	もどれば	もどれる	もどられる	もどらせる	44
もらえ	もらおう	もらえば	もらえる	もらわれる	もらわせる	8
やけ	やこう	やけば	やける	やかれる	やかせる	34
やくせ	やくそう	やくせば	やくせる	やくされる	やくさせる	28
やくだて	やくだとう	やくだてば	やくだてる	やくだたれる	やくだたせる	36
やすめ	やすもう	やすめば	やすめる	やすまれる	やすませる	5
やとえ	やとおう	やとえば	やとえる	やとわれる	やとわせる	36
やぶれ	やぶろう	やぶれば	やぶれる	やぶられる	やぶらせる	29
やめ	———	やめば	———	———	———	33
やれ	やろう	やれば	やれる	やられる	やらせる	22
よごせ	よごそう	よごせば	よごせる	よごされる	よごさせる	33
よべ	よぼう	よべば	よべる	よばれる	よばせる	19
よめ	よもう	よめば	よめる	よまれる	よませる	7
よれ	よろう	よれば	よれる	よられる	よらせる	30
よろこべ	よろこぼう	よろこべば	よろこべる	よろこばれる	よろこばせる	36
わかれ	わかろう	わかれば	———	———	わからせる	11
わたせ	わたそう	わたせば	わたせる	わたされる	わたさせる	21
わたれ	わたろう	わたれば	わたれる	わたられる	わたらせる	14
わらえ	わらおう	わらえば	わらえる	わらわれる	わらわせる	24
われ	わろう	われば	われる	われる	わらせる	33
あびろ	あびよう	あびれば	あびられる	あびられる	あびさせる	20
いきろ	いきよう	いきれば	いきられる	いきられる	いきさせる	31
いろ	いよう	いれば	いられる	いられる	いさせる	4
おきろ	おきよう	おきれば	おきられる	おきられる	おきさせる	5
おちろ	おちよう	おちれば	———	おちられる	———	33
おりろ	おりよう	おりれば	おりられる	おりられる	おりさせる	14

	ます形(13)	て形(14)	ない形(19)	基本形(20)	た形(21)
	お（下）ります	おりて	おりない	おりる	おりた
	か（借）ります	かりて	かりない	かりる	かりた
	かん（感）じます	かんじて	かんじない	かんじる	かんじた
	き（着）ます	きて	きない	きる	きた
	しん（信）じます	しんじて	しんじない	しんじる	しんじた
	す（過）ぎます	すぎて	すぎない	すぎる	すぎた
	ぞん（存）じています	ぞんじていて	ぞんじていない	ぞんじている	ぞんじていた
	た（足）ります	たりて	たりない	たりる	たりた
	つう（通）じます	つうじて	つうじない	つうじる	つうじた
	できます	できて	できない	できる	できた
	に（似）ます	にて	にない	にる	にた
	み（見）ます	みて	みない	みる	みた
	あ（開）けます	あけて	あけない	あける	あけた
	あげます	あげて	あげない	あげる	あげた
	あ（挙）げます	あげて	あげない	あげる	あげた
	あ（揚）げます	あげて	あげない	あげる	あげた
	あず（預）けます	あずけて	あずけない	あずける	あずけた
	あたた（温）めます	あたためて	あたためない	あたためる	あたためた
	あつ（集）めます	あつめて	あつめない	あつめる	あつめた
	あわ（慌）てます	あわてて	あわてない	あわてる	あわてた
	いじめます	いじめて	いじめない	いじめる	いじめた
二类动词	い（入）れます	いれて	いれない	いれる	いれた
	う（受）けます	うけて	うけない	うける	うけた
	う（生）まれます	うまれて	うまれない	うまれる	うまれた
	う（売）れます	うれて	うれない	うれる	うれた
	おく（遅）れます	おくれて	おくれない	おくれる	おくれた
	おし（教）えます	おしえて	おしえない	おしえる	おしえた
	おぼ（覚）えます	おぼえて	おぼえない	おぼえる	おぼえた
	お（折）れます	おれて	おれない	おれる	おれた
	かけます	かけて	かけない	かける	かけた
	か（掛）けます	かけて	かけない	かける	かけた
	かた（片）づけます	かたづけて	かたづけない	かたづける	かたづけた
	か（枯）れます	かれて	かれない	かれる	かれた
	かんが（考）えます	かんがえて	かんがえない	かんがえる	かんがえた
	き（消）えます	きえて	きえない	きえる	きえた
	き（聞）こえます	きこえて	きこえない	きこえる	きこえた
	き（決）めます	きめて	きめない	きめる	きめた
	くれます	くれて	くれない	くれる	くれた
	こ（超）えます	こえて	こえない	こえる	こえた
	こた（答）えます	こたえて	こたえない	こたえる	こたえた
	こわ（壊）れます	こわれて	こわれない	こわれる	こわれた
	さ（避）けます	さけて	さけない	さける	さけた
	さ（下）げます	さげて	さげない	さげる	さげた
	さしあ（差し上）げます	さしあげて	さしあげない	さしあげる	さしあげた
	し（閉）めます	しめて	しめない	しめる	しめた
	しゃれます	しゃれて	しゃれない	しゃれる	しゃれた

命令形(29)	意志形(30)	ば形(37)	可能形式(38)	被动形式(41)	使役形式(43)	课次
おりろ	おりよう	おりれば	おりられる	おりられる	おりさせる	31
かりろ	かりよう	かりれば	かりられる	かりられる	かりさせる	8
かんじろ	かんじよう	かんじれば	かんじられる	かんじられる	かんじさせる	38
きろ	きよう	きれば	きられる	きられる	きさせる	21
しんじろ	しんじよう	しんじれば	しんじられる	しんじられる	しんじさせる	42
すぎろ	———	すぎれば	———	———	———	14
———	———	ぞんじていれば	———	———	———	48
———	———	たりれば	———	———	———	26
つうじろ	つうじよう	つうじれば	つうじられる	つうじられる	つうじさせる	36
———	———	できれば	———	———	———	11
にろ	———	にれば	———	———	にさせる	45
みろ	みよう	みれば	みられる	みられる	みさせる	7
あけろ	あけよう	あければ	あけられる	あけられる	あけさせる	14
あげろ	あげよう	あげれば	あげられる	あげられる	あげさせる	8
あげろ	あげよう	あげれば	あげられる	あげられる	あげさせる	26
あげろ	あげよう	あげれば	あげられる	あげられる	あげさせる	36
あずけろ	あずけよう	あずければ	あずけられる	あずけられる	あずけさせる	34
あたためろ	あたためよう	あたためれば	あたためられる	あたためられる	あたためさせる	43
あつめろ	あつめよう	あつめれば	あつめられる	あつめられる	あつめさせる	20
あわてろ	あわてよう	あわてれば	———	あわてられる	あわてさせる	19
いじめろ	いじめよう	いじめれば	いじめられる	いじめられる	いじめさせる	41
いれろ	いれよう	いれれば	いれられる	いれられる	いれさせる	27
うけろ	うけよう	うければ	うけられる	うけられる	うけさせる	43
———	———	うまれれば	———	———	———	17
うれろ	———	うれれば	———	———	———	43
おくれろ	おくれよう	おくれれば	———	おくれられる	おくれさせる	21
おしえろ	おしえよう	おしえれば	おしえられる	おしえられる	おしえさせる	8
おぼえろ	おぼえよう	おぼえれば	おぼえられる	おぼえられる	おぼえさせる	29
おれろ	———	おれれば	———	———	おれさせる	42
かけろ	かけよう	かければ	かけられる	かけられる	かけさせる	8
かけろ	かけよう	かければ	かけられる	かけられる	かけさせる	33
かたづけろ	かたづけよう	かたづければ	かたづけられる	かたづけられる	かたづけさせる	16
———	———	かれれば	———	———	かれさせる	46
かんがえろ	かんがえよう	かんがえれば	かんがえられる	かんがえられる	かんがえさせる	21
きえろ	きえよう	きえれば	きえられる	きえられる	きえさせる	33
きこえろ	———	きこえれば	———	———	きこえさせる	36
きめろ	きめよう	きめれば	きめられる	きめられる	きめさせる	24
くれろ	くれよう	くれれば	———	———	———	28
こえろ	こえよう	こえれば	こえられる	こえられる	こえさせる	37
こたえろ	こたえよう	こたえれば	こたえられる	こたえられる	こたえさせる	29
こわれろ	———	こわれれば	———	———	———	30
さけろ	さけよう	さければ	さけられる	さけられる	さけさせる	43
さげろ	さげよう	さげれば	さげられる	さげられる	さげさせる	36
さしあげろ	さしあげよう	さしあげれば	———	———	———	48
しめろ	しめよう	しめれば	しめられる	しめられる	しめさせる	11
しゃれろ	———	しゃれれば	———	———	しゃれさせる	44

	ます形(13)	て形(14)	ない形(19)	基本形(20)	た形(21)
	し（知）らせます	しらせて	しらせない	しらせる	しらせた
	しら（調）べます	しらべて	しらべない	しらべる	しらべた
	すす（進）めます	すすめて	すすめない	すすめる	すすめた
	す（捨）てます	すてて	すてない	すてる	すてた
	す（済）ませます	すませて	すませない	すませる	すませた
	そろえます	そろえて	そろえない	そろえる	そろえた
	たし（確）かめます	たしかめて	たしかめない	たしかめる	たしかめた
	たす（助）けます	たすけて	たすけない	たすける	たすけた
	たず（訪）ねます	たずねて	たずねない	たずねる	たずねた
	た（建）てます	たてて	たてない	たてる	たてた
	た（食）べます	たべて	たべない	たべる	たべた
	ためます	ためて	ためない	ためる	ためた
	つか（疲）れます	つかれて	つかれない	つかれる	つかれた
	つけます	つけて	つけない	つける	つけた
	つ（付）けます	つけて	つけない	つける	つけた
	つ（告）げます	つげて	つげない	つげる	つげた
	つた（伝）えます	つたえて	つたえない	つたえる	つたえた
	つづ（続）けます	つづけて	つづけない	つづける	つづけた
	つ（連）れます	つれて	つれない	つれる	つれた
	で（出）かけます	でかけて	でかけない	でかける	でかけた
	で（出）ます	でて	でない	でる	でた
二类动词	とおりぬ（通り抜）けます	とおりぬけて	とおりぬけない	とおりぬける	とおりぬけた
	とど（届）けます	とどけて	とどけない	とどける	とどけた
	と（止）めます	とめて	とめない	とめる	とめた
	とりか（取り替）えます	とりかえて	とりかえない	とりかえる	とりかえた
	なら（並）べます	ならべて	ならべない	ならべる	ならべた
	な（慣）れます	なれて	なれない	なれる	なれた
	に（逃）げます	にげて	にげない	にげる	にげた
	ぬれます	ぬれて	ぬれない	ぬれる	ぬれた
	ね（寝）ます	ねて	ねない	ねる	ねた
	のりか（乗り換）えます	のりかえて	のりかえない	のりかえる	のりかえた
	はじ（始）めます	はじめて	はじめない	はじめる	はじめた
	は（晴）れます	はれて	はれない	はれる	はれた
	ひ（冷）えます	ひえて	ひえない	ひえる	ひえた
	ふ（増）えます	ふえて	ふえない	ふえる	ふえた
	ぶつけます	ぶつけて	ぶつけない	ぶつける	ぶつけた
	ほめます	ほめて	ほめない	ほめる	ほめた
	ま（負）けます	まけて	まけない	まける	まけた
	まちが（間違）えます	まちがえて	まちがえない	まちがえる	まちがえた
	まとめます	まとめて	まとめない	まとめる	まとめた
	み（見）えます	みえて	みえない	みえる	みえた
	み（見）せます	みせて	みせない	みせる	みせた
	み（見）つけます	みつけて	みつけない	みつける	みつけた
	むか（迎）えます	むかえて	むかえない	むかえる	むかえた
	もと（求）めます	もとめて	もとめない	もとめる	もとめた
	も（漏）れます	もれて	もれない	もれる	もれた

命令形(29)	意志形(30)	ば形(37)	可能形式(38)	被动形式(41)	使役形式(43)	课次
しらせろ	しらせよう	しらせれば	しらせられる	しらせられる	しらせさせる	23
しらべろ	しらべよう	しらべれば	しらべられる	しらべられる	しらべさせる	21
すすめろ	すすめよう	すすめれば	すすめられる	すすめられる	すすめさせる	48
すてろ	すてよう	すてれば	すてられる	すてられる	すてさせる	19
すませろ	すませよう	すませれば	すませられる	すませられる	すませさせる	46
そろえろ	そろえよう	そろえれば	そろえられる	そろえられる	そろえさせる	40
たしかめろ	たしかめよう	たしかめれば	たしかめられる	たしかめられる	たしかめさせる	23
たすけろ	たすけよう	たすければ	たすけられる	たすけられる	たすけさせる	29
たずねろ	たずねよう	たずねれば	たずねられる	たずねられる	たずねさせる	35
たてろ	たてよう	たてれば	たてられる	たてられる	たてさせる	33
たべろ	たべよう	たべれば	たべられる	たべられる	たべさせる	7
ためろ	ためよう	ためれば	ためられる	ためられる	ためさせる	34
———	———	つかれれば	———	———	つかれさせる	11
つけろ	つけよう	つければ	つけられる	つけられる	つけさせる	14
つけろ	つけよう	つければ	つけられる	つけられる	つけさせる	29
つげろ	つげよう	つげれば	つげられる	つげられる	つげさせる	42
つたえろ	つたえよう	つたえれば	つたえられる	つたえられる	つたえさせる	15
つづけろ	つづけよう	つづければ	つづけられる	つづけられる	つづけさせる	34
つれろ	つれよう	つれれば	つれられる	つれられる	つれさせる	39
でかけろ	でかけよう	でかければ	でかけられる	でかけられる	でかけさせる	14
でろ	でよう	でれば	でられる	でられる	でさせる	14
とおりぬけろ	とおりぬけよう	とおりぬければ	とおりぬけられる	とおりぬけられる	とおりぬけさせる	38
とどけろ	とどけよう	とどければ	とどけられる	とどけられる	とどけさせる	28
とめろ	とめよう	とめれば	とめられる	とめられる	とめさせる	15
とりかえろ	とりかえよう	とりかえれば	とりかえられる	とりかえられる	とりかえさせる	38
ならべろ	ならべよう	ならべれば	ならべられる	ならべられる	ならべさせる	34
なれろ	なれよう	なれれば	なれられる	なれられる	なれさせる	36
にげろ	にげよう	にげれば	にげられる	にげられる	にげさせる	29
———	———	ぬれれば	———	———	ぬれさせる	36
ねろ	ねよう	ねれば	ねられる	ねられる	ねさせる	5
のりかえろ	のりかえよう	のりかえれば	のりかえられる	のりかえられる	のりかえさせる	32
はじめろ	はじめよう	はじめれば	はじめられる	はじめられる	はじめさせる	17
———	———	はれれば	———	———	———	35
———	———	ひえれば	———	———	———	42
ふえろ	———	ふえれば	———	ふえられる	ふえさせる	39
ぶつけろ	ぶつけよう	ぶつければ	ぶつけられる	ぶつけられる	ぶつけさせる	41
ほめろ	ほめよう	ほめれば	ほめられる	ほめられる	ほめさせる	41
まけろ	まけよう	まければ	まけられる	まけられる	まけさせる	33
まちがえろ	まちがえよう	まちがえれば	まちがえられる	まちがえられる	まちがえさせる	30
まとめろ	まとめよう	まとめれば	まとめられる	まとめられる	まとめさせる	40
みえろ	———	みえれば	———	———	みえさせる	36
みせろ	みせよう	みせれば	みせられる	みせられる	みせさせる	14
みつけろ	みつけよう	みつければ	みつけられる	みつけられる	みつけさせる	35
むかえろ	むかえよう	むかえれば	むかえられる	むかえられる	むかえさせる	30
もとめろ	もとめよう	もとめれば	もとめられる	もとめられる	もとめさせる	41
———	———	もれれば	———	———	もれさせる	40

	ます形(13)	て形(14)	ない形(19)	基本形(20)	た形(21)
二类动词	や（焼）けます	やけて	やけない	やける	やけた
	やせます	やせて	やせない	やせる	やせた
	やめます	やめて	やめない	やめる	やめた
	や（辞）めます	やめて	やめない	やめる	やめた
	よご（汚）れます	よごれて	よごれない	よごれる	よごれた
	わす（忘）れます	わすれて	わすれない	わすれる	わすれた
	わ（割）れます	われて	われない	われる	われた
三类动词	き（来）ます	きて	こない	くる	きた
	します	して	しない	する	した
	あまやど（雨宿）りします	あまやどりして	あまやどりしない	あまやどりする	あまやどりした
	あんき（暗記）します	あんきして	あんきしない	あんきする	あんきした
	あんしん（安心）します	あんしんして	あんしんしない	あんしんする	あんしんした
	あんない（案内）します	あんないして	あんないしない	あんないする	あんないした
	いらいらします	いらいらして	いらいらしない	いらいらする	いらいらした
	いらい（依頼）します	いらいして	いらいしない	いらいする	いらいした
	うっとりします	うっとりして	うっとりしない	うっとりする	うっとりした
	うんどう（運動）します	うんどうして	うんどうしない	うんどうする	うんどうした
	えんそう（演奏）します	えんそうして	えんそうしない	えんそうする	えんそうした
	えんりょ（遠慮）します	えんりょして	えんりょしない	えんりょする	えんりょした
	おじゃま（お邪魔）します	おじゃまして	おじゃましない	おじゃまする	おじゃました
	がいしゅつ（外出）します	がいしゅつして	がいしゅつしない	がいしゅつする	がいしゅつした
	かいちく（改築）します	かいちくして	かいちくしない	かいちくする	かいちくした
	かいつう（開通）します	かいつうして	かいつうしない	かいつうする	かいつうした
	かいはつ（開発）します	かいはつして	かいはつしない	かいはつする	かいはつした
	かいもの（買い物）します	かいものして	かいものしない	かいものする	かいものした
	がっかりします	がっかりして	がっかりしない	がっかりする	がっかりした
	かんげい（歓迎）します	かんげいして	かんげいしない	かんげいする	かんげいした
	かんさん（換算）します	かんさんして	かんさんしない	かんさんする	かんさんした
	かんしゃ（感謝）します	かんしゃして	かんしゃしない	かんしゃする	かんしゃした
	かんせい（完成）します	かんせいして	かんせいしない	かんせいする	かんせいした
	かんぱい（乾杯）します	かんぱいして	かんぱいしない	かんぱいする	かんぱいした
	かんびょう（看病）します	かんびょうして	かんびょうしない	かんびょうする	かんびょうした
	かんり（管理）します	かんりして	かんりしない	かんりする	かんりした
	きこく（帰国）します	きこくして	きこくしない	きこくする	きこくした
	きたい（期待）します	きたいして	きたいしない	きたいする	きたいした
	きゅうけい（休憩）します	きゅうけいして	きゅうけいしない	きゅうけいする	きゅうけいした
	きゅうしょく（休職）します	きゅうしょくして	きゅうしょくしない	きゅうしょくする	きゅうしょくした
	きんちょう（緊張）します	きんちょうして	きんちょうしない	きんちょうする	きんちょうした
	くろう（苦労）します	くろうして	くろうしない	くろうする	くろうした
	けいけん（経験）します	けいけんして	けいけんしない	けいけんする	けいけんした
	けっこん（結婚）します	けっこんして	けっこんしない	けっこんする	けっこんした
	けっせき（欠席）します	けっせきして	けっせきしない	けっせきする	けっせきした
	けんかします	けんかして	けんかしない	けんかする	けんかした
	けんきゅう（研究）します	けんきゅうして	けんきゅうしない	けんきゅうする	けんきゅうした
	けんとう（検討）します	けんとうして	けんとうしない	けんとうする	けんとうした
	ごうかく（合格）します	ごうかくして	ごうかくしない	ごうかくする	ごうかくした

命令形(29)	意志形(30)	ば形(37)	可能形式(38)	被动形式(41)	使役形式(43)	课次
やけ	——	やければ	——	——	やけさせる	36
やせろ	やせよう	やせれば	やせられる	やせられる	やせさせる	34
やめろ	やめよう	やめれば	やめられる	やめられる	やめさせる	24
やめろ	やめよう	やめれば	やめられる	やめられる	やめさせる	32
		よごれれば	——		よごれさせる	33
わすれろ	わすれよう	わすれれば	わすれられる	わすれられる	わすれさせる	19
——		われれば				33
こい	こよう	くれば	こられる	こられる	こさせる	6
しろ	しよう	すれば	できる	される	させる	7
あまやどりしろ	あまやどりしよう	あまやどりすれば	あまやどりできる	あまやどりされる	あまやどりさせる	45
あんきしろ	あんきしよう	あんきすれば	あんきできる	あんきされる	あんきさせる	43
あんしんしろ	あんしんしよう	あんしんすれば	あんしんできる	あんしんされる	あんしんさせる	16
あんないしろ	あんないしよう	あんないすれば	あんないできる	あんないされる	あんないさせる	28
——	——	いらいらすれば	——	いらいらされる	いらいらさせる	31
いらいしろ	いらいしよう	いらいすれば	いらいできる	いらいされる	いらいさせる	41
——	——	うっとりすれば	——	うっとりされる	うっとりさせる	31
うんどうしろ	うんどうしよう	うんどうすれば	うんどうできる	うんどうされる	うんどうさせる	21
えんそうしろ	えんそうしよう	えんそうすれば	えんそうできる	えんそうされる	えんそうさせる	40
えんりょしろ	えんりょしよう	えんりょすれば	えんりょできる	えんりょされる	えんりょさせる	29
おじゃましろ	おじゃましよう	おじゃますれば	おじゃまできる	おじゃまされる	おじゃまさせる	32
がいしゅつしろ	がいしゅつしよう	がいしゅつすれば	がいしゅつできる	がいしゅつされる	がいしゅつさせる	24
かいちくしろ	かいちくしよう	かいちくすれば	かいちくできる	かいちくされる	かいちくさせる	40
かいつうしろ	かいつうしよう	かいつうすれば	かいつうできる	かいつうされる	かいつうさせる	40
かいはつしろ	かいはつしよう	かいはつすれば	かいはつできる	かいはつされる	かいはつさせる	41
かいものしろ	かいものしよう	かいものすれば	かいものできる	かいものされる	かいものさせる	14
——	——	がっかりすれば	——	がっかりされる	がっかりさせる	31
かんげいしろ	かんげいしよう	かんげいすれば	かんげいできる	かんげいされる	かんげいさせる	34
かんさんしろ	かんさんしよう	かんさんすれば	かんさんできる	かんさんされる	かんさんさせる	37
かんしゃしろ	かんしゃしよう	かんしゃすれば	かんしゃできる	かんしゃされる	かんしゃさせる	21
かんせいしろ	かんせいしよう	かんせいすれば	かんせいできる	かんせいされる	かんせいさせる	40
かんぱいしろ	かんぱいしよう	かんぱいすれば	かんぱいできる	かんぱいされる	かんぱいさせる	35
かんびょうしろ	かんびょうしよう	かんびょうすれば	かんびょうできる	かんびょうされる	かんびょうさせる	27
かんりしろ	かんりしよう	かんりすれば	かんりできる	かんりされる	かんりさせる	41
きこくしろ	きこくしよう	きこくすれば	きこくできる	きこくされる	きこくさせる	20
きたいしろ	きたいしよう	きたいすれば	きたいできる	きたいされる	きたいさせる	48
きゅうけいしろ	きゅうけいしよう	きゅうけいすれば	きゅうけいできる	きゅうけいされる	きゅうけいさせる	35
きゅうしょくしろ	きゅうしょくしよう	きゅうしょくすれば	きゅうしょくできる	きゅうしょくされる	きゅうしょくさせる	43
きんちょうしろ	——	きんちょうすれば	——	きんちょうされる	きんちょうさせる	46
くろうしろ	くろうしよう	くろうすれば	——	——	くろうさせる	36
けいけんしろ	けいけんしよう	けいけんすれば	けいけんできる	けいけんされる	けいけんさせる	43
けっこんしろ	けっこんしよう	けっこんすれば	けっこんできる	けっこんされる	けっこんさせる	16
けっせきしろ	けっせきしよう	けっせきすれば	けっせきできる	けっせきされる	けっせきさせる	39
けんかしろ	けんかしよう	けんかすれば	けんかできる	けんかされる	けんかさせる	27
けんきゅうしろ	けんきゅうしよう	けんきゅうすれば	けんきゅうできる	けんきゅうされる	けんきゅうさせる	24
けんとうしろ	けんとうしよう	けんとうすれば	けんとうできる	けんとうされる	けんとうさせる	42
ごうかくしろ	ごうかくしよう	ごうかくすれば	ごうかくできる	ごうかくされる	ごうかくさせる	24

附　录

	ます形(13)	て形(14)	ない形(19)	基本形(20)	た形(21)
	こうかん (交換) します	こうかんして	こうかんしない	こうかんする	こうかんした
	こしょう (故障) します	こしょうして	こしょうしない	こしょうする	こしょうした
	ごちそうします	ごちそうして	ごちそうしない	ごちそうする	ごちそうした
	コピーします	コピーして	コピーしない	コピーする	コピーした
	さんか (参加) します	さんかして	さんかしない	さんかする	さんかした
	ざんぎょう (残業) します	ざんぎょうして	ざんぎょうしない	ざんぎょうする	ざんぎょうした
	さんぽ (散歩) します	さんぽして	さんぽしない	さんぽする	さんぽした
	しさく (試作) します	しさくして	しさくしない	しさくする	しさくした
	じしょく (辞職) します	じしょくして	じしょくしない	じしょくする	じしょくした
	じっかん (実感) します	じっかんして	じっかんしない	じっかんする	じっかんした
	じつげん (実現) します	じつげんして	じつげんしない	じつげんする	じつげんした
	しっぱい (失敗) します	しっぱいして	しっぱいしない	しっぱいする	しっぱいした
	しゃくほう (釈放) します	しゃくほうして	しゃくほうしない	しゃくほうする	しゃくほうした
	じゅうたい (渋滞) します	じゅうたいして	じゅうたいしない	じゅうたいする	じゅうたいした
	シュートします	シュートして	シュートしない	シュートする	シュートした
	しゅっきん (出勤) します	しゅっきんして	しゅっきんしない	しゅっきんする	しゅっきんした
	しゅつじょう (出場) します	しゅつじょうして	しゅつじょうしない	しゅつじょうする	しゅつじょうした
	しゅっせき (出席) します	しゅっせきして	しゅっせきしない	しゅっせきする	しゅっせきした
	しゅっぱつ (出発) します	しゅっぱつして	しゅっぱつしない	しゅっぱつする	しゅっぱつした
	しょうかい (紹介) します	しょうかいして	しょうかいしない	しょうかいする	しょうかいした
	しょうち (承知) します	しょうちして	しょうちしない	しょうちする	しょうちした
三类动词	しょくじ (食事) します	しょくじして	しょくじしない	しょくじする	しょくじした
	しんぱい (心配) します	しんぱいして	しんぱいしない	しんぱいする	しんぱいした
	スケッチします	スケッチして	スケッチしない	スケッチする	スケッチした
	せいこう (成功) します	せいこうして	せいこうしない	せいこうする	せいこうした
	せいさん (生産) します	せいさんして	せいさんしない	せいさんする	せいさんした
	せいぞう (製造) します	せいぞうして	せいぞうしない	せいぞうする	せいぞうした
	せいり (整理) します	せいりして	せいりしない	せいりする	せいりした
	せつぞく (接続) します	せつぞくして	せつぞくしない	せつぞくする	せつぞくした
	せってい (設定) します	せっていして	せっていしない	せっていする	せっていした
	セットします	セットして	セットしない	セットする	セットした
	せわ (世話) します	せわして	せわしない	せわする	せわした
	せんたく (洗濯) します	せんたくして	せんたくしない	せんたくする	せんたくした
	せんれん (洗練) します	せんれんして	せんれんしない	せんれんする	せんれんした
	そうじ (掃除) します	そうじして	そうじしない	そうじする	そうじした
	そうたい (早退) します	そうたいして	そうたいしない	そうたいする	そうたいした
	そうだん (相談) します	そうだんして	そうだんしない	そうだんする	そうだんした
	そうりつ (創立) します	そうりつして	そうりつしない	そうりつする	そうりつした
	そつぎょう (卒業) します	そつぎょうして	そつぎょうしない	そつぎょうする	そつぎょうした
	たいざい (滞在) します	たいざいして	たいざいしない	たいざいする	たいざいした
	たんとう (担当) します	たんとうして	たんとうしない	たんとうする	たんとうした
	チェックインします	チェックインして	チェックインしない	チェックインする	チェックインした
	チェックします	チェックして	チェックしない	チェックする	チェックした
	ちゅうい (注意) します	ちゅういして	ちゅういしない	ちゅういする	ちゅういした
	ちょきん (貯金) します	ちょきんして	ちょきんしない	ちょきんする	ちょきんした
	ちょっこう (直行) します	ちょっこうして	ちょっこうしない	ちょっこうする	ちょっこうした

命令形(29)	意志形(30)	ば形(37)	可能形式(38)	被动形式(41)	使役形式(43)	课次
こうかんしろ	こうかんしよう	こうかんすれば	こうかんできる	こうかんされる	こうかんさせる	28
———	———	こしょうすれば	———	———	こしょうさせる	31
ごちそうしろ	ごちそうしよう	ごちそうすれば	ごちそうできる	ごちそうされる	ごちそうさせる	20
コピーしろ	コピーしよう	コピーすれば	コピーできる	コピーされる	コピーさせる	14
さんかしろ	さんかしよう	さんかすれば	さんかできる	さんかされる	さんかさせる	35
ざんぎょうしろ	ざんぎょうしよう	ざんぎょうすれば	ざんぎょうできる	ざんぎょうされる	ざんぎょうさせる	19
さんぽしろ	さんぽしよう	さんぽすれば	さんぽできる	さんぽされる	さんぽさせる	11
しさくしろ	しさくしよう	しさくすれば	しさくできる	しさくされる	しさくさせる	43
じしょくしろ	じしょくしよう	じしょくすれば	じしょくできる	じしょくされる	じしょくさせる	41
じっかんしろ	じっかんしよう	じっかんすれば	じっかんできる	じっかんされる	じっかんさせる	44
じつげんしろ	じつげんしよう	じつげんすれば	じつげんできる	じつげんされる	じつげんさせる	41
———	———	しっぱいすれば	———	しっぱいされる	しっぱいさせる	36
しゃくほうしろ	しゃくほうしよう	しゃくほうすれば	しゃくほうできる	しゃくほうされる	しゃくほうさせる	37
———	———	じゅうたいすれば	———	———	じゅうたいさせる	25
シュートしろ	シュートしよう	シュートすれば	シュートできる	シュートされる	シュートさせる	29
しゅっきんしろ	しゅっきんしよう	しゅっきんすれば	しゅっきんできる	しゅっきんされる	しゅっきんさせる	42
しゅつじょうしろ	しゅつじょうしよう	しゅつじょうすれば	しゅつじょうできる	しゅつじょうされる	しゅつじょうさせる	37
しゅっせきしろ	しゅっせきしよう	しゅっせきすれば	しゅっせきできる	しゅっせきされる	しゅっせきさせる	36
しゅっぱつしろ	しゅっぱつしよう	しゅっぱつすれば	しゅっぱつできる	しゅっぱつされる	しゅっぱつさせる	30
しょうかいしろ	しょうかいしよう	しょうかいすれば	しょうかいできる	しょうかいされる	しょうかいさせる	28
しょうちしろ	しょうちしよう	しょうちすれば	しょうちできる	しょうちされる	しょうちさせる	48
しょくじしろ	しょくじしよう	しょくじすれば	しょくじできる	しょくじされる	しょくじさせる	14
しんぱいしろ	しんぱいしよう	しんぱいすれば	しんぱいできる	しんぱいされる	しんぱいさせる	19
スケッチしろ	スケッチしよう	スケッチすれば	スケッチできる	スケッチされる	スケッチさせる	26
せいこうしろ	せいこうしよう	せいこうすれば	せいこうできる	せいこうされる	せいこうさせる	37
せいさんしろ	せいさんしよう	せいさんすれば	せいさんできる	せいさんされる	せいさんさせる	41
せいぞうしろ	せいぞうしよう	せいぞうすれば	せいぞうできる	せいぞうされる	せいぞうさせる	41
せいりしろ	せいりしよう	せいりすれば	せいりできる	せいりされる	せいりさせる	14
せつぞくしろ	せつぞくしよう	せつぞくすれば	せつぞくできる	せつぞくされる	せつぞくさせる	43
せっていしろ	せっていしよう	せっていすれば	せっていできる	せっていされる	せっていさせる	43
セットしろ	セットしよう	セットすれば	セットできる	セットされる	セットさせる	42
せわしろ	せわしよう	せわすれば	せわできる	せわされる	せわさせる	48
せんたくしろ	せんたくしよう	せんたくすれば	せんたくできる	せんたくされる	せんたくさせる	21
せんれんしろ	せんれんしよう	せんれんすれば	せんれんできる	せんれんされる	せんれんさせる	41
そうじしろ	そうじしよう	そうじすれば	そうじできる	そうじされる	そうじさせる	7
そうたいしろ	そうたいしよう	そうたいすれば	そうたいできる	そうたいされる	そうたいさせる	43
そうだんしろ	そうだんしよう	そうだんすれば	そうだんできる	そうだんされる	そうだんさせる	27
そうりつしろ	そうりつしよう	そうりつすれば	そうりつできる	そうりつされる	そうりつさせる	41
そつぎょうしろ	そつぎょうしよう	そつぎょうすれば	そつぎょうできる	そつぎょうされる	そつぎょうさせる	14
たいざいしろ	たいざいしよう	たいざいすれば	たいざいできる	たいざいされる	たいざいさせる	35
たんとうしろ	たんとうしよう	たんとうすれば	たんとうできる	たんとうされる	たんとうさせる	32
チェックインしろ	チェックインしよう	チェックインすれば	チェックインできる	チェックインされる	チェックインさせる	47
チェックしろ	チェックしよう	チェックすれば	チェックできる	チェックされる	チェックさせる	25
ちゅういしろ	ちゅういしよう	ちゅういすれば	ちゅういできる	ちゅういされる	ちゅういさせる	29
ちょきんしろ	ちょきんしよう	ちょきんすれば	ちょきんできる	ちょきんされる	ちょきんさせる	34
ちょっこうしろ	ちょっこうしよう	ちょっこうすれば	ちょっこうできる	ちょっこうされる	ちょっこうさせる	47

	ます形(13)	て形(14)	ない形(19)	基本形(20)	た形(21)
	つまみぐ（つまみ食）いします	つまみぐいして	つまみぐいしない	つまみぐいする	つまみぐいした
	ていあん（提案）します	ていあんして	ていあんしない	ていあんする	ていあんした
	ていしゅつ（提出）します	ていしゅつして	ていしゅつしない	ていしゅつする	ていしゅつした
	てつや（徹夜）します	てつやして	てつやしない	てつやする	てつやした
	てんしょく（転職）します	てんしょくして	てんしょくしない	てんしょくする	てんしょくした
	てんぷ（添付）します	てんぷして	てんぷしない	てんぷする	てんぷした
	とうさん（倒産）します	とうさんして	とうさんしない	とうさんする	とうさんした
	どきどきします	どきどきして	どきどきしない	どきどきする	どきどきした
	にゅういん（入院）します	にゅういんして	にゅういんしない	にゅういんする	にゅういんした
	にゅうがく（入学）します	にゅうがくして	にゅうがくしない	にゅうがくする	にゅうがくした
	にゅうしゃ（入社）します	にゅうしゃして	にゅうしゃしない	にゅうしゃする	にゅうしゃした
	ねぼう（寝坊）します	ねぼうして	ねぼうしない	ねぼうする	ねぼうした
	はいけん（拝見）します	はいけんして	はいけんしない	はいけんする	はいけんした
	はっけん（発見）します	はっけんして	はっけんしない	はっけんする	はっけんした
	はつげん（発言）します	はつげんして	はつげんしない	はつげんする	はつげんした
	はっそう（発送）します	はっそうして	はっそうしない	はっそうする	はっそうした
	はつばい（発売）します	はつばいして	はつばいしない	はつばいする	はつばいした
	はつめい（発明）します	はつめいして	はつめいしない	はつめいする	はつめいした
	はらはらします	はらはらして	はらはらしない	はらはらする	はらはらした
	パンクします	パンクして	パンクしない	パンクする	パンクした
三	びっくりします	びっくりして	びっくりしない	びっくりする	びっくりした
类	ふきゅう（普及）します	ふきゅうして	ふきゅうしない	ふきゅうする	ふきゅうした
动	ふくしょう（復習）します	ふくしょうして	ふくしょうしない	ふくしょうする	ふくしょうした
词	フリーズします	フリーズして	フリーズしない	フリーズする	フリーズした
	べんきょう（勉強）します	べんきょうして	べんきょうしない	べんきょうする	べんきょうした
	ほうこく（報告）します	ほうこくして	ほうこくしない	ほうこくする	ほうこくした
	ほうそう（放送）します	ほうそうして	ほうそうしない	ほうそうする	ほうそうした
	ほうもん（訪問）します	ほうもんして	ほうもんしない	ほうもんする	ほうもんした
	ほぞん（保存）します	ほぞんして	ほぞんしない	ほぞんする	ほぞんした
	ぼんやりします	ぼんやりして	ぼんやりしない	ぼんやりする	ぼんやりした
	やくそく（約束）します	やくそくして	やくそくしない	やくそくする	やくそくした
	やけど（火傷）します	やけどして	やけどしない	やけどする	やけどした
	ゆうしょう（優勝）します	ゆうしょうして	ゆうしょうしない	ゆうしょうする	ゆうしょうした
	ゆにゅう（輸入）します	ゆにゅうして	ゆにゅうしない	ゆにゅうする	ゆにゅうした
	ようい（用意）します	よういして	よういしない	よういする	よういした
	よやく（予約）します	よやくして	よやくしない	よやくする	よやくした
	ライトアップします	ライトアップして	ライトアップしない	ライトアップする	ライトアップした
	りかい（理解）します	りかいして	りかいしない	りかいする	りかいした
	りゅうがく（留学）します	りゅうがくして	りゅうがくしない	りゅうがくする	りゅうがくした
	りゅうこう（流行）します	りゅうこうして	りゅうこうしない	りゅうこうする	りゅうこうした
	りよう（利用）します	りようして	りようしない	りようする	りようした
	れんしゅう（練習）します	れんしゅうして	れんしゅうしない	れんしゅうする	れんしゅうした
	れんらく（連絡）します	れんらくして	れんらくしない	れんらくする	れんらくした
	わくわくします	わくわくして	わくわくしない	わくわくする	わくわくした

命令形(29)	意志形(30)	ば形(37)	可能形式(38)	被动形式(41)	使役形式(43)	课次
つまみぐいしろ	つまみぐいしよう	つまみぐいすれば	つまみぐいできる	つまみぐいされる	つまみぐいさせる	37
ていあんしろ	ていあんしよう	ていあんすれば	ていあんできる	ていあんされる	ていあんさせる	43
ていしゅつしろ	ていしゅつしよう	ていしゅつすれば	ていしゅつできる	ていしゅつされる	ていしゅつさせる	29
てつやしろ	てつやしよう	てつやすれば	てつやできる	てつやされる	てつやさせる	38
てんしょくしろ	てんしょくしよう	てんしょくすれば	てんしょくできる	てんしょくされる	てんしょくさせる	30
てんぷしろ	てんぷしよう	てんぷすれば	てんぷできる	てんぷされる	てんぷさせる	43
とうさんしろ	——	とうさんすれば	——	とうさんされる	とうさんさせる	25
——	——	どきどきすれば	——	どきどきされる	どきどきさせる	31
にゅういんしろ	にゅういんしよう	にゅういんすれば	にゅういんできる	にゅういんされる	にゅういんさせる	32
にゅうがくしろ	にゅうがくしよう	にゅうがくすれば	にゅうがくできる	にゅうがくされる	にゅうがくさせる	32
にゅうしゃしろ	にゅうしゃしよう	にゅうしゃすれば	にゅうしゃできる	にゅうしゃされる	にゅうしゃさせる	40
ねぼうしろ	ねぼうしよう	ねぼうすれば	ねぼうできる	ねぼうされる	ねぼうさせる	24
はいけんしろ	はいけんしよう	はいけんすれば	はいけんできる	はいけんされる	はいけんさせる	48
はっけんしろ	はっけんしよう	はっけんすれば	はっけんできる	はっけんされる	はっけんさせる	41
はつげんしろ	はつげんしよう	はつげんすれば	はつげんできる	はつげんされる	はつげんさせる	26
はっそうしろ	はっそうしよう	はっそうすれば	はっそうできる	はっそうされる	はっそうさせる	46
はつばいしろ	はつばいしよう	はつばいすれば	はつばいできる	はつばいされる	はつばいさせる	41
はつめいしろ	はつめいしよう	はつめいすれば	はつめいできる	はつめいされる	はつめいさせる	41
——	——	はらはらすれば	——	はらはらされる	はらはらさせる	31
——	——	パンクすれば	——	——	パンクさせる	30
——	——	びっくりすれば	——	びっくりされる	びっくりさせる	31
ふきゅうしろ	ふきゅうしよう	ふきゅうすれば	ふきゅうできる	ふきゅうされる	ふきゅうさせる	45
ふくしょうしろ	ふくしょうしよう	ふくしょうすれば	ふくしょうできる	ふくしょうされる	ふくしょうさせる	37
——	——	フリーズすれば	——	フリーズされる	フリーズさせる	31
べんきょうしろ	べんきょうしよう	べんきょうすれば	べんきょうできる	べんきょうされる	べんきょうさせる	5
ほうこくしろ	ほうこくしよう	ほうこくすれば	ほうこくできる	ほうこくされる	ほうこくさせる	21
ほうそうしろ	ほうそうしよう	ほうそうすれば	ほうそうできる	ほうそうされる	ほうそうさせる	41
ほうもんしろ	ほうもんしよう	ほうもんすれば	ほうもんできる	ほうもんされる	ほうもんさせる	34
ほぞんしろ	ほぞんしよう	ほぞんすれば	ほぞんできる	ほぞんされる	ほぞんさせる	43
——	——	ぼんやりすれば	——	ぼんやりされる	ぼんやりさせる	35
やくそくしろ	やくそくしよう	やくそくすれば	やくそくできる	やくそくされる	やくそくさせる	26
やけどしろ	——	やけどすれば	やけどできる	やけどされる	やけどさせる	38
ゆうしょうしろ	ゆうしょうしよう	ゆうしょうすれば	ゆうしょうできる	ゆうしょうされる	ゆうしょうさせる	26
ゆにゅうしろ	ゆにゅうしよう	ゆにゅうすれば	ゆにゅうできる	ゆにゅうされる	ゆにゅうさせる	39
よういしろ	よういしよう	よういすれば	よういできる	よういされる	よういさせる	34
よやくしろ	よやくしよう	よやくすれば	よやくできる	よやくされる	よやくさせる	21
ライトアップしろ	ライトアップしよう	ライトアップすれば	ライトアップできる	ライトアップされる	ライトアップさせる	45
りかいしろ	りかいしよう	りかいすれば	りかいできる	りかいされる	りかいさせる	43
りゅうがくしろ	りゅうがくしよう	りゅうがくすれば	りゅうがくできる	りゅうがくされる	りゅうがくさせる	32
——	——	りゅうこうすれば	——	——	りゅうこうさせる	32
りょうしろ	りょうしよう	りょうすれば	りょうできる	りょうされる	りょうさせる	27
れんしゅうしろ	れんしゅうしよう	れんしゅうすれば	れんしゅうできる	れんしゅうされる	れんしゅうさせる	16
れんらくしろ	れんらくしよう	れんらくすれば	れんらくできる	れんらくされる	れんらくさせる	17
——	——	わくわくすれば	——	わくわくされる	わくわくさせる	31

V．句型、表达索引

◆　为便于检索，把重点句型按日语五十音顺序排列。
◆　右侧的数字表示课次。

VI. 总词汇表

◆　单词右侧的数字表示初次出现的课次。

◆　当只用数字表示时，该单词为课文中出现的生词。数字右侧加※时表示该单词是讲解或练习中出现的生词，右侧加▼时则表示该单词是"关联词语"。

◆　"关联词语"也标出了该单词在课文、练习以及讲解中初次出现的课次。

◆　上卷的关联词语，在下卷的课文、讲解、练习中出现时再次作为单词列出并标出课次。

あ　ア	
相変わらず	33※
あいさつ	26
あいさつ回り	26※
合う	34※
赤字	27▼
赤ちゃん	38※
上がる	32※
明るさ	46※
秋	30
阿Q正伝	41※
空く	35※
握手	26※
アクション映画	38▼
アクセス	45※
挙げる	26
揚げる	36
アコーディオン	40▼
あこがれ	45※
朝顔	34▼
アジサイ	34▼
預かる	42
預ける	34※
明日（あす）	48※
アスパラガス	36▼
汗	44※
温める	43※
当たる	35※
あちこち／あっちこっち	34※
厚い	43※
暑さ	44
厚さ	44※
＠（アットマーク）	43▼
集まる	27※

あと〜	35※
アドレス	43▼
アニメ	38▼, 44※
姉	27※
油	36▼
甘さ	44
雨宿りする	45
謝る	29※
アラーム	42※
嵐	41※
アルバイト	27,　47▼
アルファベット	43※
暗記する	43※
アンズ	36▼
安全ベルト	46▼
案内状	48※
案内する	28
案内役	43※

い　イ	
Ｅメール	43▼
言うまでもなく	43※
医学	38▼
いかにも	46
行き	27※
行き先	42※
生きる	31※
いけない	26※
意見	46※
以降	31
いじめる	41※
〜以上	37
意地悪	31▼
遺跡	41※
以前	45※

開発する	41	かぶる〈帽子を〉	33※
会費	26※	カボチャ	36▼
飼う	33※	かむ	41
カエデ	34▼	通う	27
帰り	34※	空（から）	33
化学	38▼	柄	46
係	28※	カラシ	36▼
係長	47▼	ガラス	43※
掛かる〈絵が〉	33※	カリフラワー	36▼
かかる〈霧が〉	39※	火力発電	45▼
かかる〈かぎが〉	45※	軽い物	45※
カキ	33※, 36▼	彼	30※
かく〈汗を〉	44※	カレーライス	34
家具	28※	枯れる	46※
核廃棄物	45▼	カレンダー	34
学部	38▼	過労	27▼
かける〈迷惑を〉	29※	川	37※
掛ける〈カレンダーを〉	34	乾く	43※
かける〈かぎを〉	38※	変わった	29※
かける〈眼鏡を〉	39	変わる	29※
かける〈目覚ましを〉	42	考え	43※
カササギ	29※	換気	42※
飾る	34※	観客	42※
火事	29▼	環境破壊	45▼
家事	46※	環境保護	45▼
貸し切り	39※	環境ホルモン	45▼
〜かしら　［助詞］	33※	歓迎する	34
ガス	45▼	頑固	31▼
カスタネット	40▼	観光スポット	37
風	26※	関西弁	36※
稼ぐ	34※	換算する	37
ガソリン	45▼	漢字	29※
硬い	43※	感じ	43
カタログ	35※	患者	30※
勝つ	38※	感じる	38
カツオ節	36▼	完成する	40※
がっかりする	31▼	完全	35※
楽器	40▼	簡単に	31▼
活発	31▼	監督	43※
加藤　［姓］	26※	乾杯する	35
悲しい	31▼, 36※	干ばつ	29▼
かなり	44※	頑張る	29※
彼女	32※	看病する	27※
カブ	36▼	管理する	41
歌舞伎役者	46※	管理費	28▼

日本食	38※	倍	44※
日本文化	36※	灰色	39▼
入院する	32※	バイオリン	40▼
入園料	27	排気ガス	45▼
入学案内	48※	拝見する	48
入学する	32	灰皿	30※
入国	46▼	ハイジャック	29▼
入国審査	46▼	パイナップル	36▼
入社する	40※	入る〈会社に〉	25※
入場券	40※	入る〈電源が〉	31
ニュートン　［人名］	41※	〜ばかり　［助詞］	36
ニューヨーク　［地名］	39▼	量り売り	36※
似る	45※	図る	41
人間	31※	吐き気	46※
ニンジン	36▼	はく〈ズボンを〉	33※
ぬ　ヌ		はく〈サンダルを〉	33※
盗む	41※	〜泊	33▼
ぬれる	36※	パク　［姓］	30※
ね　ネ		白菜	36▼
根	34▼	白鳥	31※
ネーミング	41※	爆発	29▼
ネックレス	28※	派遣社員	47▼
ネットサーフィン	43▼	はさみ	27※
眠る	36※	初め	46※
年々	45※	走る	25※
の　ノ		恥ずかしい	31▼, 44※
農学	38▼	バスケットボール	27※
ノーベル　［人名］	41※	ハスの花	34▼
残る	34※	発音	28※
のぞみ	44※	バック	39
〜ので　［助詞］	30	バッグ	34※
〜のに　［助詞］	42	パックツアー	46▼
延ばす	46※	発見する	41※
乗り換え	43	発言する	26※
乗り換える	32※	発送する	46
乗り物	44※	八達嶺	37
は　ハ		発売する	41
〜ば　［助詞］	37	発表会	34※
歯	30※	発明する	41※
葉	34, 35※	パトカー	44※
場合	29※	花束	34※
バーゲン	26※	パパイヤ	36▼
ハードスケジュール	34※	幅広い	41
ハープ	40▼	速さ	44※
ハーモニカ	40▼	はらはらする	31▼

Ⅶ. 关联词语范畴一览表

范　　畴	课次
位置	25
公司经常使用的寒暄用语	26
与公司有关的说法	27
关于房地产的用语	28
自然灾害、事故、事件	29
表示性格和情绪的词	31
形容词的副词性用法	31
表示单位的词	32
行政、居住区划用语	32
宾馆	33
关于植物	34
粮食、蔬菜、水果	36
调料	36
专业领域	38
音乐和电影	38
颜色	39
有关中国的词语	39
外国的主要城市	39
有关乐器的词语	40
计算机用语	43
环境、能源	45
旅行	46
职务、岗位	47

Ⅷ. 专栏日语译文

第25课　高速道路と「ＳＡ」（高速公路和"ＳＡ"）

　　日本は高速道路網が発達しています。高速道路はすべて有料で，全国に 50 以上あります。高速道路の 1 日あたりの平均通行台数は，2004 年 2 月のデータによれば，全国でおよそ 380 万台です。

　　このうち，1 日の通行台数が 20 万台以上の高速道路は 5 つあります。「東名高速道路」「名神高速道路」「中央高速道路」「東北自動車道」「東名阪高速道路」ですが，中でも「東名高速道路」は 40 万台を超え，1 日の平均通行台数が最も多い高速道路として知られています。「東名高速道路」は「東京」と「小牧（愛知県）」を結ぶ全長約 350km の高速道路ですが，「小牧」が「名古屋」の近くにあるため，「東京」と「名古屋」の 1 文字ずつを取って「東名」と呼ばれています。

　　高速道路は長距離の移動に利用されることが多いので，どの高速道路にもたいてい「SA（サービスエリア）」や「PA（パーキングエリア）」が設けられています。どちらも駐車場，トイレ，売店などを備えた休憩場で，長距離運転や渋滞で疲れた時，あるいはトイレへ行きたい時などにはいつでも利用できます。普通，「SA」のほうが駐車場が大きく，中にはレストランや給油所の施設を備えている場合もあります。さらに，宿泊施設，コインランドリー，ATM（現金自動預払機）の施設が備えられている「SA」もあって，サービス機能は一層高まっています。

第26课　あいさつ回り（寒暄拜访）

　　日本の企業では，「あいさつ回り」という活動が営業行為の一環として盛んに行われます。文字通り，「取引先の間をあいさつして回る」ということですが，この活動はどの企業にとっても重要な意味があります。

　　欧米と違い，日本は今でも「義理人情」が通じる社会であると言われ，「あいさつ回り」は人事異動などによって担当者が交代した時などに活発に行われます。日本では，新旧の担当者が得意先に出向いて，前任者が後任者を紹介して業務を引き継ぐという光景がよく見られます。年末年始なども「あいさつ回り」が盛んになる時期ですが，本来，「あいさつ回り」は日常的な営業活動で，発注や受注などの具体的な取引が発生しない時も，取引先との信頼関係を維持するために定期的に行われるものです。

　　また，「あいさつ回り」の際にはよく名刺交換を行います。名刺交換をする時は，立って行うのが常識ですが，名刺は腰の上から胸の高さまで上げ，相手が読みやすい向きに差し出すなど，ちょっとしたマナーがあります。

第27课　シルバー世代（银发族）

　　一定の年齢で退職をする「定年退職」のことを省略して「定年」と言います。少子高齢化が進む日本では，「定年後」が 1 つのキーワードとして注目を浴びるようになってきました。定年後も子供といっしょに暮らすという状況が一般的でなくなった現在では，定年後の生き方が見直されています。

　　60 歳以上の人は「シルバー世代」と呼ばれますが，こうした「シルバー世代」の人たちの生活スタイルは多種多様です。定年後も，定年前と同じ会社と雇用関係を結んだり，あるいは定年前とは違った新たな分野に働き場を求めたりします。このように定年後も一定の仕事に就こうとする人たちがいる一方で，定年後は趣味など仕事以外に生きがいを求めるという人もたくさんいます。

テニス，ゴルフ，ゲートボールなど様々なスポーツ，写真，囲碁，将棋，絵画，陶芸，盆栽，踊り，カラオケなど，趣味の種類は枚挙にいとまがありませんが，「シルバー世代」の人たちが趣味を持つ最大の理由は，同じ趣味を通して多くの人との交流を図ることだと言われます。夫婦2人だけの生活になりがちな「シルバー世代」にとって，定期的に趣味仲間と交流する時間を持つことは，心身ともに充実した老後を送るために，欠かすことのできない楽しみになっているのです。

また，消費能力の高い「シルバー世代」向けの商品も数多く開発されています。旅行などはその典型です。例えば「豪華客船による世界1周の旅」とか，「専用列車で行く日本全国温泉めぐり」などといったツアー商品は，比較的時間があって経済的にも余裕のある「シルバー世代」の人たちには好評のようです。

第28課 日本の引っ越し（搬家在日本）

日本の学校の学年や国の会計年度などは4月に始まります。そのため日本では，3月から4月にかけて転勤や就職のために引っ越しをする光景がよく見かけられます。いつの時代も引っ越しは一大イベントですが，最近は，引っ越しの専門業者が多くなったうえ，様々なサービスも提供されているので，引っ越しが手軽に行えるようになりました。以前は，荷物の梱包からトラックの手配まで，ほとんどすべてのことを当事者が行わなければなりませんでしたが，現在では，引っ越し業者に頼めば，必要な手続きのほとんどは当事者自ら行う必要はありません。

便利なのは，利用者が自分のニーズに合ったサービスを選べるという点です。まず，引っ越す当事者が独身か，家族持ちかによって料金設定が異なります。当然，荷物の少ない独身者は安い料金設定が選べます。次に，どの作業までを引っ越し業者に頼むかによって料金が異なってきます。例えば，荷物の箱詰めは自分でやり，それ以外の搬入・搬出と移動を業者に依頼するケース，あるいは箱詰めも自分では行わず，一切合切の作業を業者に任せるというケースも考えられます。当然，業者に依頼する作業が多いほど料金も高くなります。箱詰めはもちろん，搬入と搬出も自分で行い，移動だけを業者に頼むということもできます。最も費用が節約できるケースです。また，様々なオプションもあり，別料金で，マイカーやピアノの移動，エアコンの脱着，転居はがきの印刷などのサービスを頼むこともできます。

ほとんどの業者が24時間365日営業で，料金設定から作業プランまで利用者の様々な要望に応えてくれるので，利用者本位の引っ越しができます。

第29課 カラオケボックス（卡拉ＯＫ包厢）

「カラオケ」は，日本でも中国でも，老若男女を問わず，最も人気のある娯楽の1つです。「カラオケ」は本来，放送業界の用語で，「カラ」は「空」，「オケ」は「オーケストラ」の略と言われ，歌手の歌とオーケストラの演奏の両方が録音されているものに対して，歌の録音されていないオーケストラの演奏だけのものを指します。

日本の飲食店やスナックなどにカラオケの設備が登場したのは1970年代ですが，その当時は，客へのサービスの1つとして設けられていて，飲酒といっしょに楽しむというのが主流でした。その後，カラオケの人気が上昇するにつれて，飲酒とは関係なくカラオケを楽しみたいという需要も高まってきました。そんな中で生まれたのが「カラオケボックス」ですが，1985年に登場して以来急速に普及しました。独立性の高い空間でカラオケを楽しむことを目的とした娯楽施設ですので，そのほとんどがカラオケ機器以外はテーブルとソファが置かれただけのシンプルな個室です。社会人や学生の懇親会の後の2次会の場，あるいはデートや友達同士の遊びの場として利用されることが多い反面，中には歌の練習をするために，1人でカラオケボックスを利用するという人もいます。

附　録

第30課　花見（观赏樱花）

　日本では3月ぐらいになると，天気予報とともに，桜の開花予想が発表されるようになります。よく「桜前線」という言葉が使われますが，これは「染井吉野」という品種の開花時期が同じ地点を結んだ線が，天気図の前線に似ているために名付けられたものです。南北に長い日本列島では，桜前線は3月から5月にかけて北上します。暖かい沖縄では2月末ごろから開花し始め，北に位置する北海道ではだいたい5月初めが開花の時期です。

　桜は日本の国花で，「花見」「花吹雪」などの場合の「花」はすべて「桜」のことです。桜の艶やかに咲き誇った姿に，日本人は春の訪れを感じ，なんとなくうきうきした気分にさせられます。また，満開の桜が風で散る「花吹雪」の光景に言い知れぬ風流を感じる日本人も多いようです。

　桜前線の北上とともに，日本各地で「花見」が催されるようになり，桜の名所と呼ばれる場所には大勢の花見客が押し寄せます。東京の花見スポットとして有名な上野公園には1,000本以上の桜の木があり，例年の人出は180万人に上ります。

　花見スポットでは，職場やサークルなどの一団が飲んだり食べたりしている光景をよく見かけます。桜の木の下にシートを敷いて，その上で車座になって，ちょっとした宴会を繰り広げるのですが，これは日本の春の恒例行事と言えるでしょう。こうした花見で最も苦労するのは場所取りですが，新入社員や若手の任務とされることが多く，その任務を命じられた人たちは集合時間の何時間も前に会場へ出向いて，絶好のスポットを確保しておかなければなりません。場所取り合戦も花見で見かけられる光景の1つです。

第31課　フィットネスクラブ（健身倶乐部）

　「スポーツセンター」は，各種のスポーツができるように造られた総合施設で，プールや体育館，ゴルフの練習場，テニスコート，運動場など，様々なスポーツ施設が集められています。使用料を払えば，だれでも利用することができます。スポーツセンターの中には，宿泊施設やレストラン，会議場を備えているところもあり，研修会や会議などの会場として多目的な利用も可能です。

　デスクワークが多く，運動不足になりがちなサラリーマンの間では，「フィットネスクラブ」に人気があります。たいていジム，スタジオ，プールなどがあり，ジムではトレーニングマシンで筋力をつけ，スタジオではエクササイズやヨガなどをし，プールでは泳いだり歩いたりして体力をつけ，健康維持を図ります。インストラクターが常駐していますので，個人に合った体力づくり・健康維持のためのトレーニングをサポートしてくれます。

　フィットネスクラブは「スポーツクラブ」「スポーツジム」とも言い，会員制であることが特徴です。入会金と月会費が必要ですが，基本的には何回利用しても，その都度料金を払う必要はありません。いつでも利用できる会員のほかに，土曜・日曜・祝日以外の日だけ利用できる会員や，午前中だけ利用できる会員，昼から夕方まで利用できる会員，夜のみ利用できる会員というように，曜日や時間帯で利用時間を区分する会員もあり，その分会費が安くなります。個人経営のフィットネスクラブもありますが，ほとんどが大企業の経営によるものです。

第32課　「ハッピーマンデー法」（"快乐星期一法"）

　日本には4月末から5月初めにかけて「ゴールデンウィーク」と呼ばれる大型連休があります。この語源は，かつて映画が大衆の娯楽として人気があったころ，5月の連休中の集客数が1年のうちで最も多かったため，映画業界が呼び始めたことによると言われています。

　2000年には「ハッピーマンデー法」が施行され，「成人の日」は1月15日から1月の第2月曜日，「体育の日」は10月10日から10月の第2月曜日に変更されました。それ以前，週休2日の人は，

祝日が土曜日と重なると休みが1日減ってしまいましたが，「ハッピーマンデー法」のおかげで3連休が保障されるようになりました。2003年からは，7月20日であった「海の日」が7月の第3月曜日に，9月15日であった「敬老の日」が9月の第3月曜日に変更され，週休2日の人は年間4回の3連休が確保されました。

　なお，ほとんどのカレンダーは日曜日から始まっていますが，1週間の初めの日が日曜日であるとは必ずしも言えないようです。「週末」は土曜日（あるいは金曜日）から日曜日にかけてを指し，「週明け」は普通月曜日のことです。したがって，「今週の日曜日」や「来週の日曜日」という紛らわしい言い方を避けるため，「次の日曜日」とか「前の日曜日」という言い方が使われることもあります。

第33課　飛行機の旅あれこれ（乘飞机旅行）

　飛行機の旅で注意しなければならないのは，「エコノミークラス症候群」と呼ばれる病気です。「エコノミークラス」とは飛行機の普通席のことです。長時間狭い座席に座っていると，足の静脈に血栓ができ，その血栓が肺に詰まってやがて呼吸困難や心肺停止などの症状を招き，ひどい場合には飛行機から降りた直後に倒れることもあります。予防のためには，水分を十分とり，適度に足を動かすことが必要だと言われています。

　飛行機の旅の楽しみは「マイレージ」を貯めることだと言う人がいます。「マイレージ mileage」とは，航空会社が自社便を繰り返して利用してくれる乗客に対して行っているサービスで，搭乗した飛行距離の累計（マイル数）に応じて，無料で航空券などを提供するというものです。例えば，成田－北京間は1,313マイル（1mile＝1.609km）ですので，1往復すれば2,626マイレージになります。20,000マイレージためれば成田—北京間のエコノミークラスの往復航空券と交換できます。

第34課　日本でよく見る中国伝来の食べ物（日本最常见的中国饭菜）

　日本には中国からいろいろな食べ物が伝わっています。日本に伝わった中国の食べ物は日本人の味覚に合わせて味付けなどが微妙に変えられ，日本の食文化の中にすっかり定着しています。

　日本でよく見る中国伝来の食べ物の中で代表的なのは「餃子」です。老若男女を問わず人気のある食べ物で，最も日本に根付いたものと言えるでしょう。ただし，日本で「餃子」と言えば普通"锅贴"のことです。「水餃子」もありますが，"锅贴"のほうが一般的で，よく家庭でも作られます。中国料理店では定番のメニューですが，仕事帰りのサラリーマンが「餃子」を食べながらビールで1日の疲れを癒すという光景も珍しくありません。「ラーメン」も元々中国の食べ物でしたが，今ではすっかり日本独特の食べ物に変容してしまい，見た目も味もまったく異なります。ラーメン専門店が乱立してしのぎを削るほどで，日本の食文化を象徴する食べ物になっています。「チャーハン（炒饭）」もまた人気があり，中国料理店だけでなく，家庭でも残ったご飯を利用してよく作られます。

第35課　日本の乾杯（干杯在日本）

　日本では，結婚式や歓送迎会など，様々な場面で「乾杯」をする機会がありますが，中国の「干杯」とはちょっと異なります。

　例えば，結婚式の披露宴では必ず式次第の中に「乾杯」のセレモニーが設けられています。一般に，新郎あるいは新婦の主賓の1人が指名されて乾杯の音頭を取りますが，指名された主賓は，乾杯の発声をする前に一言あいさつをします。その間，披露宴の参会者のグラスにはシャンパンやビールが注がれ，乾杯の用意が整います。参会者はグラスを片手に立って，乾杯の合図を待ちます。「乾杯」の音頭が発せられると，参会者は全員グラスを掲げて「カンパーイ！」と唱和し，グラスのお酒を飲みます。ただし，この時，グラスのお酒を飲み干す必要はなく，グラスに口をつけるだけでも構いません。そ

して，お酒を飲んだら，グラスをテーブルに置いて，みんなで拍手をします。

　また，このような形の乾杯は日本ではたいてい1回だけです。何度も乾杯をするという場面は，日本の忘年会や厚生旅行など職場の宴会などでたまに見られますが，たいていは乾杯と称して上司が部下に飲酒を強要することが多いようです。最近では，こうした行為は「アルハラ」と見なされ，社会問題になっています。

第36課　「築地市場」（"筑地市场"）

　日本で最も有名な市場の1つに「築地市場」があります。正式には「東京都中央卸売市場築地市場」と言います。1935年の開設以来，「都民の食卓を支える市場」として親しまれてきました。水産物については世界最大の規模を誇ります。「築地市場」は24時間フル稼働です。夕方から夜中にかけて，魚介類を積んだトラックが全国各地から続々と市場に集まってきます。1日に市場を往来する車両の数は優に30,000台を超えます。午前5時ごろからは「競り」と呼ばれる取引が始まり，最高値をつけた人が品物を手に入れます。市場内にある店舗では，「競り」で獲得された品物が小売されます。朝8時ごろになると，町の魚屋さんや料理屋さんなどが買い出しに訪れます。午後1時ごろにはほとんどの店は閉まり，清掃作業など，夕方の荷を受け入れる準備が始められます。

　日本語の「市場」には「いちば」と「しじょう」の2通りの読み方がありますが，「いちば」と読む場合は，実際に人々が日常の買い物をする場所を表すのに対し，「しじょう」と読む場合は，「いちば」と同じ意味を表すほか，経済学の用語として株式の取引をする場所，及び商品の売買が行われる広い範囲を表します。

第37課　日本の世界遺産（日本的世界遗产）

　「世界遺産」には，「自然遺産」と「文化遺産」があり，日本にも12の「世界遺産」（2004年7月現在）があります。そのうち，自然遺産は2つ，文化遺産は10です。

　自然遺産は「白神山地」（青森県・秋田県）と「屋久島」（鹿児島県）で，「白神山地」は2県にまたがるブナの原生林，「屋久島」は樹齢7,200年と言われる屋久杉で有名です。

　文化遺産では，「法隆寺地域の仏教建造物」（奈良県）が「法隆寺」の五重塔を始めとする世界最古の木造建築群として，また，「姫路城」（兵庫県）は現存する日本の城郭建築の最高傑作と言われています。周辺の風致景観が保護されている京都の寺社や城など17件から成る「古都京都の文化財」（京都府），「合掌造り」と呼ばれる豪雪地帯独特の民家形式で有名な「白川郷・五箇山の合掌造り集落」（岐阜県・富山県），人類初の原爆による惨禍を伝える「原爆ドーム」（広島県）もあります。広島県には，そのほか「厳島神社」という潮の干満を利用して設計された神社もあります。「古都奈良の文化財」（奈良県）は「東大寺」や「唐招提寺」などの社寺や遺跡群8件から成り，「日光の社寺」（栃木県）は「日光東照宮」など103棟の建造物群から成る文化遺産です。

　新しいものでは，「琉球王国のグスク及び関連遺産群」（沖縄県）と「紀伊山地の霊場と参詣道」（三重県・奈良県・和歌山県）があります。「グスク」は沖縄の言葉で「城」を表します。

第38課　東京の地名（东京的地名）

　都会の市街地を「下町」と「山の手」と呼び分けることがあります。「下町」は，都市の中で土地が低くて商工業が盛んな地域を言いますが，「山の手」は高台の住宅地を指します。東京でこの呼び名が用いられるようになったのは第2次大戦以降のことです。旧江戸城（現在の皇居）を中心にして，東京湾寄りの東方面が「下町」で，現在の「上野」から「品川」にかけての一帯です。西方面の一部が「山の手」で，現在の「青山」「六本木」「白金」辺りです。

江戸時代の名残は東京の地名にもあります。1960年代以降の都市開発によって，東京からも古い町並みはだいぶ姿を消してしまいましたが，近代的な景観とはミスマッチとも思われる地名は今でもそのまま使われています。例えば，新宿区には「箪笥町」「納戸町」「細工町」がありますが，武器弾薬の管理，出納の管理，調度品の管理といった，いずれも江戸時代の幕府役人の屋敷があったことに由来します。

なお，東京で最も有名なスポットの1つ「歌舞伎町」は，第2次大戦後，その一角に歌舞伎劇場を誘致しようとして実現せず，地名だけが残ったものです。

「〜町」は「まち」と「ちょう」の2通りの読み方がありますが，普通，幕府の役人など武士の住んでいた土地は「〜町」と呼び，町人のそれは「〜町」と呼びます。

第39課 日本人の好きな中国映画（日本人喜欢的中国电影）

1980年代ごろから，日本では盛んに中国映画が公開されるようになりました。1987年には『ラストエンペラー』という映画が公開されました。中国映画ファンでない日本人でも一度は観たことがあるのではないでしょうか。この映画が日本人に人気があった理由の1つは，ロケーション撮影が紫禁城で行われたからです。紫禁城という舞台の大きさ，数万人に及ぶエキストラ，リアルな宮廷衣装の再現など，とても迫力のある映画です。

また，『紅いコーリャン』（1987年）は，1920年代の農村を舞台にした作品ですが，赤い夕日に全体が染まるラストシーンは特に印象的で，日本で中国映画のファンが急増するきっかけになった作品と言えます。

1990年代以降は，『あの子を探して』（1999年），『山の郵便配達』（1999年），『初恋のきた道』（2000年），『北京ヴァイオリン』（2002年）など，普通の人の日常生活と人間関係を描いた作品が数多く日本にも紹介され，山村や田園などの美しい自然風景を織り交ぜた映像は日本の映画ファンにとても強い印象を与えました。

第40課 歌舞伎（歌舞伎）

歌舞伎は日本を代表する伝統芸能の1つです。中国の京劇と同じように，音楽と舞踊を中心に台詞，歌，立ち回りなどによって構成された総合的な舞台芸術です。歌舞伎は，17世紀初頭に「出雲の阿国」という女性が当時の風俗をたくみに演じ，絶大な人気を博したことに始まります。しかし，その後の変遷を経て，歌舞伎はすべて男性が演じ，女性の役でも「女方」と呼ばれる男優が演じるようになり，現在に至っています。

歌舞伎俳優は，「市川團十郎」「尾上菊五郎」などのように，一般に「名跡」と呼ばれる芸名を代々世襲します。また，「名跡」とは別に「屋号」を持っています。例えば，「市川團十郎」の屋号は「成田屋」，「尾上菊五郎」の屋号は「音羽屋」で，観客はここぞという場面で贔屓の俳優に「屋号」を呼びかけ，その芸を称えます。

歌舞伎の演目には「荒事」と「和事」という分け方があります。「荒事」は英雄豪傑を主人公にした演目で，誇張したアクションが特徴的です。京劇にも見られるように，主な俳優の顔には「隈取」という化粧法によって赤や青の太い縞が描かれ，赤い縞は善を，青い縞は悪を表しています。一方，「和事」は頼りない色男を主人公にした恋愛劇を情緒豊かに描いた演目で，より写実的に演じられるのが普通です。

第42課 バイク便（摩托快递）

宅配便の発達によって，書類や荷物のやり取りはたいへん便利になりました。今や，今日出した荷

物が明日には相手先に届くのは当たり前です。タイムサービスもあり，一般に午後7時までに受付を済ませれば，翌朝の10時までに荷物を届けることができます。ただし，エリアは限定される場合があります。また，配送日の指定はもちろん，午後の時間帯なら2時間単位で配送時間を指定することもできます。受取人の都合に合わせた利用が可能になりました。

　会社同士のやり取りでは，メールで添付できないような書類や荷物も，その日のうちに送りたい（受け取りたい）というケースもあります。そんなケースに対応するために登場したのが「バイク便」です。「即配便」とも言い，オートバイの機動性を駆使して荷物を配達するサービスですが，「都内や近県なら集荷から配達まで60分以内」というのが謳い文句です。

　宅配便は基本的に荷物の大きさや重さで料金が異なりますが，バイク便の場合，料金は距離によって異なります。集荷先と配達先の地図上の直線距離によって算出され，例えば，2kmで2,000円を基本とした場合，1km増えるごとに300円ずつ加算されていきます。また，バイク便は荷物の大きさや重さに制限があり，重さはだいたい20kgまでです。

第45課 リニアモーターカー（磁悬浮列车）

　リニアモーターカーは，21世紀の超高速輸送システムとして期待が高まっている超電導磁気浮上式鉄道で，磁石の反発力を利用して車体を軌道から10cmほど浮上させて走行し，時速500kmという高速を出すことができます。

　日本では新幹線網が発達していますが，このようなリニアモーターカーを利用した「リニア中央新幹線」と呼ばれる「もう一つの新幹線」網の整備企画が進められています。日本の2大都市である東京と大阪は約550km離れていますが，現在，東海道新幹線「のぞみ」で約2時間半かかるこの区間を約1時間で結ぼうというもので，「リニア中央新幹線」の導入によって，東京と大阪，およびその中間に位置する名古屋を拠点としたメガロポリスが構築されるものと考えられています。

　日本は地震や台風などの災害に見舞われやすい自然環境にあるため，新幹線網を中心とする交通ネットワークが大災害によって寸断される心配があります。特に，沿海部を走る東海道新幹線は全長の3分の1以上が「地震防災対策強化地域」に指定されており，自然災害の直撃を受ける可能性が懸念されています。そこで，「リニア中央新幹線」構想では，起点の東京から終点の大阪まで，神奈川，山梨，長野，岐阜，愛知，三重，奈良を経路とした内陸部を中心に新たな大動脈を築く計画で，自然災害を受けにくくするとともに，より広い地域を高速交通網に組み入れることを考えています。

第46課 東京のお薦め観光スポット（东京的旅游景点）

　ここでは，日本へ観光に訪れる人たちに，東京で，最近お薦めの観光スポットをいくつか紹介しましょう。

　まず，「都庁」です。これは地上48階建てのビルですが，45階（202m）の展望室からは東京を一望できます。見通しがいい時には，富士山を見ることもできます。

　次に，「両国国技館」です。ここでは「大相撲」が年3回（1,5,9月）開かれ，開催期間中は毎日大勢の人が観戦に訪れます。

　最近建設された「六本木ヒルズ」や「丸ビル」は，OLを始めとする若い世代の人たちに人気のスポットです。お洒落なレストランやブティックなどが立ち並び，デートや買い物には最適です。

　伝統的なにぎやかさを求めるなら「浅草」です。「雷門」から「浅草寺」に至る「仲見世」は特にお薦めで，東京の美味を堪能したり，お土産の小物を探したりするには絶好の場所でしょう。また，夏には近くの「隅田川」で花火大会が開かれますが，日本の夏の風物詩として必見のイベントです。

　東京近郊のアミューズメントパークと言えば，「東京ディズニーランド」と「東京ディズニーシー」

がお薦めです。日本人，外国人を問わず，子供も大人も楽しめるスポットとして特に人気があります。

第47课 お祝いの贈り物（贺礼）

　個人や会社などの付き合いでは様々な場面で贈り物をする機会があります。開店や開業の時のお祝いもその１つで，日本では，新規オープンのお店の前に，紅白で縁取られた花輪が立てかけられているのを見かけることがあります。紅白の花輪はかなり目立つもので，景気づけの意味合いもあります。

　開店や開業のお祝いは花輪だけとは限りません。華やかなお花や観葉植物，お酒や置き物，絵画などもよくある贈り物ですが，できれば相手の希望を聞いてオフィスやお店で使える物を贈るのがいいとされています。

　新築や改築のお祝いでは，現金のほかに，掛け時計，絵画，陶器，茶器，食器など，インテリアの好みに合った装飾品や，いくつあっても困らないような実用的な品がよく選ばれます。なお，ライターやストーブなどは，火を連想させるので避けたほうがいいと言われています。

　親しい友人の結婚祝いや出産祝いの場合は，友人同士がお金を出し合って相手の希望の品を贈ることも珍しくありません。例えば，結婚祝いでは，洗濯機や冷蔵庫など，新婚家庭の必需品を贈ることがありますが，１人で買うには高価すぎるので，有志を募って共同購入するというわけです。

　とにかく贈り物をする時は，自分では買わないけれど，贈ってもらうとうれしい物，お洒落で，あると便利な物を選ぶといいと言われています。

第48课 季節の挨拶状（应季的贺卡）

　挨拶状にはいろいろありますが，中でも，年賀状や暑中見舞いは日本の代表的な挨拶状で，公私ともに最も一般的なものと言えるでしょう。

　日本のお正月は新暦で祝い，新年は１月１日から始まりますが，多くの日本人は新年の挨拶状として年賀状を出します。年賀状は元日に届くように，前の年から印刷や宛て名書きなどの準備を進めます。郵便局は毎年年末になると，年賀状を元日に配達できるように12月25日ぐらいまでに投函するように呼びかけます。日本では，年賀状は年内に配達されません。年内に集められた年賀状は郵便局で保管され，元旦になってからまとめて配達されます。年賀状には「お年玉付年賀はがき」がよく利用されます。これは，1949年に初めて発売されたくじ付きのはがきで，はがきの下にくじ番号が印刷されています。くじの抽選は新年１月の中ごろに行われ，当選者には毎年様々な賞品が与えられます。

　一方，夏には「暑中見舞い」を出します。小暑（7/7ごろ）から立秋（8/7ごろ）にかけて出される挨拶状ですが，立秋以降は特に「残暑見舞い」と呼ばれます。年賀状同様，「かもめーる」と呼ばれるくじ付の暑中見舞い用はがきがあり，抽選によって当選者には様々な賞品が与えられます。

　こうした季節ごとの挨拶状は，本来，自分の消息を相手に知らせるということが目的で，くじに当たるかどうかに関わらず，とても大切なものです。

IX. 图画词典　●　动词

走ります

立ちます

聞きます

歩きます

座ります

話します

読みます

開けます

押します

書きます

閉めます

引きます

飛びます

持ちます

歌います

● 动词

食<small>た</small>べます 　 飲<small>の</small>みます 　 寝<small>ね</small>ます

起<small>お</small>きます 　 洗<small>あら</small>います 　 脱<small>ぬ</small>ぎます

着<small>き</small>ます 　 運<small>はこ</small>びます 　 吸<small>す</small>います

笑<small>わら</small>います 　 泣<small>な</small>きます 　 踊<small>おど</small>ります

泳<small>およ</small>ぎます 　 打<small>う</small>ちます 　 投<small>な</small>げます

● 形容詞

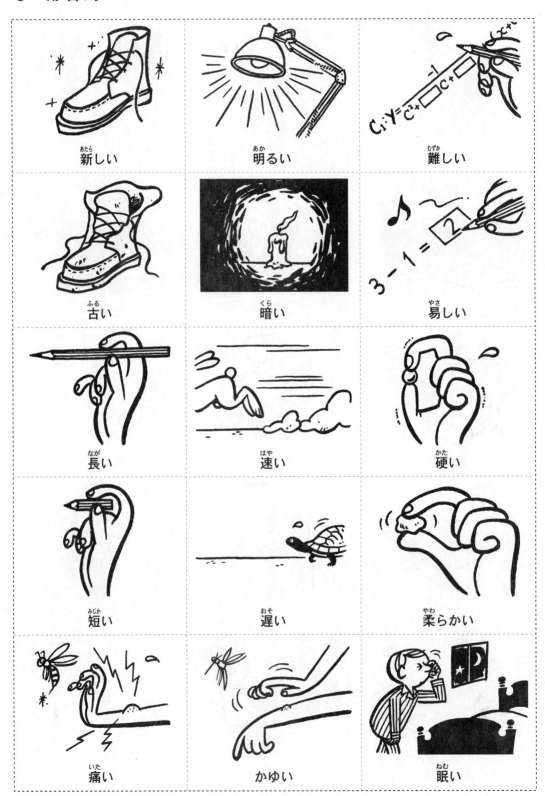

あたら 新しい	あか 明るい	むずか 難しい
ふる 古い	くら 暗い	やさ 易しい
なが 長い	はや 速い	かた 硬い
みじか 短い	おそ 遅い	やわ 柔らかい
いた 痛い	かゆい	ねむ 眠い

● 形容词

● 拟声词

ぎゅうぎゅう	くたくた	すやすや
ぱくぱく	ごくごく	すらすら
にこにこ	じろじろ	ぺらぺら
ザーザー	ガタガタ	ワンワン
ニャーニャー	コケコッコー	ブーブー